The Metropolitan Museum of Art
New York
CHEFS-D'ŒUVRE
DE LA PEINTURE EUROPÉENNE

Fondation Pierre Gianadda
Martigny Suisse

The Metropolitan Museum of Art
New York
CHEFS-D'ŒUVRE
DE LA PEINTURE EUROPÉENNE

Commissaire de l'exposition:
Katharine Baetjer
Kathryn Calley Galitz
Walter Liedtke
Mary Sprinson de Jesús

23 juin au 12 novembre 2006
Tous les jours de 9 h à 19 h

Cette exposition est placée sous le haut patronage de

Monsieur Moritz Leuenberger,
Président de la Confédération suisse

Il y a trente ans

Il y a trente ans, au printemps 1976, lors des fouilles d'une nouvelle construction que je projetais de réaliser à Martigny, les archéologues découvraient les vestiges d'un temple gallo-romain, le plus ancien de ce type jamais mis au jour en Suisse.

Quelques mois plus tard, le 31 juillet 1976, mon frère cadet Pierre décédait tragiquement des suites d'un accident d'avion en voulant porter secours à ses camarades. Cette découverte et ce drame sont à l'origine de la Fondation Pierre Gianadda.

Trente ans et sept millions de visiteurs plus tard, je tenais à marquer tout particulièrement cet anniversaire et, aujourd'hui, je suis heureux et fier que The Metropolitan Museum of Art de New York ait accepté de s'associer à la Fondation pour cette commémoration.

Il y a trente ans, qui aurait pu imaginer qu'une œuvre, une seule œuvre de la célèbre institution américaine serait un jour exposée à Martigny? Et voici que ce sont cinquante chefs-d'œuvre que nous avons le privilège de présenter aujourd'hui, un véritable panorama de la peinture européenne.

Il est vrai que, depuis maintenant de nombreuses années, nous avons la chance d'entretenir des relations de confiance et d'amitié privilégiées avec The Metropolitan Museum of Art, lequel, en 1990 déjà, nous prêtait un Modigliani sans se douter peut-être de l'effet domino que cette présence entraînerait auprès d'autres prêteurs et musées. La plupart de nos grandes expositions ont été enrichies par des prêts fidèles et successifs du Met, parfois avec des expositions complètes, prestigieuses, telles que la *Collection Gelman* en 1994 ou les *Trésors du monastère Sainte-Catherine du mont Sinaï* en 2004. Déjà les expositions *Picasso et le cirque* l'année prochaine, *Balthus* l'année suivante, sont assurées de bénéficier de nouveau de prêts importants.

Je me souviens de cette séance de travail, à New York, le 29 mars 2005, où l'on passait en revue les œuvres proposées pour notre exposition. Avec Mahrukh Tarapor, directrice associée pour les Expositions, Katharine Baetjer, conservateur du Département des peintures européennes, et Susan Alyson Stein, conservateur pour les Peintures européennes du XIXe siècle, j'avais l'impression de faire mon marché. Lorsque j'ai demandé à mes interlocutrices de visiter les réserves du Musée, surprises elles répondirent:

– Mais pourquoi voulez-vous visiter nos réserves?
– J'aimerais quand même voir les tableaux proposés, autrement qu'en reproductions…
– Bien entendu, c'est prévu, sauf que les tableaux qui voyageront chez vous ne sont pas stockés dans les réserves, mais pratiquement tous accrochés à nos cimaises…

Dans les salles, lorsqu'on me montra *Flora*, l'œuvre de Rembrandt retenue, j'admirai le tableau voisin du maître, *Le Porte-étendard (Floris Soop)*, quand Katharine me dit:

– Si vous le préférez…

Ensuite, on me laissa choisir le Millet, le Corot et, devant mon hésitation entre deux Renoir, Susan ajouta même, le plus sérieusement du monde:

– Si vous voulez les deux!

Comment pouvais-je imaginer que la majeure partie des cinquante œuvres présentes à Martigny sont en permanence accessibles au public à New York!

Aujourd'hui, j'aimerais dire ma vive reconnaissance à Philippe de Montebello, directeur, pour l'immense cadeau qu'il nous fait, d'une part, et le remercier de sa présence au vernissage, d'autre part. Il y a peu de temps encore, M. de Montebello apportait sa touche personnelle au choix des œuvres en ajoutant le Manet…

Mes remerciements s'adressent aussi tout particulièrement à Mahrukh Tarapor, qui n'a pas ménagé sa peine pour qu'un tel rêve devienne réalité.

Ma gratitude va également à Everett Fahy et Gary Tinterow, ainsi qu'à Katharine Baetjer, commissaire de l'exposition et auteure du catalogue, pour la compétence et la disponibilité dont elle a fait preuve tout au long de la réalisation de ce projet. Je remercie également pour leur aide précieuse tous les collaborateurs du Met, amis fidèles de la Fondation, notamment Herbert M. Moskowitz, John P. O'Neill et Martha Deese.

Je souhaite à nos visiteurs une découverte agréable et instructive de cette prestigieuse exposition.

Léonard Gianadda
Président de la
Fondation Pierre Gianadda
Membre de l'Institut

Remerciements

La Fondation Pierre Gianadda exprime sa vive reconnaissance au Metropolitan Museum of Art de New York, qui a permis la réalisation de cette exposition, tout particulièrement:

Philippe de Montebello
Director and Chief Executive Officer

Emily Kernan Rafferty
President

Mahrukh Tarapor
Associate Director for Exhibitions/Director for International Affairs, Geneva Office

Everett Fahy
John Pope-Hennessy Chairman, Department of European Paintings

Gary Tinterow
Engelhard Curator in Charge, Department of Nineteenth-Century, Modern, and Contemporary Art

Martha Deese
Senior Administrator for Exhibitions and International Affairs

Sa gratitude s'adresse également aux auteurs des textes de ce catalogue:

Katharine Baetjer
Curator, Department of European Paintings

Kathryn Calley Galitz
Assistant Curator, Department of Nineteenth-Century, Modern, and Contemporary Art

Walter Liedtke
Curator, Department of European Paintings

Mary Sprinson de Jesús
Research Fellow, Department of European Paintings

ainsi qu'à toutes les personnes qui ont apporté leur soutien, notamment:

Peter Antony
George Bisacca
François Boisivon
Lisa Cain
Andrew Caputo
Catherine Courter
Christophe Darbellay
Josephine Dobkin
Nelly Hofmann
Jean-Frédéric Jauslin

Dorothy Kellett
Theresa King-Dickinson
Philippe Knecht
Gary Kopp
Patricia Lurati
Dorothy Mahon
Francesca Marzullo
Patrice Mattia
John McKanna
Alain Michet

Nestor Montilla
Herbert M. Moskowitz
John P. O'Neill
Bruce Schwarz
Susan Alyson Stein
Linda Sylling
Dale Tucker
Roger Veluzat
James Voorhies

A Hildegard

Avant-propos

par Philippe de Montebello
Directeur
The Metropolitan Museum of Art

En décembre 1989, The Metropolitan Museum of Art inaugurait, avec une immense fierté, l'exposition consacrée à la collection de Jacques et Natasha Gelman: quatre-vingt-une pièces – peintures, dessins et sculptures – signées de trente maîtres de l'art européen du XXᵉ siècle. Cette splendide exposition, où les artistes de l'école de Paris étaient particulièrement bien représentés, qui rendait hommage à Natasha Gelman et à son défunt mari, Jacques, fut extrêmement bien reçue à New York, puis à la Royal Academy de Londres. Mais les demandes ultérieures d'emprunter la collection, qu'elles provinssent de musées aux Etats-Unis ou à l'étranger, furent invariablement accueillies par un refus sans appel de Mrs. Gelman.

A cette époque, Mahrukh Tarapor, qui était directrice assistante pour les Expositions, reçut un coup de téléphone de Léonard Gianadda, qui se présenta comme le président de la Fondation Pierre Gianadda à Martigny, laquelle souhaitait emprunter les chefs-d'œuvre de Mrs. Gelman. Ayant entendu dire que la collection n'appartenait pas au musée et qu'un tel prêt était pour le moins improbable, il demanda à rencontrer personnellement la propriétaire. On ne lui opposa pas d'objection. Quelques jours plus tard, Mrs. Gelman nous faisait savoir qu'elle aimerait faire quelque chose pour la Suisse, et M. Gianadda nous confirma que l'intégralité de la collection Gelman avait été promise en prêt à Martigny, où l'on put la voir du 18 juin au 1ᵉʳ novembre 1994. (Après la mort de Mrs. Gelman, en 1998, les œuvres revinrent au Metropolitan Museum et furent intégrées aux collections permanentes.)

La Fondation Pierre Gianadda et son président prodiguèrent à la présentation de l'exposition Gelman à Martigny tout le soin et toute l'attention qu'on imagine. Le programme de la Fondation a depuis poursuivi son développement, et ses expositions accueillent un public nombreux, averti et enthousiaste. M. Gianadda avait établi avec le regretté William S. Lieberman, conservateur du Département d'art du XXᵉ siècle au Metropolitan Museum et qui fut de longue date un proche de Jacques et Natasha Gelman, une complicité professionnelle et une amitié personnelle. Le Metropolitan Museum a également prêté peintures et dessins pour des expositions

Foreword

by Philippe de Montebello
Director
The Metropolitan Museum of Art

In December 1989, with the greatest pride, The Metropolitan Museum of Art opened an exhibition dedicated to the collection of Jacques and Natasha Gelman: eighty-one paintings, drawings, and sculptures by thirty masters of twentieth-century European art. This splendid exhibition, with its exceptional representation of artists of the School of Paris, honored Natasha Gelman and her late husband, Jacques, and was exceedingly well received in New York and afterward at the Royal Academy in London. However, each subsequent request to borrow the collection, whether from another museum in the United States or from abroad, was greeted by Mrs. Gelman with a firm response in the negative.

At that time, Mahrukh Tarapor, then Assistant Director for Exhibitions, answered a telephone call from Léonard Gianadda, who identified himself as president of the Fondation Pierre Gianadda in Martigny and asked whether the Fondation could borrow Mrs. Gelman's masterpieces. Having heard that the collection did not belong to the Museum, and that such a loan was to the highest degree unlikely, he asked whether he might personally contact the owner. There was no objection. Within days, Mrs. Gelman advised us that she would like to do something for Switzerland, and M. Gianadda confirmed that the entire Gelman collection had been promised on loan to Martigny, where it was on view from June 18 through November 1, 1994. (Subsequent to Mrs. Gelman's death in 1998, the collection in its entirety came to the Museum as part of the permanent collection.)

The Fondation Pierre Gianadda and its president lavished care and attention on the presentation of the Gelman exhibition in Martigny. The Fondation's program continues to grow and its exhibitions have a large, well-informed, and appreciative public. M. Gianadda established professional understandings and a personal friendship with the late William S. Lieberman, Jacques and Natasha Gelman Chairman of Twentieth-Century Art. More recently, the Metropolitan Museum has lent paintings and drawings to monographic exhibitions held in Martigny: Edouard Manet and

monographiques présentées à Martigny: Edouard Manet et Suzanne Valadon, la même année, en 1996; Paul Gauguin, en 1998; Berthe Morisot, en 2002, et Paul Signac, en 2003. A la clôture, en 2004, de notre exposition *Byzance: foi et pouvoir* – avec le soutien du Conseil supérieur des antiquités égyptiennes et de l'Association Suisse des Amis de la Fondation Sainte-Catherine à Genève –, nous fûmes en mesure de prêter notre concours pour qu'icônes et trésors du monastère de Sainte-Catherine au mont Sinaï puissent être ensuite présentés à la Fondation Pierre Gianadda.

A la demande de Léonard Gianadda, qui désirait une exposition provenant entièrement du Metropolitan Museum, nous avons envoyé cinquante peintures européennes, datant du XVIe jusqu'au XIXe siècle. La présentation des vieux maîtres constitue pour la Fondation Pierre Gianadda une manière de point de départ. Nous espérons que ces chefs-d'œuvre, signés le Greco, Rembrandt, Poussin, Constable et Goya, pour ne citer qu'eux, trouveront une audience également réceptive.

Mahrukh Tarapor, aujourd'hui directrice associée pour les Expositions et travaillant à partir du nouveau bureau du musée à Genève comme directrice pour les Affaires internationales, a guidé ce projet depuis le début, avec sa perspicacité et son discernement habituels. La sélection a été faite par Katharine Baetjer, conservateur du Département des peintures européennes. Elle est l'auteur du catalogue, conjointement avec Walter Liedtke, conservateur, Mary Sprinson de Jesús, chercheur, également au Département des peintures européennes, et Kathryn Calley Galitz, assistante conservateur pour les Peintures européennes du XIXe siècle. J'aimerais remercier les deux têtes du département, Everett Fahy et Gary Tinterow; Susan Alyson Stein, conservateur pour les Peintures européennes du XIXe siècle; Herbert M. Moskowitz, *chief registrar*; John P. O'Neill, directeur éditorial et directeur général des Publications, ainsi que Dale Tucker, éditeur; Dorothy Mahon, restaurateur, et Bruce Schwarz, photographe, qui, tous, ont participé à la préparation de l'exposition ou à la rédaction et à l'illustration du catalogue.

P. de M.

Outre celles et ceux cités par le directeur, j'aimerais exprimer mes remerciements à Peter Antony, George Bisacca, Lisa Cain, Andrew Caputo, Catherine Courter, Martha Deese, Josephine Dobkin, Dorothy Kellett, Theresa King-Dickinson, Gary Kopp, Patricia Lurati, Francesca Marzullo, Patrice Mattia, John McKanna, Nestor Montilla et James Voorhies, qui ont aussi participé à l'organisation de cette exposition ou à la préparation de son catalogue.

Katharine Baetjer, Conservateur
Département des peintures européennes
The Metropolitan Museum of Art

Suzanne Valadon, both in 1996; Paul Gauguin, in 1998; Berthe Morisot, in 2002; and Paul Signac, in 2003. After the close in 2004 of our exhibition Byzantium: Faith and Power—*with the support of the Egyptian Supreme Council of Antiquities and of the Association Suisse des Amis de la Fondation Sainte-Catherine in Geneva—we were able to assist in bringing the icons and other treasures from the monastery of St. Catherine at Mount Sinai to the Fondation Pierre Gianadda for a further showing.*

In response to a request from Léonard Gianadda for an entire exhibition from the Metropolitan Museum, we have sent fifty European paintings dating from the sixteenth through the nineteenth century. Showing old masters constitutes something of a departure for the Fondation Pierre Gianadda. We hope that these masterworks by El Greco, Rembrandt, Poussin, Constable, and Goya, among others, will find an equally receptive audience.

Mahrukh Tarapor, now Associate Director for Exhibitions and working from the Museum's new Geneva office as Director for International Affairs, has guided this project from its inception with her usual discernment and flair. The exhibition has been selected by Katharine Baetjer, curator in the Department of European Paintings. She is the author of the catalogue, together with Walter Liedtke, curator, and Mary Sprinson de Jesús, research fellow, also of the European Paintings Department, and Kathryn Calley Galitz, assistant curator of Nineteenth-Century European Paintings. I should like to thank the two heads of department, Everett Fahy and Gary Tinterow; Susan Alyson Stein, curator of Nineteenth-Century European Paintings; Herbert M. Moskowitz, Chief Registrar; John P. O'Neill, Editor in Chief and General Manager of Publications, and Dale Tucker, Senior Editor; Dorothy Mahon, Conservator; and Bruce Schwarz, Senior Photographer, all of whom participated in the preparation of the exhibition or the catalogue manuscript and photography.

P. de M.

In addition to those mentioned by the Director, I should like to express my appreciation to Peter Antony, George Bisacca, Lisa Cain, Andrew Caputo, Catherine Courter, Martha Deese, Josephine Dobkin, Dorothy Kellett, Theresa King-Dickinson, Gary Kopp, Patricia Lurati, Francesca Marzullo, Patrice Mattia, John McKanna, Nestor Montilla and James Voorhies, who have also participated in the organization of the exhibition or the preparation of its catalogue.

*Katharine Baetjer, Curator
Department of European Paintings
The Metropolitan Museum of Art*

Introduction

par Katharine Baetjer,
avec la collaboration de Francesca Marzullo

Avec la fin de la guerre de Sécession, en 1865, il devint évident pour beaucoup que les Etats-Unis, désormais puissance mondiale, se devaient d'entrer dans l'arène culturelle. L'avocat John Jay, petit-fils de l'homme d'Etat du même nom, plaida activement la cause d'un musée d'art à New York et pour New York. Le publiciste William Cullen Bryant présida le premier meeting en faveur de ce musée, qui se tint au club de la Union League, le 23 novembre 1869. Deux mois plus tard, le 31 janvier 1870, John Taylor Johnston (fig. 1), entrepreneur de chemins de fer, était élu président du conseil d'administration du tout nouveau Metropolitan Museum, Bryant devenait vice-président et William T. Blodgett (fig. 2), directeur d'une fabrique locale de vernis, président du comité exécutif. Les peintres de paysage John F. Kensett et Frederic Edwin Church rejoignaient, en tant qu'administrateurs fondateurs, une pléiade de New-Yorkais, mus par l'esprit de civisme. Un petit immeuble, au n° 861 de la Cinquième Avenue, qui avait hébergé l'académie de danse d'Allen Dodworth, était loué au musée avec un bail de trois ans.

Le Metropolitan Museum of Art ouvrit ses portes le 17 février 1872: des huîtres et du punch furent servis aux artistes et aux journalistes. Une réception pour les administrateurs fut donnée le 19; les souscripteurs et leurs invités vinrent visiter les lieux le lendemain et le grand public fut admis le 22 février. On pouvait admirer deux sculptures qui avaient été prêtées – un bronze d'après Ludwig von Schwanthaler, *Jeune Fille dansant* (fondu en 1854) et un Napoléon de marbre (postérieur à 1867) de Vincenzo Vela –, ainsi que la petite collection du musée, au complet ou presque, qui comptait 174 peintures de maîtres anciens européens. Ces toiles avaient été achetées à Paris et à Bruxelles, en pleine guerre franco-prussienne, par Blodgett, dans l'intention de les rétrocéder à prix coûtant au tout jeune musée new-yorkais. Les vendeurs étaient deux Belges: Léon Gauchez, qui tint le rôle principal, dont on sait peu de chose, et Etienne Le Roy, restaurateur et galeriste bruxellois, également «commissaire-expert» du Musée royal de peinture et de sculpture de Bruxelles, qui faisait autorité en matière de peinture flamande et hollandaise. A cette époque, il n'existait pas

Introduction

by Katharine Baetjer,
with the assistance of Francesca Marzullo

Fig. 1. Léon Bonnat, Français, 1833-1922. *John Taylor Johnston*, 1880. Huile sur toile, 133,4 × 111,8 cm. Don des administrateurs, 1880 (80.8)

Fig. 1. Léon Bonnat, French, 1833–1922. John Taylor Johnston, *1880. Oil on canvas, 133.4 × 111.8 cm. Gift of the Trustees, 1880 (80.8)*

With the end of the American Civil War in 1865, it was widely felt that the United States of America, by then a world power, should enter the cultural arena. John Jay, attorney and grandson of the first secretary of state, was the most active advocate for the establishment of an art museum in and for the city of New York, while journalist and orator William Cullen Bryant chaired the first organizational meeting, held at the Union League Club on November 23, 1869. Two months later, on January 31, 1870, John Taylor Johnston (fig. 1), a railroad man, was elected chairman of the board of the new Metropolitan Museum, with Bryant

Fig. 2. Eastman Johnson, Américain, 1824-1906. *Noël: la famille Blodgett*, 1864. Huile sur toile, 76,2×63,5 cm. Don de Mr. et Mrs. Stephen Whitney Blodgett, 1983 (1983.486)

Fig. 2. Eastman Johnson, American, 1824–1906. Christmas-Time: The Blodgett Family, *1864. Oil on canvas, 76.2×63.5 cm. Gift of Mr. and Mrs. Stephen Whitney Blodgett, 1983 (1983.486)*

as vice-president and William T. Blodgett (fig. 2), executive of a local varnish company, as chairman of the executive committee. American landscape painters John F. Kensett and Frederic Edwin Church joined various other civic-minded New Yorkers as founding trustees. A small building at 861 Fifth Avenue that had housed Allen Dodworth's Dancing Academy was leased for three years as the Museum's first home.

The Metropolitan Museum of Art opened its doors on February 17, 1872, serving oysters and punch to artists and members of the press. A reception for the trustees was held on the nineteenth, subscribers and their guests visited the following day, and the general public was admitted on February 22. On view were two sculptures on loan—a bronze Dancing Girl (cast 1854) after Ludwig von Schwanthaler, and a marble Napoleon (after 1867) by Vincenzo Vela—together with most or all of the Museum's small collection of 174 European old master paintings. These had been bought in Paris and Brussels, in the midst of the Franco-Prussian War, by Blodgett, whose intention it had been to offer them at cost to the fledgling New York museum. The dealers were two Belgians: Léon Gauchez, the principal, of whom little is known, and Etienne Le Roy, a restorer and gallery owner in Brussels who also acted as commissaire-expert of the Musée Royal de Peinture et de Sculpture of Belgium in Brussels. The latter was widely recognized as an expert in Flemish and Dutch painting. In those days, there were no photographs in circulation of works of art on the market, and only Blodgett and one fellow trustee, William J. Hoppin, had actually seen the pictures—which were still in Paris, Brussels, or en route by way of Liverpool to the New York Custom House—when the commitment was made to buy them. The transaction has come to be known as the purchase of 1871 (see cat. nos. 4, 5, 9, 17, 30).

There were few authentic old master paintings in the United States in the 1860s and 1870s, and Blodgett, Johnston, and the other board members came to believe that the onset of the Franco-Prussian War had afforded them a unique opportunity to buy such works in a depressed European market. In August 1870, Gauchez, who must have encouraged Blodgett in this conviction from the first, presented fifty-nine paintings for purchase as the property of a single Parisian owner, the collection to be bought in its entirety or not at all. It has been possible to trace roughly one quarter of the fifty-nine to art sales in Paris and elsewhere, mostly in the later 1860s, and therefore, despite his claim to the contrary, the works were from the stock of Gauchez or some other local dealer and had been assembled for the occasion. The Poussin Midas (cat. no. 30), for example, had been on the Paris art market as recently as March 16 or 17, 1870, and within a couple of weeks of that date

de photographies des œuvres d'art mises sur le marché. Ainsi, seuls Blodgett et l'un des membres du conseil d'administration, William J. Hoppin, avaient pu voir les peintures – qui étaient encore à Paris et à Bruxelles ou bien déjà en route, par Liverpool, vers le bureau des douanes de New York – lorsque l'engagement d'achat fut signé. La transaction resta dans les annales sous le nom de la «vente de 1871» (voir cat. nᵒˢ 4, 5, 9, 17, 30).

Dans les années 1860 et 1870, les Etats-Unis ne possédaient que quelques rares toiles authentiques de maîtres anciens. Blodgett, Johnston et les autres membres du conseil d'administration en vinrent à penser que l'éclatement de la guerre franco-prussienne leur offrait une chance unique d'acquérir des œuvres sur un marché européen déprimé. En août 1870, Gauchez, qui avait dû, dès le départ, encourager Blodgett dans cette opinion, lui proposait cinquante-neuf peintures, constituant, disait-il, la collection d'un amateur parisien, que celui-ci

voulait vendre en bloc. Or, on a pu retrouver la trace d'environ un quart des cinquante-neuf toiles dans les salles des ventes de Paris et d'ailleurs, au cours des années 1860 pour la plupart, ce qui signifie donc qu'en dépit de ses allégations, les œuvres provenaient du stock de Gauchez ou d'un autre marchand local et avaient été réunies pour l'occasion. Ainsi le *Midas* de Poussin (cat. nº 30) a-t-il pu être identifié sur le marché parisien très peu de temps avant la vente, le 16 ou le 17 mars 1870, et, à quelques semaines de là, Gauchez le proposait pour achat au musée de Bruxelles.

Dès que Blodgett eut acheté la «collection de Paris», Gauchez dut se rendre à Bruxelles, pour conclure avec Le Roy les termes fixant la vente de ce qui allait devenir la «collection de Bruxelles», puisque c'est sous ce nom que Blodgett l'acquerrait le 22 septembre. Ce deuxième groupe, comprenant cent peintures, fut montré aux acheteurs dans la galerie que tenait Le Roy en Belgique. Sa provenance n'était pas moins douteuse que celle du premier groupe. Il s'est avéré que plus d'un tiers de ces toiles avaient circulé sur le marché européen, entre les années 1840 et 1870, alors qu'elles avaient été présentées comme propriété d'un distingué collectionneur belge censé les avoir hypothéquées auprès d'une banque pour couvrir ses créances. Le bruit courait qu'il s'agissait de Martin ou de Félix Cornet de Ways Ruart, et quelques pièces mineures ont effectivement pu appartenir à l'un ou à l'autre, quoique cela n'ait jamais été prouvé. La «collection», majoritairement composée de toiles d'Europe du Nord, de qualité inégale, comprenait certainement un stock réuni par Le Roy au fil des ans, y compris des œuvres qu'il n'avait pu vendre. Le Teniers (cat. nº 17) comptait parmi les quelques très belles peintures que Blodgett obtint de Le Roy. Gauchez réunit ensuite et vendit un troisième et dernier groupe, seize toiles, plutôt modestes, le 27 septembre de la même année.

Un catalogue, qui prit la forme d'une traduction corrigée de la documentation rassemblée par les vendeurs, fut publié pour accompagner l'exposition d'inauguration en 1872, et depuis cette époque, le Metropolitan Museum a non seulement publié des catalogues de ses collections permanentes, mais aussi des œuvres qui lui ont été prêtées. Le musée participe à différentes publications savantes; les ouvrages traitant des collections tendent à se spécialiser, et les catalogues des expositions prêtées au musée à être plus détaillés. Un volume exclusivement consacré aux peintures européennes conservées au musée fut publié séparément, en neuf éditions successives, entre 1904 et 1931. La série fut alors remplacée par des catalogues critiques illustrés englobant une ou plusieurs écoles nationales. Dix de ces ouvrages, trois catalogues généraux ainsi que des catalogues spécifiques des collections Robert Lehman, Jack et Belle Linsky et Wrightsman ont été publiés depuis 1940. Une liste des

Gauchez had offered it for purchase to the Brussels museum.

As soon as Blodgett bought the "Paris collection," Gauchez must have rushed to Brussels to enter into an agreement with Le Roy, whereby what would be known as the "Brussels collection" could be placed on offer, as Blodgett gained title to the latter on September 22. The second group, comprising one hundred paintings, was presented for viewing at Le Roy's gallery in the Belgian capital and was similarly provided with a spurious provenance. More than a third can be traced to auctions in Paris or elsewhere in northern Europe from the 1840s to 1870, whereas all were said to have come from a distinguished Belgian collection that had been mortgaged to a creditor bank. Rumor suggested either Martin or Félix Cornet de Ways Ruart as the former owner, and some minor works conceivably may have come from one or the other, but this has not been proved. The collection, mostly of northern European pictures, uneven in quality, surely comprised stock held by Le Roy over the long term, including works he had failed to sell. The Teniers (cat. no. 17) was among the few very fine paintings that Blodgett secured from Le Roy. Gauchez then assembled and sold a third and last group, sixteen rather modest pictures, on September 27 of the same year.

A catalogue that took the form of an amended translation of the dealers' documentation was published to accompany the opening display of 1872, and from that time on the Metropolitan Museum has published not only catalogues of its permanent collection but also of works of art on loan. The Museum supports scholarly publications of various kinds, while books on the collection have tended to become more specialized, and catalogues of loan exhibitions more comprehensive. A separate volume on the European paintings in the Museum's collection was published in nine editions between 1904 and 1931. The series was then replaced with critical, illustrated catalogues covering one or more national schools. Ten such books, three summary catalogues, and catalogues devoted to the Robert Lehman, Jack and Belle Linsky, and Wrightsman collections have been published since 1940. A list of the principal publications devoted to the Metropolitan's European paintings and to the history of the Museum appears at the end of this essay.

As soon as the Metropolitan Museum opened, the trustees turned their attention to finding a site for a permanent new building, and in April 1872 New York's parks commissioners designated the portion of Central Park fronting Fifth Avenue between 79th and 84th Streets for the purpose. The Dodworth building had almost immediately proved inadequate, and despite the financial panic and severe economic downturn

Fig. 3. Frank Waller, Américain, 1842-1923. *Vue intérieure du Metropolitan Museum of Art, alors à la 14ᵉ Rue*, 1881. Huile sur toile, 61×50,8 cm. Achat, 1895 (95.29)

Fig. 3. Frank Waller, American, 1842–1923. Interior View of The Metropolitan Museum of Art when in Fourteenth Street, *1881. Oil on canvas, 61× 50.8 cm. Purchase, 1895 (95.29)*

principaux titres consacrés aux peintures européennes du Metropolitan Museum et à l'histoire du musée figure à la fin de ce texte.

Dès que le musée ouvrit ses portes, les administrateurs s'enquirent d'un lieu permanent pour de nouveaux locaux, et, en avril 1872, la Commission des parcs de la ville de New York leur réserva la portion de Central Park faisant face à la Cinquième Avenue, entre la 79ᵉ et la 84ᵉ Rue. Le Dodworth building s'était presque immédiatement révélé inapproprié; c'est pourquoi, malgré la crise financière et la grave récession économique de 1873, les administrateurs, lancés dans un programme d'expositions temporaires de prêts, signèrent avec optimisme le

of 1873 the trustees, having embarked on a program of temporary loan shows, optimistically took the lease of a larger space, the Douglas Mansion (fig. 3) at 128 West 14ᵗʰ Street. The Museum's first wholly American exhibition was held there in 1873 and included the last summer's work of recently deceased trustee John F. Kensett supplemented by three allegorical landscapes by Thomas Cole. As would usually be the case with American art museums, the Metropolitan had been founded with the intention of building a collection, and in the early years the assemblage of works of art was shaped almost exclusively by what came on the market. The Dodworth building had been leased to

bail pour un espace plus grand, Douglas Mansion (fig. 3), au n° 128 de la 14ᵉ Rue Ouest. C'est là que se tint la première exposition entièrement américaine du musée, en 1873, comprenant notamment des œuvres de John F. Kensett – qui venait de mourir –, peintes l'été précédent, ainsi que trois paysages allégoriques de Thomas Cole. Comme cela serait généralement le cas des musées d'art américains, le Metropolitan fut fondé dans l'*intention* de construire une collection, étroitement dépendante, les premières années, de ce qu'on trouvait sur le marché. Le Dodworth building avait été loué pour y exposer les acquisitions de 1871, et le déménagement sur la 14ᵉ Rue se fit à l'occasion de l'achat par John Taylor Johnston de la collection du général Luigi Palma di Cesnola, riche de plus de dix mille antiquités exhumées à Chypre. Les antiquités chypriotes, ayant captivé le public, entrèrent dans les collections du musée tandis que

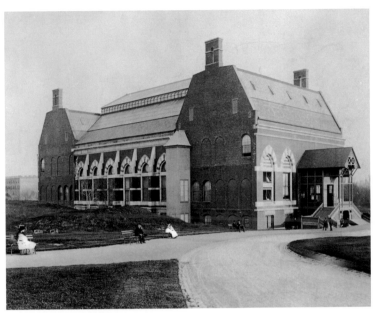

Fig. 4. The Metropolitan Museum of Art, 1880

Johnston récupérait bientôt les 60 000 dollars de son investissement grâce à des fonds levés par les administrateurs.

Les travaux de terrassement des futurs locaux de Central Park (fig. 4) commencèrent en 1874 et, en 1879, le général Cesnola supervisait le déménagement dans la nouvelle structure dont il devenait le directeur. Comme la ville avait construit le bâtiment sur ses deniers, elle en restait propriétaire, tandis que les œuvres, à l'intérieur, demeuraient en possession des administrateurs, charge à ces derniers de contribuer au bien public et de remplir une mission d'éducation. La sculpture moderne fut installée dans le hall du premier étage, que le visiteur devait traverser pour accéder à la plupart des sculptures chypriotes. Au deuxième étage, on trouvait deux galeries abritant la collection permanente de maîtres anciens et deux autres réservées aux peintures académiques du XIXᵉ siècle en prêt. Tel était le musée dans ses habits neufs, les mêmes qu'aujourd'hui, bien que les locaux se soient agrandis depuis dans des proportions considérables.

De 1887 à nos jours, le Metropolitan Museum est devenu de plus en plus dépendant de la générosité de collectionneurs privés dont la plupart, si ce n'est tous,

show the purchase of 1871, and the move to 14ᵗʰ Street was occasioned by John Taylor Johnston's purchase from General Luigi Palma di Cesnola of the latter's collection of more than ten thousand antiquities excavated on the island of Cyprus. The Cypriot antiquities, having captured the public's imagination, went to the Museum, while Johnston soon recouped his $60,000 investment from funds raised by the trustees.

Ground was broken for the Central Park building (fig. 4) in 1874, and in 1879 General Cesnola supervised the move to the new structure and became the director. As the city had provided the money to build a museum on municipal property, the city held title to the building while the trustees retained ownership of the works of art therein, which would serve educational purposes and the public good. Modern sculpture was installed in the Statuary Hall on the first floor, which the visitor passed through on the way to the main display of Cypriot sculpture. On the second floor there were two galleries housing the permanent collection of old masters and two devoted to nineteenth-century academic paintings on loan. Thus was the Museum launched in its new—and present, though vastly extended—home.

From 1887 until the present day, the Metropolitan Museum has become increasingly dependent on the generosity of private collectors, most but not all of whom are New Yorkers. I have chosen six individuals who were donors of paintings included in the present exhibition to illustrate the variety of their professional backgrounds and personal interests. In 1872, Catharine Lorillard Wolfe (fig. 5; see cat. no. 24) was reputed to be the world's wealthiest unmarried woman. The only child of a businessman who made a fortune in hardware and an heiress to tobacco millions, Miss Wolfe was a generous donor to charities of all kinds, especially schools and churches, to which she gave more than four million dollars in her lifetime. Her contributions to the Metropolitan Museum were both remarkable and unprecedented: when the new board

sont New-Yorkais. Nous avons donc choisi six personnalités, qui firent don au musée de toiles présentes dans cette exposition, pour illustrer la variété des parcours professionnels et des intérêts particuliers de ces collectionneurs. En 1872, Catharine Lorillard Wolfe (fig. 5; voir cat. nº 24) passait pour être la célibataire la plus riche du monde. Enfant unique d'un homme d'affaires qui avait fait fortune dans la quincaillerie et héritière de millions venus du tabac, Miss Wolfe donnait sans compter à toutes sortes d'institutions charitables, notamment aux écoles et aux églises, qui reçurent d'elle, au cours de sa vie, plus de quatre millions de dollars. Ses contributions au Metropolitan Museum furent à la fois remarquables et sans précédent: lorsque le nouveau conseil d'administration se mit en quête de souscriptions, à partir de 1870, Miss Wolfe promit 2500 dollars, seule contribution d'une femme et l'une des plus importantes. A sa mort, en 1887, son legs de peintures françaises du XIXᵉ siècle ne comptait pas moins de 143 œuvres, signées pour la plupart des peintres officiels consacrés par le Salon comme Adolphe Bouguereau, Alexandre Cabanel et Pierre Cot, mais aussi d'artistes de Barbizon, tels Camille Corot, Charles François Daubigny et Théodore Rousseau. L'intérêt de Miss Wolfe pour le musée demeura indéfectible, inlassable. Elle prêta dès le début, et très fréquemment par la suite, des œuvres pour les expositions, et elle légua au musée 200 000 dollars à titre de dotation, dont les revenus étaient destinés à financer les acquisitions. Ce fonds a servi à l'extension de sa collection, qui s'est notamment enrichie d'œuvres comptant parmi les pièces maîtresses du musée, notamment *La Mort de Socrate* (1787) de Jacques Louis David, *Madame Charpentier et ses enfants* (1878) d'Auguste Renoir ou encore *Le Gulf Stream* de Winslow Homer (fig. 6).

Collis P. Huntington (fig. 7; voir cat. nᵒˢ 15, 26, 27), le baron des chemins de fer, fut l'un des premiers millionnaires américains qui se préoccupèrent de réunir une véritable collection de peintures. Né dans le Connecticut en 1821, d'un naturel indépendant, ambitieux et persévérant, il parvint avec l'âge à se construire une vie confortable et des relations haut placées. Il se lança avec son frère dans le commerce de gros et parvint à étendre ses affaires jusqu'à la côte pacifique. Là, il rejoignit un groupe qui allait financer et tracer la première ligne de chemin de fer transcontinentale. En 1869, la Central Pacific, avec Leland Stanford pour président et Huntington pour vice-président, reliait la Californie à la côte est. Par la suite, Huntington fut l'un des pionniers des réseaux ferrés de Californie et de la Southern Pacific, compléta la voie de la Chesapeake et de l'Ohio, fonda la ville de Newport News, en Virginie, et investit dans des lignes de navires à vapeur. Philanthrope, il pourvut aussi à l'installation de la bibliothèque de Westchester et aida les Noirs du Sud en contribuant à la construction et à l'équipement de

Fig. 5. Alexandre Cabanel, Français, 1823-1889. *Catharine Lorillard Wolfe*, 1876. Huile sur toile, 171,5×108,6 cm. Collection Catharine Lorillard Wolfe, legs de Catharine Lorillard Wolfe, 1887 (87.15.82)

Fig. 5. Alexandre Cabanel, French, 1823–1889. Catharine Lorillard Wolfe, *1876. Oil on canvas, 171.5×108.6 cm. Catharine Lorillard Wolfe Collection, Bequest of Catharine Lorillard Wolfe, 1887 (87.15.82)*

of trustees canvassed for subscriptions beginning in 1870, Miss Wolfe's pledge of $2,500, the only gift promised by a woman, was one of the largest. At her death in 1887, her bequest of nineteenth-century French academic pictures numbered 143 works, primarily by such popular French Salon painters as Adolphe Bouguereau, Alexandre Cabanel, and Pierre Cot, but also by Barbizon artists Jean-Baptiste Camille Corot, Charles François Daubigny, and Théodore Rousseau. From the time of her initial involvement in the Museum, Miss Wolfe's interest was unremitting and lifelong. She was an early and frequent lender to exhibitions, and she bequeathed a restricted endowment of $200,000,

Fig. 6. Winslow Homer, Américain, 1836-1910. *Le Gulf Stream*, 1899. Huile sur toile, 71,4 × 124,8 cm. Collection Catharine Lorillard Wolfe, Fonds Wolfe, 1906 (06.1234)

Fig. 6. Winslow Homer, American, 1836–1910. The Gulf Stream, *1899. Oil on canvas, 71.4 × 124.8 cm. Catharine Lorillard Wolfe Collection, Wolfe Fund, 1906 (06.1234)*

l'Institut normal d'agriculture de Hampton, en Virginie, et de son homologue de Tuskegee, en Alabama.

En affaires, Huntington avait des mœurs irréprochables, et sa vie privée était celle d'un homme tranquille, qui se consacrait à son foyer, à ses livres et à ses toiles. Il appréciait le portrait anglais, point fort d'une collection de quelque deux cents toiles de maîtres anciens et du XIXᵉ siècle qu'il laissa au musée, sa femme, Arabella, et son fils, Archer, en conservant l'usufruit, jusqu'en 1925. Le legs Huntington comprend notamment *Lady Smith et ses enfants* (1787), de Joshua Reynolds, *Les Enfants Calmady* (1823), de Thomas Lawrence, et quelques pièces d'une valeur unique pour la collection hollandaise: deux Rembrandt, *Flora* (début des années 1650) et *Hendrickje Stoffels* (1660), et un Vermeer, *La Dame au luth* (fig. 8).

Sans faire de bruit, Louisine et Henry Osborne Havemeyer (fig. 9; voir cat. nᵒˢ 41, 46, 50) réunirent une si formidable collection que, lorsque Mrs. Havemeyer en donna une partie, en 1929, le Metropolitan, dont chaque département ou presque fut enrichi, vit son prestige d'institution muséale considérablement rehaussé. Toujours disposés à prêter leurs chefs-d'œuvre, Mr. et Mrs. Havemeyer contribuèrent généreusement aux expositions temporaires. Et les conditions assorties à leur donation plaident pour leur modestie, puisqu'ils refusèrent que fût mise en avant leur propre image: alors que la plupart des donateurs insistent pour que les œuvres leur ayant appartenu soient exposées au complet dans

the income from which was designated for purchases. An act of foresight, this fund has provided for the expansion of her collection to include some of the Museum's most important works, among them Jacques Louis David's The Death of Socrates *(1787), Pierre-Auguste Renoir's* Madame Charpentier and Her Children *(1878), and Winslow Homer's* The Gulf Stream *(fig. 6).*

Collis P. Huntington (fig. 7; see cat. nos. 15, 26, 27), the railroad baron, was one of the first of the American millionaires to amass a distinguished picture collection. Born in Connecticut in 1821, he was independent, ambitious, and persevering as a young man, making a good living and important business connections by the time he came of age. He and his brother went into general merchandise and he eventually extended his market to the Pacific coast. There he joined the group that would finance and design the first transcontinental railroad. In 1869 the Central Pacific Railroad Company, with Leland Stanford as president and Huntington as vice-president, established a railroad link between California and the eastern United States. Huntington then pioneered the California and Southern Pacific railway systems, completed the Chesapeake and Ohio road, founded the city of Newport News, Virginia, and invested in steamship lines. Among other charitable endeavors, he provided for the establishment of the Westchester (County) Library and Reading Room and aided southern Blacks

Fig. 7. Collis P. Huntington (1821–1900)

une salle portant leur nom, la collection Havemeyer, remarquable tant par son étendue, son importance que sa qualité, fut dispersée dans tout le musée. Expliquant sa décision, Louisine Havemeyer écrivait: «J'ai stipulé très peu de choses dans mon testament pour ce qui concerne la présentation ou l'entretien de la collection, car je crois avoir affaire à des gens qui ne sont pas moins intelligents et passionnés que je le suis, et qui sauront la conserver comme elle le mérite.»

H. O. Havemeyer avait fait fortune à la tête de l'American Sugar Refining Company. Louisine était sa seconde épouse, et ils partageaient un goût pour l'art qu'ils surent exprimer avec audace. Si leurs acquisitions étaient décidées d'un commun accord, leur collection n'en porte pas moins la marque de leurs intérêts personnels, pour lesquels elle créait un espace de dialogue et de collaboration. Henry Osborne, bien qu'il fût plus lent, en peinture, à se démarquer du goût officiel, s'affirma comme un collectionneur passionné d'art décoratif japonais et, plus généralement, d'objets d'art asiatiques. Louisine était fascinée par la peinture française contemporaine, à laquelle elle avait été initiée par l'artiste américaine Mary Cassatt, vivant alors à Paris, qui la conduisit à acheter, avec sa pension – elle avait 22 ans –, la *Répétition de ballet* (vers 1876; Nelson-Atkins Museum of Art, Kansas City) d'Edgar Degas. Les Havemeyer collectionnèrent pendant cinquante ans, et c'est grâce à eux que, dans le domaine de la peinture française de la seconde moitié du XIXᵉ siècle, le Metropolitan Museum ne le cède qu'au

by supporting the construction and equipping of the Normal Agricultural Institute in Hampton, Virginia, and a similar institute in Tuskegee, Alabama.

Huntington's business practices were irreproachable, and in his private life he was a quiet man, devoted to his home, his books, and his pictures. He favored British portraits, a strength of his collection of some two hundred old master and nineteenth-century works.

Fig. 8. Johannes Vermeer, Hollandais, 1632-1675. *La Dame au luth*, années 1660. Huile sur toile, 51,4×45,7 cm. Legs de Collis P. Huntington, 1900 (25.110.24)

Fig. 8. Johannes Vermeer, Dutch, 1632–1675. Lady with a Lute, 1660s. Oil on canvas, 51.4×45.7 cm. Bequest of Collis P. Huntington, 1900 (25.110.24)

Huntington left his collection to the Museum subject to the life interests of his wife, Arabella, and their son, Archer, who relinquished them in 1925. Among the Huntington bequests were Lady Smith and Her Children *(1787) by Joshua Reynolds, Thomas Lawrence's* The Calmady Children *(1823), and several works of unique value to the Dutch collection: two Rembrandts,* Flora *(ca. early 1650s) and* Hendrickje Stoffels *(1660), and Johannes Vermeer's* Lady with a Lute *(fig. 8).*

With little fanfare, Louisine and Henry Osborne Havemeyer (fig. 9; see cat. nos. 41, 46, 50) formed a collection so formidable that when a portion of it was received from Mrs. Havemeyer in 1929, the Museum's

Fig. 9. Louisine (1855–1929) et/*and* Henry Osborne Havemeyer (1848–1907)

standing among peer institutions was greatly enhanced and nearly every department was enriched. The scope, size, and quality of the Havemeyers' holdings was remarkable. Always committed to sharing their works, Mr. and Mrs. Havemeyer were generous lenders to temporary exhibitions. And the conditions of their bequest spoke to their modesty in refusing to project their own image or legacy: while many donors have insisted that their gifts or bequests be kept together in galleries bearing their name, this magnificent collection is dispersed throughout the Museum. In explaining her decision, Louisine Havemeyer wrote, "I have made very few stipulations in my will in regard to the placing or care of the Collection because I believe there are those who are as intelligent and as interested as I, in the care and conservation of a valuable gift."

H. O. Havemeyer made his fortune as head of the American Sugar Refining Company. Louisine was his second wife, and the two shared an intense and adventurous interest in works of art. While joint decisions guided their acquisitions, their collection bears

Musée d'Orsay à Paris. Parmi les autres chefs-d'œuvre légués au musée, il faut mentionner deux Rembrandt et deux des plus belles toiles du Greco, *Portrait d'un cardinal* (Don Fernando Nino de Guevara?) (vers 1600) et l'exceptionnelle *Vue de Tolède* (fig. 10).

Jules Bache (fig. 11; voir cat. nᵒˢ 11, 13, 16, 33) était banquier d'investissement; il créa la Banque J. S. Bache & Co., plus tard Bache & Co., l'une des plus importantes maisons de courtage des Etats-Unis. Il fit fortune à la Bourse de New York dans les années vingt et consacra six années extravagantes à réunir sa collection de maîtres anciens. Bache était l'un des plus gros clients des Frères Duveen (bien qu'il n'eût pas, cela va sans dire, l'importance d'un Andrew W. Mellon) et fit rarement affaire avec d'autres marchands d'art. Un vers de Tennyson dans le catalogue de la collection Bache publié à titre privé en 1929 nous éclaire sur sa mentalité, et, pour peu que nous y remplacions «aimer» par «posséder», sur ses intentions à l'époque: «Nous sommes toujours poussés à aimer ce qui est supérieur lorsque nous le rencontrons.» Les rares informations que nous avons sur Bache proviennent de Joseph Duveen, de ses employés ou de ses biographes.

Fig. 10. El Greco (Domenikos Theotokopoulos), Grec, 1541-1614. *Vue de Tolède*, vers 1600. Huile sur toile, 121,3×108,6 cm. Collection H. O. Havemeyer, legs de Mrs. H. O. Havemeyer, 1929 (29.100.6)

Fig. 10. El Greco (Domenikos Theotokopoulos), Greek, 1541–1614. View of Toledo, ca. 1600. Oil on canvas, 121.3×108.6 cm. H. O. Havemeyer Collection, Bequest of Mrs. H. O. Havemeyer, 1929 (29.100.6)

Dans les rapports confidentiels de la maison Duveen, Bache est désigné sous le pseudonyme de Topaze et Edward Fowles, associé de la firme et dernier propriétaire de celle-ci, l'appelait Julie.

Bien qu'il fût toujours extrêmement pressé lorsqu'il achetait ses peintures, Jules Bache examinait avec soin les pièces qu'il convoitait. Dans ses *Memories of Duveen Brothers* (Londres, 1976, p. 156), Fowles explique:

«Je me souviens d'un incident qui est très représentatif de la période. [Bache] avait acheté un petit bois peint, délicieux, de Crivelli, une *Madone à l'Enfant* [fig. 12], qui provenait de la collection Northbrook, que je lui avais vendue lors de son séjour à Paris. Quelques jours plus tard, Mrs. John D. Rockefeller appela et réclama la peinture. Joe était très embarrassé. ‹Les Rockefeller sont des gens difficiles, Eddie, me fit-il remarquer; s'ils veulent vraiment cette peinture, ça pourrait gâcher une grosse affaire de plus d'un million de dollars qu'ils sont sur le point de signer. Vous êtes au mieux avec Bache. Allez le voir, s'il vous plaît. Il est au Ritz.›

»Je passai donc voir Julie (c'était le nom que nous lui avions donné), et je le trouvai assis à son bureau. Il examinait le Crivelli avec une loupe. Sur le parapet derrière lequel la Vierge est assise, l'artiste avait représenté une mouche. ‹Regardez seulement la mouche, Edward, s'exclama Julie, elle est aussi vivante qu'une vraie!› Observation à laquelle j'acquiesçai, tandis qu'il continuait à me parler des beautés de cette peinture. Finalement, j'abordai l'objet de ma visite. Mrs. Rockefeller avait demandé l'œuvre; Joe était prêt à lui laisser 100 000 dollars de bénéfice s'il acceptait de nous la revendre. ‹Non, Edward. Je ne m'en séparerais pas pour tout l'or du monde, me répondit-il. Que représentent pour moi 100 000 dollars aujourd'hui, quand j'en gagne 500 000 rien que sur mes actions Chrysler?›»

Heureusement, les Rockefeller se désintéressèrent du Crivelli de Bache. Dans les années vingt, les plus riches New-Yorkais, se fournissant généralement auprès de la maison Duveen, se livrèrent à une course aux achats. Un jour, la fille unique de Bache, Kitty, tomba amoureuse du *Manuel Osorio de Zuñiga* (vers 1788) de Goya, le fameux «petit garçon en rouge». Elle insista pour l'avoir et Bache paya à Duveen 275 000 dollars pour le Goya, une somme inouïe à l'époque. Interrogé sur le sujet, Bache soutint qu'il avait passé un accord avec Duveen au terme duquel le marchand devait lui proposer tout ce qui pouvait survenir d'exceptionnel et qui, sinon, était présenté à des clients plus puissants. Lorsque le crash de 1929 engloutit sa fortune, Bache devait à Duveen des millions. De façon tout à fait remarquable, le marchand conserva les peintures impayées jusqu'à ce que son client fût en mesure d'acquitter ses dettes, une dizaine d'années plus tard. Bache avait caressé l'idée d'un musée privé, qui se révéla

Fig. 11. Jules Bache (1861–1944)

the marks of two individuals' interests combined, existing as a collaboration and a dialogue. H. O., although slower to depart from established taste in pictures, was an avid collector of Japanese decorative arts and other three-dimensional objects from Asia. Louisine was fascinated by contemporary French painting, a subject to which she had been introduced by the American artist Mary Cassatt, then living in Paris. It was Cassatt who led Louisine to purchase, at age twenty-two, Degas's Ballet Rehearsal *(ca. 1876; Nelson-Atkins Museum of Art, Kansas City), which she bought from her allowance. The Havemeyers built their rich and diverse collection over fifty years, and it is thanks to them that in the area of French painting from the second half of the nineteenth century the Metropolitan Museum is second only to the Musée d'Orsay, Paris. Other masterpieces from the Havemeyer bequest include a pair of Rembrandts and two of El Greco's finest canvases,* Portrait of a Cardinal *(ca. 1600) and the unique* View of Toledo *(fig. 10).*

Jules Bache (fig. 11; see cat. nos. 11, 13, 16, 33) was an investment banker who built up the Wall Street firm J. S. Bache & Co., later Bache & Co., one of the largest securities brokerage businesses in the United

Fig. 12. Carlo Crivelli, Italien, Vénitien, actif 1457-1493. *Madone à l'Enfant*, vers 1480. Tempera et or sur bois, 36,5×23,5 cm. Collection Jules Bache, 1949 (49.7.5)

Fig. 12. Carlo Crivelli, Italian, Venetian, active 1457–93. Madonna and Child, *ca. 1480. Tempera and gold on wood, 36.5×23.5 cm. The Jules Bache Collection, 1949 (49.7.5)*

finalement irréalisable; en 1943, il prêta ses peintures au Metropolitan Museum et après sa mort, en 1944, elles intégrèrent les collections permanentes. Le petit portrait de l'infante Marie-Thérèse (1651-1654) par Vélasquez et le Crivelli qu'il avait tant aimé comptent aujourd'hui parmi les pièces les plus précieuses du musée.

Sam A. Lewisohn (voir cat. nᵒˢ 47, 48), industriel, écrivain et philanthrope, consacra une bonne part de son intelligence et de son énergie à aider ses contemporains. C'était aussi un bon père de famille et une personnalité pleine de chaleur et de charme. Lewisohn écrivit un livre original sur les possibilités d'améliorer les relations entre travailleurs et patronat, et le président Franklin D.

States. He made a fortune in the New York stock market in the 1920s and spent six extravagant years buying his collection of old masters. Bache was one of the major clients of Duveen Brothers (even if not so important as, say, Andrew W. Mellon) and rarely dealt with any other art dealer. A line from Tennyson published in the privately printed 1929 catalogue of the Bache collection indicates something of his outlook, and, were we to replace "love" with "own," suggests something of his intentions at the time: "We needs must love the highest when we see it." Much of the limited information that we have about Bache comes from Joseph Duveen and his employees and biographers. Bache is referred to in the firm's confidential records as "topaz," while Edward Fowles, a partner and the last owner of Duveen Brothers, called him Julie.

Despite the fact that he was very much in a hurry when acquiring his pictures, Jules Bache scrutinized potential acquisitions and purchases with care. In his Memories of Duveen Brothers (London, 1976, p. 156), Fowles explains:

"I recall one incident typical of that period. [Bache] had purchased the small and delightful Madonna and Child by Crivelli [fig. 12] which came from the Northbrook Collection, and which I had sold him during his stay in Paris. A few days later, Mrs. John D. Rockefeller called and asked for the picture. Joe was in a quandary. 'The Rockefellers are difficult people, Eddie,' he remarked to me. 'If they really want that picture, it may spoil a large deal for over a million dollars which they are contemplating. You get on well with Bache. Please go and see him. He is over at the Ritz.'

"So I called on Julie (as we used to call him). I found him seated at his desk. He was examining the Crivelli through a magnifying glass. On the parapet behind which the Madonna is seated in the painting, the artist has depicted a fly. 'Just look at the fly, Edward,' said Julie. 'It looks as alive as a real one'—an observation to which I nodded assent while he continued to discuss the picture's other charms. Finally, I broached the object of my visit. Mrs. Rockefeller had asked for the picture: but Joe was willing to give him $100,000 profit on the painting, if he would agree to sell it back. 'No, Edward. I will never part with it for any sum,' he replied. 'What does $100,000 mean to me today, when I have made $500,000 on my Chrysler shares alone?'"

Fortunately the Rockefellers lost interest in the Bache Crivelli. The twenties saw spectacular competitive buying, principally from Duveen's, and mainly on the part of a handful of the wealthiest New Yorkers. One day, Bache's only daughter, Kitty, fell in love with Goya's Manuel Osorio de Zuñiga (ca. 1788), the so-called Red Boy. She insisted on having it, and Bache

Fig. 13. Paul Gauguin, Français, 1848-1903. *Ia Orana Maria*, 1891. Huile sur toile, 113,7×87,6 cm. Legs de Sam A. Lewisohn, 1951 (51.112.2)

Fig. 13. Paul Gauguin, French, 1848–1903. Ia Orana Maria*, 1891. Oil on canvas, 113.7×87.6 cm. Bequest of Sam A. Lewisohn, 1951 (51.112.2)*

Roosevelt fit appel à lui pour mettre en place le programme national en faveur des chômeurs et des personnes âgées. Engagé dans la réforme des prisons, Lewisohn passa aussi de nombreuses années à la tête de l'American Prison Association. C'est sur sa recommandation que fut instituée une nouvelle commission new-yorkaise des grâces et des libertés conditionnelles, qui déboucha sur un traitement plus individualisé des prisonniers.

Lewisohn fut non seulement mécène et administrateur du Metropolitan Museum, mais aussi du Museum of Modern Art, dont il fut vice-président. En 1951, le Metropolitan reçut un certain nombre de pièces provenant de sa collection d'impressionnistes et de postimpressionnistes, notamment l'*Etude pour «Un dimanche à la Grande Jatte»* (1884-1885) de Seurat et *Ia Orana Maria* (fig. 13) de Gauguin. Lewisohn père, Adolph de son prénom, qui s'intéressait aussi à la musique et aux beaux-arts, était collectionneur depuis 1885. Il avait d'abord préféré les

paid Duveen $275,000 for the Goya, an unheard-of amount at the time. When questioned about it, Bache maintained that he had an understanding with Duveen whereby the dealer would offer him any outstanding picture that came on the market and that might otherwise have been offered to more powerful clients. When Bache lost his fortune in the crash of 1929, he owed Duveen millions. Remarkably, the dealer held on to the unpaid-for pictures until his client was able to cancel his debt a decade later. Bache had considered a private museum but eventually realized that this was not practicable; he lent his pictures to the Metropolitan in 1943 and they came here permanently after his death in 1944. Velázquez's small portrait of the Infanta María Teresa (1651–54) and the Crivelli that he so loved became highlights of the permanent collection.

Sam A. Lewisohn (see cat. nos. 47, 48) was an industrialist, writer, and philanthropist who gave much of his intelligence and energy to the aid and celebration of his fellow humans. He was also a family man and an individual of great warmth and charm. Lewisohn wrote a pioneering book on the possibilities of improved relations between labor and management, and President Franklin D. Roosevelt called on him to aid in the development of a national program for the unemployed and the aged. Committed to prison reform, Lewisohn also served for many years as head of the American Prison Association. It was on his recommendation that a New York Board of Pardon and Parole was established, leading to individual rather than mass treatment of the incarcerated.

Lewisohn was a patron and trustee of both the Metropolitan Museum and the Museum of Modern Art, of which he was a vice-president. In 1951, this Museum received a number of important bequests from his Impressionist and Post-Impressionist collection, notably Study for "A Sunday on La Grande Jatte" (1884–85) by Georges Pierre Seurat and Paul Gauguin's Ia Orana Maria (fig. 13). Lewisohn's distinguished father, Adolph, who was also interested in music and the fine arts, had been a collector since 1885. At first Adolph had preferred works of the Barbizon School, but as he came increasingly to trust Sam's judgment, the two amassed an extraordinary holding of the "moderns," withstanding the scorn of friends for their choice of works by Gauguin and Paul Cézanne. The younger Lewisohn also admired American art, choosing paintings by George Bellows in 1915 and by Albert Pinkham Ryder in 1917, long before their work was widely known. Among other institutions in which he was interested and to which he contributed were the National Gallery of Art, the Brooklyn Museum, City College, and Princeton University. Lewisohn's

œuvres de l'école de Barbizon, mais, se fiant peu à peu au jugement de son fils, il réunit avec lui une extraordinaire collection de «modernes», sans se préoccuper du mépris dans lequel leurs amis tenaient les œuvres de Gauguin et de Cézanne qu'ils achetaient. Sam aimait aussi l'art américain; il acquit en 1915 des œuvres de George Bellows et en 1917 d'Albert Pinkham Ryder, longtemps avant que ces deux artistes ne fussent reconnus. Parmi les autres institutions qu'il soutint, il faut mentionner la National Gallery of Art, le Brooklyn Museum, le City College et l'Université de Princeton. La veuve de Lewisohn, Margaret, donna plus tard au Metropolitan Museum des œuvres de Gauguin et de Daumier en mémoire de son mari.

Sur les cinquante œuvres aujourd'hui prêtées à la Fondation Pierre Gianadda, quarante-quatre furent données ou léguées par des particuliers ou encore achetées grâce à des fonds qu'ils avaient fournis. Seize seulement furent achetées directement par le musée. Encore faut-il noter qu'une partie des acquisitions de 1871 fut payée grâce aux souscriptions initiales. C'est dire, du moins pour ce qui concerne les acquisitions, combien la perspicacité, le goût et le dynamisme des particuliers ont façonné les collections des musées d'art américains, et du Metropolitan Museum en particulier. Certains de nos plus grands mécènes ayant exigé que leurs œuvres d'art demeurent en exposition permanente dans les locaux de la 82e Rue, nous ne pouvons que souhaiter, lorsque vous viendrez à New York, votre visite au musée, pour y admirer notamment les Rembrandt du legs Benjamin Altman, le portrait de la famille Rubens (fig. 14) et le cinquième Vermeer entré dans nos collections, dons tous deux de Charles et Jayne Wrightsman, ainsi que les splendides Van Gogh (fig. 15) donnés, légués et achetés ces dernières années pour le musée par Walter H. et Leonore Annenberg.

K.B.B.

Winifred E. Howe, *A History of The Metropolitan Museum of Art with a Chapter on the Early Institutions of Art in New York*, New York, 1913. Winifred E. Howe, *A History of The Metropolitan Museum of Art*, vol. 2, *Problems and Principles in a Period of Expansion*, New York, 1946. Calvin Tomkins, *Merchants and Masterpieces: The Story of The Metropolitan Museum of Art*, éd. rev. et corr., New York, 1989. Katharine Baetjer, «Buying Pictures for New York: The Founding Purchase of 1871», *Metropolitan Museum Journal* 39 (2004), pp. 161-245.

* * *

Harry B. Wehle, *A Catalogue of Italian, Spanish and Byzantine Paintings*, New York, 1940. Harry B. Wehle et Margaretta M. Salinger, *A Catalogue of Early Flemish, Dutch and German Paintings*, New York, 1947. Josephine L. Allen et Elizabeth E. Gardner, *A Concise Catalogue of the European Paintings in The Metropolitan Museum of Art*, New York, 1954. Charles Sterling,

Fig. 14. Pierre Paul Rubens, Flamand, 1577-1640. *Rubens, son épouse Hélène Fourment et leur fils Pierre Paul,* vraisemblablement fin des années 1630. Huile sur bois, 203,8×158,1 cm. Don de Mr. et Mrs. Charles Wrightsman, en l'honneur de Sir John Pope-Hennessy, 1981 (1981.238)

Fig. 14. Peter Paul Rubens, Flemish, 1577–1640. Rubens, His Wife Helena Fourment, and Their Son Peter Paul, probably late 1630s. Oil on wood, 203.8×158.1 cm. Gift of Mr. and Mrs. Charles Wrightsman, in honor of Sir John Pope-Hennessy, 1981 (1981.238)

widow, Margaret, later gave the Metropolitan works by Gauguin and Honoré Daumier in his memory.

In addition to the initial subscriptions, a part of which paid for the purchase of 1871, forty-three individuals gave, bequeathed, or provided funds for the purchase of the fifty works of art at present on loan to the Fondation Pierre Gianadda. Only sixteen of them were purchased, an indicator of how, insofar as acquisitions are concerned, the perspicacity, taste, and drive of private individuals have always shaped the holdings of American art museums, the Metropolitan Museum among them. Several of our most important patrons have stipulated that their works of art remain on permanent exhibition at 82nd Street, and it is our hope, therefore, that when you visit New York you will come

Fig. 15. Vincent van Gogh, Hollandais, 1853-1890. *Champ de blé avec cyprès*, 1889. Huile sur toile, 73×93,4 cm. Achat, don de la Fondation Annenberg, 1993 (1993.132)

Fig. 15. Vincent van Gogh, Dutch, 1853–1890. Wheat Field with Cypresses, 1889. Oil on canvas, 73×93.4 cm. Purchase, The Annenberg Foundation Gift, 1993 (1993.132)

A Catalogue of French Paintings: XV–XVIII Centuries, Cambridge, Mass., 1955. Charles Sterling et Margaretta M. Salinger, *A Catalogue of French Paintings: XIX Century*, New York, 1966. Charles Sterling et Margaretta M. Salinger, *A Catalogue of French Paintings: XIX–XX Centuries*, New York, 1967. Federico Zeri avec la collaboration d'Elizabeth E. Gardner, *Italian Paintings: Florentine School*, New York, 1971, réimp. 1979. Federico Zeri avec la collaboration d'Elizabeth E. Gardner, *Italian Paintings: Venetian School*, New York, 1973. Katharine Baetjer, *European Paintings in The Metropolitan Museum of Art by Artists Born in or before 1865: A Summary Catalogue*, 3 vol., New York, 1980. Federico Zeri avec la collaboration d'Elizabeth E. Gardner, *Italian Paintings: Sienese and Central Italian Schools*, New York, 1980. Walter A. Liedtke, *Flemish Paintings in The Metropolitan Museum of Art*, 2 vol., New York, 1984. John Pope-Hennessy *et al.*, *in The Jack and Belle Linsky Collection in The Metropolitan Museum of Art*, New York, 1984. «The Jack and Belle Linsky Collection in The Metropolitan Museum of Art», *Metropolitan Museum Journal* 21 (1986), pp. 154-163. Federico Zeri avec la collaboration d'Elizabeth E. Gardner, *Italian Paintings: North Italian School*, New York, 1986. John Pope-Hennessy avec la collaboration de Laurence B. Kanter, *The Robert Lehman Collection I: Italian Paintings*, New York, 1987. Katharine Baetjer, *European Paintings in The Metropolitan Museum of Art by Artists Born before 1865: A Summary Catalogue*, New York, 1995. Charles Sterling *et al.*, *The Robert Lehman Collection II: Fifteenth- to Eighteenth-Century European Paintings; France, Central Europe, the Netherlands, Spain, and Great Britain*, New York, 1998. Everett Fahy *et al.*, *The Wrightsman Pictures*, New York, 2005.

to see the masterpieces by Rembrandt from the bequest of Benjamin Altman; the Rubens family portrait (fig. 14) and the fifth Vermeer to enter the collection, both given by Charles and Jayne Wrightsman; and the splendid Van Goghs (fig. 15) given and bequeathed to and purchased in recent years for the Museum by Walter H. and Leonore Annenberg.

K.B.B.

Winifred E. Howe, A History of The Metropolitan Museum of Art with a Chapter on the Early Institutions of Art in New York *(New York, 1913). Winifred E. Howe,* A History of The Metropolitan Museum of Art, *vol. 2,* Problems and Principles in a Period of Expansion *(New York, 1946). Calvin Tomkins,* Merchants and Masterpieces: The Story of The Metropolitan Museum of Art, *rev. ed. (New York, 1989). Katharine Baetjer,* "Buying Pictures for New York: The Founding Purchase of 1871," *Metropolitan Museum Journal 39 (2004), pp. 161–245.*

* * *

Harry B. Wehle, A Catalogue of Italian, Spanish and Byzantine Paintings *(New York, 1940). Harry B. Wehle and Margaretta M. Salinger,* A Catalogue of Early Flemish, Dutch and German Paintings *(New York, 1947). Josephine L. Allen and Elizabeth E. Gardner,* A Concise Catalogue of the European Paintings in The Metropolitan Museum of Art *(New York, 1954). Charles Sterling,* A Catalogue of French Paintings: XV–XVIII Centuries *(Cambridge, Mass., 1955). Charles Sterling and Margaretta M. Salinger,* A Catalogue of French Paintings: XIX Century *(New York, 1966). Charles Sterling and Margaretta M. Salinger,* A Catalogue of French Paintings: XIX–XX Centuries *(New York, 1967). Federico Zeri with the assistance of Elizabeth E. Gardner,* Italian Paintings: Florentine School *(New York, 1971, reprinted 1979). Federico Zeri with the assistance of Elizabeth E. Gardner,* Italian Paintings: Venetian School *(New York, 1973). Katharine Baetjer,* European Paintings in The Metropolitan Museum of Art by Artists Born in or before 1865: A Summary Catalogue, *3 vols. (New York, 1980). Federico Zeri with the assistance of Elizabeth E. Gardner,* Italian Paintings: Sienese and Central Italian Schools *(New York, 1980). Walter A. Liedtke,* Flemish Paintings in The Metropolitan Museum of Art, *2 vols. (New York, 1984). John Pope-Hennessy et al., in* The Jack and Belle Linsky Collection in The Metropolitan Museum of Art *(New York, 1984).* "The Jack and Belle Linsky Collection in The Metropolitan Museum of Art," *Metropolitan Museum Journal 21 (1986), pp. 154–63. Federico Zeri with the assistance of Elizabeth E. Gardner,* Italian Paintings: North Italian School *(New York, 1986). John Pope-Hennessy assisted by Laurence B. Kanter,* The Robert Lehman Collection I: Italian Paintings *(New York, 1987). Katharine Baetjer,* European Paintings in The Metropolitan Museum of Art by Artists Born before 1865: A Summary Catalogue *(New York, 1995). Charles Sterling et al.,* The Robert Lehman Collection II: Fifteenth- to Eighteenth-Century European Paintings; France, Central Europe, the Netherlands, Spain, and Great Britain *(New York, 1998). Everett Fahy et al.,* The Wrightsman Pictures *(New York, 2005).*

Œuvres exposées
Works exhibited

Toutes les œuvres présentées dans ce catalogue sont décrites comme suit:
All works in the present catalogue are described as follows:
– titre de l'œuvre / *title of work*
– technique / *medium*
– dimensions: hauteur, largeur / *dimensions: height precedes width*
– date / *date*
– source et année d'acquisition / *source and year of acquisition*

Collaborateurs du Metropolitan Museum of Art
Contributors from The Metropolitan Museum of Art
KBB   Katharine Baetjer, Conservateur, Département des peintures européennes
      Curator, Department of European Paintings
KCG   Kathryn Calley Galitz, Assistante Conservateur, Département de l'art du
      XIXᵉ siècle, moderne et contemporain
      Assistant Curator, Department of Nineteenth-Century, Modern, and
      Contemporary Art
MSdJ   Mary Sprinson de Jesús, Chercheur, Département des peintures européennes
      Research Fellow, Department of European Paintings
WL   Walter Liedtke, Conservateur, Département des peintures européennes
      Curator, Department of European Paintings

El Greco (Domenikos Theotokopoulos)

Grec, né à Candie (actuelle Héraklion), Crète, en 1541; mort à Tolède, le 7 avril 1614
Greek, born Candia (now Herakleion), Crete, 1541; died Toledo, April 7, 1614

On sait qu'en 1566 le Greco était peintre d'icônes en Crète; deux œuvres certaines, dans le style post-byzantin, nous sont parvenues. On sait également que, cherchant à parfaire sa formation et à gagner sa vie, il était en 1567 à Venise, où un contemporain parle de lui comme d'un «disciple de Titien», bien que l'influence du Tintoret soit plus sensible, tant sur ses productions de l'époque que sur son style ultérieur. Dans la vieille Cité des Doges, le Greco se convertit aux manières italiennes; il apprend à maîtriser la perspective, le modelé, la touche épaisse et large des Vénitiens. Passant par Parme pour y admirer les œuvres du Corrège et du Parmesan, il arrive à Rome en 1570, espérant sans doute s'y établir et y vivre grâce aux commandes de la cour pontificale. Alexandre Farnèse, cardinal et collectionneur, auprès duquel il est introduit, l'héberge un temps dans son palais, mais les commandes de peintures d'autel tardent à venir. En 1572, le Greco est reçu à l'Académie de Saint-Luc, et il mène dans la Ville éternelle une carrière de peintre indépendant, engageant un assistant à la fin de l'année.

Après sept années à Rome, qui lui apportent peu sur le plan professionnel, hormis une antipathie croissante pour les peintures maniérées de ses collègues plus prospères, le Greco quitte l'Italie pour l'Espagne. Sans doute a-t-il entendu parler du grand chantier de Philippe II, le palais de l'Escorial, à la décoration duquel il espère participer. Arrivé à Madrid en 1577, il en déménage presque immédiatement pour Tolède, où il demeurera le reste de sa vie. Bien que les deux commandes royales qu'il exécute n'obtiennent pas la faveur de Philippe II, il parvient à développer une clientèle à Tolède, grâce aux relations qu'il y a nouées. Les commandes de peintures d'autel affluent, dont *El Espolio* («Le Christ dévêtu pour être crucifié», 1579) pour la cathédrale de Tolède et *L'Enterrement du comte d'Orgaz* (1588) pour l'église paroissiale de Santo Tomé. Il décore églises et monastères de la région et peint des portraits de ses contemporains aussi bien que des images de saints pour les dévotions privées.

Dès ses débuts, la peinture du Greco témoigne d'une qualité spirituelle et visionnaire peu courante dans l'art

El Greco is recorded in Crete as a painter of icons by 1566; two certain examples, in a post-Byzantine style, survive. No doubt seeking further training and a livelihood, he made his way to Venice in 1567. He is described there by a contemporary as a "disciple of Titian," but the influence of Tintoretto on his productions of this period and in his later style is more pronounced. In Venice, El Greco transformed himself into an Italianized artist, capable in the use of perspective, modeling, and the painterly impasto of the Venetians. Stopping in Parma to admire the works of Correggio and Parmigianino, he arrived in Rome in 1570, presumably hoping to establish himself there through commissions from the papal court. An introduction to the renowned collector Cardinal Alessandro Farnese resulted in an offer of lodgings for a time in the Palazzo Farnese, but commissions for altarpieces were not forthcoming. El Greco was admitted to the Accademia di San Luca in Rome in 1572 and was active in the city as an independent painter with an assistant by the end of the year.

After seven years in Rome, with little to show for himself professionally and a growing antipathy to the mannered paintings of his more successful contemporaries, El Greco left for Spain. Doubtless he had heard of Philip II's great building project, the Escorial, and hoped to help in its decoration. Arriving in Madrid in 1577, he almost immediately relocated to Toledo, where he would remain for the rest of his life. Although the two royal commissions he completed did not meet with Philip's approval, El Greco was able, through a network of contacts in Toledo, to gradually develop a following there. He received commissions for a large number of important altarpieces, including the Disrobing of Christ (1579) for Toledo Cathedral and the Burial of Count Orgaz (1588) for the parish church of Santo Tomé; he also decorated churches and monasteries in the surrounding area, and he made portraits of Toledo's private citizens as well as images of saints for private devotion.

From the very beginning, El Greco's paintings had a spiritual and visionary quality rare in late-sixteenth-

27

de cette fin du XVIe siècle, souvent attribuée à son expérience antérieure de peintre d'icônes. Hormis dans les portraits, l'emprise du réalisme sur l'artiste s'est peu à peu desserrée, et les peintures d'autel ou de piété qu'il a produites en Espagne y ont graduellement acquis une sorte de qualité immatérielle. Les figures n'y pèsent plus, les draperies y sont mues par quelque force surnaturelle, et les compositions – souvent incomparables tant elles sont inventives – s'éloignent du classicisme italien et de ses conventions. La vérité spirituelle prévaut sur le naturalisme littéral. Les moyens employés pour parvenir à cette vérité, qu'on pourrait souvent qualifier d'abstraits, expliquent le regain d'intérêt pour le Greco au début du XXe siècle.

1 L'Adoration des bergers

Huile sur toile, 144,5 × 101,3 cm, peinte vers 1610
Inscriptions sur les rouleaux: *GLOR[IA] IN EXC[ELSIS D]EO / HOMI[NIBUS] / LAVDAMUSTE BENEDICIMV[STE]* («Gloire à Dieu au plus haut des cieux [et paix sur la terre aux] hommes [de bonne volonté]; nous te louons, nous te bénissons»)
Fonds Rogers, 1905 (05.42)

Le sujet, convenant aussi bien à une petite peinture d'autel qu'aux dévotions privées, était très en vogue; le fils du peintre dénombre huit Adorations des bergers dans l'inventaire après décès du Greco. Généralement datée entre 1600 et 1610, celle-ci est l'une des neuf versions qui nous sont parvenues attribuées au Greco ou à son atelier. Elle s'inscrit, parmi les quatre grands types de composition répertoriés par Harold Wethey (1962) – qui la décrit par ailleurs comme caractéristique de «la dernière manière du Greco, dans sa période la plus libre et la plus personnelle» –, dans le type IV, synthèse d'éléments qu'on retrouve dans deux des autres types. L'*Adoration* la plus proche de celle que nous présentons ici est celle du Colegio del Patriarca, à Valence, qui peut être datée, avec certitude, d'avant 1605, année où une gravure en est réalisée par Diego de Astor. Elle diffère principalement par l'emplacement de la tête du bœuf, qui, dans la peinture du Metropolitan, relie avec bonheur la figure de Joseph à celle du berger au premier plan à gauche.

Hormis le sol, les arbres et les éléments d'architecture, tout, dans la composition, est en mouvement – ardent, tourbillonnant –, baignant dans des contrastes d'ombre et de lumière. On ne trouve le calme qu'au centre de ce mouvement, dans la forme pleinement illuminée du Christ Enfant, vêtu de blanc. Le geste de la Vierge, par lequel elle semble révéler l'Enfant à notre vénération, vient souligner la dimension eucharistique de la scène. Le manteau jaune de Joseph exprime à quel degré de maîtrise l'artiste est parvenu dans l'usage des formes et des couleurs à des fins expressives plus que narratives ou naturalistes. Ce manteau aux formes très sculptées qui n'est pas même mentionné dans les textes des Evangiles joue ici un grand rôle; il ancre avec poids et autorité tout le coin droit en bas de la composition, tandis qu'à gauche, le modelé des jambes du berger, au premier plan, suggère une énergie palpitante. Détail particulièrement

century art, which is often credited to his early experience as a painter of icons. With the exception of his portraits, any hold that realism had on the artist was gradually loosened, and the altarpieces and devotional works he produced in Spain have an increasingly dematerialized quality. The figures are weightless, their draperies activated by a supernatural force, and the compositions—often unparalleled in their invention—are far from Italian classicism and its decorum. Spiritual truth as opposed to a more literal naturalism prevails. The largely abstract means by which this truth is arrived at explains the revival of interest in El Greco at the beginning of the twentieth century.

1 *The Adoration of the Shepherds*

Oil on canvas, 144.5 × 101.3 cm, painted about 1610
Inscribed on scrolls: GLOR[IA] IN EXC[ELSIS D]EO / HOMI[NIBUS] / LAVDAMUSTE BENEDICIMV[STE] *(Glory to God in the Highest [and on earth peace, good will toward] men; we praise you, we bless you)*
Rogers Fund, 1905 (05.42)

Paintings of this subject, appropriate for a small altarpiece and for private devotion alike, were in great demand; El Greco's son lists eight in the artist's posthumous inventory. Generally dated about 1600 to 1610, this is one of nine surviving versions of the subject ascribed to El Greco and/or his workshop. Of the four main compositional types designated by Harold Wethey (1962), the Metropolitan Museum's picture—described by the author as representing "El Greco's late manner in its freest and most personal phase"—falls into type IV: a synthesis of elements found in two other compositional types. The Adoration *closest to ours, in the Colegio del Patriarca de Valencia, can be definitively dated before 1605, the year an engraving of it was made by Diego de Astor. That version differs primarily in the placement of the ox's head, which in the Metropolitan's picture felicitously links the figure of Joseph to that of the shepherd in the left foreground.*

Apart from the ground plane, trees, and architecture, everything in the composition is in motion—aflutter, twisting, agitated—and washed with contrasting light and shadow. The only stillness is at the vortex of the composition, in the form of the fully illuminated Christ Child on a white cloth. The Virgin's gesture, in which she seems to be revealing the Child for our veneration, serves to underline the scene's Eucharistic significance. The degree to which the artist manipulates color and shape for expressive rather than naturalistic or narrative purposes can be seen, for example, in Joseph's yellow cloak. Hardly a part of the biblical narrative, the cloak, with its strong sculptural form, holds down the lower right-hand corner of the composition with great weight and authority, while the modeling of the legs of the foreground shepherd suggests a pulsating excitement.

émouvant, la petite figure du troisième berger, isolé en arrière-plan, à droite, qui n'en est pas moins averti de la survenue du miracle.

La *Nuit* du Corrège (Dresde, Gemäldegalerie), que le Greco aurait vue à Parme, est souvent citée comme source d'inspiration possible de la série des Adorations nocturnes. Mais le défi que représente une composition sans lumière naturelle – provenant au contraire d'un point central – semble avoir très tôt intéressé l'artiste. Ainsi, parmi ses rares scènes de genre, l'*Enfant soufflant sur un tison pour allumer une chandelle* (début des années 1570, Naples, Musée national de Capodimonte) répond au même principe: le visage de l'enfant, ses mains et son vêtement sont illuminés par la lumière réfléchie du tison tandis que le reste de la figure est plongé dans l'ombre.

MSdJ

A particularly poignant detail is the small figure of the third shepherd, isolated in the right background yet no less aware of the miracle taking place.

Correggio's Night *(Gemäldegalerie Alte Meister, Dresden), which El Greco would have seen in Parma, is often mentioned as a possible inspiration for the latter's series of nocturnal Adorations. However, the challenge of creating a composition without natural light—one that would instead glow from a central point—appealed to the artist from an early date. Among his rare genre scenes, for example, is the* Boy Blowing on an Ember to Light a Candle *(early 1570s; Museo Nazionale di Capodimonte, Naples), in which the boy's face, hands, and jacket glow with reflected light from the large ember while the rest of his figure is enveloped in darkness.*

MSdJ

Historique
Don Alfonso de Silva Fernández de Hijar y Campbell, 15ᵉ duc de Hijar, Madrid. Don Luis de Navas, Madrid (jusqu'en 1895). E. Kerr-Lawson, Ecosse (à partir de 1895). Dugal McCorkindale, Carfin Hall, Lanarkshire, Ecosse (1899-1903; vente à Londres, Morrison & Co., 6 novembre 1903, nº 64, sous le nom de *Nativity*). [Eugene Glaenzer, New York, 1904-1905; vendu au MMA.]

Expositions
Art Gallery of the Corporation of London, *Spanish Painters*, 1901, nº 89. San Francisco, M. H. de Young Memorial Museum, *Loan Exhibition of Masterworks by El Greco*, 17 mai - 21 juin 1947, nº 15. The Metropolitan Museum of Art et Londres, National Gallery, *El Greco*, 7 octobre 2003 - 11 janvier 2004, nº 61.

Bibliographies
Manuel B. Cossío, *El Greco*, 3 vol., Madrid, 1908: vol. 1, pp. 351-352, 595, nº 282; vol. 2, pl. 63. José Camón Aznar, *Domínico Greco*, 2 vol., Madrid, 1950: vol. 2, pp. 738, 743, 1180-1181, 1359, fig. 467. Harold Wethey, *El Greco and His School*, 2 vol., Princeton, 1962: vol. 1, fig. 157; vol. 2, pp. 26-27, nº 27.

Ex collections
Don Alfonso de Silva Fernández de Hijar y Campbell, 15ᵗʰ Duke of Hijar, Madrid. Don Luis de Navas, Madrid (until 1895). E. Kerr-Lawson, Scotland (from 1895). Dugal McCorkindale, Carfin Hall, Lanarkshire, Scotland (by 1899–1903; his sale, London, Morrison & Co., November 6, 1903, no. 64, as Nativity*). [Eugene Glaenzer, New York, by 1904–5; sold to MMA.]*

Exhibitions
Art Gallery of the Corporation of London, Spanish Painters, *1901, no. 89. San Francisco, M. H. de Young Memorial Museum,* Loan Exhibition of Masterworks by El Greco, *May 17–June 21, 1947, no. 15. The Metropolitan Museum of Art and London, National Gallery,* El Greco, *October 7, 2003–January 11, 2004, no. 61.*

References
Manuel B. Cossío, El Greco, *3 vols. (Madrid, 1908), vol. 1, pp. 351–52, 595, no. 282, vol. 2, pl. 63. José Camón Aznar,* Domínico Greco, *2 vols. (Madrid, 1950), vol. 2, pp. 738, 743, 1180–81, 1359, fig. 467. Harold Wethey,* El Greco and His School, *2 vols. (Princeton, 1962), vol. 1, fig. 157, vol. 2, pp. 26–27, no. 27.*

Dosso Dossi (Giovanni Lutero)

Italien, Ferrarais, né à Ferrare(?), en 1486(?); mort à Ferrare, en 1542
Italian, Ferrarese, born ?Ferrara, ?1486; died Ferrara, 1542

Dosso était le peintre le plus en vue à la cour d'Este, d'abord sous le règne du duc Alphonse Ier, puis sous celui d'Hercule II. Entré en 1514 au service de la puissante famille ferraraise, il jouissait d'une relation inhabituellement amicale avec Alphonse, personnage excentrique, souverain farouchement indépendant, tout dévoué aux arts. De fait, l'anticonformisme de l'un semble avoir trouvé chez l'autre un esprit complice. Autour d'Alphonse Ier gravitait également l'Arioste, dont les textes abondent en descriptions de la nature et en scènes d'enchantements, qui contribua sans doute au caractère original, souvent enjoué, de l'œuvre de Dosso. Mais c'est sans doute à Venise, et plus précisément dans les travaux de Giorgione et du jeune Titien, qu'il faut chercher le principal courant d'inspiration du peintre. Trois des premiers grands chefs-d'œuvre de Titien, dont *L'Offrande à Vénus* (Madrid, Musée du Prado), furent commandés par Alphonse d'Este, et livrés à Ferrare à partir de 1519. En outre, *Le Festin des dieux* (Washington, D.C., National Gallery of Art), la dernière grande peinture de Giovanni Bellini – maître de Giorgione et de Titien –, était visible à Ferrare dès 1514 ou peu après. Le calme, le détachement rêveur qui en émanent, ainsi que son étrange couleur saturée, semblent avoir exercé une influence durable sur le jeune Dosso.

Dans la première période de l'artiste, *Melissa* (Rome, Galerie Borghèse) peut être considérée comme une œuvre clé. Mi-fête champêtre mi-fable, elle fut peinte vers 1515-1516, sans doute pour Alphonse d'Este, et représente la magicienne du *Roland furieux* de l'Arioste. Les quatre scènes aujourd'hui conservées d'une fresque figurant la *Vie d'Enée*, destinée à la chambre d'Albâtre du palais de Ferrare, pour laquelle Dosso reçut du duc Alphonse des paiements échelonnés entre 1518 et 1522, sont également dominées par le paysage. Quant à la chronologie des années de maturité, elle est, pour Dosso, problématique. Ainsi l'une de ses plus belles peintures, *Allégorie de Pan* (Los Angeles, J. Paul Getty Museum), puise-t-elle à de si nombreuses sources stylistiques, offre-t-elle tant de variations dans sa manière, que tout un éventail de dates ont pu être suggérées, dont les plus récemment admises semblent se situer entre 1529 et 1532. Dosso ne réalisait pas pour ses peintures de dessins

Dosso was the leading painter at the court of Ferrara first during the reign of Duke Alfonso I d'Este and, thereafter, under Ercole II d'Este. Affiliated with the court by 1514, he enjoyed an unusually close relationship with Alfonso, an eccentric, fiercely independent ruler who was deeply committed to the arts; indeed, the unconventional spirit of the one seems to have found a match in the other. Also in Alfonso's entourage during these years was the poet Ariosto, whose writings are filled with extraordinary descriptions of nature and with scenes of enchantment, contributing to the distinct, often playful character of Dosso's work. Dosso's strongest artistic influence seems to have come by way of Venice in the works of Giorgione and the young Titian. Three of Titian's greatest early masterpieces, including the Worship of Venus *(Museo Nacional del Prado, Madrid), were commissioned by Alfonso for Ferrara, the first arriving in the city in 1519. In addition, the* Feast of the Gods *(National Gallery of Art, Washington, D.C.), the last great painting by Giovanni Bellini—teacher of both Giorgione and Titian—appeared in Ferrara in or shortly after 1514. The stillness and dreamlike otherworldliness of this remarkable painting, as well as its strangely heightened color, seem to have had a lasting influence on the young Dosso.*

A key work of the artist's early period is his Melissa *(Galleria Borghese, Rome). Part* fête champêtre *and part fable, it was painted about 1515–16, probably for Alfonso, and depicts the enchantress in Ariosto's* Orlando Furioso. *Also dominated by landscape are the five surviving scenes from a frieze with the* Life of Aeneas, *for which the artist received a series of payments from Alfonso between 1518 and 1522. The chronology of Dosso's middle years is problematic. For example, one of his most beautiful paintings, the* Allegory of Pan *(J. Paul Getty Museum, Los Angeles), has so many stylistic sources and such variation in handling that a broad range of dates has been suggested, most recently about 1529–32. Dosso did not make preparatory drawings for his paintings; rather, he worked out his compositions*

31

préparatoires; il préférait construire ses compositions directement sur la toile. De ses œuvres ayant survécu, aucune n'est datée, et quelques-unes seulement sont documentées; il est donc particulièrement malaisé de reconstruire la chronologie de son œuvre.

2 Les Trois Ages de l'homme
Huile sur toile, 77,5 × 111,8 cm, peinte vers 1514
Fonds Maria DeWitt Jesup, 1926 (26.83)

S'il est d'usage d'intituler cette peinture *Les Trois Ages de l'homme*, on pourrait tout autant la considérer comme un pur paysage, agrémenté de quelques figures. Paolo Giovio, biographe d'Alphonse Ier d'Este, distingue chez Dosso deux genres: ses peintures ressortissant aux œuvres sérieuses *(justis operibus)* et les œuvres plus décoratives ou ornementales *(parerga)*. Les premières correspondent aux grandes commandes officielles avec figures, les secondes, plus spontanées, d'esprit léger, comprennent en particulier ses paysages. En 1512, Titien a peint une toile dont la composition a peut-être inspiré Dosso, également intitulée *Les Trois Ages de l'homme* (Edimbourg, National Galleries of Scotland, prêt du duc de Sutherland, 1945), mais le passage du temps y pèse lourdement: la figure du vieil homme, à l'arrière-plan, tenant deux crânes, est un rappel obsédant de la mort inéluctable. S'il utilise comme point de départ le thème développé par Titien, Dosso choisit ici une approche plus légère, plus frivole, mettant l'accent, plutôt que sur la mort inévitable, sur le paysage et les plaisirs de la vie. Le feuillage, vigoureusement peint, la prairie baignée de lumière; les amants, qui fonctionnent à la fois comme couple de courtisans élégamment vêtus et comme berger et bergère; les enfants espiègles qui les observent à la dérobée, cachés derrière un rocher, tout cela crée une atmosphère hédoniste et charmante. Même les vieux messieurs, plongés dans leur conversation, au fond, semblent y prendre plaisir.

Les feuillages vert acide, peints d'une touche plutôt lâche, et les figures ébauchées sont assez proches, dans la manière, d'un paysage que peignit Dosso en arrière-plan du panneau central du *Polyptyque Costabili*, réalisé avec Garofalo, achevé en 1514. Environ 8 centimètres ont été perdus à droite et le haut des arbres est coupé, mais sinon la peinture est complète; ce n'est pas un fragment comme l'ont suggéré certains spécialistes. Les deux amants et les vieillards ont été peints par-dessus le feuillage, ce qui montre combien la spontanéité est le maître mot de cette peinture, jusque dans ses ultimes évolutions.

MSdJ

directly on the canvas. Because none of his surviving works is dated and few are documented, it is difficult to reconstruct the chronology of his œuvre.

2 The Three Ages of Man
Oil on canvas, 77.5 × 111.8 cm, painted about 1514
Maria DeWitt Jesup Fund, 1926 (26.83)

Although traditionally called The Three Ages of Man, *this picture can alternatively be seen as a nearly pure landscape enlivened with the presence of figures. Alfonso I d'Este's biographer, Paolo Giovio, distinguishes between Dosso's subject pictures, or* justis operibus, *and his landscapes, which he calls* parerga—*the former being official commissions (larger paintings with figures) while the latter are more spontaneous, unprogrammed creations. In Titian's sober painting of* The Three Ages of Man *(1512; National Galleries of Scotland, Edinburgh, Duke of Sutherland Loan, 1945), the passing of time weighs heavily, and the old man holding two skulls, in the background, is a haunting reminder of the certainty of death. Here, perhaps using Titian's theme as a point of departure, Dosso has taken a lighter, more whimsical approach to the subject, emphasizing the landscape and the pleasures of life rather than death's inevitability. The vigorously painted foliage and light-filled field; the lovers, who function both as a pair of elegantly dressed courtiers and as a shepherd and shepherdess; and the impish children peeping at them from behind a rock together create an atmosphere of pleasure-seeking and delight. Even the older gentlemen, deep in conversation near the horizon, appear to be enjoying themselves.*

The loosely painted, acid-green foliage and sketchy figures are close in handling to the landscape Dosso painted in the background of the center panel of the Costabili Polyptych, *completed by 1514. About 8 centimeters have been lost at the right of the painting and the tops of the trees are cropped, but otherwise the picture is complete; it is not a fragment, as some scholars have suggested. The two lovers and the pair of old men were painted over the foliage, again suggesting the spontaneous nature of this picture's evolution.*

MSdJ

Historique

[L. Bernasconi, Milan, jusqu'en 1909; vendu à Ehrich.] [Ehrich Galleries, New York, 1909-1918.] [Oswald Sirén, Stockholm, conjointement peut-être à Edward Hutton, Londres, 1918-1926; vendu au MMA.]

Expositions

Bologne, Pinacothèque nationale, *Nell'età di Correggio e dei Carracci: Pittura in Emilia dei secoli XVI e XVII*, 10 septembre - 11 novembre 1986, n° 35. Washington, D.C., National Gallery of Art et The Metropolitan Museum of Art, *The Age of Correggio and the Carracci: Emilian Painting of the Sixteenth and Seventeenth Centuries*, 19 décembre 1986 - 16 février 1987, n° 35. Ferrare, Pinacothèque nationale, *Dosso Dossi: Pittore di corte a Ferrara nel Rinascimento*, 26 septembre - 14 décembre 1998, n° 10. The Metropolitan Museum of Art et Los Angeles, J. Paul Getty Museum, *Dosso Dossi: Court Painter in Renaissance Ferrara*, 14 janvier - 11 juillet 1999, n° 10.

Bibliographie

Peter Dreyer, «Die Entwicklung des jungen Dosso», 2ᵉ partie, *Pantheon* 22 (janvier-février 1964), pp. 365-366, 371, 374n68. Alessandro Ballarin, *Dosso Dossi: La pittura a Ferrara negli anni del ducato di Alfonso I*, 2 vol., Padoue, 1994-1995), vol. 1, pp. 69-70, 72, 310-311, n° 368, vol. 2, pl. 480, 482 (détail). Peter Humfrey, *The Age of Titian: Venetian Renaissance Art from Scottish Collections*, cat. exp., Edimbourg, 2004, pp. 83-84.

Ex collections

[L. Bernasconi, Milan, until 1909; sold to Ehrich.] [Ehrich Galleries, New York, 1909–18.] [Oswald Sirén, Stockholm, possibly with Edward Hutton, London, 1918–26; sold to MMA.]

Exhibitions

Bologna, Pinacoteca Nazionale, Nell'età di Correggio e dei Carracci: Pittura in Emilia dei secoli XVI e XVII, *September 10–November 11, 1986, no. 35. Washington, D.C., National Gallery of Art and The Metropolitan Museum of Art,* The Age of Correggio and the Carracci: Emilian Painting of the Sixteenth and Seventeenth Centuries, *December 19, 1986–February 16, 1987, no. 35. Ferrara, Pinacoteca Nazionale,* Dosso Dossi: Pittore di corte a Ferrara nel Rinascimento, *September 26–December 14, 1998, no. 10. The Metropolitan Museum of Art and Los Angeles, J. Paul Getty Museum,* Dosso Dossi: Court Painter in Renaissance Ferrara, *January 14–July 11, 1999, no. 10.*

References

Peter Dreyer, "Die Entwicklung des jungen Dosso," part 2, Pantheon *22 (January–February 1964), pp. 365–66, 371, 374n68. Alessandro Ballarin,* Dosso Dossi: La pittura a Ferrara negli anni del ducato di Alfonso I, *2 vols. (Padua, 1994–95), vol. 1, pp. 69–70, 72, 310–11, no. 368, vol. 2, pls. 480, 482 (detail). Peter Humfrey,* The Age of Titian: Venetian Renaissance Art from Scottish Collections, *exh. cat. (Edinburgh, 2004), pp. 83–84.*

Annibal Carrache

Italien, né à Bologne, baptisé le 3 novembre 1560; mort à Rome, le 15 juillet 1609
Italian, born Bologna, baptized November 3, 1560; died Rome, July 15, 1609

Avec son frère Augustin et son cousin Ludovic, Annibal Carrache, le plus doué, appartint à une famille d'artistes qui transformèrent et renouvelèrent la peinture italienne du XVIᵉ siècle, refusant le maniérisme, qui s'en était emparé, et ouvrant la voie à un style baroque national. Sous l'impulsion de Ludovic, ils fondent une académie, où l'on apprend aux élèves à dessiner directement d'après nature, notamment d'après le modèle vivant, nu ou habillé. Fils de boutiquiers – le père d'Annibal et d'Augustin était tailleur, celui de Ludovic, boucher –, les Carrache veulent un art accessible, solidement ancré dans la réalité, qui en appelle directement à l'émotion du spectateur.

Si l'on en croit les sources contemporaines, c'est Ludovic qui apprit la peinture à Annibal. Plus âgé de cinq ans, il reconnut le talent précoce de son cousin, et l'envoya parfaire sa formation dans les grands centres artistiques de l'Italie du Nord, dont bien sûr Venise et Parme. Pour leurs grandes commandes décoratives bolonaises – les fresques du palais Fava, présentant l'histoire de la nymphe Europe, l'Enéide, l'expédition de Jason et des Argonautes, ou celles du palais Magnani-Salem, contant la fondation de Rome –, les Carrache développent un style commun. Annibal élaborera pourtant une expression plus personnelle et acquerra une réputation indépendante. Invité à Rome en 1594 par le cardinal Alexandre Farnèse, il travaille tout d'abord, de 1596 à 1597, dans le Camerino du palais Farnèse, y peignant les travaux d'Hercule. Assimilant progressivement les principes du classicisme romain, grâce à l'exemple des *Stanze* de Raphaël au Vatican (dans les appartements du pape Jules II), mais aussi de ses dessins pour les tapisseries de la chapelle Sixtine, il relève le défi que constitue la décoration des voûtes de la grande galerie du palais Farnèse, dont il réalise les fresques entre 1597 et 1601. Ce prodigieux tour de force classique, où l'invention le dispute à l'illusion, est son chef-d'œuvre. De 1601 à 1607, il peint l'*Assomption de la Vierge*, grand tableau d'autel, pour la chapelle Cerasi de Santa Maria del Popolo, tandis que le Caravage réalise, pour les côtés de la même chapelle, la *Crucifixion de saint Pierre* et la *Conversion de saint Paul*; cette confrontation artistique eut une profonde influence

Annibale Carracci was the most gifted member of the Bolognese family of painters that included his brother, Agostino, and cousin, Ludovico. Together they were a force that transformed and energized sixteenth-century Italian painting, rejecting the Mannerism that had overtaken it and leading the way to a national Baroque style. Under the direction of Ludovico they opened an academy where pupils were taught to make studies directly from nature, in particular from the clothed and nude model. As the sons of tradesmen— Annibale and Agostino's father was a tailor and Ludovico's a butcher—they were determined to make an accessible art that was firmly grounded in reality and that appealed directly to a viewer's emotions.

According to a contemporary source it was Ludovico who taught Annibale to paint. Five years older, Ludovico recognized his cousin's precocious talent and sent him on a study tour that included Venice, Parma, and other important northern Italian art centers. In their major decorative commissions—the Stories of Europa, Jason, *and the* Aeneus *(Palazzo Fava, Bologna) and the* Stories of the Founding of Rome *in the Palazzo Magnani-Salem (now Rolo Banca), Bologna—the Carracci promoted a common style. Annibale, however, would develop his own highly individual style and an independent reputation. Invited to Rome in 1594 to enter into negotiations with Cardinal Alessandro Farnese, he was at work from 1596 to 1597 on the Camerino Farnese, painting scenes of the Labors of Hercules. Progressively assimilating the principles of Roman Classicism by way of Raphael's* Stanze *frescoes as well as his drawings for the Sistine Chapel tapestries, Annibale rose to the challenge of painting the ceiling of the Galleria Farnese (1597–1601). This grandly classical tour de force of illusionism and invention was his masterpiece. From 1601 to 1607 he painted an* Assumption of the Virgin *for the Cerasi Chapel in Santa Maria del Popolo, while Caravaggio produced a* Crucifixion of Saint Peter *and a* Conversion of Saint Paul *for the lateral walls of the same chapel; this artistic contact had a profound effect on the late styles of both painters. Annibale's later work*

sur le style tardif des deux peintres. Les dernières œuvres d'Annibal Carrache évoluent vers une idéalisation croissante, qui prépare pour ainsi dire le terrain au classicisme d'un Dominiquin ou d'un Nicolas Poussin. En 1605, Annibal Carrache est frappé d'une attaque qui laisse des traces tant physiques que mentales, après laquelle il souffre d'accès dépressifs et mélancoliques répétés. Il doit s'en remettre à ses élèves et disciples, au nombre desquels le Dominiquin et l'Albane, pour mener à bien ses projets.

3 Deux enfants jouant avec un chat
Huile sur toile, 66×88,9 cm, peinte vers 1590
Achat, Fonds Gwynne Andrews, et legs de Collis P. Huntington et d'Ogden Mills, par échange, 1994 (1994.142)

Cette scène de genre pleine d'expression se double d'une allégorie morale du proverbial danger de «jouer avec le feu» ou de tenter le destin. Annibal Carrache s'inspira sans doute d'un dessin célèbre de Sofonisba Anguissola, elle aussi originaire du nord de l'Italie, mais de la génération qui précéda, dessin intitulé *Enfant mordu par une écrevisse* (Naples, Musée national de Capodimonte), montrant une fillette posant un panier d'écrevisses à la portée de son petit frère, qui, comme on pouvait s'y attendre, se fait pincer au doigt; comme le garçonnet se met à pleurer, elle lui jette un regard qui traduit un mélange d'étonnement et de satisfaction. Sofonisba avait relevé un défi lancé par Michel-Ange, lequel, admirant un autre de ses dessins, figurant un enfant en train de rire, lui suggéra qu'il serait plus encore «digne d'éloges» de montrer un enfant en train de pleurer. Annibal Carrache, à son tour, répond au défi, dont il avait eu connaissance, mais prend une direction légèrement différente. En nous montrant la fillette avant qu'elle ne soit griffée, il conduit le spectateur dans le déploiement d'un récit dont la conclusion est implicite, non figurée: selon toute vraisemblance, le chat, que le garçon agace avec l'écrevisse, griffera, et sa victime, qui ne peut être que la fillette, éclatera alors en sanglots.

Le récit est mené avec une merveilleuse simplicité, la morale en est aussi transparente que peut l'être le contenu didactique des peintures d'autel des Carrache. Les enfants, chenapans en costume, adonnés à leur jeu cruel, palpitent d'une présence vivante et truculente. Nous sommes loin de la vision tendre et poétique de l'enfance que donnera plus tard un Chardin, dans des scènes de genre tout aussi allégoriques que sont par exemple *Les Bulles de savon* (vers 1740, The Metropolitan Museum of Art) ou *Le Château de cartes* (vers 1737, Washington, D.C., National Gallery of Art). Comme dans son célèbre *Mangeur de fèves* (Rome, Galerie Colonna) ou dans ses deux *Boucheries* (Fort Worth, Kimbell Art Museum, et Oxford, Christ Church), Annibal Carrache nous laisse aux prises avec un réalisme tranchant et dépouillé.

Autrefois datée du début des années 1580, celles des premières scènes de genre d'Annibal Carrache, influencées par Bartolomeo Passarotti, l'œuvre ici présentée a plus récemment

moves toward an increasingly extreme idealization that set the stage for the classicism of Domenichino and Nicolas Poussin. In 1605 Annibale suffered what appears to have been a mental and physical collapse, which left him vulnerable to bouts of melancholy and depression. He came to rely on his pupils and disciples, including Domenichino and Francesco Albani, to carry out his designs.

3 Two Children Teasing a Cat
Oil on canvas, 66×88.9 cm, painted about 1590
Purchase, Gwynne Andrews Fund, and Bequests of Collis P. Huntington and Ogden Mills, by exchange, 1994 (1994.142)

This vivid genre scene doubles as an emblematic cautionary tale: it is dangerous to "play with fire" or to tempt fate. Annibale was no doubt inspired by the drawing Boy Bitten by a Crayfish *(Museo Nazionale di Capodimonte, Naples) by Sofonisba Anguissola, a northern Italian artist of the preceding generation. In that work, a girl puts a basket of crayfish within reach of her younger brother and, not surprisingly, one of them bites his finger; as he cries, she gazes at him with a mixture of curiosity and mild pleasure. Sofonisba's celebrated drawing was the response to a challenge from Michelangelo, who, admiring the artist's drawing of a laughing child, suggested that it would be even more "praiseworthy" to show a child crying. Here Annibale has accepted that challenge, which would have been familiar to him, but taken it in a slightly different direction. By showing us the girl before she has been scratched, the viewer is drawn into an unfolding narrative in which the conclusion is implied rather than depicted: in all likelihood, teasing the cat with the crayfish will lead the cat to scratch the girl, who will then burst into tears.*

The narrative is laid out with wonderful simplicity, the moral here being as transparent as the didactic content the Carracci wished to communicate in their public altarpieces. Like street urchins in costume, the children bristle with a vivid, earthy presence as they enjoy a game of cruelty. This is not the tender, poetic view of childhood that we see in Chardin's much later but similarly emblematic genre scenes of children, such as Boy Blowing Bubbles *(ca. 1740; The Metropolitan Museum of Art) or* The House of Cards *(ca. 1737; National Gallery of Art, Washington, D.C.). As in Annibale's famous* Bean Eater *(ca. 1583–84; Galleria Colonna, Rome) or his scenes of butcher shops from about 1582–83 (Kimbell Art Museum, Fort Worth; Christ Church, Oxford), we are dealing here with an assertive, unapologetic realism.*

Formerly dated to the beginning of the 1580s, contemporary with Annibale's early genre scenes influenced by Bartolomeo Passarotti, this picture has more recently been placed about 1590 owing to its stylistic similarity to the artist's more informally painted works from this later period,

été située autour des années 1590, du fait de sa ressemblance stylistique avec les toiles de la dernière période, peintes dans un esprit de simplicité, comme l'*Enfant au singe* (Florence, Galerie des Offices) ou le *Bacchus* (Naples, Musée national de Capodimonte), dont la tête offre une certaine ressemblance avec celle de la fillette. La peinture est ici posée avec une vivacité qu'on pourrait presque qualifier d'impressionniste, renforçant l'effet de spontanéité et de simplicité. Une touche aussi libre, convenant à une esquisse de portrait ou à une scène de genre, ne fut pas acceptée par les mécènes d'Annibal Carrache pour une toile exposée au public dans une église; c'est pourquoi, après 1590, l'artiste n'aurait pas employé, pour ses peintures religieuses, une facture aussi naturaliste.

MSdJ

including Boy with a Monkey *(Galleria degli Uffizi, Florence) and his* Bacchus *(Museo Nazionale di Capodimonte, Naples), whose head bears a resemblance to that of the young girl in the present work. The paint here is handled with an almost Impressionistic liveliness, enhancing the effect of spontaneity and informality. Such informal handling, appropriate for a portrait sketch or a genre subject, was deemed by Annibale's patrons unacceptable for public display in a church; by 1590 the artist would not have considered working in such a naturalistic manner in a religious painting.*

MSdJ

Historique
Comte Girolamo Ranuzzi, Palazzo Mirabello, Bologne (jusqu'à sa mort en 1667; inv. 1667, non attribué). Comte Camillo Ranuzzi Manzoli, Palazzo Mirabello (1667-†1678; inv. 1679, n° 9, attribué à Annibal Carrache). Famille Ranuzzi (à partir de 1678; probablement vendu à Ruffo). Cardinal Tommaso Ruffo, Ferrare et Rome (au moins à partir de 1734-†1753; inv. 1734). Litterio Ruffo, duc de Baranello, Naples (1753-†1772). Vincenzo Ruffo, duc de Baranello, Naples (1772-1776; vendu à Greville par l'intermédiaire de Sir William Hamilton). Hon. Charles Francis Greville, Londres (1776-1809; sa vente de succession, Christie's, Londres, 31 mars 1810, n° 67, pour 65 livres à Howard). Frederick Howard, 5e comte de Carlisle, Castle Howard, North Yorkshire (1810-†1825; cat., s.d., n° 125; inv. 1825). Les comtes de Carlisle, Castle Howard (1825-1911). Hon. Geoffrey William Algernon Howard (1911-†1935; sa succession, 1935-1944; sa vente de succession, Christie's, Londres, 18 février 1944, n° 16, pour 84 livres à Katz). [Katz, à partir de 1944.] Vente, propriétaire non mentionné, Sotheby's, Londres, 7 juillet 1976, n° 107, pour 14 000 livres; vente, Sotheby's, Londres, 11 décembre 1991, n° 20, ravalé. Vente, Sotheby's, Londres, 20 avril 1994, n° 48, attribué à Augustin Carrache; vendu au MMA.

Expositions
Museo Civico Ala Ponzone de Crémone, *Pittori della realtà: Le ragioni di una rivoluzione, da Foppa e Leonardo a Caravaggio e Ceruti*, 14 février - 2 mai 2004, cat. non numéroté. The Metropolitan Museum of Art, *Painters of Reality: The Legacy of Leonardo and Caravaggio in Lombardy*, 27 mai - 15 août 2004, n° 69.

Bibliographie
Roberto Longhi, «Annibale, 1584?», *Paragone* 8 (mai 1957), p. 39, pl. 23. Daniele Benati, «Un San Sebastiano di Annibale Carracci da Modena a Dresda», *Nuovi studi* 1 (1996), p. 110n8.

Ex collections
Conte Girolamo Ranuzzi, Palazzo Mirabello, Bologna (until d. 1667; inv. 1667, without attribution). Conte Camillo Ranuzzi Manzoli, Palazzo Mirabello (1667–d. 1678; inv. 1679, no. 9, as by Annibale Carracci). The Ranuzzi family (from 1678; probably sold to Ruffo). Cardinal Tommaso Ruffo, Ferrara and Rome (by 1734–d. 1753; inv. 1734). Litterio Ruffo, duca di Baranello, Naples (1753–d. 1772). Vincenzo Ruffo, duca di Baranello, Naples (1772–76; sold through Sir William Hamilton to Greville). Hon. Charles Francis Greville, London (1776–1809; his estate sale, Christie's, London, March 31, 1810, no. 67, for £65 to Howard). Frederick Howard, 5th Earl of Carlisle, Castle Howard, North Yorkshire (1810–d. 1825; cat., n.d., no. 125; inv. 1825). The Earls of Carlisle, Castle Howard (1825–1911). Hon. Geoffrey William Algernon Howard (1911–d. 1935; his estate, 1935–44; his estate sale, Christie's, London, February 18, 1944, no. 16, for £84 to Katz). [Katz, from 1944.] Sale, property of a gentleman, Sotheby's, London, July 7, 1976, no. 107, for £14,000; sale, Sotheby's, London, December 11, 1991, no. 20, bought in. Sale, Sotheby's, London, April 20, 1994, no. 48, as attributed to Agostino Carracci; sold to MMA.

Exhibitions
Museo Civico Ala Ponzone di Cremona, Pittori della realtà: Le ragioni di una rivoluzione, da Foppa e Leonardo a Caravaggio e Ceruti, *February 14–May 2, 2004, unnumbered cat. The Metropolitan Museum of Art,* Painters of Reality: The Legacy of Leonardo and Caravaggio in Lombardy, *May 27–August 15, 2004, no. 69.*

References
Roberto Longhi, "Annibale, 1584?," Paragone *8 (May 1957), p. 39, pl. 23. Daniele Benati, "Un San Sebastiano di Annibale Carracci da Modena a Dresda,"* Nuovi studi *1 (1996), p. 110n8.*

Giovanni Paolo Panini

Italien du Nord, né à Plaisance, le 17 juin 1691; mort à Rome, le 21 octobre 1765
North Italian, born Piacenza, June 17, 1691; died Rome, October 21, 1765

Avec Canaletto, Francesco Guardi et Bernardo Bellotto (qui finirait par s'établir en Europe de l'Est), Panini fut l'un des peintres de *vedute* les plus célèbres du XVIIIe siècle. La demande pour ce genre de peinture atteignit son apogée au milieu des années 1700, lorsqu'il devint de plus en plus à la mode, pour les jeunes Anglais fortunés et bien nés, de partir pour le Grand Tour et de revenir chez eux munis de souvenirs des sites visités. Pour les vues de Rome, Panini dominait le marché; pour celles de Venise, c'étaient Canaletto et Guardi. A l'instar de Canaletto, Panini apprit très jeune à dessiner des plans, et fut enseigné dans l'art de la vue d'architecture et de la scénographie par Francesco Galli-Bibiena, à Plaisance. En 1711, il part tenter sa chance à Rome où il étudie le dessin d'anatomie, travaillant pour Benedetto Luti et pour le paysagiste Andrea Locatelli. Les premières commandes de Panini sont pour les palais romains, et l'on sait qu'il fut engagé de 1719 à 1725 pour réaliser les fresques et les décors peints des voûtes, des dessus-de-porte et des fenêtres de la Villa Patrizi. En 1718, il devient membre de la Congregazione dei Virtuosi al Pantheon, puis est nommé à l'Académie de Saint-Luc en 1719. A partir de 1716-1717, Panini se consacre à la peinture de *vedute*. Comme avant lui Luca Carlevaris, il peint aussi les fêtes et les événements de la vie romaine. Panini avait un atelier où travaillaient de nombreux assistants, dont son fils, Francesco, et, un temps, Antonio Joli, ainsi que le peintre français Hubert Robert. En outre, il fut actif comme architecte à Rome dans les années 1730.

Along with Canaletto, Francesco Guardi, and Bernardo Bellotto (who would relocate to eastern Europe), Panini was one of the great view painters of eighteenth-century Italy. Demand for paintings of this kind reached a peak during the mid-1700s, as it became increasingly fashionable among young British gentlemen of means to make the Grand Tour and return home with a vivid record of one or more of the sites they visited. Panini dominated the market for views of Rome, while Canaletto and Guardi shared the Venetian market. Like Canaletto, Panini had early training as a set designer, learning the art of painting illusionistic architecture under Francesco Galli-Bibiena in Piacenza. Making his way to Rome in 1711 to study figure drawing, he worked under Benedetto Luti and the landscapist Andrea Locatelli. Panini's earliest commissions were for the decoration of Roman palaces, and he is documented as engaged from 1719 to 1725 in frescoing the vaults, overdoors, and windows of Villa Patrizi with decorative paintings. In 1718 he became a member of the Congregazione dei Virtuosi al Pantheon and was nominated to the Accademia di San Luca in 1719. From 1716–17 on, Panini devoted himself to view painting. Like Luca Carlevaris before him, he also recorded festivals and important events in the life of contemporary Rome. Panini had a large workshop that included his son, Francesco, and for a time Antonio Joli and the French painter Hubert Robert. In addition, he was active as an architect in Rome in the 1730s.

4 **L'Intérieur de Saint-Pierre à Rome**
Huile sur toile, 74×99,7 cm, peinte vers 1754
Inscription (sur le pourtour de la coupole): *TV ES PETRVS ETS[VPER] [...] CELORVM* («Tu es Pierre et sur [...] des cieux») (Matthieu 16:18-19)
Achat, 1871 (71.31)

Panini et son atelier produisirent au moins vingt-trois versions de cette célèbre vue, suivant chaque fois l'avancement des nouvelles constructions dans l'église. Les groupes de figures, les bannières, l'angle de la perspective varient d'une réplique à l'autre. On pense que la première de ces peintures est une grande composition (Paris, Musée du Louvre) signée et datée de 1730, qui avait été commandée par l'ambassadeur de France au Vatican, le cardinal Melchior de Polignac. Les figures du cardinal et de sa suite dans les autres versions doivent être lues comme des figures types inspirées par les circonstances de la commande de départ. Si l'on se fonde sur les statues de sainte Thérèse d'Ávila et de saint Vincent de Paul représentées ici, il est possible de dater cette peinture peu après 1754, année où elles furent installées.

MSdJ

4 *Interior of St. Peter's, Rome*
Oil on canvas, 74×99.7 cm, painted about 1754
Inscribed (around base of dome): TV ES PETRVS ETS[VPER]… CELORVM *(You are Peter and upon … of heaven)* *(Matthew 16:18–19)*
Purchase, 1871 (71.31)

Panini and his studio produced at least twenty-three versions of this popular view, in each case representing the current status of projects or construction in the church. The figure groups, the depiction of banners, and the angle of projection of the architecture vary from one replica to the next. It is generally supposed that the first such painting is a large composition (Musée du Louvre, Paris), signed and dated 1730, that was commissioned by the French ambassador to the Vatican, Cardinal Melchior de Polignac. The figures of a cardinal and his retinue in other versions of the composition should be understood as generic types inspired by the circumstances of the original commission. Based on the statues of Saint Teresa of Ávila and Saint Vincent de Paul depicted here, it is possible to date the picture to some point after 1754, the year the sculptures were installed.

MSdJ

Historique
[Léon Gauchez, Paris, avec Alexis Febvre, Paris, jusqu'en 1870; vendu à Blodgett.] William T. Blodgett, Paris et New York (1870-1871; vendu pour moitié à Johnston). William T. Blodgett, New York, et John Taylor Johnston, New York (1871; vendu au MMA).

Bibliographie
Michael Levey, «Panini, St. Peter's, and Cardinal de Polignac», *Burlington Magazine* 99 (février 1957), p. 54. Ferdinando Arisi, *Gian Paolo Panini*, Plaisance, 1961, pp. 140, 209, nº 241, fig. 297.

Ex collections
[Léon Gauchez, Paris, with Alexis Febvre, Paris, until 1870; sold to Blodgett.] William T. Blodgett, Paris and New York (1870–71; sold half-share to Johnston). William T. Blodgett, New York, and John Taylor Johnston, New York (1871; sold to MMA).

References
Michael Levey, "Panini, St. Peter's, and Cardinal de Polignac," Burlington Magazine *99 (February 1957), p. 54. Ferdinando Arisi,* Gian Paolo Panini *(Piacenza, 1961), pp. 140, 209, no. 241, fig. 297.*

Giovanni Battista Tiepolo

Italien, Vénitien, né à Venise, le 5 mars 1696; mort à Madrid, le 27 mars 1770
Italian, Venetian, born Venice, March 5, 1696; died Madrid, March 27, 1770

On rapporte de Tiepolo, déjà âgé, ces paroles: «Les peintres devraient avoir pour but de réussir de grandes œuvres, de celles qui plaisent aux nobles, aux riches [...]. Ainsi l'esprit du peintre doit-il toujours rechercher le sublime, l'héroïque, la perfection.» Bien qu'il fût parmi les derniers de ces artistes italiens qui travaillaient presque exclusivement pour des monarques ou des princes, ou encore pour l'Eglise, Tiepolo parvint, par son imagination picturale extraordinaire, son sens des volumes et son brillant usage de la couleur, à créer une sorte d'«univers parallèle», qui sait encore exercer ses charmes. A partir de 14 ans, il se forma auprès du peintre classicisant Gregorio Lazzarini. Mais, attentif dès sa jeunesse au langage des autres artistes de sa génération et de la génération précédente, il fut d'abord marqué par l'influence de Giovanni Battista Piazzetta. Surtout, il étudia le traitement de la lumière, de la couleur et du dessin dans les grandes peintures décoratives de Titien, du Tintoret et de Véronèse, ses prédécesseurs à Venise au XVIᵉ siècle. Tiepolo s'inscrivit à la Guilde des peintres vénitiens en 1717, et épousa, en 1719, Cecilia Guardi, sœur des peintres Gianantonio et Francesco Guardi. Parmi ses premiers succès vénitiens, une série de peintures commandées pour la Ca' Zenobio, habituellement datées vers 1725-1730, marquent son évolution vers la palette légère qui allait désormais caractériser ses œuvres décoratives. Dans les années 1740, on compte au nombre de ses productions aussi bien des décors profanes, dont les sujets sont tirés de l'histoire ancienne, peints pour des mécènes de Milan, de Montecchio Maggiore ou de Venise, que des tableaux d'autel, pour des églises de Venise, de Padoue et de Bergame. On y voit une sophistication croissante, une compréhension de la rhétorique gestuelle qui s'affine, une stature intellectuelle qui s'affirme. La renommée de Tiepolo passe les frontières de l'Italie, et, en 1750, accompagné de ses fils, Giandomenico et Lorenzo, qui sont alors ses assistants d'atelier, il se rend à Würzburg, pour y décorer la nouvelle résidence du prince-évêque Karl Philipp von Greiffenklau. Il y réalise l'extraordinaire plafond, au-dessus de l'escalier, avec *Apollon et les quatre continents*, et les fresques de la Kaisersaal, dont *Le Mariage de l'empereur Frédéric Barberousse avec*

Late in life, Tiepolo is recorded as saying that "painters should aim to succeed in great works, the kind that can please noble, rich people ... Therefore the mind of the painter must always be directed toward the Sublime, the Heroic, toward Perfection." Although he was among the last in a long line of Italian artists who worked almost exclusively for monarchs, princes, and the Church, Tiepolo was able, by dint of his extraordinary pictorial imagination and brilliant use of illusionism and color, to create an "alternate universe" that remains seductive to this day. Studying with the classicizing painter Gregorio Lazzarini from the age of fourteen, the young Tiepolo also made himself aware of developments among artists of his own generation and of the generation preceding his, taking particular note of Giovanni Battista Piazzetta. More significantly, he studied the handling of light, color, and drawing in the vast decorative paintings of Titian, Tintoretto, and Veronese, his sixteenth-century predecessors in Venice. Tiepolo registered in the Venetian Painters' Guild in 1717, and in 1719 he married Cecilia Guardi, sister of the painters Gianantonio and Francesco Guardi. A series of pictures commissioned for the Ca' Zenobio in Venice, usually dated about 1725–30, were among his first important successes in Venice and show him moving toward the lighter palette that would characterize his later decorative paintings. Among his productions of the 1740s were secular decorations, with subjects from ancient history, painted for patrons in Milan, Montecchio Maggiore, and Venice, as well as altarpieces for churches in Venice, Padua, and Bergamo. These show the artist growing in sophistication, understanding of rhetorical gesture, and intellectual weight. Tiepolo's fame began to spread beyond Italy, and in 1750 he traveled with his sons, Giandomenico and Lorenzo—by then his workshop assistants—to decorate the recently built Würzburg Residenz for Prince-Bishop Karl Philipp von Greiffenklau. His work there includes the extraordinary ceiling over the staircase, with Apollo and the Four Continents, and the ceiling and walls of the Kaisersaal, with three of the artist's greatest frescoes, among them The Wedding of Emperor Frederick

Béatrice de Bourgogne, parmi les plus grandes qu'il ait peintes. Il revient à Venise au début de l'année 1754; les célèbres fresques de la Villa Valmarana «ai Nani», dans les environs de Vicence, sont achevées en 1757.

A l'invitation du roi Charles III, Tiepolo se rend en Espagne en 1762; il y demeurera jusqu'à la fin de sa vie. Il réalise trois fresques pour les plafonds du Palacio Real et, pour celui de la salle du Trône, l'immense *Allégorie de la monarchie espagnole*. Durant cette période, ce sont pourtant des œuvres de plus petit format qui sont visuellement les plus satisfaisantes. Pour les grandes fresques, Tiepolo réalisait toujours de petites esquisses à l'huile, les *modelli*, qu'il montrait à son commanditaire avant de se mettre à l'ouvrage. La spontanéité, la franchise, la délicatesse de ces esquisses suffiraient à faire de Tiepolo, sans même considérer ses grands formats, l'un des plus grands peintres du XVIIIᵉ siècle.

5 Investiture de l'évêque Harold au duché de Franconie
Huile sur toile, 71,8×51,4 cm, peinte en 1751-1752
Achat, 1871 (71.121)

C'est une étude de l'une des trois fresques commandées à Tiepolo par le prince-évêque Karl Philipp von Greiffenklau pour la Kaisersaal de la Résidence de Würzburg, splendide exemple de style haut baroque dû au crayon de l'architecte Balthasar Neumann. Les pseudo-pendentifs qui, à chaque bout de la salle, raccordent la partie supérieure des murs à la coupole ovale sont en effet ornés, tout comme la coupole elle-même, de scènes représentant respectivement *L'Investiture d'Harold*, *Le Mariage de Frédéric Barberousse et de Béatrice de Bourgogne* et *Apollon conduisant Béatrice de Bourgogne sur le trône du Saint-Empire romain germanique*. Deux études du *Mariage* nous sont parvenues. L'une (Boston, Isabella Stewart Gardner Museum), d'un format presque identique, est souvent mentionnée comme le pendant de la toile que nous présentons ici, tandis que l'autre (Londres, National Gallery) fut probablement peinte par Giandomenico, d'après l'esquisse de Boston, voire d'après la fresque de Giovanni Battista. La Staatsgalerie de Stuttgart conserve quant à elle une étude de format ovale, qui servit de *modello* pour le plafond.

L'empereur Frédéric Iᵉʳ Barberousse est donc ici montré investissant Harold de Hochheim, évêque de Würzburg, du duché de Franconie. L'événement, célébré en 1168, accordait aux évêques de Würzburg le droit au duché. Harold, tenant le drapeau ducal, suivi d'un jeune page portant le manteau ducal bordé d'hermine, s'agenouille devant l'empereur, qui trône en haut d'un vaste escalier. Selon le programme détaillé, établi par l'historien de la cour, que Tiepolo avait reçu à Venise, la cérémonie devait avoir pour cadre «une salle spatieuse et somptueusement décorée». L'artiste semble avoir fait peu de cas de ces recommandations, puisque la lumière du jour éclaire les marches et un certain nombre de figures à l'avant-plan sur

Barbarossa and Beatrice of Burgundy. He returned to Venice by the beginning of 1754; among the masterpieces painted after his return are the much-admired frescoes for Villa Valmarana "ai Nani," outside Vicenza, completed in 1757.

At the invitation of Carlos III, Tiepolo went to Spain in 1762 and remained there until his death in 1770. He produced three frescoes for the ceiling of the Palacio Real and decorated the ceiling of the saleta with the Glory of the Spanish Monarchy. The smaller works painted during this period, however, are the most visually satisfying. In fact, the artist's large commissions were always preceded by small oil sketches, or modelli, that were shown to a patron for approval. These sketches exhibit a spontaneity, directness, and delicacy of handling for which Tiepolo would be admired as one of the greatest eighteenth-century painters, even without the evidence of his larger works.

5 The Investiture of Bishop Harold as Duke of Franconia
Oil on canvas, 71.8×51.4 cm, painted in 1751–52
Purchase, 1871 (71.121)

The present picture is a study for one of three scenes that Karl Philipp von Greiffenklau, prince-bishop of Würzburg, commissioned Tiepolo to paint for the Kaisersaal, or dining room, of his Würzburg Residenz, which had recently been built in splendid high Baroque style by the Bohemian architect Balthasar Neumann. Tiepolo's finished fresco of this subject is one of two triangular vaults on the upper walls of the room; the opposite vault is decorated with a representation of The Wedding of Frederick Barbarossa and Beatrice of Burgundy, *and the ceiling itself represents* Apollo Bringing Beatrice of Burgundy to the Seat of the German Empire. *This study is one of four surviving oil sketches for the Kaisersaal frescoes. A sketch for the wedding scene (Isabella Stewart Gardner Museum, Boston) has almost the same dimensions as our picture and is often referred to as a companion to it. Another sketch for the scene (National Gallery, London), probably by Giovanni Domenico Tiepolo, was painted either after the Boston sketch or after the related fresco. In addition, a sketch in an oval format for the ceiling fresco, truly a modello for the finished work, is in the Staatsgalerie, Stuttgart.*

Emperor Frederick I (called Barbarossa) is shown here investing Harold of Hochheim, bishop of Würzburg, with the dukedom of Franconia. This event, which took place in 1168, gave the bishops of Würzburg legal title to the duchy. The emperor, seated on a throne at the top of a grand staircase, is approached on the left by the bishop, who kneels before him holding the ducal flag; behind the bishop is a young page carrying the ermine-lined ducal mantle. According to an extensive program that was planned in advance by the court historian and sent to Tiepolo in Venice, this ceremony was to be set in "a spacious and sumptuously appointed chamber."

l'esquisse, la scène de la fresque, quant à elle, se déroulant à l'air libre. Sans doute les conseillers du prince avaient-ils découvert entre-temps que ce genre de cérémonie, au Moyen Age, se tenait à l'extérieur. Tiepolo dut néanmoins trouver irrésistible le motif de l'arc de triomphe, présent dans l'esquisse antérieure de *La Continence de Scipion* (Stockholm, Musée national), dont l'artiste a repris certaines idées pour l'étude du Metropolitan, et sur la fresque finale, ramené certes à l'arrière-plan, à gauche, mais encadrant tout de même la figure la plus charmante de la composition: le jeune page qui se retourne vers le spectateur en montant les escaliers.

Bien que la scène représentée se tînt au XIIᵉ siècle, les vêtements des protagonistes sont ceux de la Renaissance vénitienne, voire plus tardifs; l'esprit de la cérémonie, plus encore dans la fresque – baignée de tons bleu pastel, jaunes et pêche –, est purement rococo. Notre esquisse est typique des compositions de Tiepolo pour les récits historiques. Montant de l'ombre vers la lumière, la diagonale de l'escalier conduit naturellement l'œil vers l'empereur trônant au sommet, lui-même partiellement ombragé par l'arc de triomphe qui l'encadre et lui confère autorité et grandeur. Le ciel bleu pâle au-dessus de la figure impériale offre une saisissante échappée. Les autres figures, disposées sur les marches en plans successifs, dans la lumière ou dans l'ombre, se tournent, de la droite ou de la gauche, vers le spectateur, mais certaines d'entre elles se détournent vers l'intérieur de la composition, ce qui crée une délicieuse sensation de profondeur et d'ouverture.

MSdJ

Historique

J. Taylor, Angleterre. [Richard Abraham, Londres, au moins à partir de 1830-†1831; sa vente de succession, Phillips, Londres, 28 juin 1831, nᵒ 56, ainsi décrit: «Giovanni Battista Tiepolo. Esquisse achevée, figurant la présentation des drapeaux, après une conquête, à un empereur romain assis sur son trône sous un arc de triomphe [...]», ravalé, (?) ou vendu pour 25,14 livres à «Smith PC».] (?) Sa vente 1831-1833. Vente, Foster's, Londres, 15 avril 1833, nᵒ 114, ainsi décrit: «Tiepolo. Installation d'un évêque [...] esquisse», pour 18,18,0 livres à Farrer. (?) [Farrer, Londres, à partir de 1859.] [Léon Gauchez, Paris, et Alexis Febvre, Paris, jusqu'en 1870; vendu à Blodgett.] William T. Blodgett, New York, et John Taylor Johnston, New York (1871; vendu au MMA).

Expositions

Fort Worth, Kimbell Art Museum, *Giambattista Tiepolo: Master of the Oil Sketch*, 18 septembre - 12 décembre 1993, nᵒ 41. Residenz Würzburg, *Der Himmel auf Erden: Tiepolo in Würzburg*, 15 février - 19 mai 1996, nᵒ 12. Paris, Musée du Petit Palais, *Giambattista Tiepolo, 1696-1770*, 22 octobre 1998 - 24 janvier 1999, nᵒ 61.

Bibliographie

Antonio Morassi, *A Complete Catalogue of the Paintings of G. B. Tiepolo*, Londres, 1962, p. 33, fig. 216.

Tiepolo seems not to have followed these directions literally in the sketch, as daylight illuminates the steps and a number of the foreground figures. The fresco, moreover, has an expansive outdoor setting; presumably the prince's advisers discovered that in the Middle Ages investitures customarily took place out-of-doors. Nevertheless, Tiepolo seems to have found the motif of the classical arch irresistible here. It is featured in the earlier oil sketch for The Continence of Scipio *(Nationalmuseet, Stockholm), from which the artist borrowed compositional ideas for the Metropolitan's study, and in the final fresco, where it appears in the left background, framing the most charming figure of the composition: the young page who turns toward us as he mounts the stairs.*

Although the event depicted occurred in the twelfth century, the dress of the participants dates from the Venetian Renaissance or later, and the spirit of the ceremony, especially in the fresco—bathed as it is in shades of pastel blue, yellow, and peach—is pure Rococo. Our sketch is typical of Tiepolo's compositions for historical narratives. Moving from darkness to light, the strong diagonal of the stairway draws our eye up toward the emperor, whose seated figure is enframed by a deeply shaded classical arch that endows him with impressive authority and grandeur. The pale blue sky over his head opens the composition to the outdoors. The other figures—dispersed along the stairs in a continuous sequence of planes, some in shadow, some in daylight—gaze out toward us from right and left and also face diagonally into the composition from various points, creating a wonderful sense of depth and openness.

MSdJ

Ex collections

J. Taylor, England. [Richard Abraham, London, by 1830-d. 1831; his estate sale, Phillips, London, June 28, 1831, no. 56, as "Giovanni Battista Tiepolo. A finished Sketch, representing the presentation of banners, after a conquest, to one of the Roman Emperors, who is seated on his throne under a triumphal arch...," bought in, ? or sold for £25.14 to "Smith PC."] ? His estate 1831–33. Sale, Foster's, London, April 15, 1833, no. 114, as "Tiepolo. The installing of a bishop, a... sketch," for £18.18.0, to Farrer. ?[Farrer, London, from 1859.] [Léon Gauchez, Paris, and Alexis Febvre, Paris, until 1870; sold to Blodgett.] William T. Blodgett, New York, and John Taylor Johnston, New York (1871; sold to MMA).

Exhibitions

Fort Worth, Kimbell Art Museum, Giambattista Tiepolo: Master of the Oil Sketch, *September 18–December 12, 1993, no. 41. Residenz Würzburg,* Der Himmel auf Erden: Tiepolo in Würzburg, *February 15–May 19, 1996, no. 12. Paris, Musée du Petit Palais,* Giambattista Tiepolo, 1696–1770, *October 22, 1998–January 24, 1999, no. 61.*

Reference

Antonio Morassi, A Complete Catalogue of the Paintings of G. B. Tiepolo *(London, 1962), p. 33, fig. 216.*

Antonio Joli

Italien, né à Modène, vers 1700; mort à Naples, le 29 avril 1777
Italian, born Modena, ca. 1700; died Naples, April 29, 1777

On croit savoir qu'Antonio Joli étudia d'abord auprès d'un peintre scénographe, Raffaello Rinaldi, à Modène, où il était né, puis, peut-être, avec Giovanni Paolo Panini, à Rome. Il travaille à Pérouse et à Modène, mais c'est à Venise que sa présence est attestée pour la première fois avec certitude, au printemps 1732, où il peint un décor pour un opéra que doit donner le Teatro di San Samuele. Entre 1735 et 1742, il est le scénographe de trente-deux opéras montés à Venise et de quelques autres, représentés à Padoue, à Modène et à Reggio Emilia. Il se marie à Venise et son premier enfant y est baptisé en mars 1736. Peut-être a-t-il visité Dresde en se rendant à Londres où, à partir de 1744 et jusqu'au printemps 1748, il travaille au King's Theatre de Haymarket. Il décore aussi, à Richmond, sur les bords de la Tamise, un peu en amont de Londres, l'une des pièces de la maison du directeur du théâtre, l'entrepreneur suisse John James Heidegger, et fournit à l'épouse du deuxième duc de Richmond deux vues, dont l'une représente Saint Paul et le Vieux Pont de Londres. En 1749, il est invité à Madrid comme peintre scénographe au théâtre du Buen Retiro; en 1754 et en 1756, il est de nouveau à Venise, où il fait partie des fondateurs de l'Académie vénitienne, en tant que peintre de perspectives, de paysages et d'ornements. Joli fait plusieurs séjours à Naples à la fin des années 1750, notamment en 1759, et s'y installe définitivement en 1762. Il y travaillera le reste de sa vie pour le Teatro Reale di San Carlo et pour les cours de Charles III et de Ferdinand IV comme peintre scénographe, *vedutista* et chroniqueur de la vie de cour.

Reportedly, Joli trained first with a scene painter, Raffaello Rinaldi, in his native Modena and then, perhaps when he was in his late teens, with Giovanni Paolo Panini in Rome. Having worked in Perugia and in Modena, Joli is first documented in the spring of 1732 in Venice, painting scenery for an opera to be held at the Teatro di San Samuele. Between 1735 and 1742 he was the scenographer for thirty-two operas staged in Venice as well as for several operas performed in Padua, Modena, and Reggio Emilia. He married in Venice, and his first child was baptized there in March 1736. He may have visited Dresden on his way to London, where by 1744 and through the spring of 1748 he was working at the King's Theatre in the Haymarket. He also decorated a room in the Richmond house of the theater's manager, the Swiss entrepreneur John James Heidegger, and provided the second Duke of Richmond's wife with two views, one of which included St. Paul's and Old London Bridge. In 1749 he was invited to Madrid as scene painter for the Buen Retiro theater; in 1754 and 1756 he was again in Venice, where in the latter year he was listed among the founders of the Venetian Academy as a painter of perspectives, landscapes, and ornaments. Joli visited Naples several times in the later 1750s, notably in 1759, and settled there in 1762, working for the balance of his life at the Teatro Reale di San Carlo and for the courts of Carlo III and Ferdinando IV as a scene painter, vedutista, *and chronicler of court life.*

6 Capriccio, vue de Saint Paul et du Vieux Pont de Londres

Huile sur toile, 106,7 × 119,4 cm,
probablement peinte entre 1744 et 1748
Legs d'Alice Bradford Woolsey, 1970 (1970.212.2)

Ce caprice fut attribué pendant plus de cinquante ans au peintre anglais Samuel Scott. En 1971, visitant chacun le Metropolitan Museum, les marchands londoniens Hugh Leggatt, Evelyn Joll et Peter Wilson l'identifièrent comme une œuvre de Joli. C'est une vue contractée de Londres et de la Tamise, depuis une terrasse imaginaire à travers des arcades imaginaires; la toile est particulièrement représentative du répertoire du peintre de Modène, car elle combine une représentation topographique contemporaine avec des motifs tirés du passé, selon une organisation qui pourrait provenir du théâtre. Les arches et l'oculus qui donnent sa structure à la composition évoquent le transept d'une église baroque, et les sculptures rappellent quelque ruine romaine. Les promeneurs portent les costumes de l'époque et le trafic fluvial se réduit à quelques petits bateaux de plaisance, qui jouent un rôle mineur dans la composition.

Le paysage, au loin, embrasse un large panorama, depuis les escaliers de Somerset House, sur la rive nord de la Tamise, à gauche, jusqu'au clocher de Saint Mary Overy ou de Saint Saviour, à Southwark, sur la rive sud, ou *Surrey side*, à droite. Le monument le plus remarquable est, bien sûr, le dome de la cathédrale Saint Paul, légèrement décentré sur la gauche, s'élevant au milieu des flèches des églises de la ville. Joli peignit à plusieurs reprises la Tamise avec l'abbaye de Westminster et le nouveau pont de Westminster en pendant de la vue de Saint Paul et du Vieux Pont de Londres. L'œuvre ici présentée avait peut-être, elle aussi, son pendant ou faisait même partie d'un ensemble plus vaste. Les toiles de ce genre, de format carré, avec des compositions symétriques, étaient très appréciées dans les maisons anglaises, comme dessus-de-porte ou dessus-de-cheminée; la provenance anglaise permet en outre d'affirmer que cette toile fut peinte durant les années londoniennes de l'artiste. L'architecture semble une invention de Joli, bien que deux compositions très similaires, asymétriques, avec une vue de la Tamise dans les lointains, présentent des ruines directement inspirées des vues du jeune Panini.

La construction du pont de Westminster fut l'un des plus grands chantiers de son temps, et si Joli s'occupait essentiellement de décors et de scénographie, il ne manqua pas de se faire la main sur un sujet aussi prisé – et commercial. (Le pont, largement terminé lorsqu'il arriva à Londres, ne fut cependant ouvert à la circulation qu'en 1750.) Pour ces vues populaires de la Tamise, le grand rival de Joli était le peintre Samuel Scott, d'un ou deux ans plus jeune, mais Londonien et pouvant compter sur un cercle de clients fidèles. Le Vénitien Canaletto, qui avait influencé Joli lorsque celui-ci vivait à Venise, était son aîné, dans l'âge comme dans le talent, mais Canaletto n'arriva à Londres que deux ans après Joli, en mai 1746.

KBB

6 *Capriccio with St. Paul's and Old London Bridge*

Oil on canvas, 106.7 × 119.4 cm,
probably painted between 1744 and 1748
Bequest of Alice Bradford Woolsey, 1970 (1970.212.2)

This capriccio was attributed for fifty years or more to the English artist Samuel Scott. In 1971, on separate visits to the Metropolitan Museum, London dealers Hugh Leggatt, Evelyn Joll, and Peter Wilson identified it as the work of Joli. A compressed view of London and the Thames seen from an imaginary terrace through an imaginary arcade, the canvas is particularly representative of the Modenese artist's repertoire because it combines contemporary topographical painting with motifs from the past in a design that could have been adapted from the theater. The arches and the oculus that give structure to the composition are reminiscent of the crossing of a Baroque church, or a Roman ruin with its sculptural decoration. The spectators wear contemporary costumes, and shipping on the river has been reduced to the smallest pleasure boats, which play a minor role in the design.

The distant landscape encompasses the water stairs of Somerset House, on the north bank of the Thames, at left, and the bell tower of St. Mary Overy or St. Saviour's, in Southwark on the Surrey side, at right. The most prominent landmark is the dome of St. Paul's Cathedral, left of center, rising amid the spires of the city churches. On several occasions Joli painted the Thames with Westminster Abbey and the new Westminster Bridge as a pendant to a view of St. Paul's and Old London Bridge. The present work may have been one of two, or perhaps even from a larger set. Square canvases with symmetrical compositions of this type were favored for overdoors and overmantels in English houses, and as the work has an English provenance it was doubtless painted during the artist's London years. The architecture in the picture seems to be Joli's own invention, whereas in at least two closely related, asymmetrical compositions with distant views of the Thames the ruined buildings derive quite directly from views by the young Panini.

Westminster Bridge was among the most important building enterprises of the era, and while Joli was primarily occupied with theatrical work, he did not fail to try his hand at such a popular—and salable—subject. (The bridge was largely finished when he arrived, though it opened to traffic only in 1750.) When he took up the popular Thames River views, Joli was competing principally with Scott, who, while a year or two younger, was a native Londoner with an established circle of patrons. The Venetian Canaletto, by whom Joli had already been influenced while living in Venice, was both his senior and his superior in terms of talent, but Canaletto arrived in London at least two years after Joli, in May 1746.

KBB

Historique

Mrs. Baxendale, Londres (vendu à Farr). [Daniel H. Farr, New York, jusqu'en 1924, alors attribué à Samuel Scott; vendu à Woolsey.] Juge John M. Woolsey et Mme, New York (1924-† juge Woolsey 1943). Alice Bradford (Mrs. John M.) Woolsey, New York (1943-†1970).

Expositions

The Metropolitan Museum of Art, *Venetian Paintings in The Metropolitan Museum of Art*, 1er mai - 2 septembre 1974. Londres, Somerset House, *London and the Thames: Paintings of Three Centuries*, 6 juillet - 9 octobre 1977, n° 21. Londres, Barbican Art Gallery, *The Image of London: Views by Travellers and Emigrés, 1550–1920*, 6 août - 18 octobre 1987, n° 68.

Bibliographie

Federico Zeri avec la collaboration d'Elizabeth E. Gardner, *Italian Paintings: Venetian School, A Catalogue of the Collection of The Metropolitan Museum of Art*, New York, 1973, p. 36, pl. 39. Luigi Salerno, *I pittori di veduta in Italia (1580-1830)*, Rome, 1991, pp. 251-252, n° 28, pl. coul. Jane Farrington, *Canaletto and England*, cat. ex., Birmingham, 1993, p. 102. Roberto Middione, *Antonio Joli*, Soncino, 1995, p. 21, fig. 3. Mario Manzelli, *Antonio Joli: Opera pittorica*, Venise, 1999, pp. 129-130, n° C.20, fig. 118.

Ex collections

Mrs. Baxendale, London (sold to Farr). [Daniel H. Farr, New York, until 1924, as by Samuel Scott; sold to Woolsey.] Judge and Mrs. John M. Woolsey, New York (1924–his d. 1943). Alice Bradford (Mrs. John M.) Woolsey, New York (1943–d. 1970).

Exhibitions

The Metropolitan Museum of Art, Venetian Paintings in The Metropolitan Museum of Art, *May 1–September 2, 1974. London, Somerset House*, London and the Thames: Paintings of Three Centuries, *July 6–October 9, 1977, no. 21. London, Barbican Art Gallery*, The Image of London: Views by Travellers and Emigrés, 1550–1920, *August 6–October 18, 1987, no. 68.*

References

Federico Zeri with the assistance of Elizabeth E. Gardner, Italian Paintings: Venetian School, A Catalogue of the Collection of The Metropolitan Museum of Art *(New York, 1973), p. 36, pl. 39.* Luigi Salerno, I pittori di veduta in Italia (1580–1830) *(Rome, 1991), pp. 251–52, no. 28, colorpl. Jane Farrington*, Canaletto and England, *exh. cat. (Birmingham, 1993), p. 102. Roberto Middione*, Antonio Joli *(Soncino, 1995), p. 21, fig. 3. Mario Manzelli*, Antonio Joli: Opera pittorica *(Venice, 1999), pp. 129–30, no. C.20, fig. 118.*

Pietro Longhi

Italien, né à Venise, le 23 novembre 1701; mort à Venise, le 8 mai 1785
Italian, born Venice, November 23, 1701; died Venice, May 8, 1785

On sait peu de chose de la jeunesse de l'artiste, fils de l'orfèvre Alessandro Falca, qui prit plus tard le nom de Longhi. En 1732, il épouse Cattarina Rizzi, et leur premier enfant, Alessandro, comme son grand-père, naît en 1733; ces événements sont consignés sur les registres des églises vénitiennes de San Pantalon et de San Zulian. La première œuvre attestée de Longhi est une peinture d'autel pour l'église paroissiale de San Pellegrino, près de Bergame, qui fut envoyée de Venise en 1732 et se trouve toujours en place. Deux ans plus tard, en 1734, Longhi signe et date les fresques du grand escalier du palazzo Sagredo, à Santa Sofia, sur le Grand Canal. Effort assez malhabile de perspective en contre-plongée, elles sont consacrées à *La Chute des géants*. Longhi passe la seconde moitié de sa vie à travailler comme peintre de genre. Peut-être a-t-il vécu dans la même maison, près de San Pantalon, de 1740 à sa mort.

Longhi est connu pour ses scènes de la vie vénitienne, d'un format relativement standard, de 60 sur 50 centimètres, représentant généralement cinq ou six figures en pied, de différentes classes sociales, en intérieur ou en extérieur. On connaît peut-être deux douzaines d'œuvres datées ou datables, qui s'étalent, de façon plus ou moins régulière, entre 1741 et 1781. Les différences de manière y sont notables, mais insuffisantes pour suivre l'évolution de l'artiste avec certitude ou pour comprendre sa pratique. Les versions autographes différentes d'un sujet donné sont courantes, et il existe aussi des variantes et de nombreuses copies dues à des artistes dont on ne connaît pas l'identité. Les gravures d'après ses peintures étaient certainement très répandues. Pietro fut également un dessinateur talentueux, travaillant sur le vif. La plupart de ses esquisses préparatoires, acquises auprès de son fils Alessandro par Teodoro Correr, sont conservées au Musée Correr, à Venise.

A en croire Alessandro, Pietro Longhi étudia avec Antonio Balestra et Giuseppe Maria Crespi à Bologne. On l'a comparé à Jean Antoine Watteau, à William Hogarth ou à Jean Siméon Chardin, dont il pouvait avoir vu des reproductions gravées, mais le style laconique de ce peintre des mœurs vénitiennes n'atteint ni leur acuité ni leur sincérité. On ne sait rien de la façon dont il aborda

Little is known of the early life of the artist, who was the son of the goldsmith Alessandro Falca and who later took the name Longhi. He married Cattarina Rizzi in 1732, and their first child, Alessandro, was born in 1733, events that are documented in the registers of the Venetian churches of San Pantalon and San Zulian. Longhi's earliest recorded work is an altarpiece for the parish church of San Pellegrino, near Bergamo, that was sent out from Venice in 1732 and is still in situ. Two years later, in 1734, he signed and dated frescoes in the stair hall of Gerardo Sagredo's palace at Santa Sofia on the Grand Canal; a clumsy effort at di sotto in sù perspective, this decoration represents The Fall of the Giants. Longhi spent the second half of his life working as a genre painter. He may have lived in the same house near San Pantalon from 1740 until his death.

Longhi is known for his scenes of Venetian life, which are of a relatively standard size, 60 by 50 centimeters, and which typically depict five or six full-length figures, of various social classes, either indoors or outside. There are perhaps two dozen dated or datable works, more or less evenly distributed from 1741 to 1781, and there are significant differences of handling among them, but not enough evidence to follow the artist's development with any degree of certainty or to understand his practice. Multiple autograph versions of a given subject are common, and there are also variants and many copies by unidentified artists. Reproductive etchings after his paintings must have circulated widely. Pietro was also an able draftsman working from the life. His preparatory sketches are mostly in the Museo Correr, Venice, having been acquired from his son, Alessandro Longhi, by Teodoro Correr.

Alessandro reported that his father had studied with Antonio Balestra and with Giuseppe Maria Crespi in Bologna. Pietro has been compared to Jean Antoine Watteau, William Hogarth, and Jean Siméon Chardin, prints of whose works he could have seen, but his laconic, local style lacks their bite and seriousness. Nothing at all is known about how he came to take up genre painting. Sets of Longhi's pictures were installed

la peinture de genre. Les familles patriciennes de Venise, notamment les Grimani, les Barbarigo et les Querini, collectionnaient ses toiles, et plusieurs de ces collections particulières ont été intégrées, sans être dispersées, à des collections publiques vénitiennes, ce qui témoigne assez de l'estime dans laquelle leurs propriétaires tenaient ces peintures. L'auteur comique vénitien Carlo Goldoni, son proche contemporain, comptait au nombre des admirateurs de Longhi; il partageait sa passion pour les petites faiblesses des habitants de la lagune.

7 La Lettre

Huile sur toile, 61×49,5 cm,
probablement peinte au début des années 1740
Fonds Frederick C. Hewitt, 1912 (14.32.1)

Cette scène de genre et *La Rencontre* (n° 8), ainsi que deux autres appartenant aux collections du Metropolitan Museum – *La Visite* (14.32.2), signée et datée au dos «Pietrus Longhi 1746», et *La Tentation* (17.190.12) –, sont attestées pour la première fois en 1912-1913, lors de l'acquisition par le Metropolitan Museum de *La Lettre* et de *La Visite*. *La Rencontre* et *La Tentation* furent respectivement achetées par Henry Walters et J. Pierpont Morgan, administrateurs du musée. Selon les marchands Balboni et Carrer, les quatre toiles provenaient de la collection du comte Miari de' Cumani, qui appartenait à une éminente et très ancienne famille de Padoue. Balboni aurait acheté en tout quatorze Longhi, parmi lesquels Theodore Robinson, alors directeur du Metropolitan, fit son choix. Les négociations traînèrent, et le comte exigea des marchands qu'ils lui fournissent des copies pour remplacer les originaux.

En 1917, le marchand Elia Volpi fit venir d'Italie six autres toiles de Longhi, dont il affirmait qu'elles faisaient partie du même ensemble, et les vendit aux enchères à New York. Volpi soutenait que les dix œuvres (les quatre du musée, plus celles qu'il mettait en vente) appartenaient à une série de vingt toiles peintes pour la famille Gambardi de Florence, léguées, à parité, aux Freschi et aux Miari de Padoue, ce dont il n'apporte pas la preuve. Toutefois, les cadres des quatre toiles du Metropolitan, qui datent du XVIIIᵉ siècle, sont presque identiques; on peut donc en déduire, raisonnablement, qu'elles ont toujours été groupées. *La Lettre* est peut-être antérieure à 1746; le sujet est d'un genre différent, et le style semble en être plus précoce, rappelant encore un peu Crespi.

Dans *La Lettre*, une jeune et jolie vendeuse, la missive en main, une fleur passée dans les cheveux, semble être recommandée, à moins que ce ne soit le contraire, à un client, par une entremetteuse tenant une quenouille (symbole de fécondité); l'homme, bien plus âgé, en habits de ville, porte une bourse rouge et tend une pièce rutilante. Tandis que la propriétaire de la boutique s'est endormie (s'agit-il même de la mère de la lectrice?), une petite fille (sa sœur?) joue à la poupée. En général, Longhi ne peint que des aristocrates et des paysans, mais nous sommes ici dans un intérieur bourgeois

in the houses of Venetian patrician families, notably the Grimanis, Barbarigos, and Querinis, and the fact that several of these sets have remained together and entered Venetian public collections testifies to the esteem in which he was held by their former owners. Among those who admired him was his near contemporary, the Venetian playwright Carlo Goldoni, with whom he shared an intense interest in the foibles of life on the lagoon.

7 The Letter

Oil on canvas, 61×49.5 cm,
probably painted in the early 1740s
Frederick C. Hewitt Fund, 1912 (14.32.1)

This scene and The Meeting *(No. 8) as well as two others in the Metropolitan Museum's collection—*The Visit *(14.32.2), which is signed and dated on the reverse "Pietrus Longhi 1746," and* The Temptation *(17.190.12)—are first recorded in 1912–13, when* The Letter *and* The Visit *were purchased by the Museum;* The Meeting *and* The Temptation *were bought respectively by Museum trustees Henry Walters and J. Pierpont Morgan. According to the dealers Balboni and Carrer the four works came from Conte Miari de' Cumani, who belonged to an ancient and distinguished Paduan family. Balboni is reported to have bought fourteen Longhis in all, from which then Metropolitan director Theodore Robinson made his selection. The negotiations were protracted, and the count required the dealers to supply copies to replace the originals.*

In 1917 the dealer Elia Volpi imported six other Longhis from Italy that he claimed were from the same set and sold them at auction in New York. Volpi maintained that the ten works (the Museum's four and the ones he was offering for sale) had belonged to a series of twenty painted for the Gambardi family of Florence that had descended in equal numbers to the Freschis and the Miaris in Padua, an assertion not supported by any other evidence. What can be said is that the eighteenth-century frames on the four works in the Metropolitan are almost identical, and it is reasonable to assume that they have always been together. The Letter *may predate 1746; it has a subject of a different type, and it seems to be earlier in style, still slightly reminiscent of Crespi.*

In The Letter, *a pretty shopgirl with a flower in her hair is recommended by a procuress holding a distaff (a symbol of fecundity) to a client, an older man in street clothes with a red money pouch and a shiny coin in his extended hand. While the proprietor of the shop (or perhaps it is the reader's mother?) sleeps, a little girl or younger sister plays with a doll. In general, Longhi painted only aristocrats and peasants, but this is a well-kept bourgeois interior, with the floor swept and the linen starched, and the sleeper is neatly dressed in a gown and a cap with salmon-colored ribbons. The procuress, by*

bien tenu, avec le sol balayé et le linge amidonné; la dormeuse est vêtue avec soin, sa robe élégante et sa coiffe sont ornées de rubans. L'entremetteuse, en revanche, est vieille, maigre, édentée, le front dégarni, et l'homme est apparemment un fonctionnaire ou un bureaucrate. Les pots sur l'étagère, en haut à droite, forment une nature morte très simple; l'espace est coupé en deux par la corde à linge sur laquelle est étendue la marchandise à vendre, un châle et des coiffes de fine toile blanche. Une gravure non datée de cette composition, réalisée par Giovanni Cattini, s'accompagne d'une légende ironique, allusion à l'amour paternel *(con paterno amor)* au nom duquel l'héroïne se laisserait convaincre, mais les contemporains de l'artiste n'avaient nul besoin de commentaire pour saisir le sous-entendu. La collection du regretté Sir Brinsley Ford, à Londres, comprenait une seconde version de cette peinture.

8 La Rencontre

Huile sur toile, 61×49,5 cm, peinte vers 1746
Don de Samuel H. Kress, 1936 (36.16)

La Rencontre que représente la seconde toile est fortuite; elle a lieu devant un café de la place Saint-Marc, entre une élégante et son mari, distingué Vénitien, sans doute haut fonctionnaire, revêtu d'une houppelande sombre et coiffé d'une longue perruque. La femme, élégamment habillée dans une robe jaune avec force galons dorés et broderies, a dévoilé son visage à celui qu'elle peut bien considérer comme son intime. Elle a rejeté en arrière son voile de dentelle noir et ôté son masque blanc, posé avec désinvolture sur le bord de son petit tricorne. A en juger par le manchon bordé de fourrure d'une des femmes, on doit être en hiver, pendant le carnaval, quand les Vénitiens sortent masqués dans les rues. Les couples en arrière-plan, sur les côtés, n'ont qu'un rôle secondaire, mais l'homme qui se tient au centre tend de grandes clefs qui, si l'on y met le prix, donneront accès à une loge au théâtre ou à l'opéra, et le patricien offre à son épouse ce divertissement pour la soirée. Une telle rencontre fortuite était bien dans les mœurs de Venise, où les femmes de qualité vivaient de façon assez indépendante, se faisant accompagner d'un *cicisbeo*, ou chevalier servant, avec qui elles entretenaient une relation plus ou moins intime, mais qui se devait en tout cas de les divertir, laissant ainsi leur époux libre de courir à son tour la bonne fortune. A la fin des années 1740, *La Rencontre* fut gravée par le Français Charles Joseph Flipart, accompagnée de quelques vers mettant en avant l'égalité aristocratique *(nobil sangue uguale)* du couple fortuné.

KBB

---

contrast, is old, thin, and toothless, with a receding hairline, and the man is apparently an official or bureaucrat. There is a simple still life of pots on a shelf at upper right, and the space is bisected by a clothesline over which merchandise— a shawl and caps made of fine white cloth—is draped for display. An undated engraving of the composition by Giovanni Cattini is accompanied by ironic verse, according to which the heroine is induced by the paternal love (con paterno amor) of the supplicant, but the artist's contemporaries would have understood the innuendo without the aid of any text. A second version of the painting was in the collection of the late Sir Brinsley Ford, London.

8 *The Meeting*

Oil on canvas, 61×49.5 cm, painted about 1746
Gift of Samuel H. Kress, 1936 (36.16)

The Meeting *shows a chance encounter in front of a coffeehouse in Piazza San Marco between an elegant woman and her husband, a solicitous Venetian gentleman who is also an official, depicted in a full-bottomed wig and dark gown. The woman, elegantly dressed in yellow and with much gold braid and colored embroidery, reveals her face because of the intimate nature of their relationship. She has pushed back her black lace veil and taken off her white mask, which sits jauntily on the brim of her small tricorne hat. As one of the other women carries a fur-lined muff, the season must be winter, when masks were worn in public during carnival. The role of the couples in the background is simply that of staffage, but the man at the center proffers several large keys, which for a price will give admittance to a theater or opera box, and the gentleman offers his wife this amusement for the evening. Such an improbable chance encounter was possible because a Venetian woman of rank often lived quite independently of her husband and was accompanied by a* cicisbeo *or* cavaliere servente, *whose relationship might vary in degrees of intimacy but who, in any event, amused the lady, leaving her spouse free for his own pursuits. In the late 1740s* The Meeting *was engraved by the French printmaker Charles Joseph Flipart and accompanied by rhyming lines drawing attention to the equality of noble birth (nobil sangue uguale) of the fortunate couple.*

KBB

Historique

(?) Famille Gambardi, Florence. Comte Giacomo Miari de' Cumani, Padoue (jusqu'en 1912-1913; vendu à Balboni). [Carlo Balboni et Antonio Carrer, Venise, 1912-1913; *La Lettre* vendue au MMA; *La Rencontre* vendue par le biais du MMA à Henry Walters.]

La Rencontre: Henry Walters, Baltimore (1912-1913-†1931; sa succession, 1931-1936; vente, American Art Association–Anderson Galleries, New York, 10 janvier 1936, n° 50, à S. J. Brooks). Samuel H. Kress, New York (1936).

Expositions

The Metropolitan Museum of Art, *Venetian Paintings in The Metropolitan Museum of Art*, 1er mai - 2 septembre 1974. Venise, Museo Correr, *Pietro Longhi*, 4 décembre 1993 - 4 avril 1994, n° 56 (*La Lettre*).

Bibliographie

«New Acquisitions of Pictures», *Metropolitan Museum of Art Bulletin* 9 (mars 1914), pp. 75-77, ill. New York, American Art Galleries, *Ancient Italian Art Treasures [...] acquired during the past year by [...] Elia Volpi*, cat. de la vente, 17-19 décembre 1917, n°s 441-446, ill. Terisio Pignatti, *Pietro Longhi*, Venise, 1968, pp. 49, 76-78, 80-83, 88, 92-93, fig. 24-26, pl. 76-78, 84, 103, 105. Rolf Bagemihl, «Pietro Longhi and Venetian Life», *Metropolitan Museum Journal* 23 (1988), pp. 233-247, fig. 1, 6, 7, 11, 13, 15, 18. Giorgio Busetto, *Pietro Longhi, Gabriel Bella: Scene di vita veneziana*, cat. ex., Venise, 1995.

Ex collections

? Gambardi family, Florence. Conte Giacomo Miari de' Cumani, Padua (until 1912–13; sold to Balboni). [Carlo Balboni and Antonio Carrer, Venice, 1912–13; sold 14.32.1 to MMA, and 36.16, through MMA, to Henry Walters.]
36.16: Henry Walters, Baltimore (1912–13–d. 1931; his estate, 1931–36; sale, American Art Association–Anderson Galleries, New York, January 10, 1936, no. 50, to S. J. Brooks). Samuel H. Kress, New York (1936).

Exhibitions

The Metropolitan Museum of Art, Venetian Paintings in The Metropolitan Museum of Art, *May 1–September 2, 1974. Venice, Museo Correr,* Pietro Longhi, *December 4, 1993–April 4, 1994, no. 56 (14.32.1).*

References

"New Acquisitions of Pictures," Metropolitan Museum of Art Bulletin *9 (March 1914), pp. 75–77, ills. New York, American Art Galleries,* Ancient Italian Art Treasures … acquired during the past year by … Elia Volpi, *sale cat., December 17–19, 1917, nos. 441–46, ills. Terisio Pignatti,* Pietro Longhi *(Venice, 1968), pp. 49, 76–78, 80–83, 88, 92–93, figs. 24–26, pls. 76–78, 84, 103, 105. Rolf Bagemihl, "Pietro Longhi and Venetian Life,"* Metropolitan Museum Journal *23 (1988), pp. 233–47, figs. 1, 6, 7, 11, 13, 15, 18. Giorgio Busetto,* Pietro Longhi, Gabriel Bella: Scene di vita veneziana, *exh. cat. (Venice, 1995).*

Francesco Guardi

Italien, né à Venise, le 5 octobre 1712; mort à Venise, le 1er janvier 1793
Italian, born Venice, October 5, 1712; died Venice, January 1, 1793

Francesco Guardi fut le membre le plus éminent d'une famille de peintres comprenant également son frère, Giovanni Antonio, surnommé Gianantonio, et son fils, Giacomo. Son père, Domenico, un autre frère, Niccolò, et sa sœur, Cecilia, qui épousa en 1719 Giambattista Tiepolo, furent peintres, eux aussi, mais on ne sait rien de leur œuvre. Les Guardi venaient du Trentin; Domenico, après avoir étudié à Vienne, s'établit à Venise entre 1699 et 1702. On pense que Gianantonio prit la succession de son père après la mort de celui-ci en 1716, et qu'à l'occasion, ses frères plus jeunes et peut-être aussi sa sœur travaillaient avec lui; les ateliers des Guardi connurent ainsi plus de trois quarts de siècle de prospérité.

Si l'on en croit les quelques peintures portant la signature de Gianantonio ou qu'on puisse, avec quelque certitude, lui attribuer; si l'on considère également qu'il fut longtemps à la tête de l'entreprise familiale, comme peintre de figures et de décors on doit en déduire qu'il était le supérieur de Francesco. Dans la première moitié du XVIIIe siècle, la famille Guardi s'occupa beaucoup de copier des œuvres antérieures. Entre 1730 et 1745, Johann Matthias von der Schulenburg, maréchal de l'armée vénitienne, commanda à Gianantonio plus de cent copies de portraits dus à des peintres vénitiens des XVIe et XVIIe siècles. Si nous acceptons le témoignage, en 1764, du mémorialiste vénitien Pietro Gradenigo, et si, comme l'affirme ce dernier, l'influence de Canaletto sur Francesco Guardi fut déterminante, alors il faut conclure que Francesco ne développa ses talents de *vedutista* qu'après 1754, lorsque Canaletto, qui avait passé près de dix années en Angleterre, revint à Venise. Ainsi, à partir de la mort de son frère et jusqu'à ce que son propre fils ne prenne un rôle important dans l'atelier, c'est-à-dire des années 1760 jusqu'au-delà des années 1780, Francesco aurait mené une carrière indépendante de peintre de vues. Giacomo, après la mort de son père, prit sa succession et perpétua, au-delà du premier quart du XIXe siècle, la renommée des Guardi.

Francesco Guardi was the most distinguished member of a family of painters that included his brother Giovanni Antonio, called Gianantonio, and his son, Giacomo. His father, Domenico, another brother, Niccolò, and his sister, Cecilia, who in 1719 married Giambattista Tiepolo, were also painters, but nothing is known of their work. The Guardis came from the Trentino, and Domenico, who was trained in Vienna, settled in Venice between 1699 and 1702. It is assumed that Gianantonio took over Domenico's practice upon the latter's early death in 1716, and that over the years his younger brothers and perhaps also his sister joined him from time to time in workshops that flourished for more than three-quarters of a century.

Based on the few pictures that either bear Gianantonio's signature or that may be attributed to him with some degree of certainty, and in view of the fact that he was long head of the family enterprise, as a painter of large-scale figures and decorations he must have been Francesco's superior. In the early decades the Guardi family of painters was much occupied with copying earlier works of art. Between 1730 and 1745, Johann Matthias von der Schulenburg, field marshal of the Venetian armies, commissioned from Gianantonio more than one hundred copies of portraits and of sixteenth- and seventeenth-century Venetian paintings. If we accept the 1764 testimony of the Venetian diarist Pietro Gradenigo, and if, as Gradenigo claims, Canaletto's influence on Francesco Guardi was paramount, then the latter's skill as a vedutista developed after 1754, when, following an absence of the better part of ten years in England, Canaletto returned to Venice. Francesco would have flourished independently as a view painter from about 1760 through the 1780s, that is, from the death of Gianantonio until Giacomo assumed an important role in the studio. Giacomo carried on the business for decades after his father's death, and well into the nineteenth century.

9 Le Grand Canal en amont du Rialto

Huile sur toile, 53,3×85,7 cm, peinte vers 1765
Signée (en bas à gauche): Fran^co / De' Guardi
Inscription (verso, en haut à gauche, d'une main plus récente, aujourd'hui masquée par un renfort de toile): Veduta del Sante [Ponte] di Rialto / in Venezia / del Guardi (Vue du pont du Rialto à Venise par Guardi)
Achat, 1871 (71.119)

La toile montre le cœur commercial et marchand de Venise: le pont du Rialto, vu du nord, avec, à gauche, le Fondaco dei Tedeschi, qui servait à l'origine de résidence et d'entrepôt aux marchands allemands et qui, aujourd'hui, est devenu le bureau de poste principal. A droite du pont, un élégant bâtiment de pierre, qui appartenait à la ville, le palais Camerlenghi, puis, longeant le Grand Canal, les arcades des Fabbriche Vecchie di Rialto. Tôt le matin, derrière ces bâtiments, sur le campo, au débouché du pont, se tenait le grand marché de Venise.

L'œuvre ici présentée a pour pendant une peinture de *Santa Maria della Salute* (71.120), également conservée au Metropolitan, vue depuis l'entrée sud du Grand Canal. Les deux toiles, acquises sur le marché de l'art, faisaient partie de l'achat de fondation du musée et auraient appartenu auparavant au comte de Shaftesbury. Aucune trace de toiles de Guardi vendues aux enchères et provenant de la collection Shaftesbury n'a été retrouvée. Toutefois, le dixième comte de Shaftesbury, en 1973, rapporte que le septième comte, dans son journal pour l'année 1869, mentionne au nombre des peintures de Saint Giles's House deux «Vue[s] de Venise par Guardi», achetées par le cinquième comte dans la Cité des Doges. Nous ne saurons probablement jamais ce que représentaient les Guardi de l'ancienne collection Shaftesbury, mais le cinquième comte, né en 1761, n'a pu, quoi qu'il en soit, acheter ou commander des peintures de Guardi avant la fin des années 1770.

Le 25 avril 1764, Pietro Gradenigo écrit que Francesco Guardi, «*buon Scolaro del rinomato [...] Canaletto*» («élève apprécié du renommé Canaletto»), a exposé sur la place Saint-Marc deux vues très admirées de moyen format commandées par un Anglais: «*vedute della Piazza di S. Marco verso la Chiesa, e l'Orologio, e del Ponte di Rialto, e sinistre Fabbriche verso Canareggio...*» («vues de la place Saint-Marc vers l'église, et la tour de l'Horloge, et du pont du Rialto, ainsi que des bâtiments à gauche, vers Canareggio»). Cette note de 1764 fournit l'une des rares informations fiables dont on dispose sur la carrière de Guardi alors âgé de 51 ans.

Si l'on a conjecturé que la peinture ici présentée correspondait à la description «*Ponte di Rialto, e sinistre Fabbriche verso Canareggio*», on pourrait en dire autant d'une vue très comparable montrant un peu plus les bâtiments sur la droite, ou, effectivement, de son pendant, représentant le pont du Rialto depuis la Riva del Carbon. Toutefois, ces peintures, dont on pense qu'elles sont passées à la famille du comte d'Iveagh, mesurent deux mètres de large, et il est difficile d'imaginer qu'elles puissent correspondre à des toiles de «moyen format». Ainsi la paire de vues que décrit Gradenigo n'est-elle pas, aujourd'hui, identifiable.

9 *The Grand Canal above the Rialto*

Oil on canvas, 53.3×85.7 cm, painted about 1765
Signed (lower left): Fran^co / De' Guardi
Inscribed (verso, upper left, in a later hand, now covered by a lining canvas): Veduta del Sante [Ponte] di Rialto / in Venezia / del Guardi (*View of the Rialto Bridge in Venice by Guardi*)
Purchase, 1871 (71.119)

The canvas shows the commercial heart of Venice: the Rialto Bridge, seen from the north, with, to the left, the Fondaco dei Tedeschi, originally a residence and warehouse for the German traders who congregated in the area, and now the central post office. To the right of the bridge is an elegant stone building that belonged to the city, the Palazzo dei Camerlenghi, and at near right, parallel to the Grand Canal, the Fabbriche Vecchie di Rialto. In the early morning hours the campo that lies between, at the foot of the bridge, has always served as, and remains part of, the city's central market.

The work exhibited here has as its pendant a picture of Santa Maria della Salute (71.120) seen from the entrance to the Grand Canal. The pair, acquired in the art trade as part of the Museum's founding purchase, reportedly had belonged to the Earl of Shaftesbury. No record of Guardis sold at auction from the Shaftesbury collection has been found. However, the tenth earl, writing in 1973, advised that the seventh earl, in his diary for 1869, listed among the paintings at Saint Giles's House two "View[s] in Venice by Guardi" that had been bought in Venice by the fifth earl. We shall probably never know the subjects of the ex-Shaftesbury Guardis, but the fifth earl, born in 1761, cannot have commissioned or bought paintings from Guardi before the late 1770s.

On April 25, 1764, Pietro Gradenigo wrote that Francesco Guardi, "buon Scolaro del rinomato ... Canaletto" (able pupil of the renowned Canaletto), had exhibited in Piazza San Marco two much-admired views of middle size that had been commissioned by an Englishman: "vedute della Piazza di S. Marco verso la Chiesa, e l'Orologio, e del Ponte di Rialto, e sinistre Fabbriche verso Canareggio..." (views of Piazza San Marco toward the church, and clock tower, and of the Rialto Bridge and the buildings on the left toward Canareggio). The 1764 note provides one of the very few fixed points in the fifty-one-year-old Guardi's development.

It has been supposed that the picture here exhibited matches the description "Ponte di Rialto, e sinistre Fabbriche verso Canareggio." The same might perhaps be said of a closely comparable view showing a little more of the buildings to the right, or indeed of its pendant, depicting the Rialto Bridge from the Riva del Carbon. However, these paintings, which are believed to have descended in the family of the Earl of Iveagh, measure two meters in width, and it is difficult to imagine that they correspond to the description "of middle size." Therefore, the pair of views that Gradenigo describes is not at present identifiable.

Two luminous preliminary drawings that must have once been joined as a single sheet, roughly 75 centimeters

Deux dessins préliminaires, lumineux, qu'il faudrait un jour rassembler en une seule feuille, d'environ 75 centimètres de large, pourraient avoir été utilisés tant pour la vue du Rialto conservée au Metropolitan Museum que pour celle de la collection Iveagh qui regarde vers le sud (la moitié gauche du dessin appartient au Musée Bonnat de Bayonne, la droite, au Kupferstichkabinett de Berlin). Les deux peintures et les deux moitiés du dessin sont proches, à la fois par leur conception et par la disposition des personnages qui animent la composition, d'une toile de Canaletto montrant le pont du Rialto vu du nord (collection particulière), peinte celle-ci environ quarante ans plus tôt, à l'automne 1725, pour Stefano Conti à Lucques. Francesco n'était alors âgé que de 13 ans, et il est difficile d'imaginer qu'il ait pu connaître la célèbre composition de Canaletto.

La toile ici présentée, celle de la collection Iveagh et la peinture de Canaletto ayant appartenu à Conti comportent toutes trois, à gauche, un repoussoir, l'angle d'un palais à trois étages. Canaletto ne montre que les bords du bâtiment ainsi qu'un store à une fenêtre du troisième étage. Guardi ajoute ici des éléments: un mur couleur brique inondé de soleil, une fenêtre ouverte au troisième étage, dont les volets sont maintenus ouverts par une barre, une autre fenêtre, à demi fermée, au deuxième étage, une avancée, dont le toit monte au niveau du premier étage et arbore une cheminée vénitienne traditionnelle. Il peint aussi, vus de dessous, les corbeaux de la corniche du toit et les encorbellements, au troisième étage, des balcons du palais: détail audacieux, qui confine à l'abstrait.

Cet exposé, s'il reprend les éléments le plus souvent mis en avant, ne peut cependant rendre compte de la complexité des arguments concernant l'attribution à tel ou tel membre de la famille Guardi. Il semble toutefois peu probable qu'un autre que Francesco ait pu peindre une vue aussi sophistiquée. En revanche, selon la façon dont on considère l'évolution de l'artiste, cette peinture pourrait théoriquement être datée avant les années 1760. D'un autre côté, si l'érudit Michelangelo Muraro a raison lorsqu'il affirme qu'elle est de la main de Giacomo Guardi, elle pourrait alors avoir été réalisée dans les années 1780 et même plus tard.

KBB

wide, could have been used for both the Metropolitan Museum and Iveagh views of the canal above the Rialto. (The left half of the drawing belongs to the Musée Léon-Bonnat, Bayonne; the right half is in the Kupferstichkabinett, Berlin.) The two pictures and the two halves of the drawing are close in terms of their designs and staffage to a Canaletto showing the Rialto Bridge from the north (private collection), which was painted roughly forty years earlier, in the autumn of 1725, for Stefano Conti of Lucca. Francesco was thirteen then, and it is difficult to imagine how he could have known Canaletto's famous composition.

The present work, the Iveagh canvas, and Canaletto's Conti picture all include, at left, a repoussoir: a corner angle of a three-story palace. Canaletto shows only the edge of the building and an awning extended over a third-story window. Here Guardi adds more: a brick-colored wall drenched in sunlight; an open third-floor window whose shutters are held in place by a narrow rod; a half-open second-floor window; and a one-story structure with a traditional Venetian chimney pot. He also depicts the supports for the cornice of the roof and for the third-floor balcony of the palace from below: an audacious, abstract detail.

The account presented here, even though it is the one most often advocated, fails to suggest the complexity of the arguments concerning attributions to members of the Guardi family. It seems unlikely that any of them other than Francesco could have painted so sophisticated a work, but, depending on one's understanding of the artist's development, the picture could theoretically date earlier than the 1760s. If, on the other hand, the scholar Michelangelo Muraro is correct in ascribing it to Giacomo Guardi, then the date could be in the 1780s, or even later.

KBB

Historique

Expositions

Venise, Palazzo Grassi, *Mostra dei Guardi*, 5 juin - 10 octobre 1965, n° 88. The Metropolitan Museum of Art, *Florentine Paintings in The Metropolitan Museum of Art*, 15 juin - 15 août 1971.

Bibliographie

Bernard Berenson, «Les Peintures italiennes de New York et de Boston», *Gazette des Beaux-Arts* 15 (mars 1896), p. 199. George A. Simonson, *Francesco Guardi, 1712–1793*, Londres, 1904, pp. 6, 14, 16, 81, 93, n° 171, ill. Lina Livan, éd., *Notizie d'arte tratte dai Notatori e dagli Annali del N. H. Pietro Gradenigo*, Venise, 1942, p. 106. J. Byam Shaw, *The Drawings of Francesco Guardi*, Londres, 1951, pp. 20n3, 60, voir fig. 12, 13. Antonio Morassi, *Guardi: Antonio e Francesco Guardi*, 2 vol., Venise, 1973, vol. 1, pp. 233-234, 413, n° 554, vol. 2, fig. 530. Federico Zeri avec la collaboration d'Elizabeth E. Gardner, *Italian Paintings: Venetian School, A Catalogue of the Collection of The Metropolitan Museum of Art*, New York, 1973, pp. 28-29, pl. 26. Michelangelo Muraro, «Giacomo Guardi», *Colóquio* 20 (décembre 1974), pp. 9, 12, 13n3, fig. 13, 14.

Ex collections

Exhibitions

Venice, Palazzo Grassi, Mostra dei Guardi, *June 5–October 10, 1965, no. 88. The Metropolitan Museum of Art*, Florentine Paintings in The Metropolitan Museum of Art, *June 15–August 15, 1971.*

References

Bernard Berenson, "Les Peintures italiennes de New York et de Boston," Gazette des Beaux-Arts *15 (March 1896), p. 199. George A. Simonson,* Francesco Guardi, 1712–1793 *(London, 1904), pp. 6, 14, 16, 81, 93, no. 171, ill. Lina Livan, ed.,* Notizie d'arte tratte dai Notatori e dagli Annali del N. H. Pietro Gradenigo *(Venice, 1942), p. 106. J. Byam Shaw,* The Drawings of Francesco Guardi *(London, 1951), pp. 20n3, 60, and see figs. 12, 13. Antonio Morassi,* Guardi: Antonio e Francesco Guardi, *2 vols. (Venice, 1973), vol. 1, pp. 233–34, 413, no. 554, vol. 2, fig. 530. Federico Zeri with the assistance of Elizabeth E. Gardner,* Italian Paintings: Venetian School, A Catalogue of the Collection of The Metropolitan Museum of Art *(New York, 1973), pp. 28–29, pl. 26. Michelangelo Muraro, "Giacomo Guardi,"* Colóquio *20 (December 1974), pp. 9, 12, 13n3, figs. 13, 14.*

Giovanni Domenico Tiepolo

Italien, né à Venise, le 30 août 1727; mort à Venise, le 3 mars 1804
Italian, born Venice, August 30, 1727; died Venice, March 3, 1804

Giovanni Domenico (Giandomenico) était le fils aîné – parmi ceux des enfants qui avaient survécu – de Cecilia Guardi, la sœur du peintre de vues Francesco Guardi, et de Giovanni Battista (Giambattista) Tiepolo, sur le travail duquel il modela le sien. Tandis que Venise, au XVIIIᵉ siècle, s'enfonçait toujours plus dans le déclin économique et politique, l'école vénitienne de peinture jetait ses derniers feux, et Giambattista, à l'époque où Giandomenico arrivait à l'âge d'homme, en était le plus brillant représentant, et le plus recherché. Pendant trente ans, le fils fut l'assistant et l'associé du père pour les plus grosses commandes de fresques. Ainsi travailla-t-il, avec son frère Lorenzo, entre 1750 et 1753, à la Résidence de Würzburg, et, en 1762, s'en fut à Madrid, avec le même, sur le chantier du Palacio Real, qui ne devait se terminer pour lui qu'à la mort de Giambattista (et celle du roi), en 1770. La fresque la plus importante qu'ait réalisée Giandomenico en tant qu'artiste indépendant fut le plafond de la Salle du Conseil du Palais ducal de Gênes, dont l'esquisse n'est autre que la pièce présentée ici.

A 20 ans, Giandomenico lançait sa propre carrière de peintre avec un cycle de quatorze toiles pour un chemin de croix (*via crucis*) toujours en place à l'église San Polo de Venise. Graveur accompli, il acheva et publia, au début des années 1750, durant son séjour à Würzburg, une suite de vingt-quatre variations sur le thème de la Fuite en Egypte dédicacée au mécène des Tiepolo, le prince-évêque Karl Philipp von Greiffenklau, et intitulée *Idee pittoresche sopra la fugga in Egitto di Giesu, Maria e Giuseppe*. Dans ces gravures, sa légèreté de touche, caractéristique, s'allie à une imagination fertile et à une grande richesse d'invention. Dès son retour à Venise, Giandomenico s'affirme comme une personnalité artistique indépendante. A la différence de son père, porté sur le style olympien et les grands sujets, il préfère les petits événements et les détails de la vie quotidienne dans la cité ou la campagne environnante. Il est d'ailleurs doué pour la caricature. Il dessine et peint avec la même sympathie aristocrates et fermiers, acteurs et clowns, paysans et étrangers, dans le désir d'amuser, en un style tout pétillant de vie. Si les contemporains de Giandomenico préféraient évidemment les petits formats, adaptés à ces

Giovanni Domenico, called Giandomenico, was the eldest surviving son of Cecilia Guardi, the view painter Francesco Guardi's sister, and Giovanni Battista Tiepolo, upon whose work he modeled his own. While Venice in the eighteenth century suffered increasingly acute economic and political decline, the Venetian school of painting was in the midst of its last flowering, and Giambattista, by the time Domenico came of age, was its most brilliant and sought-after exponent. Domenico was for thirty years his father's assistant and partner for the most important fresco commissions. With his father and his brother, Lorenzo, he worked from 1750 to 1753 at the Residenz in Würzburg, and in 1762 he departed with them for Madrid to begin a campaign of decoration in the royal palace, which for Domenico ended only with his father's death (and the king's) in 1770. The younger Tiepolo's most important independent work in fresco was the ceiling of the Council Chamber of the Ducal Palace in Genoa, the sketch for which is the subject of the present entry.

*At twenty, Domenico had launched his independent career as a painter with a cycle of fourteen works, the Stations of the Cross (*Via Crucis*), which are still in situ in the church of San Polo in Venice. He was an accomplished etcher, and, during the early 1750s, while in Würzburg, he completed and published a suite of twenty-four variations on the theme of the Flight into Egypt that were dedicated to the Tiepolos' patron, Prince-Bishop Karl Philipp von Greiffenklau, and titled* Idee pittoresche sopra la fugga in Egitto di Giesu, Maria e Giuseppe. *Domenico's characteristic lightness of touch as a printmaker is combined in the etchings with a new richness and fertility of invention. Upon his return to Venice, Domenico emerged as an independent artistic personality. By comparison with his father's Olympian style and subject matter, he preferred incidents and details drawn from the daily life around him, in the city and in the Veneto, and he also showed a gift for caricature. He drew and painted aristocrats, farmers, actors, peasants, foreigners, and clowns with equal sympathy, and with a simultaneous desire to amuse, in a style that is buoyant with life.*

sortes de sujets, les fresques de la *foresteria* (maison d'hôtes) de la Villa Valmarana «ai Nani», près de Vicence, dont l'une est datée de 1757, comptent parmi ses plus belles œuvres. Il réalisa également quelques fresques dans le goût antique.

En 1774, plusieurs années après son retour d'Espagne, Giandomenico publie ses *Raccolte di Teste*, qui font partie d'une édition complète des gravures de la famille Tiepolo: ces têtes d'hommes imaginaires constituent une démonstration magistrale de l'art de la variation. Il se concentre aussi avec une attention accrue sur le dessin pur, travaillant à la plume, à l'encre et au lavis sur des centaines de feuilles, d'une extrême finition, consacrées à de multiples thèmes, qui vont de la religion et de la mythologie à la vie quotidienne. C'est peut-être pour ses études de Polichinelle qu'il est aujourd'hui le plus connu. Ce personnage tragi-comique de la commedia dell'arte, bossu, au ventre rond, affublé d'un costume blanc trop grand pour lui, coiffé d'un grand chapeau, qui pouvait endosser presque tous les rôles du spectacle qu'offrait la vie vénitienne au XVIIIᵉ siècle, inspira nombre de ses dessins.

10 La Glorification de la famille Giustiniani
Huile sur toile, 116,8×82,6 cm, peinte en 1783
Fonds John Stewart Kennedy, 1913 (13.2)

Cette esquisse à l'huile pour un plafond, qui n'avait encore été mentionnée nulle part, dont l'attribution et le titre étaient de surcroît erronés, fut achetée en 1913 par le Metropolitan Museum sur le marché parisien des œuvres d'art. La peinture à Gênes était à l'époque relativement peu étudiée, et la fresque pour laquelle cette ébauche fut réalisée avait été remplacée. Ce que nous savons de cette commande se fonde sur la documentation publiée par Stefano Rebaudi en 1940 dans un article d'un périodique ligure, principale source de cet exposé.

Dans la nuit du 2 novembre 1777, une partie de la façade et les deux salles principales du Palais ducal de Gênes sont détruites par le feu. Les pièces avaient été décorées avec recherche de marbre, de stucs et de dorures, ainsi que de peintures très admirées, peintures d'histoire, perspectives et paysages, dues à Marcantonio Franceschini et à Francesco Solimena, dignes du siège du gouvernement de la République ligure. Franceschini était Bolonais, et Solimena, Napolitain; c'était donc pratique courante d'employer des artistes étrangers à la ville de Gênes. Il faut noter qu'une des trois toiles de Solimena pour la Salle du Petit Conseil (parmi les différents sujets tirés de l'histoire locale qui constituaient la première décoration, perdue) était consacrée au massacre des Giustiniani à Chio.

La Salle du Grand Conseil (*Sala del maggior consiglio*) mesurait 40 mètres de long, 17 de large et 20 de haut. Ordinairement, les grandes familles locales contribuaient à la décoration du palais ou au renouvellement de celle-ci, et selon les avis officiels (*avvisi*), le 26 mars 1782, des membres influents

Although Domenico's contemporaries evidently preferred small paintings and drawings dedicated to subjects of the kind, some of his finest works are the frescoes in the foresteria (guesthouse) of the Villa Valmarana "ai Nani," near Vicenza, one of which is dated 1757. Domenico also undertook some frescoes in the antique taste.

In 1774, several years after his return from Spain, Domenico published, as part of a complete edition of prints by members of the Tiepolo family, his Raccolte di Teste: bust-length fantasy heads of men that are a further demonstration of the art of variations on a theme. He also focused with renewed attention on drawing as opposed to painting, working in pen and ink with wash on hundreds of highly finished sheets devoted to a variety of themes from religion and mythology to contemporary life. He is perhaps best remembered for his studies of the tragicomic commedia dell'arte figure Pulcinello, with his humped back, pot belly, baggy white costume, and tall white hat, a character who could play practically any role in the pageant of eighteenth-century Venetian life.

10 The Glorification of the Giustiniani Family
Oil on canvas, 116.8×82.6 cm, painted in 1783
John Stewart Kennedy Fund, 1913 (13.2)

In 1913 this previously unrecorded oil sketch for a ceiling, incorrectly attributed and titled, was bought by the Metropolitan Museum on the Paris art market. Painting in Genoa was at the time relatively little studied, and the fresco for which it is a sketch had been replaced. Our knowledge of the commission is therefore based on the documentation published by Stefano Rebaudi in a 1940 article in a Ligurian periodical, the principal source for this account.

On the night of November 2, 1777, part of the facade and the two principal chambers of the Ducal Palace in Genoa were destroyed by fire. The rooms had been elaborately decorated with marble, stucco, and gilding as well as with much-admired history paintings, perspectives, and landscapes by Marcantonio Franceschini and Francesco Solimena that were worthy of the seat of government of the Ligurian Republic. The fact that Franceschini was Bolognese and Solimena Neapolitan indicates that employing artists from outside Genoa was an established practice. It is noteworthy that one of Solimena's three canvases for the Smaller Council Chamber (among the various subjects drawn from local history that constituted the earlier, lost decoration) was devoted to the massacre of the Giustinianis at Chios.

The Grand Council Chamber (Sala del maggior consiglio) measured 40 meters long, 17 meters wide, and 20 meters high. Important local families customarily underwrote the decoration or redecoration of the palace, and according to the official notices (avvisi), on March 26, 1782, senior

de la famille Giustiniani offrirent de financer le principal élément narratif du plafond: une peinture qui devait occuper l'espace le plus important de la voûte («*un quadro da collocarsi nello spazio maggiore del volto*»). Le 31 août, les Giustiniani lancent un concours pour déterminer qui obtiendrait la commande de la peinture, sur toile ou à fresque, à la gloire de leurs ancêtres. Le sujet devait en être la personnification de l'île de Chio agenouillée devant l'allégorie de la Ligurie, trônant dans les cieux, pour lui rendre hommage (les Giustiniani avaient reçu en 1346 la suzeraineté sur l'île de Chio et l'avait conservée pendant plus de deux siècles). Il était dans l'intention de la famille que la peinture illustrât également les églises chrétiennes, les monuments et les fortifications construits à Chio sous leur règne, et qu'elle représentât le célèbre Jacopo Giustiniani déposant au pied du trône de Ligurie l'épée d'Alphonse V, roi d'Aragon et de Sicile, qu'il avait vaincu en 1435. La décoration devait aussi montrer, sur une langue de terre, vingt et un jeunes Chiotes martyrisés pour leur foi lors de la prise de l'île par les Turcs, ainsi que nombre d'allégories et de détails trop nombreux pour être mentionnés ici: un programme assez obscur, correspondant tout de même, pour l'essentiel, à l'œuvre ici présentée.

Le 24 août 1783, les quinze esquisses présentées au concours étaient exposées durant douze jours dans le cloître de l'église Santa Maria di Castello, pour que le public puisse les apprécier et les juger. Le 9 septembre, un comité de l'académie locale des arts choisissait les trois finalistes: l'Autrichien Christoph Unterberger, l'Anglais James Durno, résidant tous deux à Rome, et Giandomenico Tiepolo, finalement agréé, le 23 août 1784, par des représentants de la famille Giustiniani. Le peintre arriva de Venise le 3 mars 1785 et se mit au travail le 9 avril. Il fut payé dix-huit mille lires génoises pour sa fresque, dévoilée devant une assistance enthousiaste le 14 novembre de la même année.

En haut de la toile, Giandomenico évoque les martyrs de Chio. Sur les côtés (en partant de la gauche), il illustre l'introduction de la foi chrétienne, l'église et les fortifications, puis une allégorie de l'île et différents représentants des peuples de Méditerranée orientale, quantité de ballots et de caisses de marchandise, ainsi qu'un navire, placé sous la protection de Neptune, qui tient une corne d'abondance. Jacopo Giustiniani, casqué et revêtu d'une armure légère, est agenouillé aux pieds de la Ligurie. Au-dessus de lui, un ange sonnant trompette porte une bannière où est inscrit le mot VIRTUS; on peut lire, sur le rouleau que tient l'allégorie de Chio, en bas à gauche, CIVITAS CHY (ville de Chio) / VI (Vincenzo Giustiniani) / 1562. La fresque de Tiepolo et les deux espaces laissés vides de chaque côté de la voûte étaient encadrés d'un décor peint et stuqué, typiquement génois, d'arches de marbres colorés, de bas-reliefs, d'arabesques et de fleurs. Le style de cette fresque, bien qu'on soit à l'aube du néoclassicisme, peut être qualifié de rococo tardif. Le sujet en est un peu confus, et, quoi qu'il en soit, si Jacopo Giustiniani a retardé la prise de Naples par Alphonse V d'Aragon, il ne l'a pas empêchée; tandis que la Ligurie – et les Giustiniani avec elle – perdit Chio, tombée en 1566 aux mains des Turcs. La présente esquisse est l'unique trace visuelle que nous ayons conservée de la fresque, qui tomba en ruine et fut finalement remplacée.

KBB

members of the Giustiniani family offered to pay for the principal narrative element of the ceiling: a painting to be placed in the largest space of the vault ("*un quadro da collocarsi nello spazio maggiore del volto*"). On August 31 the Giustinianis announced a contest to determine who would secure the commission for the canvas or fresco painting that would glorify their ancestors. The subject was to be a personification of the island of Chios kneeling before a personification of Liguria, enthroned in the sky, to receive from her absolute dominion (the Giustiniani family having been accorded dominion over Chios in 1346 and having held on there for more than two hundred years). It was the Giustinianis' intention that the picture illustrate the Christian churches, important edifices, and fortifications that had been constructed on Chios under their rule and that it depict the celebrated Jacopo Giustiniani depositing at the foot of the Ligurian throne the sword he won from Alfonso (king of Aragón and Sicily) in 1435. The decoration would also show, on a spit of land, twenty-one young Chian family members martyred for the faith along with other personifications and details too numerous to mention: an obscure program corresponding in great part to the present work.

On August 24, 1783, the fifteen sketches submitted to the contest were placed on display for twelve days in the cloister of the church of Santa Maria di Castello so that members of the public could examine them and express their views. On September 9 a committee from the local art academy chose three finalists: the Austrian Christoph Unterberger and the Englishman James Durno, both resident in Rome, and Domenico Tiepolo, who was finally selected, on August 23, 1784, by representatives of the Giustiniani family. The painter arrived from Venice on March 3, 1785, and was at work on April 9. He was paid eighteen thousand Genoese lire for his fresco, which was revealed to an enthusiastic public on November 14 of the same year.

At the top of the sketch, in abbreviated form, Domenico shows the martyrs of Chios. Around the edges (starting at left), he illustrates the introduction of the faith, the church and fortifications, a personification of the island and various eastern Mediterranean peoples, quantities of bales and boxes of merchandise, and a ship presided over by Neptune, who bears a cornucopia. Jacopo Giustiniani, in a helmet and half-armor, kneels at Liguria's feet. The banner of the trumpeting angel above him is inscribed VIRTUS, and the scroll held by Chios is marked CHYVI 1562. Tiepolo's fresco and the two voids at either end of the ceiling were surrounded with a typically Genoese paint and stucco decoration representing arches of colored marbles, bas-reliefs, arabesques, and flowers. Domenico worked in a late Rococo style at the onset of the Neoclassical era. The subject was obscure, and, in any event, Jacopo Giustiniani had delayed but not prevented Alfonso's conquest of Naples, while Liguria—and the Giustinianis—had lost Chios to the Turks in 1566. The present sketch is the only record of the decoration, which fell into disrepair and was eventually replaced.

KBB

Historique

(?) Famille Osnago, Padoue et Mantoue. [Trotti, Paris, jusqu'en 1913, sous le titre *Allégorie de la bataille navale de Lépante* par Giovanni Battista Tiepolo; vendu au MMA.]

Expositions

Gênes, Santa Maria di Castello, 24 août - 4 septembre 1783. Venise, Palais ducal, *Tiepolo*, 3 juin - 7 octobre 1951, n° 129. Udine, Villa Manin, *Tiepolo*, 27 juin - 31 octobre 1971, n° 85. Gênes, Palais ducal, *El siglo de los Genoveses e una lunga storia di arte e splendori nel palazzo dei dogi*, 4 décembre 1999 - 28 mai 2000, n° XV.7.

Bibliographie

B[ryson] B[urroughs], «Allegorical Sketch for a Ceiling by G. B. Tiepolo», *Metropolitan Museum of Art Bulletin* 8 (avril 1913), pp. 70-71, ill. Stefano Rebaudi, «L'affresco di Gian Domenico Tiepolo nel soffito della Gran Sala del Palazzo Ducale in Genova», *Giornale storico e letterario della Liguria* 16 (1940), pp. 63-71. Adriano Mariuz, *Giandomenico Tiepolo*, Venise, 1971, pp. 128, 154, pl. 322. Federico Zeri avec la collaboration d'Elizabeth E. Gardner, *Italian Paintings: Venetian School, A Catalogue of the Collection of The Metropolitan Museum of Art*, New York, 1973, pp. 67-69, pl. 82-83. Linda Wolk-Simon, «Domenico Tiepolo: Drawings, Prints, and Paintings in The Metropolitan Museum of Art», *Metropolitan Museum of Art Bulletin* 54 (hiver 1996-1997), pp. 41-44, fig. 64.

Ex collections

? Osnago family, Padua and Mantua. [Trotti, Paris, until 1913, as Allegory of the Naval Battle of Lepanto *by Giovanni Battista Tiepolo; sold to MMA.]*

Exhibitions

Genoa, Santa Maria di Castello, August 24–September 4, 1783. Venice, Palazzo Ducale, Tiepolo, *June 3–October 7, 1951, no. 129. Udine, Villa Manin,* Tiepolo, *June 27–October 31, 1971, no. 85. Genoa, Palazzo Ducale,* El siglo de los Genoveses e una lunga storia di arte e splendori nel palazzo dei dogi, *December 4, 1999–May 28, 2000, no. XV.7.*

References

B[ryson] B[urroughs], "Allegorical Sketch for a Ceiling by G. B. Tiepolo," Metropolitan Museum of Art Bulletin *8 (April 1913), pp. 70–71, ill. Stefano Rebaudi, "L'affresco di Gian Domenico Tiepolo nel soffito della Gran Sala del Palazzo Ducale in Genova,"* Giornale storico e letterario della Liguria *16 (1940), pp. 63–71. Adriano Mariuz,* Giandomenico Tiepolo *(Venice, 1971), pp. 128, 154, pl. 322. Federico Zeri with the assistance of Elizabeth E. Gardner,* Italian Paintings: Venetian School, A Catalogue of the Collection of The Metropolitan Museum of Art *(New York, 1973), pp. 67–69, pls. 82–83. Linda Wolk-Simon, "Domenico Tiepolo: Drawings, Prints, and Paintings in The Metropolitan Museum of Art,"* Metropolitan Museum of Art Bulletin *54 (Winter 1996–97), pp. 41–44, fig. 64.*

Frans Hals

Hollandais, né à Anvers, en 1582-1583; mort à Haarlem, en 1666

Dutch, born Antwerp, 1582–83; died Haarlem, 1666

Hals est né à Anvers, premier enfant de Franchoys Hals, tisserand de Malines, et de sa seconde épouse. Un deuxième fils, le futur peintre Dirck Hals, naît à Anvers, mais reçoit un baptême protestant à Haarlem. La famille quitte les Pays-Bas espagnols tant pour des raisons religieuses qu'économiques. Frans s'inscrit à la Guilde des peintres de Haarlem en 1610. Dans la deuxième édition, parue en 1618, du *Schilder-Boeck* («Livre des peintres») de Carel van Mander, une biographie anonyme est consacrée à «Frans Hals, peintre de portrait de Haarlem», compté parmi les nombreux élèves du maniériste de Haarlem. Cet apprentissage n'a pu se poursuivre au-delà de l'année 1603, date à laquelle Van Mander quitta la ville. Hals se marie vers 1610, mais sa femme meurt en 1615. En février 1617, «Frans Hals, veuf d'Anvers», épouse Lysbeth Reyniersdr de Haarlem. Ils auront au moins onze enfants, parmi lesquels quatre fils (auxquels il faut ajouter Harmen, né en 1611) deviendront peintres: Frans le Jeune, Reynier, Nicolaes et Jan.

A partir de 1612 jusqu'en 1624, Hals est membre de la Guilde de Saint-Georges, la garde municipale de Haarlem, et, de 1616 à 1624, il est «ami» de la société de rhétorique *De Wijngaardranken* («les Vrilles de la Vigne»). Son premier grand groupe d'hommes en armes, *Le Banquet des officiers de la garde municipale de Saint-Georges*, date de 1616 (Haarlem, Frans Halsmuseum). D'autres portraits de groupe du même genre sont peints vers 1627, 1633, 1634-1637 et 1639. Malgré ces commandes prestigieuses, Hals se débattit souvent au cours de sa carrière avec des soucis financiers. Ce qui n'a rien d'étonnant si l'on considère sa famille nombreuse et le fait que très peu de portraitistes hollandais étaient bien payés. Hals arrondissait ses revenus de portraitiste en peignant des scènes de genre (surtout des années 1620 aux années 1630) et en prenant un certain nombre d'élèves, parmi lesquels (outre son frère Dirck) Adriaen Brouwer, Adriaen van Ostade et Philips Wouwermans. La réputation de Frans Hals ne s'étendit guère de son vivant au-delà de Haarlem, où ses clients étaient des marchands, des pasteurs, des artistes et des lettrés appartenant aux classes moyennes. Deux portraits de groupe tardifs, représentent les régents, femmes et hommes, d'un

Hals was born in Antwerp, the first child of Franchoys Hals, a clothworker from Mechelen (Malines), and his second wife. A second son, the future painter Dirck Hals, was born in Antwerp but was baptized in Haarlem, as a Protestant. The family probably left the Spanish Netherlands for both religious and economic reasons. Frans joined the painters' guild in Haarlem in 1610. According to the anonymous biography of Carel van Mander in the second edition of his Schilder-Boeck *(1618), the Haarlem Mannerist counted among his many pupils "Frans Hals, portrait painter of Haarlem." Such an apprenticeship could have continued until 1603 at the latest, when Van Mander left town. Hals married about 1610, but his wife died in 1615. In February 1617, "Frans Hals widower from Antwerp" married Lysbeth Reyniersdr from Haarlem. They had at least eleven children, of whom four sons (in addition to Harmen, born 1611) became painters: Frans the Younger, Reynier, Nicolaes, and Jan.*

From 1612 until 1624 Hals was a member of the local civic guard company of Saint George, and from 1616 until 1624 he was a "friend" of the Haarlem chamber of rhetoric, De Wijngaardranken (The Vine Tendrils). His first large "shooting piece," Banquet of the Officers of the Saint George Civic Guard Company, *dates to 1616 (Frans Halsmuseum, Haarlem). Other group portraits of this type were painted about 1627, 1633, 1634–37, and 1639. Despite these prestigious commissions, Hals had financial troubles at various times throughout his career. This is not surprising given the large size of his family and the fact that very few Dutch portraitists were well paid. Hals supplemented his income as a portraitist by painting genre pictures (especially in the 1620s and 1630s) and by taking on a number of pupils, who included (in addition to his brother Dirck) Adriaen Brouwer, Adriaen van Ostade, and Philips Wouwermans. In his lifetime Hals's reputation was mostly restricted to Haarlem, where his patrons were middle-class merchants, scholars, clergymen, artists, and so on. Two late group portraits, depicting the male and female regents of the old men's almshouse in Haarlem (both in the Frans Halsmuseum,*

asile de vieillards à Haarlem (tous deux au Frans Hals-museum), sont datés vers 1664; l'artiste était âgé lui-même à l'époque de 82 ans.

Les documents nous apprennent que Hals était à Anvers entre le début du mois d'août et la deuxième semaine de novembre 1616. Qu'il ait passé plus de trois mois à Anvers, au moment idéal pour y étudier l'œuvre de Rubens aussi bien que les styles d'autres peintres flamands, tel Jacob Jordaens, plus jeune que lui, est particulièrement instructif pour l'analyse de ses premières peintures, comme *Mardi-Gras* ou *Le Jouvenceau Ramp et sa belle* (1623, ainsi nommée parce qu'on a longtemps cru qu'il s'agissait du portrait de Pieter Ramp), toutes deux conservées au Metropolitan Museum. Hals maîtrisait à la perfection les conceptions du baroque, et ses emprunts aux dispositifs de composition ou aux autres caractéristiques formelles des peintres qui l'ont précédé à Haarlem, des Flamands, des caravagesques d'Utrecht, ou encore à d'autres portraitistes, sont trop souvent méconnus. La vitalité des poses, des expressions, de la gestuelle de ses figures trouve son complément dans sa fameuse touche, qui suggère, en adéquation avec le propos, le volume des formes, l'atmosphère, des jeux de lumière particulièrement convaincants. Dans les années 1630 et plus encore dans les années 1640, son approche du portrait s'assagit, à plus d'un titre, avec une palette plus sombre, des poses plus strictes, correspondant à l'évolution du goût. Pourtant, même sur leur quant-à-soi, ses modèles apparaissent toujours accessibles et leur personnalité touchante.

11 Claes Duyst van Voorhout

Huile sur toile, 80,6 × 66 cm, peinte vers 1636-1638
Collection Jules Bache, 1949 (49.7.33)

A en juger par le style du costume, notamment par le très grand col de dentelle, qui couvre les épaules, ce brillant portrait peut être daté entre 1636 et 1638. Le nom du modèle était inscrit à l'arrière d'un panneau, duquel la toile a été détachée au milieu des années 1920. C. H. Collins Baker (1920) a transcrit comme suit l'inscription en néerlandais: «Claas Duyst van Voorhout brouwer in des Brouwerij het Zwaanschel?» (Claas Duyst van Voorhout brasseur de la brasserie «het Zwaanschel»?). Le catalogue Petworth de 1856 reprend en la déformant la même inscription. Comme le remarque Seymour Slive dans le catalogue de l'exposition de Washington, D.C., en 1989, un certain Nicolaes («Claes») Pietersz. Duyst van Voorhout possédait une brasserie nommée le Swaenshals (le Col de cygne) en 1629, date à laquelle il disait avoir 29 ans puisqu'il était né vers 1600. Le modèle de Frans Hals pourrait certainement être un homme au milieu ou à la fin de la trentaine. Mais dans quelle mesure peut-on faire confiance à l'ancienne inscription? Elle était à l'évidence suivie d'un point d'interrogation et datait

Haarlem), date from about 1664, when the artist was eighty-two years old.

Documents reveal that Hals was in Antwerp between early August and the second week of November 1616. The fact that he spent more than three months in Antwerp at an ideal moment to survey Rubens's work as well as the styles of other Flemish painters such as the young Jacob Jordaens is of great interest for his early pictures like Merrymakers at Shrovetide *and the so-called* Yonker Ramp and His Sweetheart *(1623), both in the Metropolitan Museum. Hals was exceedingly adept in using Baroque design ideas, so his borrowings of compositional devices and other formal qualities from earlier Haarlem artists, Flemish artists, the Utrecht Caravaggisti, and other portraitists tend either to go unnoticed or to be underappreciated. The animation of his figures' poses, expressions, and gestures is complemented by Hals's famous brushwork, which consistently suggests three-dimensional form and convincing effects of light and atmosphere. In the 1630s and especially the 1640s Hals's approach to portraiture was toned down in more than one sense, with darker palettes and restrained poses responding to current taste. Even at their most reserved, however, his sitters appear approachable, and their personalities compelling.*

11 Claes Duyst van Voorhout

Oil on canvas, 80.6 × 66 cm, painted about 1636–38
The Jules Bache Collection, 1949 (49.7.33)

This dashing portrait must date from about 1636 to 1638, to judge from the style of the costume, in particular the very broad lace collar that extends over the shoulders. The sitter's identity was written on the back of a panel from which the original canvas was removed in the mid-1920s. C. H. Collins Baker (1920) transcribed the Dutch inscription as "Claas Duyst van Voorhout brouwer in des Brouwerij het Zwaanschel?" (Claas Duyst van Voorhout brewer in the brewery 'het Zwaanschel'?). The Petworth catalogue of 1856 misquotes the same inscription. As noted by Seymour Slive in the 1989 Washington, D.C., exhibition catalogue, a Nicolaes ("Claes") Pietersz. Duyst van Voorhout owned a brewery called the Swaenshals (Swan's Neck) in 1629, when he gave his age as twenty-nine (born ca. 1600). Hals's sitter could certainly be a man in his mid- to late thirties. But how reliable is the old inscription? It was evidently followed by a question mark, and it probably dates from decades after the painting itself, when the canvas needed additional support. For all we know, the

71

probablement de plusieurs dizaines d'années après la peinture elle-même, quand le support de la toile avait dû être consolidé. Pour ce que nous en savons, l'inscription est apparue avec le panneau de bois et n'avait peut-être aucun rapport avec le portrait. On ne peut pourtant récuser à la légère cette preuve indirecte que constitue l'existence d'un Nicolaes Duyst van Voorhout, dont il est avéré qu'il fut brasseur et qu'il avait environ le même âge que le modèle de Frans Hals. C'est d'ailleurs plus d'information que nous n'en avons d'habitude: la majorité des modèles de Frans Hals, sur environ deux cents portraits connus, demeurent non identifiés.

Si les clients du peintre n'appartenaient pas à l'élite de Haarlem, la brasserie n'en était pas moins une activité lucrative et les propriétaires de brasserie comptaient souvent parmi les citoyens importants qui participaient au gouvernement de la ville. Gustav Waagen (1854) reconnaît non seulement dans ce portrait la main de Frans Hals, mais en décrit le personnage comme «un homme dont les yeux et les joues disent les sacrifices qu'il faisait à Bacchus». Slive (1974, 1989) déclare que le jugement de Waagen, sur la peinture tout comme sur les gens, était solide, puisque son hypothèse concernant les habitudes de boisson du modèle se trouva pratiquement confirmée lorsqu'on découvrit qu'il possédait une brasserie. Aujourd'hui, on pourrait presque croire que ces lignes ont été tirées d'un roman du XIXe siècle, et elles font peu de cas de ce qu'on sait de la position des brasseurs et de l'usage de la bière dans la société hollandaise du XVIIe siècle.

Comme le remarque Slive, la pose du modèle reprend celle du *Cavalier souriant* (Londres, Wallace Collection), que Hals peignit en 1624. Slive (1974) se demande si Hals «ne réserve pas [cette pose] aux personnages de fanfarons», comme le brasseur intempérant Duyst van Voorhout. Elle est en tout cas déjà utilisée par Raphaël dans certains portraits, et par Van Dyck, au début des années 1620. Hals la reprend pour l'essentiel dans deux des plus importantes figures du *Banquet des officiers de la garde municipale de Saint-Georges*, en 1616, ainsi que pour son plus sévère *Portrait d'homme* daté environ de 1618-1620 (Kassel, Staatliche Gemäldegalerie) et pour son portrait de l'homme de loi catholique Paulus van Beresteyn, réalisé vers 1620 (Paris, Musée du Louvre). Il n'est donc guère surprenant que dans sa composition le présent portrait reprenne presque exactement celui que fait Van Dyck, au début des années 1630, du riche drapier et collectionneur Peeter Stevens, qui figure parmi les gravures de son *Iconographie* (voir Barnes, De Poorter, Millar et Vey 2004, nº III.164). Les deux peintres utilisaient ce dispositif depuis plus de dix ans pour les modèles à l'apparence autoritaire ou sûrs d'eux-mêmes.

On qualifie souvent de «très rapide» la technique de Frans Hals, ce qui laisse penser qu'il aurait été moins soigneux qu'il ne l'était en réalité. Ici, par exemple, le chatoiement du satin est rendu sans aucune perte de volume, et la technique bien aussi brillante de Hals ne l'empêche nullement d'observer son personnage. A cet égard, il avait beaucoup plus de succès avec ses portraits que la plupart de ses compétiteurs, y compris le principal d'entre eux à Haarlem, Johannes Verspronk, dont les personnages sont pourtant très attachants.

WL

inscription came with the wood panel and does not refer to the portrait at all. However, the fact that Nicolaes Duyst van Voorhout (who shares his name with an important family in Delft) is independently recorded as a brewer of about the same age as Hals's sitter constitutes circumstantial evidence that cannot be lightly dismissed. And it is more information than we usually have: the majority of Hals's sitters, in about two hundred known portraits, remain unidentified.

Although Hals's patrons were not Haarlem's élite, brewing was a lucrative business, and owners of breweries were often prominent citizens who held office in the city government. Gustav Waagen (1854) not only recognized Hals's hand in this portrait but describes the man's "eyes and cheeks [as] telling of many a sacrifice to Bacchus." Slive (1974, 1989) declares that "Waagen's estimate of pictures as well as people was sound," since "his estimate of the model's drinking habits was virtually substantiated when it was discovered that the man portrayed [owned a brewery]." Today those lines read somewhat like a nineteenth-century novel, and they overlook what is known about the position of brewers and the use of beer in seventeenth-century Dutch society.

As noted by Slive, the sitter's pose repeats that of the socalled Laughing Cavalier *(Wallace Collection, London), which Hals painted in 1624. Slive (1974) wonders whether Hals "reserved [the pose] for special swaggering types," like the bingeing brewer Duyst van Voorhout. The pose goes back to portraits by Raphael, however, and was also employed by Van Dyck in the early 1620s. Hals used essentially the same pose for two of the most important figures in his* Banquet of the Officers of the Saint George Civic Guard Company *of 1616, for his sober* Portrait of a Man *of about 1618–20 (Staatliche Gemäldegalerie, Kassel), and for his portrait of the Catholic lawyer Paulus van Beresteyn, of about 1620 (Musée du Louvre, Paris). It is not surprising, then, that the composition of the present portrait nearly duplicates that of Van Dyck's design, of the early 1630s, for his portrait of the wealthy draper and collector Peeter Stevens, in the* Iconography *series of engravings (see Barnes, De Poorter, Millar, and Vey 2004, no. III.164). Both painters had been using the arrangement for more than a decade for sitters who appear authoritative or self-assured.*

The frequent description of Hals's technique as "very fast" implies that he was less careful than he actually was. Here, for example, the shimmer of silvery satin is conveyed without any loss of volume, quite as Hals's brilliant technique did not prevent him from observing character. In the latter respect, his portraits were much more successful than most dating from the period, including the uniformly engaging examples by Hals's main competitor in Haarlem, Johannes Verspronk.

WL

Historique

(?) Les comtes d'Egremont. Colonel George Wyndham, Petworth (dès 1854). Les barons Leconfield, Petworth (au moins jusqu'en 1920). [Duveen Brothers, New York, avant 1927-1928; vendu à Bache.] Jules Bache, New York (1928-1949).

Expositions

Londres, Royal Academy of Arts, *Exhibition of Dutch Art*, 4 janvier - 9 mars 1929, n° 367. Detroit Institute of Arts, *An Exhibition of Fifty Paintings by Frans Hals*, 10 janvier - 28 février 1935, n° 33. Haarlem, Frans Halsmuseum, *Frans Hals tentoonstelling*, 1er juillet - 30 septembre 1937, n° 66. New York, Exposition universelle, *Masterpieces of Art*, 1939, n° 174. Los Angeles County Museum, *Loan Exhibition of Paintings by Frans Hals, Rembrandt*, 18 novembre - 31 décembre 1947, n° 12. Washington, D.C., National Gallery of Art, *Frans Hals*, 1er octobre - 31 décembre 1989, n° 52.

Bibliographie

G. F. Waagen, *Treasures of Art in Great Britain: Being an Account of the Chief Collections of Paintings, Drawings, Sculptures, Illuminated Mss., &c.&c.*, 3 vol., Londres, 1854, vol. 3, p. 36. *Catalogue of Pictures in Petworth House*, Londres, 1856, n° 383. E. W. Moes, *Frans Hals, sa vie et son œuvre*, trad. J. de Bosschere, Bruxelles, 1909, n° 33. Cornelis Hofstede de Groot, *A Catalogue Raisonné of the Works of the Most Eminent Dutch Painters of the Seventeenth Century*, trad. Edward G. Hawke, 8 vol., Londres, 1907-1927, vol. 3 (1910), n° 176. Wilhelm von Bode et M. J. Binder, *Frans Hals, sein Leben und seine Werke*, 2 vol., Berlin, 1914, n° 114. C. H. Collins Baker, *Catalogue of the Petworth Collection of Pictures in the Possession of Lord Leconfield*, Londres, 1920, n° 383. W. R. Valentiner, *Frans Hals, des Meisters Gemälde in 322 Abbildungen*, Stuttgart, 1923, p. 154. W. R. Valentiner, *Frans Hals Paintings in America*, Westport, Conn., 1936, n° 59. N. S. Trivas, *The Paintings of Frans Hals*, Londres, 1941, n° 62. Seymour Slive, *Frans Hals*, 3 vol., Londres, 1970-1974, vol. 1, pp. 86-88, 122-123, vol. 2, pl. 195, 197, vol. 3, pp. 63-64, n° 119. Claus Grimm, *Frans Hals: Entwicklung, Werkanalyse, Gesamtkatalog*, Berlin, 1972, pp. 93, 202, n° 73, fig. 95 (détail). Claus Grimm et E. C. Montagni, *L'Opera completa di Frans Hals*, Milan, 1974, pp. 99-100, n° 110, pl. coul. XLI. Claus Grimm, *Frans Hals: Das Gesamtwerk*, Stuttgart, 1989, pp. 139, 171, 277, n° 81, fig. 83, pl. 59 (détail en couleur du visage). Meryle Secrest, *Duveen: A Life in Art*, New York, 2004, p. 447.

Ex collections

? The earls of Egremont. Colonel George Wyndham, Petworth (by 1854). The barons Leconfield, Petworth (until at least 1920). [Duveen Brothers, New York, by 1927–28; sold to Bache.] Jules Bache, New York (1928–49).

Exhibitions

London, Royal Academy of Arts, Exhibition of Dutch Art, *January 4–March 9, 1929, no. 367. Detroit Institute of Arts*, An Exhibition of Fifty Paintings by Frans Hals, *January 10–February 28, 1935, no. 33. Haarlem, Frans Halsmuseum*, Frans Hals tentoonstelling, *July 1–September 30, 1937, no. 66. New York, World's Fair*, Masterpieces of Art, *1939, no. 174. Los Angeles County Museum*, Loan Exhibition of Paintings by Frans Hals, Rembrandt, *November 18–December 31, 1947, no. 12. Washington, D.C., National Gallery of Art*, Frans Hals, *October 1–December 31, 1989, no. 52.*

References

G. F. Waagen, Treasures of Art in Great Britain: Being an Account of the Chief Collections of Paintings, Drawings, Sculptures, Illuminated Mss., &c.&c., *3 vols. (London, 1854), vol. 3, p. 36.* Catalogue of Pictures in Petworth House *(London, 1856), no. 383. E. W. Moes,* Frans Hals, sa vie et son œuvre, *trans. J. de Bosschere (Brussels, 1909), no. 33. Cornelis Hofstede de Groot,* A Catalogue Raisonné of the Works of the Most Eminent Dutch Painters of the Seventeenth Century, *trans. Edward G. Hawke, 8 vols. (London, 1907–27), vol. 3 (1910), no. 176. Wilhelm von Bode and M. J. Binder,* Frans Hals, sein Leben und seine Werke, *2 vols. (Berlin, 1914), no. 114. C. H. Collins Baker,* Catalogue of the Petworth Collection of Pictures in the Possession of Lord Leconfield *(London, 1920), no. 383. W. R. Valentiner,* Frans Hals, des Meisters Gemälde in 322 Abbildungen *(Stuttgart, 1923), p. 154. W. R. Valentiner,* Frans Hals Paintings in America *(Westport, Conn., 1936), no. 59. N. S. Trivas,* The Paintings of Frans Hals *(London, 1941), no. 62. Seymour Slive,* Frans Hals, *3 vols. (London, 1970–74), vol. 1, pp. 86–88, 122–23, vol. 2, pls. 195, 197, vol. 3, pp. 63–64, no. 119. Claus Grimm,* Frans Hals: Entwicklung, Werkanalyse, Gesamtkatalog *(Berlin, 1972), pp. 93, 202, no. 73, fig. 95 (detail). Claus Grimm and E. C. Montagni,* L'Opera completa di Frans Hals *(Milan, 1974), pp. 99–100, no. 110, colorpl. XLI. Claus Grimm,* Frans Hals: Das Gesamtwerk *(Stuttgart, 1989), pp. 139, 171, 277, no. 81, fig. 83, pl. 59 (color detail of face). Meryle Secrest,* Duveen: A Life in Art *(New York, 2004), p. 447.*

Paulus Bor

Hollandais, né à Amersfoort, vers 1601; mort à Amersfoort, en 1669
Dutch, born Amersfoort, ca. 1601; died Amersfoort, 1669

Bor était issu d'une riche famille catholique d'Amersfoort, où son père et son grand-père comptaient parmi les citoyens importants. Les trois générations de la famille fournirent toutes à l'Eglise et aux organisations charitables des membres actifs. On ne sait rien de la jeunesse de Bor ni de sa formation de peintre, bien qu'il connût l'œuvre, à n'en pas douter, des principaux artistes de la ville voisine d'Utrecht, notamment Abraham Bloemaert et Jan van Bijlert. En 1623, Bor vit à Rome, où il est un des membres fondateurs de la confrérie des artistes néerlandais, la «Schildersbent», avec les peintres d'Utrecht Dirck van Baburen et Cornelis van Poelenburch. Son pseudonyme dans la fraternité est Orlando (Roland), sans doute en référence au *Roland furieux* de l'Arioste.

Bor s'inscrit à la Guilde des peintres d'Amersfoort vers 1626. En 1632, il épouse Aleijda van Crachtwijck, qui vient d'une famille patricienne de sa ville natale. Les jeunes mariés réunissent ensemble un capital de dix mille couronnes, ce qui, à l'époque, représentait à peu près les dépenses d'un couple de la bourgeoisie pendant une douzaine d'années. Avec les revenus de ses rentes, Bor n'a pas besoin de peindre pour vivre. Ces circonstances expliquent peut-être une œuvre peu abondante (environ deux douzaines de peintures sont connues), un style éclectique et un choix de sujets parfois sophistiqués.

Dans les années 1630, Bor parvient à ce qui sera la manière de sa maturité, qui s'inspire principalement des «classicisants de Haarlem», Salomon de Bray, Jacob van Campen et Pieter de Grebber. Van Campen, non seulement peintre mais aussi architecte, joua un rôle particulièrement important dans la carrière de Bor, l'introduisant dans le cercle culturel le plus prestigieux de Hollande: l'entourage de Constantijn Huygens, secrétaire et conseiller artistique du stathouder Frédéric-Henri d'Orange-Nassau. En 1637, Bor et de Grebber travaillent pour Van Campen sur les voûtes et leur décoration en trompe-l'œil de la grande salle du château de Honselaarsdijk, résidence d'agrément du prince, dans la campagne de La Haye. Huygens et Van Campen possédaient des œuvres de Bor, qui donna aussi des peintures à des institutions charitables. Bor laissa à sa femme une grosse fortune, qui fut partagée, à la mort de celle-ci, en 1687, entre leurs deux filles, Judith Christina, restée célibataire, et la bien mariée Anna Maria.

Bor came from a wealthy Catholic family in Amersfoort, where his grandfather and father were prominent citizens. All three generations of the family served as officers in church and charitable organizations. Nothing is known of Bor's youth or training as a painter, although he was clearly aware of the major artists in nearby Utrecht, especially Abraham Bloemaert and Jan van Bijlert. By 1623 Bor was living in Rome, where he was a founding member of the fellowship of Netherlandish artists called the "Schildersbent," along with the Utrecht painters Dirck van Baburen and Cornelis van Poelenburch. His nickname in the organization was Orlando, presumably in reference to Ariosto's Orlando Furioso.

Bor joined the painters' guild of Amersfoort in about 1626. In 1632 he married Aleijda van Crachtwijck, who came from a patrician family in his hometown. Together the bride and groom had assets worth ten thousand guilders, which is approximately what an upper-middle-class couple would spend in a dozen years. With rental and investment incomes, Bor did not have to paint for a living. These circumstances may explain the small size of his œuvre (about two dozen paintings are known), his eclectic style, and his occasionally sophisticated choice of subjects.

In the 1630s Bor formulated his mature manner, which was derived mainly from the "Haarlem Classicists" Salomon de Bray, Jacob van Campen, and Pieter de Grebber. The architect and painter Van Campen was especially important for Bor's career, bringing him into Holland's most prestigious cultural milieu: that of Constantijn Huygens, secretary and artistic adviser to the stadholder, Prince Frederik Hendrik. In 1637 Bor and De Grebber worked for Van Campen on the illusionistic vaulting of the Great Hall in Honselaarsdijk, the prince's country house outside The Hague. Huygens and Van Campen owned works by Bor, who also gave paintings to charitable institutions. Bor left a large estate to his wife, which at her death in 1687 was divided between their two daughters, the unwed Judith Christina and the well-married Anna Maria.

12 Médée trompée (La Magicienne)
Huile sur toile, 155,6 × 112,4 cm, peinte vers 1640
Don de Ben Heller, 1972 (1972.261)

Cette peinture et son pendant, *Cydippe et la pomme d'Acontius* (Amsterdam, Rijksmuseum), furent réalisés vers 1640 et l'on peut considérer qu'il s'agit des plus belles œuvres de l'artiste. Les sujets sont tirés des *Héroïdes* d'Ovide, qui a toujours été plus connu pour ses *Métamorphoses*. L'image moderne de Médée a sans doute été fixée par Eugène Delacroix, dans sa grande toile du Salon de 1838, *Médée furieuse* (Lille, Musée des Beaux-Arts, dont une version plus petite, datée de 1862, est conservée au Louvre). On dit que le peintre romantique a été inspiré par la pièce de Corneille, *Médée*, qui date de 1635, mais son interprétation ne renseigne guère, à vrai dire, sur les différents traitements du thème au XVIIe siècle, ni ne rend compte de la variété des récits donnés par les auteurs anciens, tels Hésiode, Pindare, Apollonius ou Euripide.

Médée, la Magicienne, était la fille du roi de Colchide Aiétès. Avec la bénédiction d'Aphrodite, elle se laisse enlever par Jason et lui offre son aide dans la quête de la Toison d'or. Son père avait imposé à Jason et aux Argonautes des travaux apparemment irréalisables, mais Médée, mettant ses pouvoirs magiques à leur service, leur permet de triompher de tous les obstacles. Elle épouse Jason et s'établit, avec leurs enfants, à Corinthe. Jason, diplomate ou volage, décide de prendre pour seconde épouse Créüse, fille du roi de Corinthe. Dans la version d'Euripide, Médée tue Créüse, ainsi que ses propres enfants.

Des épisodes moins connus de la tragédie furent parfois représentés au cours des siècles. Ainsi la gravure de Rembrandt, *Médée*, pour le frontispice de la pièce de Jan Six (1648) montre-t-elle Jason et Créüse agenouillés devant l'autel d'une église gothique, tandis que Médée, cachée dans un coin, tient en main la dague et le poison. Ce mariage n'étant célébré dans aucun des textes classiques (puisque Médée y tue Créüse avant qu'elle ne puisse prendre Jason pour époux), ni dans la pièce de Six, la gravure de Rembrandt est assortie de vers explicatifs. La peinture de Bor, en comparaison, était comprise à la seule prononciation, par l'artiste ou son client, du nom de Médée. La Magicienne médite sa vengeance au pied de l'autel de Diane, sur lequel Jason, autrefois, lui jura fidélité.

Si la statue de Diane est facultative dans les images de Médée, elle est indispensable dans l'histoire de Cydippe. Tandis que la belle jeune fille prie dans le temple de Diane, un prétendant secret fait rouler à ses pieds une pomme. Elle la ramasse et lit à haute voix ces mots inscrits sur le fruit: «Je jure devant Diane d'épouser Acontius.» Malgré l'opposition de ses parents, Cydippe demeure fidèle à son serment et est récompensée par l'amour éternel de son époux.

Au XVIIe siècle, hors quelques références succinctes, on ne pouvait trouver l'histoire complète de Cydippe et d'Acontius que dans les *Héroïdes* d'Ovide. Bor aurait donc utilisé la traduction hollandaise de Cornelis van Ghistele (Anvers, 1559). L'histoire, ainsi que celle de Médée, fut probablement choisie et signalée à Bor par un client désireux de traiter, au moyen de l'érudition classique, le thème courant dans la culture hollandaise de ce qui fait ou non la réussite d'un mariage.

12 The Disillusioned Medea (The Enchantress)
Oil on canvas, 155.6 × 112.4 cm, painted about 1640
Gift of Ben Heller, 1972 (1972.261)

This painting and its pendant, Cydippe with Acontius's Apple *(Rijksmuseum, Amsterdam), were painted in about 1640 and may be considered the artist's finest known works. The subjects derive from the* Heroides *by the Roman poet Ovid, who has always been much better known for his* Metamorphoses. *The modern image of Medea is perhaps typified by Eugène Delacroix's large canvas of 1838,* Medea About to Murder Her Children *(Musée des Beaux-Arts, Lille; a smaller version, of 1862, is in the Musée du Louvre, Paris). The Romantic painter is thought to have been inspired by Corneille's play* Médée *of 1635, but his interpretation hardly prepares one for the different treatments that date from the seventeenth century, or the variety one finds in Hesiod, Pindar, Apollonius, Euripides, and other ancient authors.*

Medea, a sorceress, was the daughter of King Aeetes of Colchis. As arranged by Aphrodite, she eloped with Jason and provided him with magical assistance on his quest for the Golden Fleece. Her father had imposed impossible tasks upon Jason and the Argonauts, but Medea magically guided them through every challenge, married Jason, and settled with their children in Corinth. Jason, with an eye to the future, decided to take as his second wife Creusa, daughter of the Corinthian king. In Euripides' version of the story, Medea kills Creusa, and then her own sons.

Less familiar moments of the tragedy were occasionally represented in later centuries. For example, Rembrandt's etching Medea, *made as a frontispiece to Jan Six's play (1648), shows Jason and Creusa kneeling at the altar of a Gothic church. Medea inconspicuously lurks in a corner with a dagger and poison in her hands. Since the marriage never actually occurs in either classical texts or Six's play, Rembrandt's image was provided with an explanatory verse. Bor's painting, by comparison, would have been understood as soon as the artist or his patron pronounced Medea's name. The sorceress broods at the altar of Diana, where Jason once vowed fidelity.*

While a statue of Diana is optional in pictures of Medea, it is indispensable in Cydippe's tale. When the well-born maiden worshiped in Diana's temple, a secret admirer rolled an apple in front of her. She picked it up, and read aloud the words that were inscribed on the fruit: "I swear before Diana that I will wed Acontius." Despite her parents' objection, Cydippe fulfilled her vow, and she was rewarded with her husband's everlasting love.

In the seventeenth century, only Ovid's Heroides *provided more than a passing reference to Cydippe and Acontius. Bor would have used the Dutch translation by Cornelis van Ghistele (Antwerp, 1559). Presumably, the story, and that of Medea, was assigned to Bor by a patron who wished to treat the standard Dutch theme of what makes a good marriage with classical erudition.*

In style and expression, Bor handled the subject with characteristic understatement. The subtle tones of the

Dans le style comme dans l'expression, Bor aborde le sujet avec un sens très caractéristique de la litote. Les tons subtils du fond mettent en valeur les tissus bleus et or du costume de Médée, tout à fait comme dans la peinture représentant Cydippe. L'ensemble de la palette, certains détails architecturaux (le crâne de chèvre était un des motifs favoris des classicisants), ainsi que la lumière du jour (et non pas celle d'une torche) entrant à flots par la droite dans les deux toiles laissent penser que celles-ci avaient été conçues pour un lieu précis, disposées l'une à gauche (celle de New York), l'autre à droite (celle d'Amsterdam – H. E. C. Mazur-Contamine, la première à avoir identifié les sujets, les avait disposées à l'inverse). Malgré toute l'érudition déployée par Bor dans sa description de l'inconsolable Médée, on trouve ici de nombreuses allusions à la réalité de tous les jours, dans l'expression du sujet, dans ses mains et son visage rougis, et dans sa beauté un peu fruste, d'un type que Jason n'aurait jamais rencontré dans ses périples méditerranéens.

WL

background set off the blue and gold fabrics of Medea's clothes, quite as in the painting of Cydippe. The overall palette, certain architectural details (goat skulls were a favorite classicist motif), and daylight (not torchlight) flooding in from the right in both pictures suggest that they were intended for a particular place, with the New York canvas on the left, and the Amsterdam painting on the right (H. E. C. Mazur-Contamine, who first identified the subjects, had them the other way around). For all the learning that Bor invested in his description of the disconsolate Medea, there are hints of everyday reality in her expression, her reddish face and hands, and in her plain sort of prettiness, of a type Jason never would have encountered in his Mediterranean wanderings.

WL

Historique

Les princes Chigi, Castelfusano, Rome (au moins à partir de 1824-1941; alors attribué à Salvator Rosa; vendu par Cecconi à Busiri Vici [selon ce dernier et Federico Zeri]). Andrea Busiri Vici, Rome (1941-au moins 1955). Ben Heller, New York (jusqu'en 1972).

Expositions

Utrecht, Centraal Museum, et Anvers, Koninklijk Museum voor Schone Kunsten, *Caravaggio en de Nederlanden*, 15 juin - 28 septembre 1952, nº 17. Rome, Palazzo delle Esposizioni, et Milan, Palazzo Reale, *Mostra di pittura olandese del Seicento*, 4 janvier - 25 avril 1954, nº 15. Londres, Galerie Wildenstein, *Artists in Seventeenth-Century Rome*, 1er juin - 16 juillet 1955, nº 9. Raleigh, North Carolina Museum of Art, Milwaukee Art Museum, et Dayton Art Institute, *Sinners and Saints, Darkness and Light: Caravaggio and His Dutch and Flemish Followers*, 27 septembre 1998 - 18 juillet 1999, nº 9.

Bibliographie

Lady [Sydney] Morgan, *The Life and Times of Salvator Rosa*, 2 vol., Londres, 1824, vol. 2, p. 373. Roberto Longhi, «Ultimi studi sul Caravaggio e la sua cerchia», *Proporzioni*, nº 1 (1943), p. 29, pl. 66. Vitale Bloch, «Orlando», *Oud Holland* 64 (1949), pp. 106-108, fig. 3, 4. Vitale Bloch, «I Caravaggeschi a Utrecht e Anversa» (compte rendu des expositions d'Utrecht et d'Anvers 1952), *Paragone*, nº 33 (septembre 1952), p. 19. Benedict Nicolson, «Caravaggio and the Netherlands» (compte rendu des expositions d'Utrecht et d'Anvers 1952), *Burlington Magazine* 94 (1952), p. 252. E. K. Waterhouse, «Artists in Seventeenth-Century Rome» (compte rendu de l'exposition de Londres 1955), *Burlington Magazine* 97 (1955), p. 222. Jakob Rosenberg, Seymour Slive et E. H. ter Kuile, *Dutch Art and Architecture: 1600–1800*, Harmondsworth, 1966, p. 298, fig. 237. John Walsh Jr., «New Dutch Paintings at the Metropolitan Museum», *Apollo* 94 (1974), pp. 346, 348, 349nn14-17, fig. 11 et ill. couv. Joachim Wolfgang von Moltke, «Die Gemälde des Paulus Bor von Amersfoort», *Westfalen: Hefte für Geschichte, Kunst und Volkskunde* 55 (1977), pp. 150-152, 157, 159, nº 9, fig. 102. H. E. C. Mazur-Contamine, «Twee ‹tovenaressen› van Paulus Bor», *Bulletin van het Rijksmuseum* 29 (1981), pp. 5-7, 8nn7,10, fig. 2. Cornelia Moiso-Diekamp, *Das Pendant in der holländischen Malerei des 17. Jahrhunderts*, Francfort-sur-le-Main, 1987, pp. 307-308, sous le nº B1. Ad Bercht, «Paulus Bor. De Schilderijen» (thèse de doctorat, Utrecht, 1991), pp. 27, 29, 31-33, 35-40. Peter van den Brink, *Het gedroomde land: Pastorale schilderkunst in de Gouden Eeuw*, cat. exp., Utrecht, 1993, pp. 132, 133-134n7, fig. 16.1. Quentin Buvelot in Jacobine Huisken, Koen Ottenheym et Gary Schwartz, éd., *Jacob van Campen: Het klassieke ideaal in de Gouden Eeuw*, Amsterdam, 1995, p. 252n47; Jeroen Giltaij in Albert Blankert, *Dutch Classicism in Seventeenth-Century Painting*, cat. exp., Rotterdam, 1999, pp. 144, 146-147, sous le nº 20, fig. 20b.

Ex collections

The princes Chigi, Castelfusano, Rome (by 1824–1941; as by Salvator Rosa; sold through Cecconi to Busiri Vici [according to the latter and Federico Zeri]). Andrea Busiri Vici, Rome (1941–at least 1955). Ben Heller, New York (until 1972).

Exhibitions

Utrecht, Centraal Museum, and Antwerp, Koninklijk Museum voor Schone Kunsten, Caravaggio en de Nederlanden, *June 15–September 28, 1952, no. 17.* Rome, Palazzo delle Esposizioni, and Milan, Palazzo Reale, Mostra di pittura olandese del Seicento, *January 4–April 25, 1954, no. 15.* London, Wildenstein Gallery, Artists in Seventeenth-Century Rome, *June 1–July 16, 1955, no. 9.* Raleigh, North Carolina Museum of Art, Milwaukee Art Museum, and Dayton Art Institute, Sinners and Saints, Darkness and Light: Caravaggio and His Dutch and Flemish Followers, *September 27, 1998–July 18, 1999, no. 9.*

References

Lady [Sydney] Morgan, The Life and Times of Salvator Rosa, *2 vols. (London, 1824), vol. 2, p. 373. Roberto Longhi, "Ultimi studi sul Caravaggio e la sua cerchia,"* Proporzioni, *no. 1 (1943), p. 29, pl. 66. Vitale Bloch, "Orlando,"* Oud Holland *64 (1949), pp. 106–8, figs. 3, 4. Vitale Bloch, "I Caravaggeschi a Utrecht e Anversa" (review of Utrecht, Antwerp 1952),* Paragone, *no. 33 (September 1952), p. 19. Benedict Nicolson, "Caravaggio and the Netherlands" (review of Utrecht, Antwerp 1952),* Burlington Magazine *94 (1952), p. 252. E. K. Waterhouse, "Artists in Seventeenth-Century Rome" (review of London 1955),* Burlington Magazine *97 (1955), p. 222. Jakob Rosenberg, Seymour Slive, and E. H. ter Kuile,* Dutch Art and Architecture: 1600–1800 *(Harmondsworth, 1966), p. 298, fig. 237. John Walsh Jr., "New Dutch Paintings at the Metropolitan Museum,"* Apollo *94 (1974), pp. 346, 348, 349nn14–17, fig. 11 and cover ill. Joachim Wolfgang von Moltke, "Die Gemälde des Paulus Bor von Amersfoort,"* Westfalen: Hefte für Geschichte, Kunst und Volkskunde *55 (1977), pp. 150–52, 157, 159, no. 9, fig. 102. H. E. C. Mazur-Contamine, "Twee 'tovenaressen' van Paulus Bor,"* Bulletin van het Rijksmuseum *29 (1981), pp. 5–7, 8nn7,10, fig. 2. Cornelia Moiso-Diekamp,* Das Pendant in der holländischen Malerei des 17. Jahrhunderts *(Frankfurt am Main, 1987), pp. 307–8, under no. B1. Ad Bercht, "Paulus Bor. De Schilderijen" (Master's thesis, Utrecht, 1991), pp. 27, 29, 31–33, 35–40. Peter van den Brink,* Het gedroomde land: Pastorale schilderkunst in de Gouden Eeuw, *exh. cat. (Utrecht, 1993), pp. 132, 133–34n7, fig. 16.1. Quentin Buvelot in Jacobine Huisken, Koen Ottenheym, and Gary Schwartz, eds.,* Jacob van Campen: Het klassieke ideaal in de Gouden Eeuw *(Amsterdam, 1995), p. 252n47; Jeroen Giltaij in Albert Blankert,* Dutch Classicism in Seventeenth-Century Painting, *exh. cat. (Rotterdam, 1999), pp. 144, 146–47, under no. 20, fig. 20b.*

Rembrandt Harmensz. van Rijn

Hollandais, né à Leyde, en 1606; mort à Amsterdam, en 1669
Dutch, born Leiden, 1606; died Amsterdam, 1669

Peintre, dessinateur et graveur prolifique, Rembrandt est généralement considéré comme le plus grand artiste de la Hollande du «Siècle d'or». Son père, Harmen van Rijn, était un modeste meunier de Leyde. Après avoir fréquenté l'école latine locale, Rembrandt est apprenti, entre 1619 et 1622, chez un peintre qui a réussi, mais n'en demeure pas moins médiocre, Jacob van Swanenburgh. En 1623 ou 1624, Rembrandt étudie auprès d'un éminent artiste amstellodamois, Pieter Lastman, qui travailla à Rome et fut la figure de proue d'un cercle de peintres d'histoire non dénués de talent. Le bref séjour que fait Rembrandt à Amsterdam influencera fortement son style et le choix de ses sujets; il l'instruira également de ce qui se fait dans d'autres villes, comme Utrecht, Anvers et Rome.

Tandis qu'il travaille à Leyde, Rembrandt partage avec son confrère Jan Lievens, à peine plus jeune que lui, ses idées sur l'art; mais aussi il étudie seul, sur le vif, l'anatomie et l'expression, se prenant souvent lui-même pour modèle. Si ce programme d'observation empirique était de tradition à Leyde, il n'en répondait pas moins pour Rembrandt à un souci personnel, qui l'occupa tout au long de sa carrière.

Vers 1632, l'artiste s'installe à Amsterdam. Il y est probablement amené par des commandes de portraits, comme la célèbre *Leçon d'anatomie du Dr Nicolaes Tulp* (datée de 1632, La Haye, Mauritshuis). Le marchand d'art Hendrick Uylenburgh, dont la cousine Saskia devient l'épouse du peintre en juin 1634, est l'une des figures clés de l'ascension de Rembrandt dans les années 1630, qui seront, avec la décennie suivante, celles de ses plus grands succès. Son style et, dans une certaine mesure, l'image qu'il a de lui-même sont influencés par Peter Paul Rubens, modèle, en Europe du Nord, de l'artiste gentilhomme et courtisan.

Signe de la stature qu'a prise Rembrandt à Amsterdam, il y est un professeur respecté de 1635, environ, jusqu'en 1655. Des artistes aussi doués que Govert Flinck, Ferdinand Bol, Nicolaes Maes, Carel Fabritius ou Samuel van Hoogstraten étudient auprès de lui et mènent des carrières remarquées. En 1639, Rembrandt achète une belle maison de ville (aujourd'hui Rembrandthuis, Musée de la Maison de Rembrandt), où il s'environne d'œuvres

A prolific painter, draftsman, and etcher, Rembrandt is generally regarded as the greatest artist of Holland's "Golden Age." His father, Harmen van Rijn, was a middle-class miller in Leiden. After attending the local Latin School, Rembrandt was apprenticed to a socially prominent but mediocre painter, Jacob van Swanenburgh, between 1619 and 1622. In 1623 or 1624 Rembrandt studied with the distinguished Amsterdam artist Pieter Lastman, who had worked in Rome and was the leading figure in a circle of talented history painters. Rembrandt's brief stay in Amsterdam strongly influenced his style and choice of subjects, and it made him aware of developments in other cities, such as Utrecht, Antwerp, and Rome.

While working in Leiden Rembrandt shared artistic ideas with his slightly younger colleague Jan Lievens, and he independently studied realistic appearances and expressions using live models, including himself. This program of empirical observation was a Leiden tradition but also a personal preoccupation of Rembrandt's, one that continued throughout his career.

The artist moved to Amsterdam about 1632. He was probably brought there by commissions for portraits, such as The Anatomy Lesson of Dr. Nicolaes Tulp *(dated 1632; Mauritshuis, The Hague). A key figure for Rembrandt's rise in the 1630s was the art dealer Hendrick Uylenburgh, whose cousin Saskia became the painter's wife in June 1634. The next several years were the most successful of Rembrandt's life. His style, and to some extent his image of himself, were influenced by Peter Paul Rubens, the northern European model of the artist as gentleman and courtier.*

One sign of Rembrandt's stature in Amsterdam was his authority as a teacher (ca. 1635–55); such gifted painters as Govert Flinck, Ferdinand Bol, Nicolaes Maes, Carel Fabritius, and Samuel van Hoogstraten studied with him and went on to distinguished careers. In 1639 Rembrandt bought a fine town house (now the Museum Het Rembrandthuis), where he gathered many works of art by past and contemporary masters, as well as exotic objects and natural curiosities. Major works such as The Night Watch *of 1642 (Rijksmuseum,*

d'art, des maîtres anciens et contemporains, et réunit toutes sortes d'objets exotiques et de curiosités naturelles. Certaines de ses principales œuvres, telles que *La Ronde de nuit* de 1642 (Amsterdam, Rijksmuseum) et *Aristote contemplant le buste d'Homère* (1653, Metropolitan Museum of Art), furent peintes dans cette période de maturité, où il connaît aussi de douloureux et nombreux revers. Saskia meurt en 1642, laissant à Rembrandt un fils, Titus. Une mauvaise gestion financière et la dépression du marché de l'art (due en partie à la guerre avec l'Angleterre) conduisent Rembrandt à la faillite en 1656. Hendrickje Stoffels, entrée dans la vie de l'artiste comme gouvernante et qui devient sa compagne, lui apporte un peu de réconfort. Avec Titus, elle forme une société chargée de gérer ce qui reste des biens de Rembrandt, ainsi mis sous tutelle. Dans ses dernières années, Rembrandt vit modestement et travaille extrêmement dur, tandis que ses anciens élèves parviennent à la célébrité.

Nombre des plus belles œuvres de Rembrandt furent produites dans des périodes difficiles. Ses derniers portraits et autoportraits, ses ultimes peintures religieuses poussent au plus loin l'introspection et demeurent pourtant parfaitement accessibles. Son sens de l'humanité et l'intérêt qu'il porte, avant tout, à ses personnages, plus qu'à l'action ou à l'exposition des scènes représentées, témoignent d'une préoccupation qui fut celle de toute une vie, d'un penchant profond à confronter l'éphémère et l'éternel, la fiction et le fait.

Amsterdam) and Aristotle with a Bust of Homer *(1653; The Metropolitan Museum of Art) were painted during the artist's middle years, when he also suffered many setbacks. Saskia died in 1642, leaving Rembrandt with a son, Titus. Poor financial management and a depressed art market (partly due to war with England) led to Rembrandt's insolvency in 1656. Some comfort was provided by Hendrickje Stoffels, who entered the artist's life as a maidservant and became his common-law wife. She and Titus formed a company that protected Rembrandt from debt. In his last decade he lived modestly and worked extremely hard, while his former pupils rose to prominence.*

Much of Rembrandt's finest work was produced during difficult periods. His late portraits, self-portraits, and religious pictures are remarkable for their introspection and, at the same time, their accessibility. His feeling for humanity, and his concentration on character rather than action or display, reflect a lifelong inclination to compare the transient with the timeless, and fiction with fact.

13 Le Porte-étendard (Floris Soop)
Huile sur toile, 140,3 × 114,9 cm, peinte en 1654
Signée et datée (en bas à gauche): *Rembrandt f 1654*
Collection Jules Bache, 1949 (49.7.35)

Le vieux mythe selon lequel la renommée de Rembrandt comme portraitiste s'écroula après *La Ronde de nuit* en 1642 n'est plus aujourd'hui soutenu que par quelques guides gâteux et incompétents récitant leurs boniments devant la grande toile d'Amsterdam. Si Rembrandt peignit moins de portraits dans les années 1640, c'est, d'une part, parce qu'il préférait s'adonner au genre plus prestigieux de la peinture d'histoire (ce qui signifie le plus souvent, dans son cas, des œuvres religieuses) et, d'autre part, parce qu'il avait obtenu dans sa carrière de portraitiste, entre 1631 et 1642, tous les succès qu'on pût souhaiter. Dès les années 1650, d'anciens élèves de Rembrandt, comme Govert Flinck et Ferdinand Bol, ainsi que d'autres artistes hollandais, notamment Bartholomeus van der Helst, avaient mis à la mode un style élégant et très coloré de portrait (inspiré en partie de Van Dyck) que Rembrandt lui-même ne suivit jamais. Certains des principaux collectionneurs des années 1650 et 1660, dont Jan Six, continuèrent de s'adresser

13 The Standard Bearer (Floris Soop)
Oil on canvas, 140.3 × 114.9 cm, painted in 1654
Signed and dated (lower left): Rembrandt f 1654
The Jules Bache Collection, 1949 (49.7.35)

The old myth that Rembrandt's popularity as a portraitist steeply declined after he painted The Night Watch *in 1642 is now heard only from the most elderly and incompetent guides standing in front of that great canvas in Amsterdam. Rembrandt painted fewer portraits in the 1640s partly because he preferred the more prestigious pursuit of history painting (meaning, in his case, mostly religious works), and because his career as a portraitist between about 1631 and 1642 had been exhaustingly successful. By the 1650s, former Rembrandt pupils like Govert Flinck and Ferdinand Bol, and other Dutch artists such as Bartholomeus van der Helst, had brought into fashion an elegant and colorful style of portraiture (partly based on Van Dyck) which Rembrandt himself never followed. Some great patrons of the 1650s and 1660s, such as Jan Six, still turned to Rembrandt for portraits and other pictures, and were rewarded with some of the most memorable works in his œuvre. The famous portrait of Six*

83

à Rembrandt, pour des portraits ou d'autres peintures; ils en furent récompensés par des pièces qui comptent parmi les plus inoubliables de son œuvre. Le célèbre portrait de Six enfilant un gant, avec son brillant manteau rouge jeté sur l'épaule (Amsterdam, Collection Six), fut peint en 1654, tout comme le portrait de Floris Soop (1604-1657).

Pour les écrivains du XIXe siècle, comme le critique français Emile Michel, le sujet de cette toile est «un de ces vieillards que [Rembrandt] aimait peindre, car ils se pliaient docilement à ses lubies, s'accoutraient n'importe comment pourvu qu'il leur demandât et prenaient les poses qu'il voulait». Après un siècle de portraits de fantaisie ou d'agrément (parfois fantaisistes, souvent agréables), de Fragonard à Manet, on pourrait presque excuser Michel d'avoir pensé que la principale raison pour laquelle Rembrandt peignait un portrait, avec des motifs comme le baudrier de cuir doré et le grand étendard, fût de se donner du plaisir dans son atelier. Quelques années plus tard, Wilhelm von Bode, l'un des premiers spécialistes sérieux de l'art hollandais, conjecturait – se fondant probablement sur les portraits de gardes municipaux comme ceux de *La Ronde de nuit* ou ceux de Frans Hals – qu'il s'agissait «à l'évidence du porte-étendard de l'une des gardes armées d'Amsterdam». Cette hypothèse fut plus tard reprise par tous les auteurs et finalement confirmée en 1971 lorsque Isabella van Eeghen, alors archiviste de la ville d'Amsterdam, identifia le modèle de Rembrandt: il s'agissait de Floris Soop, enseigne de la quinzième compagnie de la garde municipale d'Amsterdam. Le rang d'enseigne était traditionnellement réservé aux célibataires, car on considérait que tout homme portant un drapeau dans une bataille avait de fortes chances d'y être tué. A l'époque de Rembrandt, toutefois, être officier de la garde municipale était une marque de reconnaissance sociale, et le principal danger auquel exposait une telle fonction était probablement une indigestion après le banquet annuel de la compagnie.

Soop était un riche fabricant de verre et de miroirs, qui vivait dans une grande maison, au 105 Kloveniersburgwal, qualifiée en ce temps-là, sur les plans de la ville, de «Maison de Verre». Il avait pour voisin Jan Six. Les deux hommes devaient bien se connaître; ils faisaient tous deux partie de la direction du Théâtre d'Amsterdam (pour lequel Six écrivait aussi des pièces), étaient d'importants collectionneurs d'art et de non moins grands acheteurs. A sa mort en 1657, à l'âge de 54 ans (le «vieillard» de Michel avait 50 ans à l'époque où Rembrandt fit son portrait), Soop avait réuni chez lui quelque 140 peintures. L'une d'elles est ainsi décrite dans son inventaire après décès: «autre [portrait] de Floris Soop, grandeur nature». Il s'agissait probablement de la peinture que nous exposons ici. (Les noms des artistes étaient souvent omis dans les actes notariés.)

Le drapeau et la bandoulière de cuir richement ouvragée (ou baudrier) servant à le soutenir étaient la propriété de la compagnie des gardes, et le plumet sur le chapeau de Soop faisait aussi partie de son costume de cérémonie. A l'instar de la chaîne d'or dans *Aristote contemplant le buste d'Homère*, une œuvre qui date de l'année précédente, le baudrier est traité par Rembrandt comme un morceau de bravoure, bien qu'il ne le distraie en rien de l'intérêt qu'il porte à la personnalité du modèle. La description du visage, des mains, des rangs de

pulling on a glove, with a brilliant red cloak slung over his shoulder (Six Collection, Amsterdam), was painted in 1654, as was the present portrait of Floris Soop (1604–57).

For nineteenth-century writers on Rembrandt, such as the French critic Emile Michel, the subject of this picture was one of "those old men he loved to paint, because they fell in submissively with his fancies, and allowed him to pose and accoutre them as he pleased." After a century of imaginary (or imaginative) portraits by artists such as Jean Honoré Fragonard and Edouard Manet, one can almost excuse Michel for thinking that the main reason Rembrandt painted a portrait, and included motifs like the gilded leather baldric and the large flag, was to entertain himself in the studio. A few years later, Wilhelm von Bode, one of the first serious scholars of Dutch art, presumed—probably on the basis of civic guard portraits such as The Night Watch and those by Frans Hals—that the man in this picture was "evidently the standard bearer of one of Amsterdam's shooting-guilds." This view was accepted by every later author and was finally confirmed in 1971 when Isabella van Eeghen, then the city archivist of Amsterdam, identified the subject of Rembrandt's portrait as Floris Soop, ensign of Precinct XV in the Amsterdam civic guard. The rank of ensign was reserved for bachelors, on the traditional assumption that any man bearing a flag into battle was likely to be killed. In Rembrandt's lifetime, however, being an officer in the civic guard was a sign of social stature, and the main threat to one's health was probably indigestion after the company's annual banquet.

Soop was a wealthy manufacturer of glass and mirrors who lived in a large house at Kloveniersburgwal 105, which is described as the "Glass House" on city plans of the period. His neighbor was Jan Six. The two men must have been well acquainted, since they served together on the board of the Amsterdam Theater (for which Six also wrote plays), and they were both important patrons of the pictorial arts. At his death in 1657, at the age of fifty-four (Michel's "old man," in Rembrandt's portrait, was fifty years old at the time), Soop had 140 paintings in his house. One of them is listed in the inventory of his estate as "another [portrait] of Floris Soop, as large as life." This was probably the painting exhibited here. (Artists' names were often omitted by contemporary notaries.)

The flag and the elaborately tooled leather strap (or baldric) used to support it were the property of the civic guard company, and the plume in Soop's hat is also part of his ceremonial regalia. Like the gold chain in Aristotle with a Bust of Homer, a work that dates from the previous year, the strap is treated as a virtuoso passage by Rembrandt, although it did not distract him from suggesting the sitter's character. The description of the face, the hands, the rows of gold buttons, the hilt of the sword, and the wood shaft is very impressive, even after the wear that this canvas (like many mature works by Rembrandt) has suffered in the past. As usual, the dark parts of the picture are the most affected (their pigments being more vulnerable), so that the figure and the setting have less volume now than they did originally. The illusion of actual

boutons dorés, de la poignée de l'épée, de la hampe de bois du drapeau est très impressionnante, même après les dommages que la toile, comme beaucoup d'œuvres de la maturité de Rembrandt, a soufferts dans le passé. Comme d'habitude, ce sont les parties les plus sombres qui sont le plus abîmées (leurs pigments sont plus fragiles); ainsi la figure et le fond ont-ils moins de volume qu'ils n'en avaient originellement. L'illusion d'une forme et d'un espace réels devait être saisissante dans la lumière d'un intérieur du XVIIᵉ siècle. Sans doute Soop possédait-il un grand miroir dans lequel il pouvait comparer ce qu'il voyait de son reflet avec ce que Rembrandt avait vu de lui.

WL

form and space would have been striking in the interior light of a seventeenth-century house. Presumably, Soop owned a large mirror in which he could have compared what he saw with what Rembrandt saw in him.

WL

Historique

Probablement Floris Soop, Amsterdam (1654-†1657). Probablement Petrus Scriverius (Peter Schrijver), Oudewater (1657-†1660). Sir Joshua Reynolds, Londres (au moins à partir de 1769; sa vente, Christie's, Londres, 17 mars 1795, n° 56, ravalé; vente, Phillips, Londres, 8 mai 1798, n° 38, à Westall). Richard Westall, Londres (à partir de 1798). George Greville, 2ᵉ comte de Warwick, Warwick Castle (au moins à partir de 1801-jusqu'à sa mort en 1816). Henry Richard Greville, 3ᵉ comte de Warwick, Warwick Castle (1816-†1853). George Guy Greville, 4ᵉ comte de Warwick, Warwick Castle (1853-après 1857). [Charles Sedelmeyer, Paris, à partir de 1896.] [Charles J. Wertheimer, Londres.] [Thomas Agnew & Sons, Londres.] George J. Gould, New York (au moins à partir de 1901). [Duveen Brothers, Londres, jusqu'en 1925; vendu à Bache.] Jules Bache, New York (1925-1944).

Ex collections

Probably Floris Soop, Amsterdam (1654–d. 1657). Probably Petrus Scriverius (Peter Schrijver), Oudewater (1657–d. 1660). Sir Joshua Reynolds, London (by 1769–98; his sale, Christie's, London, March 17, 1795, no. 56, bought in; sale, Phillips, London, May 8, 1798, no. 38, to Westall). Richard Westall, London (from 1798). George Greville, 2ⁿᵈ Earl of Warwick, Warwick Castle (by 1801–d. 1816). Henry Richard Greville, 3ʳᵈ Earl of Warwick, Warwick Castle (1816–d. 1853). George Guy Greville, 4ᵗʰ Earl of Warwick, Warwick Castle (1853–after 1857). [Charles Sedelmeyer, Paris, by 1896.] [Charles J. Wertheimer, London.] [Thomas Agnew & Sons, London.] George J. Gould, New York (by 1901). [Duveen Brothers, London, until 1925; sold to Bache.] Jules Bache, New York (1925–44).

Expositions

Angleterre, Manchester Art Gallery, *Art Treasures Exhibition*, 1857, n° 680. Saint Louis, *Exposition universelle*, 1904, n° 81. The Metropolitan Museum of Art, *The Hudson-Fulton Celebration*, septembre-novembre 1909, n° 98. Londres, Royal Academy, *Exhibition of Dutch Art, 1450–1900*, janvier 1929, n° 103. Detroit Institute of Arts, *Paintings by Rembrandt*, 2-31 mai 1930, n° 52. Amsterdam, Rijksmuseum, *Rembrandt Tentoonstelling*, 1932, n° 27. New York, Exposition universelle, *Masterpieces of Art*, 1939, n° 301. Los Angeles County Museum, *Loan Exhibition of Paintings by Frans Hals, Rembrandt*, 18 novembre - 31 décembre 1947, n° 23. City of Manchester Art Gallery, *Art Treasures Centenary: European Old Masters*, 1957, n° 102. Raleigh, North Carolina Museum of Art, *Masterpieces of Art*, 6 avril - 17 mai 1959, n° 73. New Haven, Yale Center for British Art, *Rembrandt in Eighteenth Century England*, 19 octobre - 30 décembre 1983, n° 1. The Metropolitan Museum of Art, *Rembrandt / Not Rembrandt in The Metropolitan Museum of Art*, 10 octobre 1995 - 7 janvier 1996, n° 13.

Exhibitions

England, Manchester Art Gallery, Art Treasures Exhibition, *1857, no. 680. St. Louis,* Universal Exposition, *1904, no. 81. The Metropolitan Museum of Art,* The Hudson-Fulton Celebration, *September–November 1909, no. 98. London, Royal Academy,* Exhibition of Dutch Art, 1450–1900, *January 1929, no. 103. Detroit Institute of Arts,* Paintings by Rembrandt, *May 2–31, 1930, no. 52. Amsterdam, Rijksmuseum,* Rembrandt Tentoonstelling, *1932, no. 27. New York, World's Fair,* Masterpieces of Art, *1939, no. 301. Los Angeles County Museum,* Loan Exhibition of Paintings by Frans Hals, Rembrandt, *November 18–December 31, 1947, no. 23. City of Manchester Art Gallery,* Art Treasures Centenary: European Old Masters, *1957, no. 102. Raleigh, North Carolina Museum of Art,* Masterpieces of Art, *April 6–May 17, 1959, no. 73. New Haven, Yale Center for British Art,* Rembrandt in Eighteenth Century England, *October 19–December 30, 1983, no. 1. The Metropolitan Museum of Art,* Rembrandt / Not Rembrandt in The Metropolitan Museum of Art, *October 10, 1995–January 7, 1996, no. 13.*

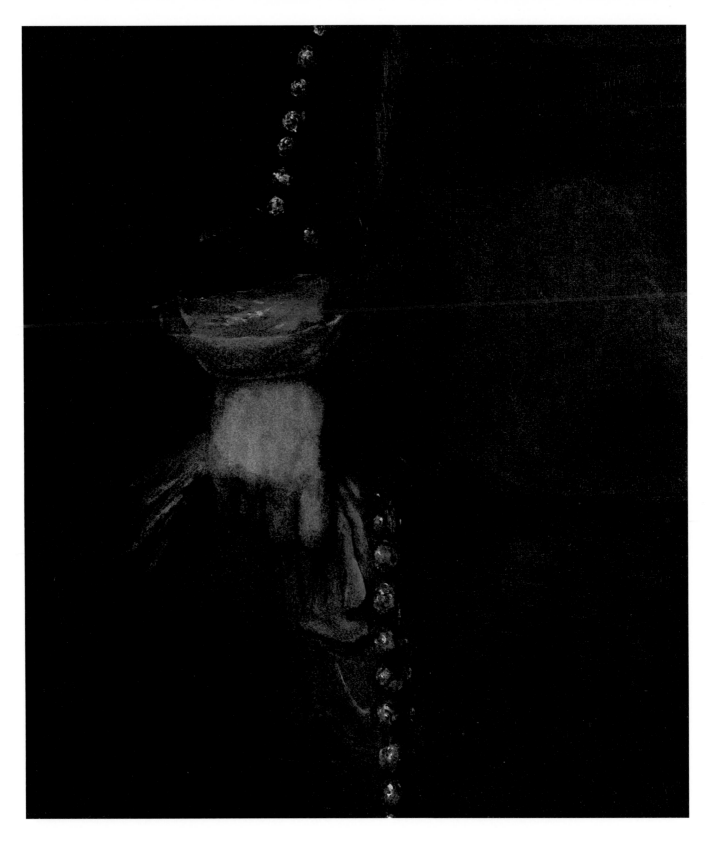

Bibliographie

John Smith, *A Catalogue Raisonné of the Works of the Most Eminent Dutch, Flemish, and French Painters*, 9 vol., Londres, 1829-1842, vol. 7 (1836), p. 103, n° 279. Wilhelm von Bode, *Studien zur Geschichte der holländischen Malerei*, Brunswick, 1883, pp. 538-539. Wilhelm von Bode, avec la collaboration de C. Hofstede de Groot, *The Complete Work of Rembrandt*, 8 vol., Paris, 1897-1906, vol. 5, p. 26, n° 370. Cornelis Hofstede de Groot, *A Catalogue Raisonné of the Works of the Most Eminent Dutch Painters of the Seventeenth Century*, trad. Edward G. Hawke, 8 vol., Londres, 1907-1927, vol. 6 (1916), n° 269; Wilhelm R. Valentiner, *Rembrandt Paintings in America*, 2 vol., New York, 1931, n° 117; Abraham Bredius, *Rembrandt Gemälde*, Vienne, 1935, n° 275; Kurt Bauch, *Rembrandt Gemälde*, Berlin, 1966, n° 408; Horst Gerson, *Rembrandt Paintings*, Amsterdam, 1968, n° 317. I. H. van Eeghen, «De Vaandeldrager van Rembrandt», *Maandblad Amstelodamum* 57 (1970), pp. 173-181. S. A. C. Dudok van Heel, «Mr Johannes Wtenbogaert (1608–1680): Een man uit Remonstrants milieu en Rembrandt van Rijn», *Amstelodamum (Jaarboek)* 70 (1978), p. 168n4. Walter S. Strauss et Marjon van der Meulen, *The Rembrandt Documents*, New York, 1979, p. 406. Maryan Wynn Ainsworth, John Brealey, Egbert Haverkamp-Begemann et Pieter Meyers, *Art and Autoradiography: Insights into the Genesis of Paintings by Rembrandt, Van Dyck, and Vermeer*, New York, 1982, pp. 57-61. Gary Schwartz, *Rembrandt, His Life, His Paintings*, Harmondsworth, 1985, pp. 137, 208, 267-268. Christian Tümpel, avec la contribution d'Astrid Tümpel, *Rembrandt, Mythos und Methode*, Anvers, 1986, n° 213. Leonard J. Slatkes, *Rembrandt: Catalogo completo dei dipinti*, Florence, 1992, n° 163.

References

John Smith, A Catalogue Raisonné of the Works of the Most Eminent Dutch, Flemish, and French Painters, *9 vols. (London, 1829–42), vol. 7 (1836), p. 103, no. 279. Wilhelm von Bode*, Studien zur Geschichte der holländischen Malerei *(Brunswick, 1883), pp. 538–39. Wilhelm von Bode, with the collaboration of C. Hofstede de Groot,* The Complete Work of Rembrandt, *8 vols. (Paris, 1897–1906), vol. 5, p. 26, no. 370. Cornelis Hofstede de Groot,* A Catalogue Raisonné of the Works of the Most Eminent Dutch Painters of the Seventeenth Century, *trans. Edward G. Hawke, 8 vols. (London, 1907–27), vol. 6 (1916), no. 269; Wilhelm R. Valentiner,* Rembrandt Paintings in America, *2 vols. (New York, 1931), no. 117; Abraham Bredius,* Rembrandt Gemälde *(Vienna, 1935), no. 275; Kurt Bauch,* Rembrandt Gemälde *(Berlin, 1966), no. 408; Horst Gerson,* Rembrandt Paintings *(Amsterdam, 1968), no. 317. I. H. van Eeghen, "De Vaandeldrager van Rembrandt,"* Maandblad Amstelodamum *57 (1970), pp. 173–81. S. A. C. Dudok van Heel, "Mr Johannes Wtenbogaert (1608–1680): Een man uit Remonstrants milieu en Rembrandt van Rijn,"* Amstelodamum (Jaarboek) *70 (1978), p. 168n4. Walter S. Strauss and Marjon van der Meulen,* The Rembrandt Documents *(New York, 1979), p. 406. Maryan Wynn Ainsworth, John Brealey, Egbert Haverkamp-Begemann and Pieter Meyers,* Art and Autoradiography: Insights into the Genesis of Paintings by Rembrandt, Van Dyck, and Vermeer *(New York, 1982), pp. 57–61. Gary Schwartz,* Rembrandt, His Life, His Paintings *(Harmondsworth, 1985), pp. 137, 208, 267–68. Christian Tümpel, with contributions by Astrid Tümpel,* Rembrandt, Mythos und Methode *(Antwerp, 1986), no. 213. Leonard J. Slatkes,* Rembrandt: Catalogo completo dei dipinti *(Florence, 1992), no. 163.*

Jan Havicksz. Steen

Hollandais, né à Leyde, en 1626; mort à Leyde, en 1679
Dutch, born Leiden, 1626; died Leiden, 1679

Steen, le plus truculent des peintres hollandais de la vie quotidienne, est né à Leyde, l'aîné des enfants de Havick Steen, grainetier et brasseur catholique, et d'Elizabeth Capiteyn, fille du secrétaire municipal. La date de naissance de l'artiste est inconnue, mais il dit avoir 20 ans lorsqu'il entre à l'Université de Leyde, en novembre 1646. Steen fréquenta l'école latine de Leyde, mais ne s'inscrivit probablement à l'Université que pour jouir des privilèges qu'elle accordait, notamment l'exemption du service dans la garde municipale. Le 18 mars 1648, il est reçu maître de la Guilde des peintres de Leyde. On ne sait pas qui fut son professeur, mais dans sa biographie, qui date de 1729, J. C. Weyerman, sur la foi de Carel de Moor, ami de Steen, affirme qu'il fut engagé comme apprenti chez Nicolaes Knupfer d'Utrecht, puis chez le peintre de Haarlem Adriaen van Ostade. S'il en fut ainsi, ce dut être entre 1640 et 1645. Selon Arnold Houbraken (1718-1721) et le même Weyerman, Steen étudia aussi auprès de Jan van Goyen, à La Haye, où il épousa la fille de ce peintre de paysage, Margriet, le 3 octobre 1649. Les auteurs modernes assurent qu'à la fin des années 1640, Steen était sans doute l'assistant de Van Goyen et non son élève.

Le premier enfant de Steen, Thaddeus, est baptisé à l'église catholique de La Haye, le 6 février 1651. Une fille, Eva, naît en 1653, toujours dans cette ville. En juillet 1654, l'artiste prend en location une brasserie dans la cité voisine de Delft (son père, assurément, a fourni le capital). Steen dut déménager pour Delft à l'automne fatidique de 1654, lorsque, le 12 octobre, l'explosion de l'arsenal détruisit une grande partie de la ville et fit de nombreuses victimes. Epoque peu propice, tant pour les peintres que pour les brasseurs. Au printemps 1658, les Steen passent quelque temps à Leyde, qu'ils quittent bientôt, pour le village voisin de Warmond.

En 1660, la famille s'installe à Haarlem, où Steen s'inscrit, l'année suivante, à la Guilde des peintres. Son fils Havick naît en 1660, et sa fille Elizabeth, en 1662. Steen connaît des années difficiles sur le plan financier, car la seconde guerre anglo-hollandaise perturbe le marché de l'art. En 1669, la situation de Steen semble s'améliorer, mais sa femme meurt au printemps. Sa mère décède en septembre, et son père, en mars 1670. Ils laissent à leur fils leur maison de Leyde; le peintre revient donc dans sa ville natale, avec ses enfants, cette même année 1670.

The comedian among Dutch painters of everyday life, Steen was born in Leiden, the eldest child of Havick Steen, a Catholic grain merchant and brewer, and Elizabeth Capiteyn, daughter of the city clerk. The artist's date of birth is unknown, but he gave his age as twenty when he registered at Leiden University in November 1646. Steen attended the Latin School in Leiden but probably enrolled in the university solely to enjoy its privileges, which included exemption from civic guard duty. He became a master in the Leiden painters' guild on March 18, 1648. His teacher is not recorded, but J. C. Weyerman's biography (1729), based on information provided by Steen's friend Carel de Moor, relates that he was apprenticed to Nicolaes Knupfer of Utrecht and then to the Haarlem painter Adriaen van Ostade. If so, this would have been in the period from 1640 to 1645. According to Arnold Houbraken (1718–21) and Weyerman, Steen also studied with Jan van Goyen in The Hague, where he married the landscapist's daughter, Margriet, on October 3, 1649. Modern writers maintain plausibly that Steen was Van Goyen's assistant, not his pupil, in the late 1640s.

The Steens' first child, Thaddeus, was baptized in a Catholic church at The Hague on February 6, 1651. A daughter, Eva, was born there in 1653. In July 1654, the artist leased a brewery in the nearby city of Delft (his father evidently provided the capital). Steen must have moved to Delft by the fateful autumn of 1654, when (on October 12) the explosion of the arsenal destroyed a large section of the city and claimed many lives. At the time, neither brewers nor painters were prospering in Delft. By the spring of 1658, the Steens had lived for a short time in Leiden and then moved to the nearby village of Warmond.

In 1660 the family settled in Haarlem, where Steen joined the painters' guild in 1661. His son Havick was born in 1660, and his daughter Elizabeth in 1662. The mid-1660s were financially difficult because the Second Anglo-Dutch War depressed the art market. By 1669 Steen's circumstances appear to have improved, but his wife died in the spring of that year. His mother passed away in September 1669 and his father in March 1670. Their Leiden house was left to Steen, so

En 1672, une nouvelle guerre, avec la France cette fois, restreint encore les ventes de peinture. C'est alors que Steen ouvre une taverne, qu'il baptise *La Paix*. Le 22 avril 1673, il épouse Maria van Egmond, qui amène avec elle deux enfants et quelques dettes. Le fils du couple, Theodorus, naît l'été 1674. Steen meurt moins de cinq ans plus tard. Il est enterré à Pieterskerk, à Leyde, le 3 février 1679.

Bien que l'artiste lui-même, ses deux femmes et certains de ses enfants aient servi de modèles pour les figures de ses peintures de genre, ces œuvres ne reflètent guère les circonstances de sa vie personnelle. S'il devint le plus drôle des critiques de la société hollandaise et cet observateur amusé de la vie de tous les jours, il le dut surtout à sa fréquentation assidue du théâtre comique et de la littérature populaire, à sa lecture éclectique de la peinture, avec des sources artistiques qui vont de Lucas van Leyden et Pieter Bruegel l'Ancien jusqu'aux contemporains comme Jacob Jordaens et Frans van Mieris. Les compositions de Steen et sa manière valent aussi par leur variété et par les réponses qu'elles donnent aux autres artistes, ceux cités précédemment, mais aussi des talents aussi divers qu'Adriaen Brouwer, Gerard Ter Borch ou Gabriel Metsu. Dans leur grande majorité, les peintures de Steen sont des scènes de genre, mais il est aussi connu pour ses paysages, ses portraits et un nombre considérable de peintures d'histoire. Dans l'ensemble, quelque quatre cents peintures sont répertoriées, dont dix pour cent environ sont datées.

14 La Jeune Fille malade d'amour

Huile sur toile, 86,4 × 99,1 cm, peinte vers 1660
Inscription (en bas à droite): *I STEEN*
Legs de Helen Swift Neilson, 1945 (46.13.2)

La femme malade d'amour était un des thèmes favoris de Steen, et quelque chose comme une spécialité de Leyde. Gerard Dou, Frans van Mieris et Gabriel Metsu comptent au nombre des artistes locaux qui représentèrent, depuis le milieu des années 1650 et tout au long des années 1660, des charlatans, des Diafoirus, affairés au chevet d'une jeune femme abattue. Le traitement qu'en donne Steen correspond à la période, et la peinture du Metropolitan Museum a été datée avec certitude vers 1660. Des peintres d'autres villes, comme Samuel van Hoogstraten à Dordrecht, abordèrent aussi le sujet, qui occupa plus d'un siècle la scène comique. La Faculté de médecine de Leyde jouissait toutefois d'une grande renommée, et les médecins de tous les Pays-Bas, voire de l'étranger, venaient en suivre les cours; sans doute est-ce la raison pour laquelle ils furent, là plus qu'ailleurs, objets favoris des moqueries.

Ici, un médecin, affublé d'un costume démodé, essaie son diagnostic sur une jeune dame atteinte d'une mystérieuse maladie. La jolie patiente offre au regard son décolleté et tous les signes d'une confuse léthargie. Elle porte une main à son front, le coude appuyé sur son genou replié, le pied posé sur une chaufferette. Derrière elle, se penchant un peu par-dessus son

be returned to his native city, with his children, in 1670. In 1672 another war, this one with the French, discouraged picture sales, so Steen opened a tavern called "The Peace." On April 22, 1673, he married Maria van Egmond, who brought with her two children and a number of debts. The couple's son, Theodorus, was born in the summer of 1674. Steen died less than five years later and was buried in the Pieterskerk, Leiden, on February 3, 1679.

Although the artist used himself, his two wives, and a few of his children as models for figures in his genre paintings, these works do not reflect the circumstances of his personal life. His stature as Holland's most amusing critic of ordinary society was achieved through a sharp appreciation of the comic theater, popular literature, and artistic sources ranging from Lucas van Leyden and Pieter Bruegel the Elder to contemporaries such as Jacob Jordaens and Frans van Mieris. Steen's compositional schemes and manner of execution are also remarkable for their variety and responses to other artists, who included those cited above and such diverse talents as Adriaen Brouwer, Gerard ter Borch, and Gabriël Metsu. The great majority of Steen's paintings are genre scenes, but he is also known for landscapes, portraits, and a considerable number of history pictures. Altogether some four hundred paintings are known, of which about ten percent are dated.

14 The Lovesick Maiden

Oil on canvas, 86.4 × 99.1 cm, painted about 1660
Inscribed (lower right): I STEEN
Bequest of Helen Swift Neilson, 1945 (46.13.2)

The subject of lovesick women was a favorite of Steen's, and something of a Leiden specialty. Gerard Dou, Frans van Mieris, and Gabriël Metsu are among the other local artists who depicted quack doctors attending dispirited young women in paintings dating from the mid-1650s through the 1660s. Steen's treatment of the theme falls within the same period, and the Metropolitan Museum's picture has been dated convincingly to about 1660. Painters from other cities, such as Samuel van Hoogstraten in Dordrecht, also addressed the subject, which had been featured on the comic stage for well over a century. However, the popularity of doctors as figures of fun must also reflect the importance of the medical faculty at Leiden University, where doctors from all over the Netherlands and from other countries trained.

In the present work, a doctor in outdated attire attempts to diagnose a lady's mysterious malady. The pretty patient wears a revealing bodice and a look of bewildered lethargy. She touches her forehead and rests an elbow on her knee, which is raised with the help of a foot warmer. The doctor chuckles as he takes the woman's pulse, and the maid shares in his amusement, despite her solicitous pose. Evidently, the

épaule, le médecin saisit au poignet l'autre bras, mollement tendu, pour lui prendre le pouls. Il glousse de plaisir, tandis que la servante, malgré son apparente sollicitude, l'observe d'un air entendu. Bien évidemment, les deux aînés, que l'âge ne semble guère avoir assagis, savent de quoi il retourne.

Comme dans d'autres peintures de Steen, plus explicites encore, la jeune femme souffre de la maladie d'amour. Au besoin, l'artiste clarifie la scène en y adjoignant une rime: «hier baet geen medicijn, want het is minnepijn» (nul médecin ne vaut, quand c'est l'amour qu'il faut). Ici, des indices visuels sont employés, comme Eros, au-dessus de la porte d'entrée, dardant une flèche en direction de la jeune femme. A l'avant-plan, la bassinoire, avec son long manche, et le panier fonctionnent comme des symboles de la virilité et de la féminité. Les chiens copulant dans le vestibule, dont le motif est peut-être emprunté à la *Scène d'auberge* de Frans van Mieris (1658, La Haye, Mauritshuis), fournissent, s'il en était besoin, une allusion supplémentaire.

Il peut sembler surprenant de découvrir dans ce genre d'œuvre d'art une référence aussi sophistiquée, mais Steen pensait sûrement que celui qui achèterait cette peinture y apprécierait (après en avoir été averti, peut-être) la ressemblance entre la jeune fille malade d'amour et la célèbre allégorie de la Mélancolie par Albrecht Dürer. Que le peintre ait explicitement évoqué le burin de Dürer, on s'en aperçoit non seulement dans la pose et l'expression de la jeune femme (qui deviennent plus drôles encore en comparaison), mais aussi par la présence d'Eros et du chien assoupi, qui ont leur équivalent sur la gravure.

Comme les contemporains de Steen le comprenaient sans recourir à l'aide de Dürer, la détresse de la dame est une forme de mélancolie imputable à un déséquilibre des quatre humeurs. C'est en prenant le pouls, qui révélait l'état du cœur, qu'on pouvait diagnostiquer la mélancolie érotique, résultat auquel l'uroscopie (examen visuel des urines), qui renseignait également sur une éventuelle grossesse, permettait également de parvenir. L'analyse d'urines était pratiquée au XVIIᵉ siècle par de respectables médecins, mais les charlatans, qu'on appelait aussi *piskijkers* («scruteurs de pisse»), lisaient dans les flacons d'urines comme dans des boules de cristal. La bouteille dans le panier, en bas à gauche, recèle certainement un échantillon d'urine.

Certains spécialistes ont maintenu qu'on retrouvait ici, comme dans d'autres peintures de Steen, le thème du «test du ruban», censé révéler une grossesse. Un ruban, pris sur les vêtements de la malade, était jeté sur un brasero, et les experts en charlatanerie rendaient soi-disant leur diagnostic d'après la réaction de la patiente à l'odeur dégagée. Récemment, cette histoire de bonne femme a été abandonnée et le bon sens a repris ses droits: l'aguichant ruban, fumant sur les braises, agissait sur la patiente en pamoison comme les sels volatils qu'on faisait autrefois respirer pour ranimer les esprits. Quant au traitement de la mélancolie, la musique était considérée par certaines autorités comme bénéfique. C'est sans doute pour cette raison que Steen, dans une peinture datant environ de 1660, *La Visite du médecin* (Philadelphia Museum of Art, Johnson Collection), montre une femme jouant du clavecin tout en guignant sur la malade. Ici, un nu masculin jouant du violon – Apollon, sans aucun doute – est en fait la seule figure musicienne qu'on puisse discerner, sur la tapisserie, juste au-dessus du chapeau du

two older and slightly wiser characters have seen young women in this condition before.

As in other, even more explicit pictures by Steen, the woman suffers from lovesickness. Occasionally, the artist clarifies the scene by including a rhyme: "hier baet geen medicijn, want het is minnepijn" (no medicine is useful here, for it is love-pain). In this case, visual clues are employed, like the Cupid over the doorway, aiming an arrow in the woman's direction. In the foreground, the bed warmer and the basket are meant as male and female forms. Another hint is provided by the dogs copulating in the foyer, a motif possibly borrowed from Frans van Mieris's Inn Scene of 1658 (Mauritshuis, The Hague).

It may seem surprising to discover a sophisticated reference in such a work of art, but Steen probably intended the buyer of the painting to appreciate (perhaps after being told) the resemblance between the lovesick maiden and Albrecht Dürer's famous personification of Melancholia. That the painter referred to the print is suggested not only by the woman's pose and expression (which become funnier in the comparison), but also by his inclusion of a Cupid and a sleeping dog, which have counterparts in the engraving.

As many of Steen's contemporaries would have realized without Dürer's help, the lady's distress is a form of melancholy induced by an imbalance of the four humors. Erotic melancholy was detected by feeling the pulse, which revealed the state of the heart, while uroscopy (the visual examination of urine) was employed to discover the same disorder or pregnancy. Urinalysis was practiced by respected physicians in the seventeenth century, but quacks, who were occasionally called piskijkers ("piss-lookers"), used flasks of urine like crystal balls. Here, the bottle in the basket at lower left must be intended for a urine specimen.

Some scholars have maintained that a motif found in several of Steen's paintings, including this one, represents a so-called ribbon test for pregnancy. Quack doctors supposedly took a ribbon from the woman's clothing, placed it on a brazier, and made their diagnosis on the basis of the patient's reaction to the smell. Recently, however, this folk tale has been dismissed in favor of evidence that smoldering ribbons were used like smelling salts to revive swooning patients. For melancholy itself, music was considered beneficial by some authorities. It is probably for this reason that Steen shows a woman playing a harpsichord and looking at the patient in a painting of about 1660, The Doctor's Visit (Johnson Collection, Philadelphia Museum of Art). In the present picture, a nude male figure playing a violin—Apollo, no doubt—is virtually the only discernible form in the section of tapestry immediately above the doctor's hat. Apollo is associated with medicine as well as with the fine arts, poetry, and music, but the fiddle (which Apollo plays in Raphael's Parnassus) makes it clear that the artist was thinking of music as a cure. Thus, Cupid and Apollo form a discordant chorus in the background. This decorative mode of commentary is an area in which Steen often excelled.

WL

médecin. Apollon est associé à la médecine aussi bien qu'aux beaux-arts, à la poésie et à la musique, mais le violon (dont joue le dieu dans le *Parnasse* de Raphaël) atteste que c'est bien aux vertus curatives de la musique que pensait l'artiste. Ainsi Eros et Apollon forment-ils, en arrière-plan, un chœur discordant. Steen affectionnait ce type de commentaire décoratif. Il y excellait souvent.

WL

Historique

Pieter Ietswaart, Amsterdam (jusqu'en 1759; vente, Amsterdam, 13 mars 1759, n° 3, pour 130 florins). Pieter de la Court van der Voort, Leyde (jusqu'en 1772; vente, Amsterdam, 26 août 1772, n° 4, pour 350 florins à (?) de Neuville). Vente anonyme, Amsterdam, 21 juin 1774 et jours suivants, n° 206, pour 250 florins à (?) Fouquet. Johan Fredrik Motte, Amsterdam (jusqu'en 1794; vente, Amsterdam, 20-21 août 1794, n° 107, à Fouquet pour 172 florins). Collection particulière, Brunswick, Allemagne. [Galerie van Diemen, Berlin, 1920.] Mr. et Mrs. Francis Neilson, Chicago (au moins à partir de 1924). Mrs. Francis (Helen Swift) Neilson, Chicago (†1945).

Expositions

Tokyo, Musée national, et Kyoto, Musée municipal, *Treasured Masterpieces of The Metropolitan Museum of Art*, 10 août - 26 novembre 1972, n° 83. Hamilton, New York, Colgate University, Picker Art Gallery; Memorial Art Gallery of the University of Rochester, et Texas, Amarillo Art Center, *Dutch Painting in the Age of Rembrandt from The Metropolitan Museum of Art*, 6 février - 31 juillet 1983, n° 10. Hempstead, New York, Hofstra Museum, *People at Work: Seventeenth-Century Dutch Art*, 17 avril - 15 juin 1988, n° 18. Athènes, Galerie nationale, Musée Alexandros Soutzos, *Du Greco à Cézanne*, 13 décembre 1992 - 11 avril 1993, n° 17.

Bibliographie

E. Trautscholdt, «Jan Steen», *in* Ulrich Thieme et Felix Becker, *Allgemeines Lexikon der bildenden Künstler*, 37 vol., Leipzig, 1907-1950, vol. 31 (1937), p. 511. *Art Treasures of the Metropolitan: A Selection from the European and Asiatic Collections of The Metropolitan Museum of Art*, New York, 1952, n° 122; John Walsh Jr., «Vermeer», *Metropolitan Museum of Art Bulletin* 31, n° 4 (été 1973), sans pagination, fig. 60. Karel Braun, *Alle tot nu bekende schilderijen van Jan Steen*, Rotterdam, 1980, p. 127, n° 289, ill. Howard Hibbard, *The Metropolitan Museum of Art*, New York, 1980, p. 338, fig. 610. Otto Naumann, *Frans van Mieris the Elder (1635–1681)*, 2 vol., Doornspijk, 1981, vol. 1, p. 106. Peter C. Sutton, «The Life and Art of Jan Steen», *in* «Jan Steen: Comedy and Admonition», *Philadelphia Museum of Art Bulletin*, n° 78 (hiver-printemps 1982-1983), p. 23nn7-8. Peter C. Sutton, *Masters of Seventeenth-Century Dutch Genre Painting*, cat. exp., Philadelphie, 1984, p. 314nn3-4. Walter Liedtke *in* Edward J. Sullivan, Michael Conforti, Anthony du Boulay et Ruth K. Meyer, éd., *The Taft Museum: Its History and Collections*, 2 vol., New York, 1995, p. 173n14.

Ex collections

Pieter Ietswaart, Amsterdam (until 1759; sale, Amsterdam, March 13, 1759, no. 3, for Fl 130). Pieter de la Court van der Voort, Leiden (until 1772; sale, Amsterdam, August 26, 1772, no. 4, for Fl 350 to ? de Neuville). Anon. sale, Amsterdam, June 21ff., 1774, no. 206, for Fl 250 to ? Fouquet. Johan Fredrik Motte, Amsterdam (until 1794; sale, Amsterdam, August 20–21, 1794, no. 107, to Fouquet for Fl 172). Private collection, Brunswick, Germany. [Galerie van Diemen, Berlin, 1920.] Mr. and Mrs. Francis Neilson, Chicago (by 1924). Mrs. Francis (Helen Swift) Neilson, Chicago (d. 1945).

Exhibitions

Tokyo, National Museum, and Kyoto, Municipal Museum, Treasured Masterpieces of The Metropolitan Museum of Art, *August 10–November 26, 1972, no. 83. Hamilton, New York, Colgate University, Picker Art Gallery; Memorial Art Gallery of the University of Rochester; and Texas, Amarillo Art Center,* Dutch Painting in the Age of Rembrandt from The Metropolitan Museum of Art, *February 6–July 31, 1983, no. 10. Hempstead, New York, Hofstra Museum,* People at Work: Seventeenth-Century Dutch Art, *April 17–June 15, 1988, no. 18. Athens, National Gallery, Alexandros Soutzos Museum,* From El Greco to Cézanne, *December 13, 1992–April 11, 1993, no. 17.*

References

E. Trautscholdt, "Jan Steen," in Ulrich Thieme and Felix Becker, Allgemeines Lexikon der bildenden Künstler, *37 vols. (Leipzig, 1907–50), vol. 31 (1937), p. 511.* Art Treasures of the Metropolitan: A Selection from the European and Asiatic Collections of The Metropolitan Museum of Art *(New York, 1952), no. 122; John Walsh Jr., "Vermeer,"* Metropolitan Museum of Art Bulletin *31, no. 4 (Summer 1973), unpaginated, fig. 60. Karel Braun,* Alle tot nu bekende schilderijen van Jan Steen *(Rotterdam, 1980), p. 127, no. 289, ill. Howard Hibbard,* The Metropolitan Museum of Art *(New York, 1980), p. 338, fig. 610. Otto Naumann,* Frans van Mieris the Elder (1635–1681), *2 vols. (Doornspijk, 1981), vol. 1, p. 106. Peter C. Sutton, "The Life and Art of Jan Steen," in "Jan Steen: Comedy and Admonition,"* Philadelphia Museum of Art Bulletin, *no. 78 (Winter–Spring 1982–83), p. 23nn7–8. Peter C. Sutton,* Masters of Seventeenth-Century Dutch Genre Painting, *exh. cat. (Philadelphia, 1984), p. 314nn3–4. Walter Liedtke in Edward J. Sullivan, Michael Conforti, Anthony du Boulay, and Ruth K. Meyer, eds.,* The Taft Museum: Its History and Collections, *2 vols. (New York, 1995), p. 173n14.*

Jacob Isaacksz. van Ruisdael

Hollandais, né à Haarlem, en 1628-1629; mort à Amsterdam, en 1682
Dutch, born Haarlem, 1628–29; died Amsterdam, 1682

Isaack van Ruisdael, le père du célèbre peintre de paysage, était encadreur, marchand d'art et peintre lui-même. Isaack et son frère, plus doué, Salomon van Ruysdael, déménagent de Naarden à Haarlem, quelque temps après la mort de leur propre père, un charpentier mennonite, en 1616. Jacob étudie probablement auprès de son père puis de son oncle, tous deux en étroite association avec Jan van Goyen. Les vues tranquilles de paysages boisés et de rivières peintes à Haarlem par Cornelis Vroom ont aussi impressionné Ruisdael, à l'époque où il s'inscrivait à la Guilde des peintres (1648). Vroom aida sans doute le jeune artiste à s'éloigner de la tradition tonaliste de Haarlem et à trouver son propre style, plus coloré et poétique.

L'horizon hollandais du jeune homme s'élargit en 1650, lors de son voyage à travers les provinces orientales des Pays-Bas, vers la Westphalie, en compagnie – cela semble presque certain – de son collaborateur occasionnel Nicolaes Berchem. Le château de Bentheim (qui fournira le motif de toiles parmi les plus inoubliables) n'est pas seul à inspirer le peintre de Haarlem; les collines ondoyantes, les escarpements rocheux, les bois et les torrents de la région frontalière frappent son imagination, toujours sensible, en premier lieu, à la nature, quelle qu'ait pu être, par ailleurs, l'influence de ses contemporains ou de ses devanciers sur son œuvre.

Vers le milieu des années 1650, Ruisdael part pour Amsterdam, où ses vues de contrées lointaines trouvent une clientèle enthousiaste. D'une certaine façon, ses paysages boisés rajeunissent la tradition locale de scènes forestières imaginaires qu'avaient illustrée des artistes flamands émigrés comme Gillis van Coninxloo et Roelant Savery. Il est également influencé par les peintures et les gravures d'Allart van Everdingen, un élève de Savery, qui voyage en Norvège et en Suède en 1644 et introduit à Haarlem, puis à Amsterdam, quelques années plus tard, des vues de Scandinavie. Au contraire, les vastes plaines peintes par Ruisdael rappellent les paysages panoramiques de Philips Koninck, tout en témoignant de ses explorations personnelles sur le terrain. L'extraordinaire inventivité de l'artiste et sa puissance expressive sont aussi sensibles dans ses rudes paysages d'hiver, dans ses

Isaack van Ruisdael, the famous landscape painter's father, was a frame maker, art dealer, and painter. Isaack and his more talented brother, Salomon van Ruysdael, moved to Haarlem from Naarden sometime after their father, a Mennonite carpenter, died in 1616. Jacob probably studied with his father and then his uncle, both of whom were closely associated with Jan van Goyen. The tranquil woodland and river views that were painted in Haarlem by Cornelis Vroom also impressed Van Ruisdael at about the time he joined the painters' guild (1648). Vroom must have helped the young artist to move away from the tonalist tradition in Haarlem and toward his own more colorful and poetic style.

The artist's Dutch horizons were expanded in 1650 when he traveled through the eastern provinces of the Netherlands to Westphalia, almost certainly in the company of his occasional collaborator, Nicolaes Berchem. Not only the castle of Bentheim (one of Van Ruisdael's most memorable subjects), but also the border region's rugged, rolling hills, rich in rocks, trees, and fast-flowing streams, captured the Haarlemer's imagination, which was always responsive first to nature, however much it was also informed by earlier and contemporary works of art.

During the mid-1650s Van Ruisdael moved to Amsterdam, where his views of foreign topography found an appreciative clientele. To some extent his woodland views rejuvenated a local tradition of imaginary forest scenes by Flemish immigrant artists such as Gillis van Coninxloo and Roelant Savery. He was also influenced by the paintings and prints of Allart van Everdingen, a Savery pupil who went to Norway and Sweden in 1644 and introduced Scandinavian views in Haarlem and Amsterdam a few years later. Van Ruisdael's pictures of extensive plains, by contrast, recall the panoramic landscapes of Philips Koninck and at the same time remain personal explorations of local terrain. The artist's extraordinary inventiveness and expressive powers are also seen in such evocative images as his severe winter scenes, stormy seascapes, distant views of Haarlem, and a few views of

marines où souffle la tempête, dans ses vues de Haarlem au loin, et dans ses quelques vues d'Amsterdam. Environ 700 peintures et 140 dessins de Ruisdael sont répertoriés. Il fut aussi le maître de deux peintres importants, Meyndert Hobbema et Jan van Kessel.

15 Torrent de montagne
Huile sur toile, 54×41,9 cm, peinte dans les années 1670
Legs de Collis P. Huntington, 1900 (25.110.18)

C'est une œuvre tardive. Au départ, Ruisdael développa ce type de paysage en réponse aux vues de Scandinavie d'Allart van Everdingen, mais son approche personnelle, pittoresque, est ici immédiatement reconnaissable. Un puissant torrent dévale, de la droite vers la gauche, son lit encaissé; un ruisseau s'y jette en cascade, d'une prairie en surplomb sur la gauche. Trois moutons sont poussés par un berger, sur un frêle pont de bois, vers le gras pâturage, où l'on peut voir d'autres bêtes ainsi qu'un couple conversant près d'une maison de torchis au pied des arbres. La large et haute porte indique que la baraque sert aussi de grange ou de bergerie. Plus haut, la maison sur la colline est environnée d'arbres tors et noueux, sculptés par le vent. La vue est couronnée d'une petite montagne et par les bourgeonnements de gros cumulus. Dans un rayon de soleil frappant un nuage, un vol d'oiseaux s'élance vers le ciel.
Les paysages montagneux de Van Everdingen et de Ruisdael, ainsi que ceux, plus anciens, de Roelant Savery, qui explora le Tyrol, offraient aux habitants d'Amsterdam une vue rafraîchissante de la nature, dont ils n'auraient pu réellement profiter qu'en quittant leur pays. Le biographe Arnold Houbraken (dans *De groote schouburgh…*, 1718-1721) et d'autres écrivains du XVIIIe siècle s'amusèrent, en décrivant des eaux tumultueuses (*ruis*, en hollandais, signifie «bruit, tumulte») dans une vallée *(dal)*, à jouer avec le nom de Ruisdael. C'est dire les délices sensuelles que devait offrir une peinture comme celle-ci. Le berger n'entend que le bruit de l'eau et peut-être le craquement des bois.
Entre 1954 et 1972, la peinture ici présentée fut attribuée à Van Everdingen. Un examen de ses marines tourmentées et de ses scènes scandinaves, avec leurs eaux bouillonnantes et leurs roches acérées, révèle une sensibilité à la nature qui n'a rien à voir avec celle qu'exprime Ruisdael, sans parler d'une technique picturale différente. Même dans les cascades plus anciennes et plus sauvages peintes par Ruisdael, dont certaines ont autant de force hydraulique que celles de son rival, on voit le fossé entre l'expérience de Van Everdingen, celle des chutes d'eau furieuses des montagnes de Norvège, imprimées dans sa mémoire, et l'imagination de Ruisdael.

WL

Amsterdam. About 700 paintings and 140 drawings by Van Ruisdael are known. He also produced two important pupils, Meyndert Hobbema and Jan van Kessel.

15 Mountain Torrent
Oil on canvas, 54×41.9 cm, painted in the 1670s
Bequest of Collis P. Huntington, 1900 (25.110.18)

This is a late work by Van Ruisdael, dating from the 1670s. He originally developed this type of landscape in response to the Scandinavian views of Allart van Everdingen, although the picturesque approach employed in this canvas is immediately recognizable as Van Ruisdael's own. A surging stream descends from right to left through a gorge, while a smaller stream cascades from higher ground on the left. Three sheep are herded over a rustic bridge to an inviting pasture in the middle ground, where more sheep, and a conversing couple, are seen near a timber and earthen-wall building. The large door indicates that a good part of the structure serves as a barn. Higher up, the house on a hill is surrounded by twisted and hardy trees. The view is crowned by a small mountain and culminates in the circular rise of cumulus clouds. Birds soar in the sunny sky.
Mountainous landscapes by Van Everdingen and Van Ruisdael, and earlier ones by Roelant Savery (who explored the Tirol), offered residents of Amsterdam a refreshing view of nature of a kind that they could actually experience only by going abroad. The biographer Arnold Houbraken (in De groote schouburgh…, 1718–21) and other eighteenth-century writers used descriptions of roaring water (ruis means "noise" in Dutch) in a valley (dal) to play on Van Ruisdael's name, which in a way documents the delight to the senses such a painting was meant to be. The shepherd hears only the water, and perhaps the creaking of wood.
Between 1954 and 1972 the present picture was attributed to Van Everdingen. A review of his stormy seascapes and Scandinavian scenes, with their seething waters and dangerous rocks, reveals a very different response to nature than Van Ruisdael's, not to mention a different painting technique. Even in Van Ruisdael's earlier, wilder waterfall scenes, a few of which have as much hydraulic force as those by Van Everdingen, one sees the gap between Van Ruisdael's imagination and Van Everdingen's experience, long remembered, of thundering cascades in the mountains of Norway.

WL

Historique

Collis P. Huntington, New York (jusqu'à sa mort en 1900; en usufruit à sa veuve, Arabella D. Huntington, plus tard [à partir de 1913] Mrs. Henry E. Huntington [1900-†1924]; par extinction de l'usufruit à son fils, Archer Milton Huntington, 1925).

Expositions

The Metropolitan Museum of Art, *The Hudson-Fulton Celebration*, septembre-novembre 1909, n° 118 (prêt de Mrs. Collis P. Huntington, New York). Leningrad, Musée d'Etat de l'Hermitage, et Moscou, Musée d'Etat Pouchkine, *100 kartin iz Muzeia Metropoliten, Soedinennye Shtaty Ameriki* («100 peintures du Metropolitan Museum, Etats-Unis d'Amérique»), 22 mai - 2 novembre 1975, n° 25. Japon, Musée préfectoral des Beaux-Arts de Shizuoka, et Kobe, Musée de la Ville, *Landscape Painting in the East and West*, 17 avril - 13 juillet 1986, n° 3.

Bibliographie

Cornelis Hofstede de Groot, *A Catalogue Raisonné of the Works of the Most Eminent Dutch Painters of the Seventeenth Century*, 8 vol., trad. Edward G. Hawke, Londres, 1908-1927, vol. 4 (1912), p. 88, n° 267. Jakob Rosenberg, *Jacob van Ruisdael*, Berlin, 1928, pp. 85, 117, n° 215. Stephanie Dickey, *Dutch Painting in the Age of Rembrandt from The Metropolitan Museum of Art*, cat. exp., Hamilton, N.Y., 1983, pp. 10, 28-29, n° 9, ill. Alice I. Davies, *Allart van Everdingen, 1621–1675: First Painter of Scandinavian Landscape*, Doornspijk, 2001, pp. 178-179, fig. 203. Seymour Slive, *Jacob van Ruisdael: A Complete Catalogue of His Paintings, Drawings and Etchings*, New Haven, 2001, p. 218, n° 242, ill.

Ex collections

Collis P. Huntington, New York (until d. 1900; life interest to his widow, Arabella D. Huntington, later [from 1913] Mrs. Henry E. Huntington [1900–d. 1924]; life interest terminated by her son, Archer Milton Huntington, 1925).

Exhibitions

The Metropolitan Museum of Art, The Hudson-Fulton Celebration, *September–November 1909, no. 118 (lent by Mrs. Collis P. Huntington, New York). Leningrad, State Hermitage Museum, and Moscow, Pushkin State Museum,* 100 kartin iz Muzeia Metropoliten, Soedinennye Shtaty Ameriki *(100 Paintings from the Metropolitan Museum, United States of America), May 22–November 2, 1975, no. 25. Japan, Shizuoka Prefectural Museum of Art, and Kobe City Museum,* Landscape Painting in the East and West, *April 17–July 13, 1986, no. 3.*

References

Cornelis Hofstede de Groot, A Catalogue Raisonné of the Works of the Most Eminent Dutch Painters of the Seventeenth Century, *8 vols., trans. Edward G. Hawke (London, 1908–27), vol. 4 (1912), p. 88, no. 267. Jakob Rosenberg,* Jacob van Ruisdael *(Berlin, 1928), pp. 85, 117, no. 215. Stephanie Dickey,* Dutch Painting in the Age of Rembrandt from The Metropolitan Museum of Art, *exh. cat. (Hamilton, N.Y., 1983), pp. 10, 28–29, no. 9, ill. Alice I. Davies,* Allart van Everdingen, 1621–1675: First Painter of Scandinavian Landscape *(Doornspijk, 2001), pp. 178–79, fig. 203. Seymour Slive,* Jacob van Ruisdael: A Complete Catalogue of His Paintings, Drawings and Etchings *(New Haven, 2001), p. 218, no. 242, ill.*

Anthony van Dyck

Flamand, né à Anvers, en 1599; mort à Londres, en 1641
Flemish, born Antwerp, 1599; died London, 1641

Van Dyck, l'un des plus grands et des plus importants portraitistes de tous les temps, fut aussi un remarquable peintre de tableaux religieux, un graveur, un dessinateur et un aquarelliste prolifique. Il est né à Anvers, le 22 mars 1599, septième enfant de Frans van Dyck, marchand prospère de soieries et de toiles de lin. La mère de l'artiste, Maria Cuypers, s'était acquis, par la beauté de ses broderies, une certaine réputation. Les peintures de Van Dyck frappent par leur traitement élégant des étoffes et des draperies, un goût qu'il devait peut-être, en partie du moins, à ses parents.

En octobre 1609, Van Dyck devient l'élève de Hendrick van Balen, qui était à l'époque le doyen de la Guilde des peintres d'Anvers. Malgré le règlement de la corporation, l'adolescent a son propre atelier et ses propres élèves, dès 1615 semble-t-il. Le 11 février 1618, il est reçu maître de la guilde. En avril de la même année, Peter Paul Rubens, son aîné d'une génération, écrit de Van Dyck (dans une lettre au diplomate anglais Sir Dudley Carleton) qu'il est «le meilleur de [ses] élèves», c'est-à-dire son assistant. Van Dyck n'étudia jamais avec Rubens, mais il travailla pour lui, abondamment, entre 1618 et 1620. Il fut responsable d'une bonne part de l'exécution (en 1620) des trente-neuf peintures de plafond que Rubens conçut pour la nouvelle église des Jésuites à Anvers.

Plusieurs gentilshommes anglais tentent alors de s'attacher les services de Van Dyck et, en octobre 1620, l'un d'eux le ramène à Londres. En novembre, le roi Jacques Ier lui alloue une pension annuelle de cent livres, et un supplément du même montant lui est accordé en février 1621. L'autoportrait analysé plus bas date de ce premier hiver passé par Van Dyck en Angleterre, à moins qu'il n'ait été peint juste après, à Anvers. Le 28 février 1621, Lord Arundel (dont le sobre portrait par Van Dyck est actuellement conservé au J. Paul Getty Museum de Los Angeles) lui remet un passeport autorisant l'artiste à séjourner huit mois hors d'Angleterre. Il passe la plus grande partie de ce temps à Anvers, réalisant portraits et peintures d'autel, et, en octobre 1621, part pour l'Italie.

Van Dyck se rend d'abord à Gênes, où les portraits des grands mécènes de la ville, peints par Rubens quinze ans plus tôt, lui font une forte impression et lui inspirent une série de portraits grandeur nature (voire à plus grande échelle), comme celui de la marquise Elena Grimaldi Cattaneo (1623, Washington, D.C., National Gallery of Art), ainsi que le premier de ses superbes portraits équestres. L'artiste effectuera de nombreux séjours en

Van Dyck, one of the greatest and most influential portraitists of all time, was also an outstanding painter of religious pictures, an etcher, and a prolific draftsman and watercolorist. He was born in Antwerp on March 22, 1599, the seventh child of Frans van Dyck, a successful silk and linen merchant. The artist's mother, Maria Cuypers, earned a reputation for beautiful embroidery. Van Dyck's paintings are remarkable for their elegant handling of fine drapery, an interest that he may have owed partly to his parents.

In October 1609, Van Dyck became a pupil of Hendrick van Balen, who at the time was dean of the Antwerp painters' guild. Despite the organization's regulations, the teenager had his own studio and pupils by about 1615. He became a master in the guild on February 11, 1618. In April of that year, Peter Paul Rubens, who was a generation older than Van Dyck, described him (in a letter to the English diplomat Sir Dudley Carleton) as "the best of my pupils," meaning his assistant. Van Dyck never studied with Rubens, but worked for him extensively between 1618 and 1620. He was responsible for much of the actual execution (in 1620) of the thirty-nine ceiling paintings that Rubens designed for the new Jesuit Church in Antwerp.

By October 1620 one of the several English noblemen who were interested in Van Dyck's services had brought him to London. King James I granted him an annual pension of one hundred pounds in November, and a bonus of the same amount in February 1621. The self-portrait discussed below dates from Van Dyck's winter in England, or shortly thereafter in Antwerp. On February 28, 1621, Lord Arundel (whose sober portrait by Van Dyck is in the J. Paul Getty Museum, Los Angeles) signed a travel pass allowing the painter to go abroad for eight months. He spent almost all that time in Antwerp, painting portraits and altarpieces, and in October 1621 left for Italy.

Van Dyck went first to Genoa, where Rubens's portraits of the city's great patrons, painted fifteen years earlier, made an enormous impression on him and inspired a series of lifesize (or larger) portraits like that of Marchesa Elena Grimaldi Cattaneo (1623; National Gallery of Art, Washington, D.C.), and the first of his superb equestrian portraits. The artist made many sojourns in Italy, working in Rome, Venice, and again in Genoa before moving to Palermo in the spring

Italie, travaillant à Rome, à Venise, à Gênes de nouveau, avant de partir pour Palerme au printemps 1624. L'été, durant l'épidémie de peste, il peint des représentations de la patronne de la ville, sainte Rosalie, et enverra plus tard à Palerme sa grande peinture d'autel commencée la même année, *La Madone du rosaire* (1624-1627). Dans ses voyages à travers l'Italie, Van Dyck note dans ses croquis la composition et les motifs de nombreuses peintures italiennes, et surtout des œuvres de Titien.

Des raisons familiales et d'autres soucis ramènent Van Dyck à Anvers, à l'automne 1627. Sa «seconde période anversoise» dure jusqu'au printemps 1632 et comprend l'hiver 1631-1632 passé à La Haye, où il peint des portraits pour la cour hollandaise. Outre ces derniers, Van Dyck réalise alors, à Anvers, quelques-unes de ses peintures religieuses les plus marquantes, telle *La Vierge à l'Enfant, avec sainte Rosalie et les saints Pierre et Paul* (Vienne, Kunsthistorisches Museum), ainsi que le grand *Renaud et Armide* de 1629 (Baltimore Museum of Art), que le roi Charles Ier acquiert au début de 1630. Bien que Van Dyck soit nommé peintre de la cour de Bruxelles par l'archiduchesse Isabelle, avec la permission, comme Rubens avant lui, de résider à Anvers, il part pour Londres au printemps 1632 et, quelques mois plus tard, il est anobli par Charles Ier. Les neuf années qui lui restent à vivre, Van Dyck les passe pour la plupart à Londres, bien qu'il séjourne à Anvers du début de l'année 1634 jusqu'au printemps 1635 et qu'il ne cesse, entre le mois d'octobre 1640 et l'automne 1641, de voyager entre Anvers, Paris et Londres. Malade depuis des mois, Van Dyck s'éteint à Londres le 9 décembre 1641. Il avait 42 ans.

Van Dyck fut un brillant prodige, qui sut s'imprégner des leçons des maîtres, notamment Rubens, Titien et Véronèse. A l'instar de Vélasquez, mais à une échelle internationale, il hérita du rôle tenu par Titien et devint l'un des principaux portraitistes de cour en Europe. Ainsi est-ce à lui, pour l'essentiel, que nous devons l'image qui est la nôtre de Charles Ier et de son temps. Son influence se perpétue depuis ses successeurs immédiats, Lely et Kneller, jusqu'à Reynolds et Gainsborough, au XVIIIe siècle, et même jusqu'à John Singer Sargent et d'autres, au XIXe. La douceur de sa sensibilité, qui laisse toujours place à l'émotion, donne à ses portraits une grâce et un raffinement particuliers; à ses peintures religieuses, un profond sentiment. L'importance qu'il ne cessa d'accorder dans son œuvre à l'observation directe renforça la personnalité de celle-ci; elle engendra des portraits pénétrants (dont les moindres ne sont pas ceux de sa célèbre suite de gravures, l'*Iconographie*), mais aussi des dessins de paysage parmi les plus beaux de son siècle.

of 1624. *That summer, during a plague, Van Dyck painted images of the city's patron saint, Rosalie, and later sent to Palermo his great altarpiece* Madonna of the Rosary *(1624–27). In his travels around Italy, Van Dyck sketched the compositions and motifs of many Italian paintings, above all works by Titian.*

Family and other concerns brought Van Dyck back to Antwerp in the autumn of 1627. His "second Antwerp period" lasted until the spring of 1632 and included a winter (1631–32) in The Hague, where he painted portraits for the Dutch court. In addition to portraits, Van Dyck painted some of his most memorable religious pictures in Antwerp, such as Virgin and Child with Saints Rosalie, Peter, and Paul *(Kunsthistorisches Museum, Vienna), and also the large* Rinaldo and Armida *of 1629 (Baltimore Museum of Art), which King Charles I purchased early in 1630. Although Van Dyck was named court painter to Archduchess Isabella in Brussels, with (like Rubens before him) leave to remain in Antwerp, he went to London in the spring of 1632 and a few months later was knighted by Charles I. Most of Van Dyck's nine remaining years was spent in London, although he was in Antwerp and Brussels from early 1634 to the spring of 1635, and between October 1640 and the autumn of 1641 he kept moving between Antwerp, Paris, and London. After months of illness Van Dyck died in London on December 9, 1641, at the age of forty-two.*

Van Dyck was a brilliant prodigy who absorbed lessons from great masters such as Rubens, Titian, and Veronese. Like Velázquez, but on an international stage, Van Dyck inherited Titian's role as one of the leading court portraitists in Europe. The very image of Charles I and his age is mostly defined by Van Dyck. His influence continued from the time of his immediate followers, Lely and Kneller, to Reynolds and Gainsborough in the eighteenth century, and to John Singer Sargent and others in the nineteenth. Van Dyck's suave and emotional sensibility lent grace and refinement to his portraits, and deep feeling to his religious works. The lasting importance of direct observation to his work strengthened its character and resulted in perceptive portraits (not least in his series of prints, the Iconography*) as well as some of the century's finest landscape drawings.*

16 **Autoportrait**
Huile sur toile, 119,7 × 87,9 cm, probablement peinte en 1620-1621
Collection Jules Bache, 1949 (49.7.25)

*16 **Self-portrait***
Oil on canvas, 119.7 × 87.9 cm, possibly painted in 1620–21
The Jules Bache Collection, 1949 (49.7.25)

Cet autoportrait ambitieux, un rien maniéré, d'une douceur quelque peu affectée, nous montre Van Dyck âgé environ de 21 ans, alors qu'il était déjà un peintre accompli. Pourtant, il commençait tout juste sa carrière internationale de portraitiste d'aristocrates cosmopolites et peut-être était-il en train de façonner, avec un reste de timidité, son propre personnage. L'attitude de la main, la tête légèrement inclinée esquissent un salut à celui qui regarde la toile, aussitôt interrompu, semble-t-il, pour ce sourire désinvolte, adressé à un égal ou à un ami. La simplicité de la mise est remarquable. L'artiste porte un justaucorps couleur de rouille sur lequel est jeté un manteau de satin noir; une chemise de lin dépasse du col et des poignets déboutonnés. Avec sa chevelure en désordre, ses vêtements flottants, il semble inviter le spectateur dans son intimité de gentleman jouissant d'un moment de détente. On peut imaginer que cette pose était plus appréciée dans les milieux de la cour d'Angleterre que dans le monde anversois des affaires, plus collet monté. La plupart des spécialistes associent cet autoportrait avec le premier séjour londonien de Van Dyck, entre octobre 1620 et mars 1621. Une comparaison avec les deux portraits en pendant de Frans Snyders et de sa femme (New York, The Frick Collection), dont on admet généralement qu'ils datent environ de 1620, vient confirmer l'hypothèse des années 1620-1621 pour l'autoportrait et révèle aussi le regard que portait Van Dyck sur ses confrères anversois.

Preuve indirecte en faveur de l'origine anglaise de la peinture, sa présence est attestée dès 1677 par le mémorialiste John Evelyn, qui l'a vue dans les collections du comte d'Arlington, à Norfolk. La fille du comte devint duchesse de Grafton et la toile revint, par héritages successifs, au 8e duc de Grafton, qui la vendit en 1923. Elle compta, brièvement, au nombre des «Duveen», jusqu'à ce que Joseph Duveen la vendît à Jules Bache, investisseur de Wall Street qui observait le marché de l'art avec tout le soin d'un homme d'affaires. En 1949, Bache laissa au Metropolitan Museum la totalité de sa collection, qui comprenait *Le Porte-étendard* de Rembrandt, le portrait par Hals de *Claes Duyst van Voorhout* et le remarquable *Robert Rich, Deuxième Comte de Warwick* de Van Dyck, ainsi que de nombreuses autres toiles de maître, parmi lesquelles un Titien et trois Fragonard.

Van Dyck peignit deux autres autoportraits, très proches de celui-ci: l'autoportrait à mi-corps de l'Ancienne Pinacothèque de Munich et un autre autoportrait aux trois quarts, conservé au Musée d'Etat de l'Hermitage de Saint-Pétersbourg. Des radiographies de la toile de Munich révèlent que la main droite de l'artiste était originellement levée, comme dans la peinture de New York, et que la chemise et le justaucorps étaient similaires. Certains spécialistes ont supposé que le portrait de Munich avait été peint deux ans plus tard, car il montre, sur les épaules de l'artiste, une chaîne d'or, comme celle que Van Dyck reçut du duc de Mantoue en 1622-1623. Toutefois, Susan Barnes (2004) maintient qu'il est possible que le manteau, la chaîne et la main droite telle qu'on la voit aujourd'hui sur le portrait de Munich aient été ajoutés par un autre artiste. En outre, dans les deux peintures, Van Dyck semble avoir le même âge, et les similitudes dans le dessin du visage semblent indiquer qu'elles furent peintes au même endroit. (Le dessin

This ambitious, mannered, and ingratiating self-portrait shows Van Dyck at the age of about twenty-one, when he was already an accomplished painter. He was just beginning his international career as a portraitist of cosmopolitan aristocrats, however, and was perhaps somewhat self-consciously creating his own persona. The gesturing hand and tilted head suggest the start of a bow to the viewer, but the greeting seems casually abandoned, as if in smiling recognition of an equal or a friend. The artist's informal dress is remarkable. He wears a rust-colored doublet under a flowing black satin cloak, and a linen shirt spilling out of his unfastened front and sleeves. Together with the tousled hair, the loose attire conveys an impression of intimacy, as if the gentleman were relaxing at home. It seems more likely that this role-playing would have been appreciated in the circle of the English court rather than in the more buttoned-up business world of Antwerp. Most scholars associate this self-portrait with Van Dyck's residence in London, between October 1620 and March 1621. Comparison with the pendant portraits of Frans Snyders and his wife (The Frick Collection, New York), which are generally agreed to date from about 1620, supports a dating of about 1620–21 for the self-portrait and also reveals how Van Dyck characterized a fellow artist in Antwerp.

Circumstantial evidence for the New York picture's origin in England comes from its presence there by 1677, when the diarist John Evelyn saw the painting in the collection of the Earl of Arlington, in Norfolk. His daughter became the Duchess of Grafton, and the canvas descended to the 8th Duke of Grafton, who sold it in 1923. The painting briefly became "a Duveen" until Joseph Duveen sold it to Jules Bache, a Wall Street investor who observed the art market from under the dealer's wing. In 1949 Bache left to the Metropolitan Museum his entire collection, which included Rembrandt's Standard Bearer, Hals's Claes Duyst van Voorhout, *Van Dyck's outstanding* Robert Rich, Second Earl of Warwick, *and old master paintings ranging from a Titian to three Fragonards.*

Van Dyck painted two other self-portraits that are closely related to this one: a half-length picture in the Alte Pinakothek, Munich, and a slightly longer three-quarter-length portrait in the State Hermitage Museum, Saint Petersburg. Radiographs of the Munich portrait show that the artist's right hand was originally raised, as in the New York picture, and that the shirt and doublet were similar. Some scholars have assumed that the Munich portrait was painted about two years later, since it features a gold chain over the shoulder, like the one Van Dyck received from the Duke of Mantua in 1622–23. However, Susan Barnes (2004) maintains plausibly that the cloak, chain, and right hand now visible in the Munich portrait were added by another artist. Furthermore, the youthful appearance of Van Dyck is similar in the two paintings, and their coincidences of design suggest that they were painted in the same place. (The portrait drawing that Van Dyck presumably used for the three related pictures would probably not have included an arrangement of the sitter's hands.) Thus, the Munich portrait may have preceded the New York version, but it might also have followed closely after the larger work, as did many half-length replicas of

préparatoire qu'aurait utilisé Van Dyck pour les trois œuvres ne devait probablement pas signaler la disposition des mains du modèle.) Ainsi, le portrait de Munich a pu précéder la version de New York, mais il se pourrait également qu'il ait été peint peu de temps après la plus grande des deux toiles, comme de nombreuses répliques à mi-corps de portraits aux trois quarts ou en pied réalisées à la même époque.

En 1988, les autoportraits de l'Hermitage et du Metropolitan ont été étudiés sur pièce, l'un à côté de l'autre, à New York. L'auteur de ces lignes et Christopher Brown en ont conclu que les deux œuvres étaient très proches du point de vue de leur exécution, mais que la peinture de l'Hermitage était plus délibérément finie et en outre mieux préservée. Un grand repentir, sur la droite, dans le portrait de New York, montre que Van Dyck avait d'abord eu l'intention de disposer sa main gauche comme dans la toile de l'Hermitage. Barnes (1990 et 2004) maintient subjectivement que l'autoportrait de Saint-Pétersbourg dut être peint à Rome vers 1622-1623, mais la plus grande maturité qu'elle y perçoit ne diffère guère de celle déployée par Van Dyck dans le portrait du *Comte d'Arundel* (Los Angeles, J. Paul Getty Museum) pourtant daté de 1620-1621. La toile de l'Hermitage, qui fut gravée à Anvers en 1682, fut peinte avant que Van Dyck ne parte pour l'Italie. A ce moment, l'insolence juvénile qu'affiche Van Dyck dans la toile ici présentée s'était quelque peu policée.

WL

three-quarter-length and full-length portraits dating from the period.

In 1988 the Metropolitan and Hermitage self-portraits were studied side by side in New York. The present writer and Christopher Brown concluded that the two works were very close in execution, but that the Hermitage painting was more deliberately finished and better preserved. A large pentimento to the right in the New York portrait shows that Van Dyck intended to position his left arm as in the Hermitage picture. Barnes (1990 and 2004) maintains subjectively that the Saint Petersburg picture must have been painted in Rome about 1622–23, but the greater maturity she detects is the same that Van Dyck adopted in his Earl of Arundel *of 1620–21 (J. Paul Getty Museum, Los Angeles). The Hermitage canvas, which was engraved in Antwerp in 1682, was probably painted before Van Dyck went to Italy. By that time, the youthful audacity Van Dyck displays in the present picture had been polished away.*

WL

Historique

Henry Bennet, 1ᵉʳ comte d'Arlington, Euston Hall, près de Thetford, Norfolk (au moins à partir de 1677-†1685). Sa fille, Isabella, duchesse de Grafton (1685-†1722/1723). Les ducs de Grafton, Euston Hall (1722/1723-1923; vente, Christie's, Londres, 13 juillet 1923, nº 143). (?) Hopkins (1923). [Les frères Duveen, Paris et New York, 1924; vendu à Bache.] Jules Bache, New York (1924-1944).

Expositions

Londres, Grosvenor Gallery, *Exhibition of the Works of Sir Anthony van Dyck*, 1886-1887, nº 93 (prêt du duc de Grafton). Anvers, Museum van Schone Kunsten, *Van Dijck Tentoonstelling*, 12 août - 15 octobre 1899, nº 54. Londres, Royal Academy of Arts, *Exhibition of Works by Van Dyck*, 1900, nº 87. Detroit Institute of Arts, *Loan Exhibition of Fifty Paintings by Anthony van Dyck*, 3-20 avril 1929, nº 12 (prêt de Jules Bache). New York, Exposition universelle, *Masterpieces of Art*, 1939, nº 98. The Metropolitan Museum of Art, *The Bache Collection*, 15 juin - 15 septembre 1943, nº 25. Ottawa, National Gallery of Canada, *The Young Van Dyck*, 19 septembre - 9 novembre 1980, nº 76. Norwich Castle Museum, *Dutch and Flemish Painting in Norfolk*, 10 septembre - 20 novembre 1988, nº 13.

Ex collections

Henry Bennet, 1ˢᵗ Earl of Arlington, Euston Hall, near Thetford, Norfolk (by 1677–d. 1685). His daughter, Isabella, Duchess of Grafton (1685–d. 1722/23). The dukes of Grafton, Euston Hall (1722/23–1923; sale, Christie's, London, July 13, 1923, no. 143). ? Hopkins (1923). [Duveen Brothers, Paris and New York, 1924; sale to Bache.] Jules Bache, New York (1924–44).

Exhibitions

London, Grosvenor Gallery, Exhibition of the Works of Sir Anthony van Dyck, 1886–87, no. 93 (lent by the Duke of Grafton). Antwerp, Museum van Schone Kunsten, Van Dijck Tentoonstelling, August 12–October 15, 1899, no. 54. London, Royal Academy of Arts, Exhibition of Works by Van Dyck, 1900, no. 87. Detroit Institute of Arts, Loan Exhibition of Fifty Paintings by Anthony van Dyck, April 3–20, 1929, no. 12 (lent by Jules Bache). New York, World's Fair, Masterpieces of Art, 1939, no. 98. The Metropolitan Museum of Art, The Bache Collection, June 15–September 15, 1943, no. 25. Ottawa, National Gallery of Canada, The Young Van Dyck, September 19–November 9, 1980, no. 76. Norwich Castle Museum, Dutch and Flemish Painting in Norfolk, September 10–November 20, 1988, no. 13.

Bibliographie

John Smith, *A Catalogue Raisonné of the Works of the Most Eminent Dutch, Flemish, and French Painters*, 9 vol., Londres, 1829-1842, vol. 3 (1831), pp. 210-211, n° 742 (référencé dans la collection du duc de Grafton). John Evelyn, *Diary and Correspondence of John Evelyn*, éd. W. Bray, nouv. éd., 4 vol., Londres, 1850, vol. 2, p. 109, sous la date du 16 novembre 1677 (mention de la peinture dans la résidence du Lord Chambellan, Henry Bennet, comte d'Arlington). E. Schaeffer, *Van Dyck, des Meisters Gemälde* (Klassiker der Kunst), Stuttgart, 1909, pp. 171 (ill.), 502. G. Glück, «Anton van Dycks Bildnis des Kardinals Domenico Rivarola», *Bulletin of the Bachstitz Gallery* 7-8 (1924), réimp. in *Rubens, Van Dyck und ihr Kreis*, Vienne, 1933, p. 310. G. Glück, *Van Dyck, des Meisters Gemälde*, Stuttgart, 1931, pp. 122 (ill.), 532. L. van Puyvelde, *Van Dyck*, Bruxelles, 1950, pp. 96, 125, 130, 172. M. Jaffé, «Anton van Dyck», in *Encyclopedia of World Art*, vol. 4 (1961), col. 534. Christopher Brown, *Van Dyck*, Londres et Ithaca, N.Y., 1982, pp. 52-53, pl. 43. Walter Liedtke, *Flemish Paintings in The Metropolitan Museum of Art*, 2 vol., New York, 1984, pp. 67-71, pl. coul. VII. S. J. Barnes in Arthur K. Wheelock Jr., Susan J. Barnes et Julius S. Held, *Anthony van Dyck*, cat. exp., Washington, D.C., 1990, pp. 167-168. W. Liedtke in Guy Bauman et Walter Liedtke, *Flemish Paintings in America*, Anvers, 1992, pp. 241-243, n° 76. K. van der Stighelen in Christopher Brown et Hans Vlieghe, *Van Dyck*, cat. exp., Anvers et Londres, 1999, p. 43, fig. 26. Emilie E. S. Gordenker, *Anthony van Dyck (1599–1641) and the Representation of Dress in Seventeenth-Century Portraiture*, Turnhout, 2001, p. 60. S. Barnes in Susan J. Barnes, Nora De Poorter, Oliver Millar et Horst Vey, *Van Dyck: A Complete Catalogue of the Paintings*, New Haven, 2004, p. 138, n° I.160, également sous le n° I.159.

References

John Smith, A Catalogue Raisonné of the Works of the Most Eminent Dutch, Flemish, and French Painters, *9 vols. (London, 1829–42), vol. 3 (1831), pp. 210–11, no. 742 (as in the Duke of Grafton's collection).* John Evelyn, *Diary and Correspondence of John Evelyn, ed. W. Bray, new ed., 4 vols. (London, 1850), vol. 2, p. 109, entry for November 16, 1677 (records the picture as in the home of the Lord Chamberlain, Henry Bennet, Earl of Arlington).* E. Schaeffer, *Van Dyck, des Meisters Gemälde (Klassiker der Kunst) (Stuttgart, 1909), pp. 171 (ill.), 502.* G. Glück, *"Anton van Dycks Bildnis des Kardinals Domenico Rivarola,"* Bulletin of the Bachstitz Gallery *7–8 (1924), reprinted in* Rubens, Van Dyck und ihr Kreis *(Vienna, 1933), p. 310.* G. Glück, Van Dyck, des Meisters Gemälde *(Stuttgart, 1931), pp. 122 (ill.), 532.* L. van Puyvelde, Van Dyck *(Brussels, 1950), pp. 96, 125, 130, 172.* M. Jaffé, *"Anton van Dyck," in* Encyclopedia of World Art, *vol. 4 (1961), col. 534.* Christopher Brown, Van Dyck *(London and Ithaca, N.Y., 1982), pp. 52–53, pl. 43.* Walter Liedtke, Flemish Paintings in The Metropolitan Museum of Art, *2 vols. (New York, 1984), pp. 67–71, colorpl. VII.* S. J. Barnes in Arthur K. Wheelock Jr., Susan J. Barnes, and Julius S. Held, Anthony van Dyck, *exh. cat. (Washington, D.C., 1990), pp. 167–68.* W. Liedtke, in Guy Bauman and Walter Liedtke, Flemish Paintings in America *(Antwerp, 1992), pp. 241–43, no. 76.* K. van der Stighelen in Christopher Brown and Hans Vlieghe, Van Dyck, *exh. cat. (Antwerp and London, 1999), p. 43, fig. 26.* Emilie E. S. Gordenker, Anthony van Dyck (1599–1641) and the Representation of Dress in Seventeenth-Century Portraiture *(Turnhout, 2001), p. 60.* S. Barnes in Susan J. Barnes, Nora De Poorter, Oliver Millar, and Horst Vey, Van Dyck: A Complete Catalogue of the Paintings *(New Haven, 2004), p. 138, no. I.160, and under no. I.159.*

David Teniers le Jeune

Flamand, né à Anvers, en 1610; mort à Bruxelles, en 1690
Flemish, born Antwerp, 1610; died Brussels, 1690

L'artiste s'est formé auprès de son père, David Teniers l'Ancien, peintre d'histoire anversois qui avait étudié et travaillé à Rome, de 1600 à environ 1605. Le vieux Teniers réalisa des tableaux d'autel, d'une facture classicisante, aussi bien que des peintures de cabinet qui rappellent celles de l'artiste allemand Adam Elsheimer et de contemporains flamands comme Hendrick van Balen et Frans Francken II. David le Jeune s'inscrit à la Guilde de Saint-Luc à Anvers l'année 1632-1633 de la confrérie et il y sert comme doyen en 1644-1645. Il était très lié à de nombreux artistes anversois; Rubens fut le témoin de son mariage, en 1637, avec Anna Brueghel, fille de feu Jan Brueghel l'Ancien (dit de Velours), peintre de nature morte et de paysage. Vers 1635, Teniers commence à recevoir des commandes, et ses peintures de genre se vendent bien chez un certain nombre de marchands anversois, dont l'un envoie ses peintures religieuses de petit format jusqu'en Espagne. Peu de temps après l'arrivée à Bruxelles, en 1647, du nouveau gouverneur des Pays-Bas espagnols, l'archiduc Léopold Guillaume, l'artiste entre à son service, mais ne s'installera dans la capitale qu'après avoir été nommé peintre de la cour en 1651. Teniers est maintenu dans cette fonction par le successeur de l'archiduc, Don Juan d'Autriche, qui fut gouverneur des provinces méridionales de 1656 à 1659. Les deux princes honorent Teniers du titre d'*ayuda de cámera*. Il travaille aussi pour Antoine Triest, évêque de Bruges, grand protecteur des arts. A partir du milieu des années 1650, Teniers intrigue pour obtenir un titre nobiliaire, qu'il reçoit en 1663. L'achat d'une maison de campagne à Perk fut sans doute réalisé dans ce but. Il use alors de son influence à la cour pour aider à la création d'une académie des Beaux-Arts à Anvers.

Dans sa majorité, l'œuvre de Teniers se compose de scènes de la vie paysanne, d'abord inspirées d'Adriaen Brouwer dans les années 1630, et influencées par les peintres hollandais travaillant dans la même veine. Plus largement, on peut dire de Teniers qu'il a popularisé et transformé la tradition des peintures de scènes paysannes, qui remonte à Pieter Bruegel l'Ancien. Il a également peint des paysages, des vues de cabinets de curiosités, des thèmes bibliques et des sujets de second plan

The artist trained with his father, David Teniers the Elder, an Antwerp history painter who between 1600 and about 1605 studied and worked in Rome. The elder Teniers painted altarpieces in a classicizing manner as well as cabinet pictures recalling the German artist Adam Elsheimer and Flemish contemporaries such as Hendrick van Balen and Frans Francken II. David the Younger joined the Guild of Saint Luke in Antwerp in the guild year 1632–33 and served as dean in 1644–45. He was closely associated with many Antwerp artists; Rubens witnessed Teniers's marriage in 1637 to Anna Brueghel, daughter of the late still-life and landscape painter Jan Brueghel the Elder. Teniers received commissions from about 1635 onward, and his genre pictures sold well through a number of Antwerp dealers, one of whom sent his small-scale religious pictures to Spain. Shortly after the new governor of the Spanish Netherlands, Archduke Leopold Wilhelm, arrived in Brussels in 1647, Teniers was in his service, but the artist moved there only when he was named court painter in 1651. Teniers retained his position under the archduke's successor, Don Juan of Austria, who was governor from 1656 to 1659. Both rulers honored Teniers with the title of ayuda de cámera. *He also worked for Antonine Triest, bishop of Bruges, a leading patron of the arts. From the mid-1650s onward Teniers waged a campaign to obtain a patent of nobility, which he received in 1663. His purchase of a country house at Perk was made with this goal in mind. Teniers used his influence at court to help found an art academy in Antwerp.*

The majority of the artist's œuvre consists of scenes of peasant life, at first inspired by Adriaen Brouwer in the 1630s, and influenced by Dutch painters working in the same vein. In a broader view, Teniers could be said to have popularized and transformed the tradition of peasant pictures going back to Pieter Bruegel the Elder. He also painted landscapes, views of collectors' cabinets, biblical subjects, and staffage in pictures by other artists. In later works, like the one discussed below, an Arcadian sentiment flourishes, reflecting the carefree image of country life that was cultivated by

pour les œuvres d'autres artistes. Dans ses œuvres plus tardives, comme celle analysée ici, se développe un sentiment arcadien, qui traduit l'image insouciante de la vie campagnarde cultivée par les aristocrates terriens. Teniers connut moins de succès dans ses dernières années, mais d'innombrables contemporains et des copies ultérieures attestent une renommée durable. Nombre de tapisseries du XVIIIᵉ siècle s'inspiraient encore de ses compositions.

17 Paysans dansant et festoyant

Huile sur toile, 63,8×74,9 cm, peinte vers 1660
Signée (sur le rocher, en bas à droite): D. TENIERS.FEC[IT]
Achat, 1871 (71.99)

Dans cette œuvre de la maturité, Teniers offre une vue pittoresque du paysage brabançon et de la vie paysanne des jours fériés. La fête bat son plein devant une auberge de campagne; les danseurs tournent en frappant du pied autour d'un joueur de cornemuse juché sur une barrique. Deux garçons de salle tentent de servir la foule, l'un près d'un trio où se noue une intrigue amoureuse, à l'avant-plan, sur la gauche, l'autre près de la porte d'entrée de l'auberge, à quelques pas d'un urinoir improvisé. Des couples et de jeunes enfants s'agglutinent à table, et les conversations privées alternent avec les cris lancés d'un bout à l'autre de la cour.

On a souvent fait valoir que, dans ses œuvres postérieures à 1650, Teniers ne traite pas du tout les personnages de paysans comme dans ses peintures, inspirées de Brouwer, des années 1630 et 1640. Mais ces dernières peintures, qui représentent la plupart du temps de petits groupes de piliers de taverne, ont peu de chose à voir avec des toiles comme celle-ci, et elles étaient certainement destinées à des clientèles différentes. Les compositions très colorées, comme ici, avec leurs multiples figures, étaient sans doute plus chères que les petits intérieurs, presque monochromes, représentant habituellement les suites pitoyables d'une beuverie ou d'une nuit de tabagie (le tabac de l'époque avait, paraît-il, des effets stupéfiants).

Les motifs moralisants ne sont pas absents des dernières scènes paysannes de Teniers, mais ne sont guère plus qu'un aimable rappel à la modération dans la quête des plaisirs. Au premier plan, à gauche, par exemple, le groupe de cinq figures qui sert de repoussoir est composé principalement d'un homme trop ivre pour se relever et d'un couple assis, buvant en contemplant la fête. Ici et là, on confie ou on affiche son désir amoureux; au loin, une rixe au couteau est finalement interrompue. Le clocher d'une église, au fond, vient peut-être rappeler, à ceux qui y sont disposés, les sermons sur les sept péchés capitaux ou, plus simplement, que la tempérance est une vertu. Plus près, la tour, qui ressemble à celles de certains châteaux flamands, porte un beffroi, et appartient donc aussi à une église de village.

Les esquisses de Teniers révèlent qu'il avait de ce genre de bamboche une expérience de première main. Il ajoute souvent une figure sérieuse ou méditative à la scène, comme le

landed aristocrats. Teniers was less successful in his later years, but countless contemporary and later copies attest to his continuing fame. Many eighteenth-century tapestries were also derived from his designs.

17 Peasants Dancing and Feasting

Oil on canvas, 63.8×74.9 cm, painted about 1660
Signed (on rock, to lower right): D. TENIERS.FEC[IT]
Purchase, 1871 (71.99)

In this mature painting of about 1660, Teniers offers a picturesque view of landscape in Brabant and of peasant life on holiday. A party is in full swing outside a country tavern, with dancers stomping and swirling around a bagpiper perched on a barrel. Two waiters attempt to serve the crowd, one near the amorous figures in the left foreground, the other by the doorway of the inn, a few feet from an impromptu latrine. Couples and young children are packed in at tables, where private conversations alternate with shouts across the yard.

It is often noted that in works dating from the 1650s onward, Teniers's treatment of rustic characters is very different from that in his Brouweresque pictures of the 1630s and 1640s. But those paintings of, in most cases, a small group of tavern devotees have little to do with pictures like this one, and they probably appealed to a somewhat different clientele. Teniers's colorful, multifigure compositions were surely more expensive than his small, nearly monochrome interiors, which usually depict the comic or pathetic consequences of drinking and smoking (the tobacco of the time is said to have had a stuporous effect).

Moralizing motifs are not unknown in Teniers's later peasant scenes, but they amount to little more than gentle reminders that pleasures must be pursued in moderation. In the left foreground, for example, the group of five figures serving as a repoussoir consists of a man too drunk to get up and a couple sitting with a drink and watching the fun. Here and there, amorous feelings are confided (or advertised), and in the distance a desperate knife fight is interrupted. The steeple of a distant church may recall, for viewers so disposed, sermons on the seven deadly sins or, more simply, the virtue of temperance. The closer tower, although it resembles those found in Flemish castles, has a belfry and is also part of a village church.

Sketches by Teniers reveal his firsthand experience of such festivities. He often adds a thoughtful figure such as the old man with a staff, whose attitude is probably less one of reproach than of reminiscence. He may recall his own youth, when he could dance with a girl and look forward to the future.

vieil homme appuyé sur un bâton dont l'attitude traduit moins le reproche que la nostalgie de la jeunesse, du temps où lui aussi pouvait danser avec une fille et porter son regard vers le futur.

Une *Kermesse* ayant appartenu au duc de Sutherland en 1903 ainsi que la peinture du Metropolitan Museum furent gravées à l'époque où elles se trouvaient dans la collection du marquis de Brunoy, et John Smith (1829-1842) rappelle qu'elles furent vendues comme pendants en 1776. Les deux peintures sont, quant à la taille, la date, la facture et le sujet, presque identiques et les compositions s'équilibrent effectivement l'une l'autre. Au XVIIᵉ siècle, les artistes fournissaient souvent aux marchands des œuvres qui pouvaient tout aussi bien fonctionner en pendants qu'être appréciées pour elles-mêmes, indépendamment. Dans l'œuvre abondante de Teniers, ces vignettes de la vie paysanne défilent comme des scènes déjà vues par la fenêtre d'une voiture venant de la ville et y retournant.

WL

A Kermess *in the collection of the Duke of Sutherland in 1903 and the Metropolitan Museum's picture were engraved when they were in the Marquis de Brunoy's collection, and John Smith (1829–42) records that they were sold in 1776 as pendants. The paintings are quite similar in size, date, quality, and subject, and the compositions balance each other effectively. In the seventeenth century, artists often supplied dealers with works that could either function as pendants or be admired just as well independently. In Teniers's large œuvre, these vignettes of country life pass by as if one had seen them before, like views from a coach coming from and going to the city.*

WL

Historique

(?) Jeanne d'Albert de Luynes, comtesse de Verrue (†1736; ne figure pas dans la vente de succession du 27 mars 1737). Marquis de Brunoy (jusqu'en 1776; vente de succession [de celui-ci], Joullain fils, Paris, 2 décembre 1776, nᵒ 30, avec son pendant pour 10 999 livres à Paillet). (?) Duc de Morny (jusqu'en 1865; vendu à Salamanca). Marquis de Salamanca (? 1865-1867; sa vente, Etienne Le Roy et Alexis Febvre, Paris, 3-6 juin 1867, nᵒ 120, sous le titre *Kermesse flamande*, pour 24 000 francs à Mundler pour Mᵐᵉ Stevens). Madame Stevens (à partir de 1867). [Etienne Le Roy, Bruxelles, par Léon Gauchez, Paris, jusqu'en 1870; vendu à Blodgett.] William T. Blodgett, Paris et New York (1870-1871; vendu pour moitié à Johnston). William T. Blodgett, New York, et John Taylor Johnston, New York (1871; vendu au MMA).

Expositions

The Metropolitan Museum of Art, *The Taste of the Seventies*, 1946, nᵒ 53. Norwich Castle Museum, *Dutch and Flemish Painting in Norfolk*, 10 septembre - 20 novembre 1988, nᵒ 60. Anvers, Musée Royal des Beaux-Arts, *David Teniers le Jeune: peintures, dessins*, 11 mai - 1ᵉʳ septembre 1991, nᵒ 88.

Bibliographie

John Smith, *A Catalogue Raisonné of the Works of the Most Eminent Dutch, Flemish, and French Painters*, 9 vol., Londres, 1829-1842, vol. 3 (1831), p. 277, nᵒ 57, vol. 9 (1842), p. 421, nᵒ 51; Henry James, «The Metropolitan Museum's ‹1871 Purchase›» (1872), réimp. *in The Painter's Eye*, éd. John L. Sweeney, Londres, 1956, pp. 59-60. Walter Liedtke, *Flemish Paintings in The Metropolitan Museum of Art*, 2 vol., New York, 1984, vol. 1, pp. 256-257. Guy Bauman et Walter Liedtke, *Flemish Paintings in America*, Anvers, 1992, p. 371, nᵒ 473.

Ex collections

? Jeanne d'Albert de Luynes, comtesse de Verrue (d. 1736; not in her estate sale, March 27, 1737). Marquis de Brunoy (until 1776; [his] estate sale, Joullain fils, Paris, December 2, 1776, no. 30, with pendant for 10,999 livres to Paillet). ? Duc de Morny (until 1865; sold to Salamanca). Marquis de Salamanca (? 1865–67; his sale, Etienne Le Roy and Alexis Febvre, Paris, June 3–6, 1867, no. 120, as Kermesse flamande, for Fr 24,000 to Mundler for Mme Stevens). Madame Stevens (from 1867). [Etienne Le Roy, Brussels, through Léon Gauchez, Paris, until 1870; sold to Blodgett.] William T. Blodgett, Paris and New York (1870–71; sold half-share to Johnston). William T. Blodgett, New York, and John Taylor Johnston, New York (1871; sold to MMA).

Exhibitions

The Metropolitan Museum of Art, The Taste of the Seventies, 1946, no. 53. Norwich Castle Museum, Dutch and Flemish Painting in Norfolk, September 10–November 20, 1988, no. 60. Antwerp, Koninklijk Museum voor Schone Kunsten, David Teniers the Younger: Paintings, Drawings, May 11–September 1, 1991, no. 88.

References

John Smith, A Catalogue Raisonné of the Works of the Most Eminent Dutch, Flemish, and French Painters, 9 vols. (London, 1829–42), vol. 3 (1831), p. 277, no. 57, vol. 9 (1842), p. 421, no. 51; Henry James, "The Metropolitan Museum's '1871 Purchase'" (1872), reprinted in The Painter's Eye, ed. John L. Sweeney (London, 1956), pp. 59–60. Walter Liedtke, Flemish Paintings in The Metropolitan Museum of Art, 2 vols. (New York, 1984), vol. 1, pp. 256–57. Guy Bauman and Walter Liedtke, Flemish Paintings in America (Antwerp, 1992), p. 371, no. 473.

Sir Joshua Reynolds

Anglais, né à Plympton, Devon, le 16 juillet 1723; mort à Londres, le 23 février 1792
English, born Plympton, Devon, July 16, 1723; died London, February 23, 1792

Nous n'avons presque aucun témoignage de la vie de Reynolds dans l'ouest de l'Angleterre, avant, ou même après, octobre 1740, lorsqu'il fut engagé à Londres comme apprenti par le peintre Thomas Hudson pour une période dont on ne sait combien elle a duré. En 1749, le jeune artiste part pour l'Italie et, en avril 1750, il vit à Rome, où il demeure deux ans. Après avoir visité les principales villes italiennes – Naples, Florence, Bologne et Venise – et s'être arrêté quelque temps à Paris, il revient en Angleterre et, en 1753, monte un atelier, dans Saint Martin's Lane, à Londres. Il déménagera successivement pour Great Newport Street puis, en 1760, pour Leicester Fields, atelier d'où sortiront plusieurs portraits envoyés à la première grande exposition publique londonienne organisée par la Société des artistes. A cette époque, les séances de pose se succèdent dans son atelier au rythme d'une demi-douzaine par jour, pas moins; il a multiplié par cinq ses tarifs, et compte le prince de Galles, futur George III, parmi ses clients.

Premier peintre de Londres, Reynolds est nommé président de l'Académie royale, à la fondation de celle-ci en décembre 1768. Il est anobli en avril de l'année suivante. Le 2 janvier 1769, à la séance d'ouverture de l'Académie, il prononce son premier *Discours sur la peinture*, qui sera publié avec les six *Discours* suivants (il en composera quinze au total) en 1778 et lui vaudra une réputation d'homme de lettres. Il poursuit ses voyages à l'étranger: à Paris, en 1768 et 1771, aux Pays-Bas, en 1781, et, en 1785, à Bruxelles, Anvers et Gand. Bien qu'il ait souffert deux attaques, en 1779 et 1782, il est nommé peintre principal de George III en 1784. Au milieu de juillet 1789, il se plaint de sa vue déficiente; dès octobre, il a entièrement perdu l'usage de l'œil gauche et, en décembre de cette même année, il aura plus ou moins cessé de peindre.

Reynolds se forma à l'école de la statuaire antique et des vieux maîtres de la peinture européenne; il fut aussi un collectionneur avide et avisé et, à l'occasion, marchand d'art. Il travailla dans des genres différents mais, profondément pratique et ambitieux, il répondit volontiers à la demande et comprit le besoin de portraits, adoptant le «grand style» classique, rehaussé de références

Almost nothing is recorded of Reynolds's life in the west of England either before or after October 1740, when he was apprenticed in London to the painter Thomas Hudson for a period of unknown duration. The young artist departed in 1749 for Italy and by April 1750 was living in Rome, where he remained for two years. Having visited the principal cities of Italy— Naples, Florence, Bologna, and Venice—and stopped in Paris, he returned to England and in 1753 set up a studio in St. Martin's Lane, London. He moved to Great Newport Street and then, in 1760, to Leicester Fields, from which he dispatched several portraits to London's first major public exhibition at the Society of Artists. By that time he was scheduling as many as a half-dozen sittings a day, had raised his fees by a multiple of five, and counted the Prince of Wales, later George III, among his clients.

As the chief painter in London, Reynolds was appointed first president of the Royal Academy when that institution was founded in December 1768. He was knighted the following April. On January 2, 1769, when the Academy opened, he gave his initial Discourse on Art, and, with the publication in 1778 of the first seven Discourses, he also achieved recognition as a man of letters. He continued to travel abroad: to Paris in 1768 and 1771, to the Netherlands in 1781, and, in 1785, to Brussels, Antwerp, and Ghent. Despite having suffered strokes in 1779 and 1782, he was appointed principal painter to George III in 1784. In the middle of July 1789 he complained of difficulty seeing; by October he had entirely lost the use of his left eye, and it was reported in December of that year that he had more or less ceased to paint.

Reynolds was a student of antique sculpture and of European old master painting, a voracious and discerning collector, and, occasionally, a picture dealer. He worked in many genres, but, keenly practical and ambitious, he willingly fed the demand and met the need for portraits, espousing a grand classicizing manner enhanced with learned references to the art of the past that appealed to various classes of society. He overcame an inadequate grasp of anatomy and

savantes à l'art du passé, s'attirant ainsi les faveurs de différentes classes de la société. Il surmonta l'insuffisance de ses connaissances en matière d'anatomie et de perspective ainsi qu'une technique imparfaite – qu'il reconnaissait lui-même et qui n'était pas passée inaperçue à nombre de ses confrères – par une touche large et vigoureuse, des couleurs sonores et une profonde compréhension des possibilités rhétoriques du portrait ainsi que du rôle public joué par celui-ci dans la culture de son temps.

perspective and a flawed technique, acknowledged both by him and by many of his colleagues, with broad and vigorous handling, sonorous color, and a profound understanding of portraiture's rhetorical possibilities and public role in contemporary culture.

18 L'Honorable Mrs. Lewis Thomas Watson

Huile sur toile, 127 × 101,6 cm, peinte en 1789
Legs de Mrs. Harry Payne Bingham, 1986 (1987.47.2)

18 *The Honorable Mrs. Lewis Thomas Watson*

Oil on canvas, 127 × 101.6 cm, painted in 1789
Bequest of Mrs. Harry Payne Bingham, 1986 (1987.47.2)

Le modèle est Mary Elizabeth Milles, née le 26 mai 1767. Fille et héritière unique de Richard Milles de North Elmham, dans le Norfolk, et de Nackington, dans le Kent, elle épouse, le 30 novembre 1785, l'Honorable Lewis Thomas Watson, de Lees Court, également dans le Kent. Watson descendait, en ligne collatérale, des comtes de Rockingham, et sa mère était la petite-fille du 2e duc de Rutland et la fille du Très Honorable Henry Pelham, ancien Premier Ministre. Pour le jeune couple, l'avenir s'annonçait radieux. Le premier de leurs quatre fils naît en 1792, et, en 1795, Lewis Thomas, succédant à son père, devient 2e baron Sondes de Lees Court et de Rockingham Castle, dans le Northamptonshire. Trois ans après la mort de son mari, en 1806, Lady Sondes épouse le brigadier-général Sir Henry Tucker Montresor. Elle meurt à Norton Court, dans le Kent, le 29 septembre 1818.

Mrs. Watson est élégamment et assez simplement vêtue de blanc, un ruban noir autour du cou, un châle noir bordé de dentelle posé à son côté, portant une coiffe blanche sous un haut chapeau à voilette de satin noir, tout enrubanné. La broche de son corsage est assortie à la large ceinture serrée autour de sa taille. Le chemisier de mousseline à col tombant, souvent agrémenté d'un fichu amidonné, en vogue à la cour de France depuis 1785 environ, fut en Angleterre immédiatement adopté et modifié par les élégantes. Bien que la silhouette fût censée adopter des formes douces, amples et naturelles, allant avec l'abondante chevelure frisée et poudrée alors à la mode, il est évident que le modèle, ici, veut mettre en valeur la minceur de ses lignes. Un dessin à la craie noir et blanc de Thomas Gainsborough, datant environ de la même période (New York, Pierpont Morgan Library), représente une figure debout, vêtue dans un style similaire, au sommet de la distinction.

Reynolds demanda cent guinées, le prix ordinaire depuis 1782 d'un portrait à mi-corps de 50 par 40 pouces (127 × 101,6 cm), pour chacun des deux tableaux qu'il réalisa de Mrs. Watson. Selon David Mannings, dont le récent catalogue raisonné est venu éclaircir et ordonner notre compréhension de l'œuvre de Reynolds, elle posa sept fois pour l'artiste en mars 1789 (les 18, 19, 20, 23, 25, 27 et 28 mars), et deux fois en mai (entre onze heures du matin et une heure de l'après-midi, les 13 et 18 mai). Un paiement de cinquante guinées est

The sitter was born Mary Elizabeth Milles on May 26, 1767. The only daughter and heiress of Richard Milles of North Elmham, Norfolk, and Nackington, Kent, she was married on November 30, 1785, to the Honorable Lewis Thomas Watson of Lees Court, also in Kent. Watson was descended collaterally from the earls of Rockingham, and his mother had been granddaughter to the 2nd Duke of Rutland and daughter to the Right Honorable Henry Pelham, a former Prime Minister. The young couple's prospects were good. The first of their four sons was born in 1792, and in 1795 Lewis Thomas succeeded his father as 2nd Baron Sondes of Lees Court and of Rockingham Castle in Northamptonshire. Three years after the death of her husband in 1806, Lady Sondes married Brigadier-General Sir Henry Tucker Montresor. She died at Norton Court, Kent, on September 29, 1818.

Mrs. Watson is well and rather simply dressed in white, with a black ribbon around her neck, a black lace-trimmed shawl, and a white cap under a large, beribboned black satin hat with a veil. The jewels on her bodice match her tightly wrapped sash. The muslin chemise with a falling collar, often worn with a starched fichu, popular at the French court from about 1785, was immediately adopted and modified by fashionable English women. Although the silhouette was supposed to be soft, wide, and natural, to go with the masses of frizzed and powdered hair that were in favor, it is evident that the sitter here wished to appear slender. A black-and-white chalk drawing by Thomas Gainsborough of about the same date (Pierpont Morgan Library, New York) represents a similarly dressed standing figure and shows the style at its most elegant.

Reynolds charged one hundred guineas, his standard price from 1782 on for a 50-by-40-inch half-length, for each of the two portraits he made of Mrs. Watson. According to David Mannings, whose recent catalogue raisonné has brought order to our understanding of Reynolds's œuvre, she sat to the artist seven times in March 1789 (on March 18, 19, 20, 23, 25, 27, and 28) and twice in May (two sessions, each from 11 AM until 1 PM, on May 13 and 18). A fifty-guinea payment is recorded in March and another in July 1789. Malcolm Cormack published a May 1789 payment for the

attesté en mars et un autre en juillet 1789. Malcolm Cormack cite un paiement effectué en mai 1789, du même montant, à ce titre: «Mrs. Watson, pour une copie; payé par Mr. Milles», et une somme analogue en juillet de la même année, sous la mention «Mrs. Watson; donné à Mr. Mills». Pour Mannings, il s'agit là d'un paiement effectué par Mills/Milles en juillet ou en août.

Le premier portrait fut sans aucun doute commandé par Watson ou par son père. Avant qu'il ne soit achevé, une «copie» (nous dirions aujourd'hui une «réplique») en fut demandée pour le père du modèle, Richard Milles, bien qu'on ne sache pas au juste qui de Lord Sondes, de Watson ou de Milles l'a payée. Que celle-ci soit entièrement ou en grande partie de la main du maître est établi par le fait qu'il demanda pour les deux tableaux la même somme. Reynolds avait de nombreux assistants; si la copie avait été peinte par l'un d'eux, l'acheteur en eût payé moitié prix. On ne peut pas affirmer pour autant que, dans les deux toiles, la peinture du fond et de la draperie soit entièrement de la main de Reynolds. Sans aucun doute, il envoya la première version à l'Académie royale pour exposition dans la seconde moitié du mois de mai 1789. Dans une édition du catalogue, probablement la première, elle est légendée comme «Portrait d'un gentleman», une erreur qui sera corrigée pour «Portrait d'une lady» (les modèles, hors la famille royale et quelques très hauts personnages, n'étaient pas cités nommément, mais leur identité, comme dans le cas qui nous occupe, était généralement connue des critiques contemporains).

On suppose toujours que la version encore en possession des descendants du modèle, à Rockingham Castle, est la première, tandis que celle du Metropolitan Museum, ayant été acquise par un collectionneur privé sur le marché de l'art, doit être la seconde. C'est probablement – mais non certainement – le cas. La peinture de Richard Milles serait revenue, par sa fille unique, aux fils de celle-ci, les 3e et 4e barons Sondes, qui auraient donc eu les deux toiles en leur possession. Mais comment est-il possible aujourd'hui, autrement peut-être qu'en jugeant de leur qualité, de savoir quelle est l'une, quelle est l'autre?

KBB

same amount as "Mrs. Watson, for a copy; paid by Mr. Milles," and a like sum in July of that year under the heading "Mrs. Watson; given to Mr. Mills." Mannings reads the final entry as paid by Mills/Milles in July or August.

Doubtless Watson or his father commissioned the first portrait. Before it was finished, "a copy" (we would use the word replica) was ordered for the sitter's father, Richard Milles, although it is unclear whether Lord Sondes, Watson, or Milles paid for it. That it was either entirely or in great part by the master is indicated by the fact that he asked the same amount for both. Reynolds had numerous assistants; were the copy to have been painted by one of them, the buyer would only have been charged half. Even so, it should not be assumed that the drapery painting and background in either picture would have been entirely by Reynolds himself. Certainly he sent the first version to the Royal Academy for exhibition in the latter half of May 1789. In one edition of the catalogue, presumably the first, it was listed as "Portrait of a Gentleman," a mistake later corrected to "Portrait of a Lady" (sitters other than royalty and a few very prominent persons were not named, but their identity, as in this case, was usually known to contemporary critics).

The version still in the hands of the sitter's descendents at Rockingham Castle is always presumed to be the first, while that at the Metropolitan Museum, having been acquired by a private collector through the art trade, is thought to be the second. This is probably—but not certainly—the case. Richard Milles's picture would have reverted through his only daughter to her sons, the 3rd and 4th barons Sondes, who would therefore have owned both, but how is it possible to determine, except perhaps on the basis of quality, which was which?

KBB

Historique

Richard Milles, North Elmham, Norfolk, et Nackington, Kent (1789-†1820). Par voie d'héritage dans la famille Milles (1820-1874). George Watson Milles, 1er comte Sondes, Lees Court, Faversham, Kent (à partir de 1874; vendu à Wertheimer). [Samson Wertheimer, Londres, jusqu'en 1892; sa vente de succession, Christie's, Londres, 19 mars 1892, no 713, sous le titre *Lady Sondes*, pour 4305 livres à Haines.] [Son fils, Charles John Wertheimer, Londres, 1892-1895; vendu à Agnew.] [Agnew, Londres, 1895; vendu à Orrock.] James Orrock, Rhode Island (1895-au moins 1896; vendu pour 12 000 livres à un collectionneur américain). Colonel Oliver H. Payne (probablement), New York (jusqu'à †1917). Son neveu, Harry Payne Bingham, New York (au moins à partir de 1920-†1955). Mrs. Harry Payne Bingham, New York (1955-†1986).

Exposition

Londres, Royal Academy, *Winter Exhibition*, 1896, no 9 (prêt de James Orrock).

Bibliographie

Algernon Graves et William Vine Cronin, *A History of the Works of Sir Joshua Reynolds P.R.A.*, 4 vol., 1899-1901, vol. 3 (1899), pp. 1037-1038. Walter Armstrong, *Sir Joshua Reynolds, First President of the Royal Academy*, Londres, 1900, p. 235. Malcolm Cormack, «The Ledgers of Sir Joshua Reynolds», *Walpole Society* 42 (1968-1970), pp. 166-167. Katharine Baetjer, «British Portraits in The Metropolitan Museum of Art», *Metropolitan Museum of Art Bulletin* 57 (été 1999), pp. 31-32, ills. pp. 1, 33 (coul.). David Mannings et Martin Postle, *Sir Joshua Reynolds: A Complete Catalogue of His Paintings*, 2 vol., New Haven, 2000, vol. 1, pp. 21, 464, no 1841, vol. 2, fig. 1574.

Ex collections

Richard Milles, North Elmham, Norfolk, and Nackington, Kent (1789–d. 1820). By descent in the Milles family (1820–74). George Watson Milles, 1st Earl Sondes, Lees Court, Faversham, Kent (from 1874; sold to Wertheimer). [Samson Wertheimer, London, until 1892; his estate sale, Christie's, London, March 19, 1892, no. 713, as Lady Sondes, for £4,305 *to Haines.] [His son, Charles John Wertheimer, London, 1892–95; sold to Agnew.] [Agnew, London, 1895; sold to Orrock.] James Orrock, Rhode Island (1895–at least 1896; sold for £12,000 to an American collector). Probably Colonel Oliver H. Payne, New York (until d. 1917). His nephew, Harry Payne Bingham, New York (by 1920–d. 1955). Mrs. Harry Payne Bingham, New York (1955–d. 1986).*

Exhibition

London, Royal Academy, Winter Exhibition, *1896, no. 9 (lent by James Orrock).*

References

Algernon Graves and William Vine Cronin, A History of the Works of Sir Joshua Reynolds P.R.A., *4 vols. (1899–1901), vol. 3 (1899), pp. 1037–38. Walter Armstrong,* Sir Joshua Reynolds, First President of the Royal Academy *(London, 1900), p. 235. Malcolm Cormack, "The Ledgers of Sir Joshua Reynolds,"* Walpole Society *42 (1968–70), pp. 166–67. Katharine Baetjer, "British Portraits in The Metropolitan Museum of Art,"* Metropolitan Museum of Art Bulletin *57 (Summer 1999), pp. 31–32, ills. pp. 1, 33 (color). David Mannings and Martin Postle,* Sir Joshua Reynolds: A Complete Catalogue of His Paintings, *2 vols. (New Haven, 2000), vol. 1, pp. 21, 464, no. 1841, vol. 2, fig. 1574.*

George Stubbs

Anglais, né à Liverpool, le 25 août 1724; mort à Londres, le 10 juillet 1806
English, born Liverpool, August 25, 1724; died London, July 10, 1806

Stubbs, fils d'un peaussier prospère de Liverpool, fut un peintre, un dessinateur et un graveur essentiellement autodidacte. C'est par le dessin anatomique que se révèle son inclination pour ce qui allait devenir sa profession: au milieu des années 1740, il étudie l'anatomie à l'hôpital d'York et y prépare, d'après ses propres esquisses, une série de gravures destinées à illustrer le livre du Dr John Burton, *Essay Towards a Complete New System of Midwifery*, paru en 1751 (traduit en français en 1773 sous le titre *Système nouveau et complet de l'art des accouchements...*). Au printemps 1754, Stubbs est à Rome; il revient en Angleterre dès l'automne. Vers 1756, il habite le village isolé de Horkstow, dans le Lincolnshire, où, avec l'assistance de Mary Spencer, il met en œuvre le projet qui va déterminer sa carrière: il dissèque méticuleusement des carcasses de chevaux et dessine leur anatomie, avec un talent, une précision et une élégance exceptionnels (il a mis au point un système grâce auquel il peut suspendre au plafond le cadavre et disposer ses membres comme si l'animal était vivant). Si Stubbs avait probablement été accoutumé à ce genre de travail par sa fréquentation des tanneries lorsqu'il était encore enfant, il est possible qu'il partît pour Horkstow afin d'échapper aux réactions hostiles que ses activités de dissection auraient pu provoquer. De cette campagne de dessin, nous sont parvenues quarante-deux feuilles magnifiques, qui sont aujourd'hui la propriété de l'Académie royale de Londres.

En 1759, Stubbs part pour Londres, emmenant avec lui ses études anatomiques de chevaux, qu'il montre et qui lui valent probablement sa première grosse commande, du 3e duc de Richmond, pour une série de trois grandes parties de campagne, qu'il doit peindre à Goodwood, dans le Sussex, où elles sont toujours. Les toiles réalisées pour le duc figurent de nombreux petits portraits, de sa famille, de ses amis et de ses gens – trait caractéristique, Stubbs avait pratiqué le portrait, pour des commandes, dans sa jeunesse –, ainsi que des vues reconnaissables de sa propriété. Richmond faisait partie d'un groupe de jeunes et puissants aristocrates terriens whigs, dont la faveur allait déterminer l'avenir de l'artiste; parmi eux, le 2e marquis de Rockingham, whig extrêmement

Stubbs, the son of a successful Liverpool currier, was essentially self-taught as a painter, draftsman, and printmaker. The first evidence of his professional inclination takes the form of anatomical drawing: in the mid-1740s, he studied anatomy in the hospital at York and there prepared, from his own sketches, engravings to illustrate Dr. John Burton's Essay Towards a Complete New System of Midwifery *(1751). Stubbs was in Rome in the spring of 1754, returning to England by the autumn. About 1756, in the remote village of Horkstow in Lincolnshire, Stubbs, with the assistance of Mary Spencer, began the defining project of his career: meticulously dissecting the carcasses of horses and drawing their anatomy with exceptional skill, accuracy, and elegance. (He developed a system whereby he could suspend a cadaver from the ceiling and arrange the limbs in a lifelike fashion.) While Stubbs was probably hardened to the work by his exposure to tanneries as a child, it is possible that he went to Horkstow with a view to escaping the hostile attention that his dissecting activities might have attracted. The forty-two magnificent sheets that survive from this campaign of drawing belong now to the Royal Academy, London.*

In 1759 Stubbs moved to London, taking with him the anatomical studies of the horse, which he showed about, and which must have won for him his first major commission, from the 3rd Duke of Richmond, for a series of three large sporting canvases to be painted at Goodwood in Sussex, where they still are. The duke's pictures contain numerous fine, small portraits of his family, friends, and staff—as was typical, Stubbs had had experience painting commissioned portraits as a young man—as well as identifiable views of his property. Richmond belonged to a group of powerful, young landowning Whig aristocrats upon whose favor the artist's future would depend; among them was the 2nd Marquis of Rockingham, an exceptionally wealthy and influential Whig who eventually became Prime Minister. Rockingham was to be Stubbs's most important patron. His work for the marquis included the famous painting of his horse, Whistlejacket *(National*

riche et influent, qui devint finalement Premier Ministre. Rockingham fut le principal mécène de Stubbs, qui réalisa pour lui, notamment, en 1762, le célèbre portrait de son cheval, *Whistlejacket* (Londres, National Gallery), ainsi qu'un *Cheval attaqué par un lion* (New Haven, Yale Center for British Art), aussi originaux l'un que l'autre et par leur conception et par leur taille monumentale. Pendant ce temps, n'étant pas parvenu à trouver un graveur pour ses études anatomiques, Stubbs préparait lui-même les plaques pour son *Anatomie du cheval*, qui fut publiée en 1766, vendue au prix de cinq guinées, et réimprimée jusqu'au milieu du XIXᵉ siècle.

De 1761 à 1774, Stubbs présenta chaque année plusieurs peintures à la Société des artistes de Londres; par la suite, jusqu'en 1803, il exposa, moins régulièrement, à l'Académie royale. Elu académicien en 1781, il omit de soumettre sa pièce de réception et n'y fut jamais que membre correspondant. Dans les années 1770, il expérimente la peinture à la cire sur panneau et, dans les années 1780, il est un des premiers à renouveler les techniques des peintures à l'émail – qu'il expose – sur des supports de cuivre ou de céramique. Avec ses combats d'animaux, inspirés de l'antique, avec des sujets mythologiques comme *Phaéton et le char du Soleil* (Saltram, The National Trust), il aspire à pénétrer le royaume de la peinture d'histoire. Ses peintures de bêtes exotiques, dont certaines suggèrent une touchante conscience de leur précarité et de leur singularité, étaient très admirées. Après avoir travaillé, les dernières années de sa vie, à un projet d'étude d'anatomie comparative, Stubbs s'éteint, figure solitaire, à l'âge de 81 ans.

Assez tôt, Stubbs, peintre de chevaux, sombre dans l'oubli, alors le lot des peintres de scènes de la *sporting life*, en partie peut-être parce que ses plus belles œuvres étaient, et sont toujours, bien souvent, conservées dans des collections particulières et relativement inaccessibles. Dans la seconde moitié du XXᵉ siècle, il attire à nouveau l'attention et suscite l'intérêt du public, grâce à l'impeccable travail d'érudition de Basil Taylor et de Judy Egerton, et à l'enthousiasme de Paul Mellon, qui fit don d'une grande part de sa collection d'œuvres de Stubbs au Yale Center for British Art, à New Haven.

Gallery, London) and Horse Attacked by a Lion *(Yale Center for British Art, New Haven), both of 1762, and both as original in conception as they are monumental in scale. Meanwhile, having failed to find an engraver for his anatomical studies, Stubbs himself prepared the plates for his* Anatomy of the Horse, *which was published in 1766 at a price of five guineas and remained in print until the middle of the nineteenth century.*

From 1761 until 1774, Stubbs exhibited several pictures each year at London's Society of Artists; thereafter, until 1803, he showed less regularly at the Royal Academy. Elected an academician in 1781, he declined to submit a diploma piece and remained an associate. In the 1770s he experimented with painting in wax on panel, and in the 1780s he pioneered techniques for, and exhibited, enamel paintings on copper or ceramic supports. With his representations of wild animals in combat, inspired by the antique, and with such mythological subjects as Phaeton with the Chariot of the Sun *(The National Trust, Saltram) he aspired to the realm of history painting. His pictures of exotic creatures, some suggesting a touching awareness of their rarity and uniqueness, were much admired. Having worked for the last several years of his life on an intended study of comparative anatomy, Stubbs died, a solitary figure, at the age of eighty-one.*

In time Stubbs the horse painter passed into the oblivion then accorded to sporting artists, perhaps in part because his finest works were, and in many cases still are, privately owned and relatively inaccessible. He returned to the public eye and interest in the second half of the twentieth century on account of the impeccable scholarship of Basil Taylor and Judy Egerton, and the enthusiasm of Paul Mellon, whose collection of Stubbs's work was given in great part to the Yale Center for British Art, New Haven.

**19 Hunter, au duc de Dorset,
avec un lad et un chien**
Huile sur toile, 101,6 × 126,4 cm,
signée et datée (en bas à droite) *1768*
Legs de Mrs. Paul Moore, 1980 (1980.468)

Ce cheval de chasse bai dut être peint pour Charles Sackville, 2ᵉ duc de Dorset, auquel il appartenait, qui mourut sans descendance en 1769, à l'âge de 57 ans, et non pour son neveu John Frederick Sackville, qui hérita du titre, de la fortune et du fief

*19 **The Duke of Dorset's Hunter
with a Groom and a Dog***
*Oil on canvas, 101.6 × 126.4 cm,
signed and dated (lower right) 1768
Bequest of Mrs. Paul Moore, 1980 (1980.468)*

This bay hunting horse must have belonged to, and been painted for, Charles Sackville, 2ⁿᵈ Duke of Dorset, who died without issue at the age of fifty-seven in 1769, and not for his nephew, John Frederick Sackville, who fell heir to the title,

familial de Knole, dans le Kent. (Le 3e duc était un courtisan doublé d'un don Juan, qui n'avait pour seule passion sportive que le cricket.) Le lad, en livrée, est accompagné par un chien de race indéterminée, au poil frisé avec des marques blanches. La toile a beau dater de la maturité de l'artiste et de sa période la plus inventive, elle est d'un format standard, et il est fort possible que le 2e duc ait voulu une œuvre à la manière de John Wootton, le grand peintre de chevaux de la génération précédente. Les paysages de Stubbs, dans les fonds, vont de la vue descriptive à la construction romantique; dans le cas présent, il semble peu vraisemblable que le site soit jamais identifié. L'épais tronc d'arbre penché sur la composition à gauche et les feuilles de bardane, aux dimensions exagérées, au premier plan, à droite, sont typiques de cette période, tandis que le cheval, en proportion de son environnement, apparaît inhabituellement petit, si l'on considère que le tableau, somme toute, est son portrait. Le traitement du ciel et les taches de lumière à l'avant-plan et à mi-distance contribuent pour beaucoup à la qualité de la peinture.

KBB

fortune, and family seat, Knole, in Kent. (The 3rd duke was a courtier and philanderer whose sporting passion was cricket.) The groom is in livery and accompanied by a dog of indeterminate breed with curly hair and white markings. While the canvas is a work of the artist's mature and most inventive period, Stubbs employs a standard format, and it is possible that the 2nd duke required a work in the manner of John Wootton, the leading horse painter of the previous generation. Stubbs's landscape backgrounds vary from the specific to the Romantic; in the present case, it seems unlikely that the site will be identified. The thick tree trunk arching over the composition at left and the outsize burdock leaves in the right foreground are typical for this date, while the horse is unusually small in relation to the setting, considering that the picture is in essence his portrait. The handling of the sky and the dappled light in the foreground and middle distance contribute much to the quality of the picture.

KBB

Historique

Charles Sackville, 2e duc de Dorset, Knole, Sevenoaks, Kent (1768-†1769). Son neveu, John Frederick Sackville, 3e duc de Dorset, Knole (1769-†1799). Famille Sackville, Knole (1799-1927). Hon. Sir Charles John Sackville-West, plus tard 4e baron Sackville, Knole (à partir de 1927). Mr. et Mrs. Paul Moore, New York, et Convent, New Jersey (vers 1930-jusqu'à la mort de Mr. Moore en 1959). Mrs. Paul (Fannie H.) Moore, Convent, New Jersey (1959-†1980).

Ex collections

Charles Sackville, 2nd Duke of Dorset, Knole, Sevenoaks, Kent (1768–d. 1769). His nephew, John Frederick Sackville, 3rd Duke of Dorset, Knole (1769–d. 1799). The Sackville family, Knole (1799–1927). Hon. Sir Charles John Sackville-West, later 4th Baron Sackville, Knole (from 1927). Mr. and Mrs. Paul Moore, New York, and Convent, New Jersey (about 1930–his d. 1959). Mrs. Paul (Fannie H.) Moore, Convent, New Jersey (1959–d. 1980).

Expositions

Richmond, Virginia Museum of Fine Arts, *Sport and the Horse*, 1er avril - 15 mai 1960, no 29 (prêt de Mrs. Paul Moore). Londres, Tate Gallery, et New Haven, Yale Center for British Art, *George Stubbs, 1724–1806*, 17 octobre 1984 - 7 avril 1985, no 51. Washington, D.C., National Gallery of Art, *The Essential Stubbs*, 3 mai - 2 juin 1985, no 51.

Exhibitions

Richmond, Virginia Museum of Fine Arts, Sport and the Horse, *April 1–May 15, 1960, no. 29 (lent by Mrs. Paul Moore). London, Tate Gallery, and New Haven, Yale Center for British Art,* George Stubbs, 1724–1806, *October 17, 1984–April 7, 1985, no. 51. Washington, D.C., National Gallery of Art,* The Essential Stubbs, *May 3–June 2, 1985, no. 51.*

Bibliographie

Katharine Baetjer, *The Metropolitan Museum of Art: Notable Acquisitions, 1980–1981*, New York, 1981, p. 45, ill. Malcolm Warner et Robin Blake, *Stubbs and the Horse*, cat. exp., New Haven, 2004.

References

Katharine Baetjer, The Metropolitan Museum of Art: Notable Acquisitions, 1980–1981 *(New York, 1981), p. 45, ill. Malcolm Warner and Robin Blake,* Stubbs and the Horse, *exh. cat. (New Haven, 2004).*

Thomas Gainsborough

Anglais, baptisé à Sudbury, le 14 mai 1727; mort à Londres, le 2 août 1788
English, baptized Sudbury, May 14, 1727; died London, August 2, 1788

Gainsborough, fils d'un commerçant, naquit dans une petite ville près de la mer du Nord. Lorsqu'il eut 13 ans, il vint à Londres, où il se forma, semble-t-il, auprès du graveur émigré français Hubert François Gravelot et de Francis Hayman, artiste et illustrateur. Peut-être participa-t-il également à la décoration des cabinets destinés aux soupers intimes dans les jardins de Vauxhall ou travailla-t-il à des décors de théâtre. En 1746, Gainsborough épouse Margaret Burr, fille illégitime d'Henry Somerset, 3e duc de Beaufort. La rente annuelle de deux cents livres que reçoit la jeune femme, après la mort de son père, quelques mois plus tôt, doit permettre au couple de vivre sur un pied très confortable. A l'époque, il n'y avait pas, ou presque, de marché pour les peintres de paysage contemporains; pourtant, après s'être établi à son compte à Londres et avoir échoué à faire carrière dans ce genre, Gainsborough revient avec sa femme, au début de 1749, dans son bourg natal de Sudbury, où naissent les deux filles du couple, Mary et Margaret, en 1750 et 1751. Les commandes qu'on lui adresse sont pour l'essentiel de petits portraits et, en 1752, il déménage avec sa famille dans la ville voisine d'Ipswich, pour tenter d'y élargir sa clientèle. Malgré sa prodigieuse habileté naturelle, son succès reste limité, jusqu'à ce que, dans les années 1760, il s'installe à Bath, station thermale très chic et fréquentée, dans l'ouest, près de Bristol. Il y peint, pour la première fois grandeur nature, d'éblouissants portraits. A partir de 1761, il envoie ces portraits aux expositions de la Société des artistes, puis, de 1769 jusqu'en 1784, par intermittence, de l'Académie royale, dont il est l'un des membres fondateurs. En 1774, il réside de façon permanente à Londres et s'établit à Schomberg House, dans Pall Mall, où il compte des membres de la famille royale, des aristocrates, des actrices et des musiciens parmi ses clients.

Peintre aussi doué pour le paysage que pour le portrait, Gainsborough fut également un dessinateur prolifique, graveur à l'occasion, et un musicien amateur de talent. Les lettres qui nous sont parvenues, en nombre suffisamment important, témoignent d'un esprit observateur et perspicace, et permettent d'entrevoir une personnalité lunatique et complexe. Ce que nous savons de Gainsborough, de ses paysages en particulier, s'est trouvé transformé, au cours des dernières décennies, par les écrits érudits de feu John Hayes.

Gainsborough, the son of a tradesman, was born in a small town near the North Sea coast. When he was thirteen he traveled to London, where he apparently trained with the French émigré printmaker Hubert François Gravelot and with Francis Hayman, artist and illustrator; he may also have assisted with the decoration of the supper boxes in the Vauxhall pleasure gardens or worked as a theatrical scene painter. In 1746 Gainsborough married Margaret Burr, the illegitimate daughter of Henry Somerset, 3rd Duke of Beaufort. The two-hundred-pound annuity she had received upon her father's death earlier the same year was to give the couple a large, steady income. There was little or no market for landscapes by contemporary painters at the time, however, and, having set up on his own in London and failed to make a career in that genre, early in 1749 Gainsborough took his wife back to his native Sudbury, where the couple's daughters, Mary and Margaret, were born in 1750 and 1751. Gainsborough's commissioned work principally comprised small portraits, and he moved his family to nearby Ipswich in 1752 in search of additional clients. Despite his prodigious natural ability, he achieved only limited success until, in the 1760s, he settled in the fashionable West Country spa town of Bath, where he painted dazzling portraits to the scale of life for the first time. From 1761 he sent these portraits to the exhibitions of the Society of Artists, while from 1769 until 1784 he exhibited intermittently at the Royal Academy, of which he was a founder member. In 1774 he moved permanently to London and settled at Schomberg House in Pall Mall, where he numbered members of the royal family, aristocrats, actresses, and musicians among his clients.

Equally gifted as a landscape and portrait painter, Gainsborough was a prolific draftsman, an occasional printmaker, and a talented amateur musician. His surviving letters, of which there are a significant number, indicate that he was shrewd, witty, and observant, and suggest something of his moody and complex character. Our knowledge of Gainsborough's landscapes, particularly, has been transformed over the last several decades by the scholarly writings of the late John Hayes.

20 Paysage boisé des hautes terres

Huile sur toile, 120,3 × 147,6 cm, probablement peinte en 1783
Don de George A. Hearn, 1906 (06.1279)

Très jeune, lorsqu'il vint à Londres pour la première fois, Gainsborough put voir des paysages hollandais du XVIIe siècle. C'est durant ce séjour qu'il enregistre ses impressions d'une peinture de l'artiste hollandais Jacob van Ruisdael, qu'il avait peut-être découverte par hasard, dans une salle des ventes londonienne, représentant un étang et un bois, sur un dessin noir et blanc à la craie, très achevé (Université de Manchester, Whitworth Art Gallery). Peut-être a-t-il vu également des œuvres de Meyndert Hobbema. Après avoir tenté, sans succès, d'exercer à Londres la profession de peintre de paysage, Gainsborough eut l'occasion, en 1749, de renouer avec la nature qu'il aimait tant, en l'occurrence les champs du Suffolk et les chemins de sa jeunesse. Plus tard, dans les années 1760, quand il n'était pas occupé par ses commandes de portraits, il se promenait à cheval parmi les collines boisées des alentours de Bath et visitait les villégiatures de la haute société, pour y étudier les maîtres anciens, notamment Claude le Lorrain et Gaspard Dughet, mais aussi Peter Paul Rubens et Anthony van Dyck. D'un côté, les paysages de Gainsborough traduisent l'expérience directe de la terre et des gens qui la travaillent; de l'autre, ils s'ouvrent à la grâce, à l'aisance du XVIIIe siècle rococo, et témoignent de sa connaissance des peintres français, flamands et hollandais du XVIIe siècle.

L'été 1783, Gainsborough, qui éprouve peut-être une certaine nostalgie pour la campagne, consigne par écrit son intention de visiter pour la première fois «les lacs du Cumberland et du Westmoreland». Il note, avec une ambition renouvelée: «J'ai envie de monter tous les lacs pour la prochaine exposition [de l'Académie royale], dans le Grand Style.» Il voulait voir la région des Lacs de ses propres yeux, puis, au retour, composer des images qui rivaliseraient avec celles de Gaspard et de Claude. L'expédition de 1783 élargit effectivement la vision de l'artiste; elle vint renforcer son sens du pittoresque et inspirer ses peintures de paysages montagneux.

Cette vue, après une rapide ébauche à la craie noire et à l'estompe, rehaussée d'un léger lavis rouge (Corsham Court, Wiltshire, collection de Lord Methuen), aurait été réalisée par Gainsborough dans son atelier londonien, sans doute peu après son retour. La peinture détaille et développe les idées du dessin. L'artiste emploie des formules de composition traditionnelles, repoussoirs et violents contrastes d'ombre et de lumière, pour faire ressortir le chemin de terre qui serpente au gré des ondulations du terrain. Il ajoute les figurines habituelles, vaches, moutons et ânes, un chien et une carriole tirée par un cheval, des paysans marchant ou se reposant le long de la route. Bien que Gainsborough n'ait pas été dépourvu de conscience sociale, ce paysage idyllique n'affiche aucun intérêt pour l'extrême dureté de la condition paysanne. C'est vers le ciel et ses traînées de nuages en diagonale, partant rejoindre la ligne de montagnes, dans les lointains, que l'artiste regarde. Un ciel peint à grands traits, dans des couleurs pastel, si délicates et transparentes qu'on pourrait les croire travaillées à l'eau plutôt qu'à l'huile.

KBB

20 Wooded Upland Landscape

Oil on canvas, 120.3 × 147.6 cm, probably painted in 1783
Gift of George A. Hearn, 1906 (06.1279)

The very young Gainsborough saw seventeenth-century Dutch landscapes for the first time when he moved to London. There he recorded his impressions of a painting of a pond and a wood by the Dutch artist Jacob van Ruisdael, which he may have come upon in the London auction rooms, in a finished drawing in black and white chalks (Whitworth Art Gallery, University of Manchester). He may well have looked at works by Meyndert Hobbema as well. Having tried and failed to establish a practice as a landscape painter in London, in 1749 Gainsborough had occasion to renew his acquaintance with nature in the form of the Suffolk fields and lanes of his youth. In the 1760s, when not occupied with portrait commissions, he rode among the wooded hills around Bath and visited the great country houses to study the old masters, notably Claude Lorrain and Gaspard Dughet as well as Peter Paul Rubens and Anthony van Dyck. Gainsborough's landscapes reflect, on the one hand, direct experience of the land and the people who worked it, and, on the other, exposure to the grace and fluency of eighteenth-century Rococo style and knowledge of seventeenth-century French, Flemish, and Dutch practice.

In the summer of 1783 Gainsborough, perhaps suffering from nostalgia for the countryside, wrote of his intention to visit "the Lakes in Cumberland & Westmoreland" for the first time. He noted with renewed ambition, "I purpose to mount all the Lakes at the next Exhibition [of the Royal Academy], in the great Stile": he would see the Lake District for himself and thereafter would compose images even more worthy of the example of Gaspard and Claude. The 1783 tour did indeed enlarge the artist's vision, enhancing his sense of the picturesque and inspiring his paintings of mountain scenery.

This view, together with a rapid sketch in black chalk and stump and pale red wash that preceded it (Collection of Lord Methuen, Corsham Court, Wiltshire), would have been made in Gainsborough's London studio, probably shortly after his return. In the painting he elaborates on the ideas presented in the drawing. He employs traditional compositional devices, repoussoirs and strong contrasts of light and shade, to emphasize the zigzag of the cart track among the swelling hillocks. He introduces traditional staffage, cows, sheep, and donkeys; a dog and a horse-drawn cart; and peasants walking and resting by the wayside. Although Gainsborough was not without social conscience, this idyllic landscape displays no awareness of the dire plight of the working poor. Here he focuses on the spiraling diagonal of the cloud banks that follow the contours of the distant mountains, painting broadly in pastel colors so delicate and transparent that they suggest not oil but an aqueous medium.

KBB

Historique
(?) Smith. [Tooth, Londres, en 1898.] George A. Hearn, New York (jusqu'en 1906).

Expositions
Denver Art Museum, *Glorious Nature: British Landscape Painting, 1750–1850*, 11 décembre 1993 - 6 février 1994, nº 15. Ferrare, Palazzo dei Diamanti, *Thomas Gainsborough*, 7 juin - 30 août 1998, nº 44.

Bibliographie
Walter Armstrong, *Gainsborough and His Place in English Art*, Londres, 1898, p. 207. Ellis Waterhouse, *Gainsborough*, Londres, 1958, pp. 119-120, nº 969. John Hayes, *The Drawings of Thomas Gainsborough*, 2 vol., New Haven, 1971, vol. 1, pp. 40, 45, 259, vol. 2, pl. 198. Ronald Paulson, *Emblem and Expression: Meaning in English Art of the Eighteenth Century*, Cambridge, Mass., 1975, pp. 221, 247n48. John Hayes, *The Landscape Paintings of Thomas Gainsborough: A Critical Text and Catalogue Raisonné*, 2 vol., Ithaca, 1982, vol. 1, pp. 140, 145, vol. 2, pp. 325, 521-524, nº 150, ill. John Hayes, éd., *The Letters of Thomas Gainsborough*, New Haven, 2001, p. 153.

Ex collections
? Smith. [Tooth, London, in 1898.] George A. Hearn, New York (until 1906).

Exhibitions
Denver Art Museum, Glorious Nature: British Landscape Painting, 1750–1850, *December 11, 1993–February 6, 1994, no. 15. Ferrara, Palazzo dei Diamanti,* Thomas Gainsborough, *June 7–August 30, 1998, no. 44.*

References
Walter Armstrong, Gainsborough and His Place in English Art *(London, 1898), p. 207. Ellis Waterhouse,* Gainsborough *(London, 1958), pp. 119–20, no. 969. John Hayes,* The Drawings of Thomas Gainsborough, *2 vols. (New Haven, 1971), vol. 1, pp. 40, 45, 259, vol. 2, pl. 198. Ronald Paulson,* Emblem and Expression: Meaning in English Art of the Eighteenth Century *(Cambridge, Mass., 1975), pp. 221, 247n48. John Hayes,* The Landscape Paintings of Thomas Gainsborough: A Critical Text and Catalogue Raisonné, *2 vols. (Ithaca, 1982), vol. 1, pp. 140, 145, vol. 2, pp. 521–24, no. 150, ill. John Hayes, ed.,* The Letters of Thomas Gainsborough *(New Haven, 2001), p. 153.*

John Hoppner

Anglais, né à Londres, le 25 avril 1758; mort à Londres, le 23 janvier 1810
English, born London, April 25, 1758; died London, January 23, 1810

Hoppner, dont les parents étaient Bavarois, fut choriste de la chapelle royale et, à ce titre, aurait reçu une bonne éducation classique. Lorsqu'on découvrit qu'il avait un don naturel pour le dessin, le roi George III lui accorda un traitement et on l'envoya vivre chez le conservateur du cabinet royal des dessins. Il est admis en 1775 à l'école de l'Académie royale et, en quelques années, obtient la médaille d'argent du dessin d'après nature et la médaille d'or de la peinture d'histoire, avec une scène du *Roi Lear* (localisation inconnue). Il expose régulièrement à l'Académie à partir de 1780. En 1781, Hoppner épouse Phoebe Wright, fille d'une modeleuse sur cire très réputée, l'Américaine Patience Lovell Wright, et il commence à gagner sa vie en peignant des portraits.

Sa carrière progressait doucement et sûrement. Il avait reçu une formation traditionnelle et était l'émule de Sir Joshua Reynolds, dont il assura la succession, à la mort de ce dernier, en 1792, comme portraitiste le plus couru de Londres. Il admirait les peintres de la Renaissance vénitienne et appréciait leur palette sobre, la chaleur de leur coloris, la vigueur et la largeur de leur touche. Ses contemporains le considéraient comme un bon coloriste et louèrent son talent à peindre ressemblant. A l'époque où il fut élu membre de plein droit de l'Académie royale, en 1795, il était déjà le peintre principal du prince de Galles, le futur George IV. Hoppner voyagea beaucoup en Angleterre et se rendit une fois à Paris. Il se consacra à l'enseignement, et bien qu'il pût, à l'occasion, se montrer très sévère, ses conseils de professionnel étaient suivis non seulement de ses étudiants à l'Académie royale, mais aussi de ses contemporains. En 1800, sa santé déclinait déjà. Il s'éteignit dix ans plus tard, à l'âge de 51 ans.

Hoppner, whose parents were Bavarian, was a chorister in the chapel royal and on that account would have received a good classical education. When it was discovered that he had natural ability as a draftsman, Hoppner was provided with a stipend by King George III and sent to live with the keeper of the royal collection of drawings. He entered the Royal Academy schools in 1775 and in several years won both a silver medal for life drawing and a gold medal for history painting with a scene from King Lear *(whereabouts unknown). He exhibited regularly at the Academy from 1780 onward. In 1781 Hoppner married Phoebe Wright, daughter of the well-known American wax modeler Patience Lovell Wright, and set out to make his living painting portraits.*

His career progressed smoothly and profitably; he was traditionally trained, and he emulated Sir Joshua Reynolds, whom he succeeded at the latter's death in 1792 as London's most popular portraitist. He admired the painters of the Venetian Renaissance and favored their restrained palette, warmth of coloring, and energy and breadth of handling. His contemporaries thought him a good colorist and often remarked upon his ability to capture a likeness. By the time he was elected to full membership in the Royal Academy in 1795, he was already principal painter to the Prince of Wales, later George IV. Hoppner traveled widely in Britain and visited Paris on one occasion. He was devoted to teaching, and although he could be harshly critical, his professional advice was sought after not only by students at the Royal Academy but by his contemporaries. The year 1800 found him in declining health, and he died ten years later at the age of fifty-one.

21 Richard Humphreys, le boxeur

Huile sur toile, 141,6 × 112,4 cm, peinte en 1787
Fonds de dotation Alfred N. Punnett, 1953 (53.113)

Le «noble art», ou la boxe, qui a ses origines dans l'Antiquité, fut remis à la mode en Angleterre au XVIIIᵉ siècle et conquit toutes les classes de la société. Un amphithéâtre où l'on disputait des combats s'ouvrit à Londres, sur Oxford Road, en 1743, tandis que le Fives Court de James Street, dans Haymarket, était fréquenté, au début du XIXᵉ siècle, par la haute société. George IV lui-même enfila les gants et devint un mécène de ce sport.

Wilson Braddyll, membre du Parlement et valet de chambre, ou chambellan (groom of the bedchamber), de George IV, lorsque celui-ci était prince de Galles, fut aussi le manager et le promoteur de Richard Humphreys. Braddyll commanda le portrait en 1787, date à peu près certaine, en prévision du match, annoncé à grand renfort de publicité, qui devait opposer le pugiliste à Daniel Mendoza, le 9 janvier 1788, à Odiham, dans le Hampshire. La peinture fut gravée, à la manière noire, par John Young, et publiée en affiches, par Hoppner lui-même le 3 janvier, une semaine avant le combat, avec ce sous-titre: «le célèbre boxeur qui jamais ne fut vaincu». Humphreys était surnommé le «gentleman boxeur», en raison de son allure sympathique, de ses bonnes manières et de son style. Sur le portrait, Hoppner a choisi de figurer le pugiliste dans sa position caractéristique sur un ring: il était réputé pour ses directs appuyés du droit et ses arrêts du gauche, qui déconcentaient ses adversaires. L'homme est sans gants (qui n'étaient pas encore portés à l'époque), et nu jusqu'à la taille (ce qui est extrêmement rare dans les portraits du XVIIIᵉ siècle), dans un paysage romantique, désolé et battu par les vents. Humphreys s'habillait ainsi pour le combat: culottes de flanelle, bas de soie blancs, escarpins à rubans noirs, tel qu'Hoppner le dépeint ici. La touche large, la silhouette nettement découpée avaient peut-être pour but de faciliter le travail de transfert sur une gravure reproductible, dont les ventes rapportèrent sans aucun doute de substantiels bénéfices.

On raconte que le prince de Galles, son frère, le duc d'York, et «la plus grande part de la noblesse française alors en Angleterre» avaient assisté au combat qu'Humphreys livra et gagna contre Samuel Martin, «le Boucher de Bath», au milieu des années 1780, à Newmarket. Mendoza avait aussi vaincu Martin, «en moins de temps, et avec plus de facilité», prétendait-il; et l'on attendait la rencontre entre les deux vainqueurs. Lorsqu'elle eut lieu, en 1788, Humphreys remporta le combat, qui, aux dires de Mendoza, fut difficile et dura quarante-sept minutes. Une estrade fut dressée dans la cour d'une auberge, où les spectateurs étaient admis moyennant paiement d'une demi-guinée. Une certaine rancune s'installa entre les deux hommes, car Humphreys, alors âgé de 28 ans, avait soutenu Mendoza, plus jeune, au début de sa carrière de boxeur, et il y eut encore deux défis et deux combats, le 6 mai 1789 et le 27 septembre 1790, qui furent remportés par Mendoza, favori du public. On dit qu'après s'être retiré du ring, Humphreys vécut quelques années comme marchand de charbon, à Londres.

KBB

21 Richard Humphreys, the Boxer

Oil on canvas, 141.6 × 112.4 cm, painted in 1787
The Alfred N. Punnett Endowment Fund, 1953 (53.113)

The sport of prizefighting, or boxing, which has its origins in antiquity, was revived in England in the eighteenth century and afforded entertainment to all classes of society. A boxing amphitheater opened in London in the Oxford Road in 1743, while the Fives Court in James Street, Haymarket, was patronized in the early nineteenth century by elegant society. George IV himself took up the gloves and became a patron of the sport.

Wilson Braddyll, a member of Parliament and a groom of the bedchamber to George IV when the latter was Prince of Wales, was also Richard Humphreys's manager and promoter. Braddyll commissioned the present portrait, almost certainly in 1787, in anticipation of the pugilist's well-publicized match against Daniel Mendoza, scheduled for January 9, 1788, at Odiham in Hampshire. The painting was engraved in mezzotint by John Young in a large folio that was published by Hoppner himself on January 3, a week before the fight, with the subtitle "the Celebrated Boxer who never was Conquered." Humphreys was also called the "gentleman boxer" on account of his fine looks, manners, and style. In the portrait Hoppner has considered Humphreys's signature stance in the ring; he is known to have led with his right hand and stopped with his left, which caused his opponents great confusion. The boxer is shown without gloves (not worn at the time) and naked to the waist (highly unusual in eighteenth-century portraiture) in a spare, windswept, Romantic landscape. Humphreys dressed in the fine flannel trousers, white silk stockings, and pumps with black ribbons that Hoppner depicts here. The broad handling and well-defined silhouette were perhaps calculated for ease of transfer to a reproductive print, the sale of which doubtless produced significant revenues.

A bout that Humphreys had won at Newmarket in the mid-1780s against Samuel Martin "the Bath butcher" was reportedly witnessed by the Prince of Wales, his brother, the Duke of York, and "most of the French nobility then in England." Mendoza had also defeated Martin, claiming to have done so "in less time, and with greater ease," and it was hoped that the two victors would meet. When they met, in 1788, Humphreys won what by Mendoza's account was a difficult contest lasting forty-seven minutes. The fight was staged on a platform set up in an inn yard, to which spectators were admitted for a half-guinea each. A grudge existed between them, as the twenty-eight-year-old Humphreys had sponsored Mendoza at the outset of the younger boxer's career, and there were to be two more challenges and contests: on May 6, 1789, and on September 27, 1790. Mendoza, the public favorite, triumphed in both. It is said that after Humphreys's retirement from the ring, he lived for some years as a coal merchant in London.

KBB

Historique
Wilson Braddyll, Conishead Priory, Epping Forest (à partir de 1787). Sir Wroth Acland Lethbridge, 4e baronet, Sandhill Park, Taunton, Somerset (en 1878). Vente, Christie's, Londres, 6 avril 1889, nº 103, pour 152,5,0 livres à Reynolds. Sir John Dugdale Astley, Everley, Marlborough (en 1890). Captain J. C. Dun-Waters, Plaish, South Staffordshire, et Canada (dès 1905). Mrs. J. C. Dun-Waters, Vancouver et Okanagen Mission, Colombie britannique, Canada (dès 1951-1953; vendu au MMA).

Expositions
Londres, Royal Academy, *Winter Exhibition*, 1878, nº 235 (prêt de Sir Wroth A. Lethbridge, Baronet). Londres, Grosvenor Gallery, *Works of Art Illustrative of and Connected with Sport*, 1890, nº 143 (prêt de Sir John Astley). Bordeaux, Galerie des Beaux-Arts, *Profil du Metropolitan Museum of Art de New York: De Ramsès à Picasso*, 15 mai - 1er septembre 1981, nº 110.

Bibliographie
H. P. K. Skipton, *John Hoppner*, Londres, 1905, pp. 44-45, 167. William McKay et W[illiam] Roberts, *John Hoppner, R.A.*, Londres, 1909, pp. 130-131. Daniel Mendoza, *The Memoirs of the Life of Daniel Mendoza*, Londres, 1951, pp. 30-67, fig. 11 (manière noire). «Collector's Questions: Portrait of a Boxer», *Country Life* 109 (4 mai 1951), p. 1364, ill. John Wilson, «The Romantics, 1790–1830», *in The British Portrait, 1660–1960*, Woodbridge, 1991, pp. 253-254, pl. 244. Katharine Baetjer, «British Portraits in The Metropolitan Museum of Art», *Metropolitan Museum of Art Bulletin* 57 (été 1999), pp. 2, 50-52, ill. (coul.).

Ex collections
Wilson Braddyll, Conishead Priory, Epping Forest (from 1787). Sir Wroth Acland Lethbridge, 4th Baronet, Sandhill Park, Taunton, Somerset (in 1878). Sale, Christie's, London, April 6, 1889, no. 103, for £152.5.0 to Reynolds. Sir John Dugdale Astley, Everley, Marlborough (in 1890). Captain J. C. Dun-Waters, Plaish, South Staffordshire, and Canada (by 1905). Mrs. J. C. Dun-Waters, Vancouver and Okanagen Mission, British Columbia, Canada (by 1951–53; sold to MMA).

Exhibitions
London, Royal Academy, Winter Exhibition, *1878, no. 235 (lent by Sir Wroth A. Lethbridge, Baronet). London, Grosvenor Gallery,* Works of Art Illustrative of and Connected with Sport, *1890, no. 143 (lent by Sir John Astley). Bordeaux, Galerie des Beaux-Arts,* Profil du Metropolitan Museum of Art de New York: De Ramsès à Picasso, *May 15–September 1, 1981, no. 110.*

References
H. P. K. Skipton, John Hoppner *(London, 1905), pp. 44–45, 167. William McKay and W[illiam] Roberts,* John Hoppner, R.A. *(London, 1909), pp. 130–31. Daniel Mendoza,* The Memoirs of the Life of Daniel Mendoza *(London, 1951), pp. 30–67, fig. 11 (mezzotint). "Collector's Questions: Portrait of a Boxer,"* Country Life *109 (May 4, 1951), p. 1364, ill. John Wilson, "The Romantics, 1790–1830," in* The British Portrait, 1660–1960 *(Woodbridge, 1991), pp. 253–54, pl. 244. Katharine Baetjer, "British Portraits in The Metropolitan Museum of Art,"* Metropolitan Museum of Art Bulletin *57 (Summer 1999), pp. 2, 50–52, ill. (color).*

Sir Thomas Lawrence

Anglais, né à Bristol, le 13 avril 1769; mort à Londres, le 7 janvier 1830
English, born Bristol, April 13, 1769; died London, January 7, 1830

Lawrence était le fils d'un aubergiste de Devizes, non loin de Bath; les clients de l'auberge racontaient qu'à 10 ans, l'enfant était déjà un dessinateur très doué. Artiste essentiellement autodidacte, n'ayant guère eu accès à l'éducation classique, Lawrence exerça son extraordinaire talent presque exclusivement dans le domaine du portrait. Il fut pour la première fois remarqué du public en 1784, à l'occasion d'un prix décerné par la Société des arts pour un dessin (disparu) d'après une gravure du tableau d'autel de Raphaël, *La Transfiguration* (Pinacothèque vaticane). En 1787, il s'installe dans la capitale et, après avoir brièvement suivi les cours de l'Académie royale, y expose pour la première fois. Trois ans plus tard, à l'âge de 21 ans, il présente à l'Académie des portraits en pied, unanimement salués, de la reine consort Charlotte (British Royal Collection), épouse de George III, et de la célèbre actrice Elizabeth Farren (The Metropolitan Museum of Art). Lawrence est élu correspondant de l'Académie royale en 1791 et membre de plein exercice en 1794, ayant déjà succédé à Sir Joshua Reynolds, après la mort de celui-ci, en 1792, comme peintre ordinaire du roi George III. Durant la régence, il est présenté au futur George IV, qui devient son plus important mécène et client, commandant pour le château de Windsor la fameuse série de portraits en pied des Alliés, vainqueurs de Napoléon à la bataille de Waterloo (British Royal Collection). Lawrence est anobli en 1815 et élu président de l'Académie royale en 1820.

Lawrence was the son of an innkeeper at Devizes, not far from Bath, and visitors to the inn reported that when he was ten the boy was already a skilled draftsman. Essentially self-taught as an artist, with very little opportunity for formal education, Lawrence applied his extraordinary natural gifts almost exclusively to portraiture from that time on. He first came to public notice in London in 1784, when he received a prize from the Society of Arts for a drawing (untraced) after a print of Raphael's altarpiece of the Transfiguration *(Pinacoteca Vaticana). In 1787 he settled in the capital and, having studied briefly at the Royal Academy, showed there for the first time. Three years later, at the age of twenty-one, he exhibited at the Academy to acclaim full-length portraits of Queen Charlotte (British Royal Collection), consort of George III, and of the celebrated actress Elizabeth Farren (The Metropolitan Museum of Art). Lawrence was elected an associate of the Royal Academy in 1791 and a full academician in 1794, having already succeeded to the position of painter-in-ordinary to George III upon the death in 1792 of Sir Joshua Reynolds. During the regency he was presented to the future George IV, who became his most important patron, commissioning for Windsor Castle the famous series of full-length portraits of Britain's allies in the 1815 victory over Napoleon at the battle of Waterloo (British Royal Collection). Lawrence was knighted in 1815 and elected president of the Royal Academy in 1820.*

22 Lady Maria Conyngham

Huile sur toile, 92,1×71,8 cm, peinte vers 1824-1825
Don de Jessie Woolworth Donahue, 1955 (55.89)

Dans les années 1820, entre l'accession au trône de George IV et sa mort en 1830, les Conyngham étaient presque invariablement à la cour. En 1816, Henry Conyngham avait été fait vicomte Slane, comte de Mount Charles et marquis Conyngham dans la pairie d'Irlande, grâce aux intrigues de sa femme, Elizabeth, qui, en 1819, devint la dernière maîtresse du futur roi. Lawrence note, en 1823, une séance de pose pour le portrait de Lady Conyngham, en costume de pairesse (détruit). Avec les portraits peints par Lawrence des sœurs de George IV, Mary et Amelia (British Royal Collection), et de Lady Conyngham, ce portrait de la cadette de ses filles, Lady Maria Conyngham, fut accroché dans la chambre du roi, au palais Saint James, le 3 juin 1826. Lawrence avait déjà peint le portrait du frère de Maria, Francis (collection particulière), à l'occasion de l'exposition de l'Académie royale de 1823, et achevé un portrait de sa sœur Elizabeth (Lisbonne, Musée Calouste Gulbenkian) pour Noël de la même année. Vraisemblablement, le portrait en trois quarts de la plus jeune des enfants, que le roi, disait-on, aimait beaucoup, date de 1824 ou de 1825. Les portraits des ladies Conyngham furent payés par George IV, mais étaient sans doute destinés aux modèles, et c'est à leur famille, au château de Slane, dans le comté de Meath, qu'ils revinrent. Lawrence demanda 210 livres pour celui-ci et 310 livres pour chacun des deux autres.

En 1832, Lady Harriet Maria Conyngham devint la première épouse de Sir William Meredyth Somerville, 5e baronet, et député de Drogheda au Parlement de 1837 à 1852, qui fut plus tard élevé à la pairie d'Irlande avec le titre de Lord Athlumney. Elle mit au monde deux enfants et mourut en 1843. Si l'on se fonde sur sa physionomie dans ce portrait et sur la date de son mariage, on peut conjecturer qu'elle était née vers 1812.

Le portrait témoigne de la maîtrise des formes acquise par Lawrence, de la fluidité et du panache de sa technique. L'interprétation qu'il donne de son modèle, entre adolescence et féminité, offre un intéressant contraste avec la façon dont il a peint sa sœur, déjà adulte et pouvant prétendre au mariage, et sa mère, quelque peu empâtée et suffisante. Toutes sont habillées du blanc le plus distingué, avec les mêmes anglaises dans leur chevelure noire. Le portrait de Maria est le moins guindé; ses bijoux, et le cadre, sont des plus simples. Les doigts sont d'une longueur disproportionnée, mais la pose est naturelle et décontractée, les ombres portées sont parfaites, les dents régulières et blanches entre les lèvres arquées et nettement ouvertes lui donnent un sourire éclatant. Un chien, dans lequel les contemporains reconnurent un colley, vient ancrer en bas à gauche la composition en triangle. Lawrence réalisa un portrait comparable dans sa facture et sa sensibilité, celui de Jane Alnutt (localisation inconnue), commencé et laissé inachevé en 1826. Plusieurs années plus tard, il utilisa une composition semblable à celle de l'œuvre ici présentée pour le portrait plus compassé de la reine Marie II Da Glória de Portugal, commandé par George IV (British Royal Collection).

KBB

22 Lady Maria Conyngham

Oil on canvas, 92.1 × 71.8 cm, painted about 1824–25
Gift of Jessie Woolworth Donahue, 1955 (55.89)

The Conynghams were almost invariably at court in the 1820s, from George IV's accession until his death in 1830. In 1816 Henry Conyngham had been created Viscount Slane, Earl of Mount Charles, and Marquess Conyngham in the peerage of Ireland, through the influence of his wife, Elizabeth, who in 1819 became the future king's final mistress. Lawrence recorded a sitting for the portrait of Lady Conyngham in the costume of a peeress (destroyed) in 1823. Together with Lawrence's portraits of George IV's sisters, Mary and Amelia (British Royal Collection), and of Lady Conyngham, this portrait of her younger daughter, Lady Maria Conyngham, was placed in the king's bedroom at St. James's Palace on June 3, 1826. Lawrence had painted Maria's brother Francis (private collection) in time for the Royal Academy exhibition of 1823, and he completed a portrait of her sister Elizabeth (Museu Calouste Gulbenkian, Lisbon) for Christmas that year. It seems likely that the present three-quarter-length representing the youngest child, of whom the king is reported to have been very fond, dates to 1824 or 1825. The portraits of the Conyngham ladies were paid for by George IV but were probably intended for the sitters, in whose family at Slane Castle, County Meath, they descended. Lawrence charged £210 for this one and £310 for each of the other two.

In 1832 Lady Harriet Maria Conyngham became the first wife of Sir William Meredyth Somerville, 5th Baronet, and member of Parliament for Drogheda from 1837 until 1852, who was later raised to the peerage of Ireland as Lord Athlumney. She had two children and died in 1843. Based on her appearance in the portrait and the date of her marriage, she was perhaps born about 1812.

The portrait displays Lawrence's mastery of design and the fluidity and panache of his technique. The characterization of the sitter, who was on the cusp between adolescence and womanhood, offers an interesting contrast to that of her sister, already an adult of marriageable age, and to that of her complacent, heavyset mother. All are dressed in fashionable white, with their dark hair curled in ringlets. Maria's is the least formal portrait, with the simplest jewelry and setting. Her fingers are of disproportionate lengths, but the pose is easy and relaxed, the cast shadows are accomplished, and the row of even white teeth between bowed and parted lips contributes to her vivid smile. A dog identified by contemporaries as a collie balances the triangular design at lower left. A portrait by Lawrence that is comparable in handling and in sensibility is that of Jane Alnutt (whereabouts unknown), begun and left unfinished in 1826. Several years later he used a composition similar to that of the present work for the more formal portrait that George IV commissioned of Queen Maria II Da Glória of Portugal (British Royal Collection).

KBB

Historique

Henry Conyngham, 1er marquis Conyngham (jusqu'à †1832). Les marquis Conyngham (1832-1897). Victor George Henry Francis Conyngham, 5e marquis Conyngham, Slane Castle, comté de Meath, Irlande (à partir de 1897; vendu à Duveen). [Duveen, Londres et New York, jusqu'en 1913; vendu à Stotesbury.] Edward T. Stotesbury, Whitemarsh Hall, Chestnut Hill, Philadelphie (1913-†1938; sa succession, 1938-1942). [Knoedler, New York, et O'Toole, New York, 1942; vendu à Donahue.] Jessie Woolworth (Mrs. James P.) Donahue, New York (1942-1955).

Expositions

New York, Duveen Brothers, *Old Masters of the British School*, janvier 1914, no 14 (prêt de Mr. E. T. Stotesbury). Londres, 25 Park Lane, *The Four Georges*, 23 février - 30 mars 1931, no 10 (prêt de Mrs. E. T. Stotesbury). New York, James St. L. O'Toole, *Paintings and Works of Art from the Collection of the Late Edward T. Stotesbury*, 23 avril - 10 mai 1941, no 11.

Bibliographie

Walter Armstrong, *Lawrence*, New York, 1913, p. 123. A. Aspinall, éd., *The Letters of King George IV: 1812–1830*, 3 vol., Cambridge, 1938, vol. 3, p. 489. Kenneth Garlick, *Sir Thomas Lawrence*, Londres, 1954, p. 33. Kenneth Garlick, «A Catalogue of Paintings, Drawings and Pastels of Sir Thomas Lawrence», *Walpole Society* 39 (1964), pp. 58-59. Oliver Millar, *The Later Georgian Pictures in the Collection of Her Majesty The Queen*, 2 vol., Londres, 1969, vol. 1, p. xxxvi. Kenneth Garlick, *Sir Thomas Lawrence: A Complete Catalogue of the Oil Paintings*, Oxford, 1989, pp. 171-172, nos 204-207, ill. Katharine Baetjer, «British Portraits in The Metropolitan Museum of Art», *Metropolitan Museum of Art Bulletin* 57 (été 1999), pp. 68-70, ill. (coul.).

Ex collections

Henry Conyngham, 1st Marquess Conyngham (until d. 1832). The Marquesses Conyngham (1832–97). Victor George Henry Francis Conyngham, 5th Marquess Conyngham, Slane Castle, County Meath, Ireland (from 1897; sold to Duveen). [Duveen, London and New York, until 1913; sold to Stotesbury.] Edward T. Stotesbury, Whitemarsh Hall, Chestnut Hill, Philadelphia (1913–d. 1938; his estate, 1938–42). [Knoedler, New York, and O'Toole, New York, 1942; sold to Donahue.] Jessie Woolworth (Mrs. James P.) Donahue, New York (1942–55).

Exhibitions

New York, Duveen Brothers, Old Masters of the British School, *January 1914, no. 14 (lent by Mr. E. T. Stotesbury). London, 25 Park Lane,* The Four Georges, *February 23–March 30, 1931, no. 10 (lent by Mrs. E. T. Stotesbury). New York, James St. L. O'Toole,* Paintings and Works of Art from the Collection of the Late Edward T. Stotesbury, *April 23–May 10, 1941, no. 11.*

References

Walter Armstrong, Lawrence *(New York, 1913), p. 123. A. Aspinall, ed.,* The Letters of King George IV: 1812–1830, *3 vols. (Cambridge, 1938), vol. 3, p. 489. Kenneth Garlick,* Sir Thomas Lawrence *(London, 1954), p. 33. Kenneth Garlick, "A Catalogue of Paintings, Drawings and Pastels of Sir Thomas Lawrence,"* Walpole Society *39 (1964), pp. 58–59. Oliver Millar,* The Later Georgian Pictures in the Collection of Her Majesty The Queen, *2 vols. (London, 1969), vol. 1, p. xxxvi. Kenneth Garlick,* Sir Thomas Lawrence: A Complete Catalogue of the Oil Paintings *(Oxford, 1989), pp. 171–72, nos. 204–7, ills. Katharine Baetjer, "British Portraits in The Metropolitan Museum of Art,"* Metropolitan Museum of Art Bulletin *57 (Summer 1999), pp. 68–70, ills. (color).*

John Constable

Anglais, né à East Bergholt, le 11 juin 1776; mort à Hampstead, le 31 mars 1837
English, born East Bergholt, June 11, 1776; died Hampstead, March 31, 1837

Le père de Constable possédait des terres et un moulin au village d'East Bergholt, dans le Suffolk. En 1799, lorsque John eut 22 ans, il fut autorisé à quitter l'affaire familiale pour rejoindre à Londres l'école de l'Académie royale. Tout en y poursuivant ses études, il compléta sa formation par la copie de paysages contemporains et du XVIIᵉ siècle. Il exposa pour la première fois à l'Académie en 1802, puis, à partir de 1810, tous les ans jusqu'à sa mort. Tout au long de sa carrière, Constable se consacra à l'étude de la nature. S'il passait les mois d'hiver à Londres, à partir de 1808 il revint séjourner de nombreux étés à East Bergholt, pour y réaliser des esquisses sur le motif. Son style se développa lentement et atteignit sa maturité aux approches de son quarantième anniversaire, avec *La Vallée de la Stour et le village de Dedham* (Boston, Museum of Fine Arts) et *La Construction d'un bateau près de Flatford Mill* (Londres, Victoria and Albert Museum), ses plus importantes pièces exposées l'année 1815 à l'Académie.

Quelques mois après la mort de son père, en mai 1816, Constable peut épouser, en décembre, avec l'assurance d'un revenu, Maria Bicknell. Le couple s'installe à Londres. En raison de la santé fragile de Maria, ils passent de plus en plus de temps hors de la ville, dans ce qui était encore le village de Hampstead, où ils résident définitivement à partir de 1827. Maria meurt de la tuberculose en novembre 1828, laissant au peintre la charge de sept jeunes enfants. Dès la fin de son adolescence et surtout durant ses 20 ans, Constable avait dû renoncer à ses pèlerinages annuels dans le Suffolk, notamment pour se consacrer à la réalisation (les expositions à l'Académie royale se succédant) de toiles de six pieds présentant des vues de la Stour, auxquelles il doit, pour une bonne part, sa célébrité. La première à être exposée, en 1819, fut *Le Cheval blanc* (New York, The Frick Collection). En 1829, il est finalement élu membre de plein exercice à l'Académie, et entame la préparation de son *Panorama du paysage anglais*, une série de vingt-deux gravures à la manière noire, d'après certaines de ses plus importantes peintures de paysage, réalisées sous sa direction par David Lucas. Constable ne se rendit jamais sur le continent, ni même au pays de Galles ou en Ecosse,

Constable's father was a mill and property owner in the Suffolk village of East Bergholt. In 1799, when John was twenty-two, he was permitted to leave the family business for London to enroll in the Royal Academy schools. While there, he supplemented his training by copying seventeenth-century and contemporary landscapes. He exhibited at the Academy for the first time in 1802, and from 1810 onward he showed there every year until his death. Throughout his career Constable was dedicated to the study of nature; while spending the winter months in London, beginning in 1808 he returned many summers to East Bergholt to sketch out of doors. His style developed slowly and reached maturity as he approached his fortieth birthday with The Stour Valley and Dedham Village *(Museum of Fine Arts, Boston) and* Boat-building near Flatford Mill *(Victoria and Albert Museum, London), his most important Royal Academy exhibits in 1815.*

Some months after his father's death, in May 1816, and with an assured income, Constable was able to marry Maria Bicknell; the couple settled in London. On account of Maria's fragile health, they spent more and more time on the outskirts of the city in what was then the village of Hampstead, where they moved permanently in 1827. Maria died in November 1828 of tuberculosis, leaving the painter with seven young children. In the late teens and twenties Constable had given up his annual pilgrimages to Suffolk to devote himself to painting (for succeeding Royal Academy exhibitions) the six-foot canvases of views on the River Stour for which he is chiefly famous. The first to be exhibited, in 1819, was The White Horse *(The Frick Collection, New York). In 1829 he was finally elected to full membership in the Academy and began preparations for* Various Subjects of Landscape, Characteristic of English Scenery, *a series of twenty-two mezzotints after some of his most important landscape paintings that were engraved under his supervision by David Lucas. Constable never went to the Continent, or to Wales or Scotland, and his early visits to the Peak and Lake Districts did not leave a lasting mark. He was chiefly inspired by the inhabited counties of the east and*

et ses voyages de jeunesse dans le Peak District et la région des Lacs, au nord de l'Angleterre, ne laissèrent guère de marque durable. Les comtés plus peuplés de l'est et du sud, où il avait vécu, furent sa principale source d'inspiration: coteaux et vallons du Suffolk, plages des bords de mer où il s'était promené avec Maria, ainsi que les panoramas autour de Hampstead. Il fut un magnifique épistolier; ses lettres et les souvenirs que lui a consacrés son ami Charles Robert Leslie constituent un éclairage précieux sur sa vie et son œuvre.

Constable était persuadé au plus haut point de l'importance de la peinture de paysage, insistant sur sa portée emblématique, mais aussi sur son rapport de vérité à la nature, et il espérait promouvoir le paysage dans la hiérarchie des genres. Pourtant, ce sont ses brillantes ébauches à l'huile, peintes sur le motif, plutôt que ses morceaux plus préparés pour l'Académie royale, qui forment son incomparable apport à l'école nationale. Si la réception critique de son œuvre en Angleterre fut mitigée, il exposa en France et y fut très admiré dans les années 1820, notamment par Géricault et Delacroix.

south of England where he had lived; the gentle slopes and valleys of Suffolk; the ocean beaches he visited with Maria; and the panorama around Hampstead. He was a splendid correspondent, and his own letters, together with a memoir by his friend C. R. Leslie, enlarge our understanding of his life and œuvre.

Constable was much concerned with the importance of landscape painting, emphasizing its emblematic significance as well as its truth to nature, and he hoped to promote landscape in the hierarchy of the genres. However, his brilliant sketches in oils, painted before the motif, rather than his set pieces for the Royal Academy, constitute his unique gift to the national school. While the critical reception of his œuvre in England was tempered, he exhibited in France and was much admired in the 1820s by Géricault and Delacroix among others.

23 **La Cathédrale de Salisbury vue des terres de l'évêque**
Huile sur toile, 87,9 × 111,8 cm, peinte vers 1825
Legs de Mary Stillman Harkness, 1950 (50.145.8)

Du 13 juillet au 22 août 1820, Constable, avec sa famille, rendit visite à l'archidiacre John Fisher et à son épouse dans la ville épiscopale de Salisbury. Sa première peinture achevée de *La Cathédrale de Salisbury vue des terres de l'évêque* (Londres, Victoria and Albert Museum), si elle ne fut pas commandée par l'oncle de l'archidiacre, le Dr John Fisher, évêque de Salisbury, lui était en tout cas destinée, et elle fut exposée en 1823 à l'Académie royale. Lorsque, le 1er septembre 1820, il écrit au jeune Fisher pour lui signaler que ses ébauches de Salisbury, dont celle réalisée sur les terres de l'évêque, ont rencontré un vif succès, l'artiste fait peut-être allusion à l'étude aujourd'hui conservée à Ottawa (Musée des Beaux-Arts du Canada) pour la peinture de Londres. En mai 1822, l'évêque Fisher est reçu chez Maria Constable en l'absence de son mari: «Il a, écrit-elle, fouillé partout pour trouver [l'étude de la cathédrale de] Salisbury et voulait savoir ce que tu en avais fait.» En novembre, l'évêque émet le désir de voir l'étude achevée, afin d'«orner [son] salon à Londres». Mais Constable réalise une nouvelle toile, plus grande (celle du Victoria and Albert Museum), montrant, sur la gauche, l'évêque au bras de son épouse, pointant sa canne vers la cathédrale. Constable confie qu'il n'a «pas reculé devant l'ouvrage, vitraux, contreforts, etc.», mais qu'il s'agit du «plus difficile sujet de paysage» qu'il ait jamais peint. Pourtant, l'évêque, qui n'apprécie pas le nuage noir juste au-dessus de la flèche, veut un ciel plus ensoleillé et, en juillet 1824, il renvoie la peinture à l'artiste pour qu'il la retravaille.

23 *Salisbury Cathedral from the Bishop's Grounds*
Oil on canvas, 87.9 × 111.8 cm, painted about 1825
Bequest of Mary Stillman Harkness, 1950 (50.145.8)

From July 13 until August 22, 1820, Constable, with his family, paid a visit to Archdeacon John Fisher and his wife in the cathedral town of Salisbury. His first finished painting of Salisbury Cathedral from the Bishop's Grounds *(Victoria and Albert Museum, London), if not commissioned by the archdeacon's uncle, Dr. John Fisher, bishop of Salisbury, was intended for him, and in 1823 was exhibited at the Royal Academy. The artist perhaps referred to the study for the London picture that is now in Ottawa (National Gallery of Canada) when he wrote on September 1, 1820, to the younger Fisher to report that his Salisbury sketches, including the one made in the cathedral grounds, had been much admired. In May 1822 Bishop Fisher visited Maria Constable in her husband's absence and, according to her account, "rummaged out the [sketch of] Salisbury [Cathedral] and wanted to know what you had done"; in November, the bishop opined that he would like to see the sketch finished, to "grace my Drawing Room in London." Instead, Constable painted a new and larger canvas (Victoria and Albert Museum, London), showing, at left, the bishop, his wife on his arm, pointing toward the cathedral with his walking stick. Constable remarked that he had "not flinched at the work, of the windows, buttresses, &c," but that it was "the most difficult subject in Landscape" he had ever painted. However, the bishop, who disliked the dark cloud directly over the spire, required a sunnier sky, and in July 1824 he returned the picture to the artist for*

Entre-temps, Constable a peint une plus petite étude (collection particulière), puis une toile achevée, plus petite également (San Marino, Californie, Huntington Art Collections), offerte par le vieux Fisher à sa fille, Elizabeth, à l'occasion du mariage de celle-ci en 1823.

L'été 1824, tandis que l'évêque Fisher attend toujours un ciel plus serein, Constable engage un jeune garçon du Suffolk, John Dunthorne Jr., pour travailler avec lui comme assistant dans son atelier de Londres. Là encore, l'artiste décide de peindre une toile totalement nouvelle, comme il l'annonce à Maria dans une lettre du 12 juillet; le jeune Johnny, ajoute-t-il, a tout juste «fait un délicieux tracé de ma cathédrale, que je n'ai plus qu'à recopier à la même échelle». La toile ici présentée n'est autre que l'étude à l'échelle de la sixième et dernière vue du grand édifice gothique peint par Constable depuis les terres de l'évêque (New York, The Frick Collection), qui, bien qu'elle eût pour but de satisfaire les exigences du prélat, ne lui parvint jamais, puisqu'elle est datée de 1826 et que le vieux gentleman, mort en mai de l'année précédente, ne put la voir. Les deux peintures de New York montrent la flèche de la cathédrale s'élevant dans un ciel clair, sa hauteur et sa silhouette soulignées par de bourgeonnants nuages blancs et par les troncs et les branches inclinés des vieux arbres du premier plan.

Ces dernières années, on a établi une chronologie assez fiable des six vues, et il est admis que le «délicieux tracé» préparé par Dunthorne le fut sur la toile de la peinture ici présentée. Comme l'a prouvé en outre une récente réflectographie infrarouge, il fit de même pour la peinture de la collection Frick. Lorsque l'évêque lui eut retourné la première vue achevée, Constable demanda apparemment à Dunthorne de reproduire le bâtiment de la cathédrale, dans tous ses détails architecturaux, ainsi que quelques éléments de la composition pour deux nouvelles toiles. Constable doit y avoir œuvré l'une après l'autre, entre la fin de l'été 1824, où il commence la peinture du Metropolitan Museum, et novembre 1825, lorsqu'il qualifie de «presque achevée» la toile de la collection Frick.

KBB

reworking. Meanwhile, Constable painted a smaller sketch (private collection) and then a smaller finished canvas (Huntington Art Collections, San Marino, California) as a wedding present from the elder Fisher to his daughter, Elizabeth, in 1823.

In the summer of 1824, while Bishop Fisher was still awaiting a more serene sky, Constable engaged a Suffolk boy, John Dunthorne Jr., to join him as an assistant in his London studio. Yet again the artist had decided to paint an entirely new cathedral picture, as he noted in a letter to Maria of July 12, writing that young Johnny had just "done a delightfull outline of my Cathedral same size for me to copy." The present canvas is the full-scale study for Constable's sixth and final view of the great Gothic building from the grounds (The Frick Collection, New York), which, although intended to satisfy the bishop, was never received by him, as it is dated 1826 and the old gentleman died in May of the previous year. Both New York pictures show the spire of Salisbury Cathedral rising into a bright sky, its height and shape emphasized by puffy white clouds and by the slanting trunks and branches of the old trees in the foreground.

A relatively secure chronology for the six views has been developed in recent years, and it has been assumed that Dunthorne prepared his "delightfull outline" on the canvas for the present picture; in fact, on the evidence of recent infrared reflectography, he did the same with the painting in the Frick Collection. Having received the first completed view back from the bishop, Constable apparently asked Dunthorne to transfer the cathedral building, in all of its architectural detail, and some elements of the design to two additional canvases. Constable must have worked them up in succession between late summer 1824, when he began the Metropolitan Museum's picture, and November 1825, when he described the Frick painting as "nearly completed."

KBB

Historique

John Constable (jusqu'à †1837; [?] sa vente de succession, Foster and Sons, Londres, 16 mai 1838, n° 30, sous le titre *Salisbury Cathedral, from the Bishop's Garden*, «presque achevée», pour 16,16,0 livres à Archbutt). (?) Samuel Archbutt (1838-1839; sa vente, Christie's, Londres, 13 avril 1839, n° 114, pour 31,10,0 livres à Theobald). John Davis, Manchester et Wykin Hall, Hinckley, Leicestershire (jusqu'à †1881). E. J. Foxwell, Hinckley (jusqu'en 1907; vente, Christie's, Londres, 20 avril 1907, n° 104, pour 1575 livres à Gribble). Mr. Gribble (1907; vendu à Agnew). [Agnew, Londres, 1907, vendu à Lee.] A. H. Lee (à partir de 1907). Sir Joseph Beecham, 1er baronet, Londres (au moins à partir de 1911-†1916; sa vente de succession, Christie's, Londres, 3 mai 1917, n° 6, pour 6510 livres à Smith). R. Cremetti (jusqu'en 1923; vendu à Agnew et Knoedler). [Agnew et Knoedler, Londres, 1923; Agnew vend sa part à Knoedler.] [Knoedler, New York, 1923-1926; vendu à Harkness.] Edward S. Harkness, New York (1926-†1940). Mary Stillman (Mrs. Edward S.) Harkness, New York (1940-†1950).

Expositions

Leningrad, Musée d'Etat de l'Hermitage, et Moscou, Musée d'Etat Pouchkine, *100 kartin iz Muzeia Metropoliten, Soedinennye Shtaty Ameriki* («100 peintures du Metropolitan Museum, Etats-Unis d'Amérique»), 22 mai - 2 novembre 1975, n° 43. The Metropolitan Museum of Art, *Constable's England*, 16 avril - 4 septembre 1983, n° 34. Denver Art Museum, *Glorious Nature: British Landscape Painting, 1750-1850*, 11 décembre 1993 - 6 février 1994, n° 62.

Bibliographie

C. J. Holmes, *Constable and His Influence on Landscape Painting*, Westminster, 1902, pp. 231, 246. C. Reginald Grundy, «Sir Joseph Beecham's collection at Hampstead: Part I», *Connoisseur* 35 (février 1913), pp. 73-74, ill. John Steegman, «Constable's 'Salisbury Cathedral from the Bishop's Garden'», *Art Quarterly* 14 (automne 1951), pp. 202, 205, fig. 9. R. B. Beckett, «Constable's 'Salisbury Cathedral from the Bishop's Grounds'», *Art Quarterly* 20 (été 1957), pp. 149-150, fig. 2. R. B. Beckett, éd., *John Constable's Correspondence*, 6 vol., 1962-1968, vol. 2 (1964), p. 360n2, vol. 6 (1968), pp. 206-207. Graham Reynolds, *John Constable: Salisbury Cathedral from the Bishop's Grounds*, Ottawa, 1977, pp. 28-29, 34. Robert Hoozee, *L'opera completa di Constable*, Milan, 1979, p. 151, n° 657, ill. Graham Reynolds, *The Later Paintings and Drawings of John Constable*, 2 vol., New Haven, 1984, vol. 1, pp. 167, 172-174, n° 26.19, vol. 2, pl. coul. 629. Sarah Cove, «Constable's Oil Painting Materials and Techniques», *in Constable*, cat. exp., Londres, 1991, pp. 508, 518nn162-164.

Ex collections

John Constable (until d. 1837; ? his estate sale, Foster and Sons, London, May 16, 1838, no. 30, as Salisbury Cathedral, from the Bishop's Garden, "nearly completed," for £16.16.0 to Archbutt). ? Samuel Archbutt (1838–39; his sale, Christie's, London, April 13, 1839, no. 114, for £31.10.0 to Theobald). John Davis, Manchester and Wykin Hall, Hinckley, Leicestershire (until d. 1881). E. J. Foxwell, Hinckley (until 1907; sale, Christie's, London, April 20, 1907, no. 104, for £1,575 to Gribble). Mr. Gribble (1907; sold to Agnew). [Agnew, London, 1907; sold to Lee.] A. H. Lee (from 1907). Sir Joseph Beecham, 1st Baronet, London (by 1911–d. 1916; his estate sale, Christie's, London, May 3, 1917, no. 6, for £6,510 to Smith). R. Cremetti (until 1923; sold to Agnew and Knoedler). [Agnew and Knoedler, London, 1923; Agnew share sold to Knoedler.] [Knoedler, New York, 1923–26; sold to Harkness.] Edward S. Harkness, New York (1926–d. 1940). Mary Stillman (Mrs. Edward S.) Harkness, New York (1940–d. 1950).

Exhibitions

Leningrad, State Hermitage Museum, and Moscow, Pushkin State Museum, 100 kartin iz Muzeia Metropoliten, Soedinennye Shtaty Ameriki *(100 Paintings from the Metropolitan Museum, United States of America), May 22–November 2, 1975, no. 43. The Metropolitan Museum of Art*, Constable's England*, April 16–September 4, 1983, no. 34. Denver Art Museum*, Glorious Nature: British Landscape Painting, 1750–1850, *December 11, 1993–February 6, 1994, no. 62.*

References

C. J. Holmes, Constable and His Influence on Landscape Painting *(Westminster, 1902), pp. 231, 246. C. Reginald Grundy, "Sir Joseph Beecham's collection at Hampstead: Part I,"* Connoisseur *35 (February 1913), pp. 73–74, ill. John Steegman, "Constable's 'Salisbury Cathedral from the Bishop's Garden,'"* Art Quarterly *14 (Autumn 1951), pp. 202, 205, fig. 9. R. B. Beckett, "Constable's 'Salisbury Cathedral from the Bishop's Grounds,'"* Art Quarterly *20 (Summer 1957), pp. 149–50, fig. 2. R. B. Beckett, ed.,* John Constable's Correspondence, *6 vols. (1962–68), vol. 2 (1964), p. 360n2, vol. 6 (1968), pp. 206–7. Graham Reynolds,* John Constable: Salisbury Cathedral from the Bishop's Grounds *(Ottawa, 1977), pp. 28–29, 34. Robert Hoozee,* L'opera completa di Constable *(Milan, 1979), p. 151, no. 657, ill. Graham Reynolds,* The Later Paintings and Drawings of John Constable, *2 vols. (New Haven, 1984), vol. 1, pp. 167, 172–74, no. 26.19, vol. 2, colorpl. 629. Sarah Cove, "Constable's Oil Painting Materials and Techniques," in* Constable, *exh. cat. (London, 1991), pp. 508, 518nn162–64.*

Frederic Lord Leighton

Anglais, né à Scarborough, le 3 décembre 1830; mort à Londres, le 25 janvier 1896
English, born Scarborough, December 3, 1830; died London, January 25, 1896

Dès l'âge de 9 ans, Frederic Leighton voyage avec sa famille à travers l'Europe. Il fréquente brièvement les académies des Beaux-Arts de Berlin (1842-1843) et de Florence (1845-1846). Ses parents s'installent en 1846 à Francfort, et il y intégrera le Städelsches Kunstinstitut, dont il suivra les cours par intermittence, de 1850 à 1852, dans l'atelier d'un des chefs de file des artistes nazaréens, Edward von Steinle. Puis, Leighton se rend à Rome et, en 1855, peint *La Célèbre Madone de Cimabue portée en procession à travers les rues de Florence* (British Royal Collection), immense toile qui fut exposée à l'Académie royale de Londres, hautement louée et achetée six cents guinées par la reine Victoria. Pour parachever son éducation, Leighton passe plusieurs années à Paris, pratiquant les ateliers d'artiste, assimilant les principes du néoclassicisme, avant de revenir à Londres, en 1859.

Si l'Académie royale n'accorda d'abord à Leighton qu'un accueil assez froid, il fut défendu par l'influent critique John Ruskin et fit la connaissance de certains membres du groupe des préraphaélites. Les voyages de Leighton sur le continent l'avaient sensibilisé non seulement à l'école vénitienne, mais aussi à Raphaël et à l'antique. Il s'intéressait à la peinture murale à grande échelle et possédait, dans son atelier de Londres, un moulage de la frise du Parthénon. Il développa un style élégant, académique et nostalgique, qui doit beaucoup à ses dons exceptionnels de peintre de drapés. Les toiles qu'il expose en 1864 à l'Académie plaisent et, la même année, il en est élu associé, puis membre de plein exercice en 1868. Il continue de voyager, en Italie, en Espagne, en Grèce et en Afrique du Nord, sans cesser de dessiner. En 1870, il s'apprête à réaliser des peintures murales pour le South Kensington Museum, aujourd'hui le Victoria and Albert Museum. Elu président de l'Académie royale en 1878, à une large majorité, il devient le porte-parole et la figure de proue de la peinture victorienne. Peu de temps avant sa mort en 1896, il est élevé à la pairie sous le titre de Lord Leighton of Stretton. Austère, solitaire et toujours plus mélancolique, Leighton représente la fin d'une époque et ne laisse ni élèves ni disciples. Sa demeure, Leighton House, près de Holland Park, est devenue un lieu public, splendide monument à l'ère victorienne.

Beginning at the age of nine, Frederic Leighton traveled widely with his family in Europe. He studied for brief periods at the academy schools of Berlin (1842–43) and Florence (1845–46). In the latter year his parents took up residence in Frankfurt, and he entered the Städelsches Kunstinstitut, where he worked intermittently as a student of painting, from 1850 to 1852, with the leading Nazarene artist Edward von Steinle. Thereafter Leighton moved to Rome and in 1855 painted Cimabue's Celebrated Madonna Is Carried through the Streets of Florence *(British Royal Collection), a huge canvas that was shown at the Royal Academy to high praise and bought for six hundred guineas by Queen Victoria. To complete his education, he spent several years in Paris, visiting artists' studios and absorbing the tenets of Neoclassicism, before returning to London in 1859.*

While at first the Royal Academy afforded Leighton an unfriendly reception, he was championed by the influential critic John Ruskin and made the acquaintance of members of the Pre-Raphaelite circle. Leighton's continental travels had exposed him not only to the Venetian school, but also to Raphael and to the antique; he was interested in wall painting on a grand scale and kept a cast of the Parthenon frieze in his London studio. He developed an elegant, nostalgic academic style that owed much to his exceptional abilities as a drapery painter. In 1864 his Academy exhibits found favor, and he was elected an associate that year and a full member in 1868. He continued to travel, making sketching trips to Italy, Spain, Greece, and North Africa. In 1870 he prepared to paint murals for the South Kensington Museum, now the Victoria and Albert Museum. Elected president of the Royal Academy in 1878 by a large majority, he became Victorian painting's spokesman and figurehead. Shortly before his death in 1896, he was raised to the peerage as Lord Leighton of Stretton. Austere, solitary, and increasingly melancholy, Leighton represented the end of an era and left no pupils or followers. His home, Leighton House, in Holland Park, is a splendid public monument to the English Victorian period.

24 Lachrymæ

Huile sur toile, 157,5×62,9 cm, peinte vers 1894-1895
Collection Catharine Lorillard Wolfe, Fonds Wolfe, 1896 (96.28)

Le titre donné par Leighton, «larmes» en latin, indique que la figure, drapée de noir, portant le deuil d'une manière très victorienne, est une allégorie de la douleur. Le 2 mars 1895, *The Athenæum* annonce que la toile est prête à être exposée et suggère à ses lecteurs comment il faut la comprendre du point de vue de l'artiste: *Lachrymæ* «est le titre donné à une [grande] peinture, qu'on peut considérer comme une image solennelle de la douleur, et qui représente une noble jeune fille grecque près d'un piédestal [...] sur lequel est posée une urne funéraire où grimpe un lierre [...]. [La jeune fille] a amené une coupe pour une libation aux mânes du mort et une couronne de fleurs fanées gît à ses pieds. Le fond, pour s'accorder au sentiment de la figure et à sa tonalité, montre les troncs rougeâtres d'un rideau de hauts cyprès; à travers leur sombre feuillage percent les feux lugubres du couchant.»

La peinture reçut à l'Académie royale, en mai, un accueil favorable, bien que le critique de *The Athenæum*, déclarant qu'elle était mue par un motif plus sentimental que pathétique, eût nuancé sa première impression. Le commentateur du *Times* de Londres la décrivit assez justement comme «une jeune fille grecque [...] dans l'affliction, s'appuyant contre une colonne funéraire, Electre adoucie sur la tombe d'Agamemnon».

Une étude de composition ainsi que des dessins préliminaires pour la tête inclinée de la figure et pour les drapés entourant la colonne sont conservés à Leighton House, près de Holland Park; on peut aussi y voir un dessin représentant des cyprès noueux à côté d'un cloître, que Leighton réalisa en 1854 à Florence et dont il se servit comme modèle. L'Académie royale détient une étude au trait de l'ensemble, qui a été mise au carreau pour le transfert sur toile. En 1895, lorsque cette figure de douleur fut exposée, l'artiste en possédait un dessin, qui fut publié, mais qui ne fait manifestement pas partie des six cents études aujourd'hui gardées à Leighton House, et dont la localisation est inconnue. Les deux esquisses d'ensemble insistent particulièrement sur les verticales, notamment celles de la colonne et des troncs d'arbres.

Leighton, qui avait reçu une éducation classique, connaissait bien la littérature et l'art antiques. À diverses reprises, il utilisa les vases grecs dans ses compositions. Le spécialiste d'études classiques qu'est Ian Jenkins a identifié dans *Lachrymæ* trois types de vases: une hydrie cinéraire à figures noires, posée sur la stèle funéraire dorique, et, au pied de celle-ci, un kylix à figures rouges et un calpis. Dietrich von Bothmer, du Metropolitan Museum, a découvert l'origine du kylix, décoré d'une figure d'Hermès qu'on retrouve sur une coupe à la manière du Peintre d'Euaion, aujourd'hui conservée au Louvre. L'hydrie, selon Jenkins, reprend un vase du British Museum où sont figurées des femmes rapportant de l'eau d'une fontaine. Il est même possible que toute la composition soit inspirée d'une scène de deuil ornant un lécythe attique à fond blanc, vase où l'on conservait de l'huile, notamment pour les offrandes funéraires. Le cadre, de style ionique, est d'origine – il avait été commandé par l'artiste – et la peinture est dans un état de conservation exceptionnel.

---

24 Lachrymæ

Oil on canvas, 157.5×62.9 cm, painted about 1894–95
Catharine Lorillard Wolfe Collection, Wolfe Fund, 1896 (96.28)

Leighton's Latin title ("tears") indicates that the figure, draped in Victorian mourning black, is a personification of grief. On March 2, 1895, The Athenæum *announced that the canvas was ready for exhibition and suggested how the artist intended it to be understood:* Lachrymæ *"is the present title of a [large] picture, which may be taken as a type of stately grief, and represents a noble Greek maiden near a pedestal … which supports a funeral urn entwined with ivy.… She has brought a cup for libation to the manes of the dead, and a withered wreath lies near her feet. The background, to be in keeping with the sentiment of the figure and its coloration, comprises a large group of the ruddy stems of tall cypresses, between the gloomy foliage of which is seen the mournful glare of sunset."*

The picture was well received at the Royal Academy in May, although The Athenæum*'s reviewer amended his earlier remarks, describing it as animated by a sentimental rather than a pathetic motive. The commentator for* The Times *(London) aptly characterized the canvas as "a Greek girl … leaning in desolation against a funeral column, like some milder Electra at the tomb of Agamemnon."*

A compositional study and preliminary drawings for the inclined head of the figure and for the drapery around the column are at Leighton House in Holland Park, where there is also a drawing of gnarled cypress trees beside a cloister that Leighton made in Florence in 1854 and used here for reference. The Royal Academy holds a linear study of the whole that has been squared for transfer. A drawing for the grieving figure belonged to the artist when it was published in 1895, but it is evidently not among his six hundred studies now at Leighton House and its whereabouts are unknown. Both overall designs show a pronounced stress on the verticals of the form, the column, and the tree trunks.

Leighton, classically educated, was familiar with the art and literature of antiquity. On various occasions he used Greek vases as props, and classical scholar Ian Jenkins has identified three vase types in Lachrymæ: *a black-figured hydria stands on the Doric grave stele, while at its foot rest a red-figured kylix and a kalpis. Dietrich von Bothmer of the Metropolitan Museum identified the source for the kylix decorated with a figure of Hermes as a cup in the manner of the Euaion Painter now in the Louvre. The hydria, according to Jenkins, is based on one in the British Museum that depicts women fetching water from a fountain. It is even possible that the entire composition was inspired by a mourning scene from an Attic white-ground lekythos, a vessel intended to hold offerings of oil at a tomb. The frame in the Ionic style is the original, having been ordered by the artist, and the painting is in an exceptionally fine state of preservation.*

The model had been identified simply as a "Miss Lloyd" until Martin Postle found an article about her in the Sunday Express *(London) for October 22, 1933. Mary Lloyd's middle-class background was unusual for an artist's model;*

L'identité du modèle n'était connue que sous le nom d'une certaine «Miss Lloyd», jusqu'à ce que Martin Postle retrouve un article du *Sunday Express* de Londres, daté du 22 octobre 1933, qui lui était consacré. Mary Lloyd était issue des classes moyennes, fait assez inhabituel pour un modèle d'artiste. Elle avait été très belle, disait-elle, et son père, propriétaire terrien du Shropshire acculé à la faillite, lui aurait remis une lettre d'introduction auprès de John Everett Millais. Dans les années 1890, elle aurait été employée par Lawrence Alma-Tadema, Edward Burne-Jones et Leighton, notamment; elle affirmait aussi avoir posé pour la figure allégorique en bronze représentant la *Sculpture*, assise au pied de la tombe de Leighton, œuvre du sculpteur Thomas Brock, dans la cathédrale Saint Paul. Postle pense que Mary Lloyd posa également pour *Entre espoir et crainte* (collection particulière) et probablement pour *Flaming June* («L'Ardent Soleil de juin»), l'œuvre la plus connue de Lord Leighton (Porto Rico, Museo de Arte de Ponce, Fondation Luis A. Ferré). Les trois toiles furent présentées en 1895 à l'exposition d'été de l'Académie royale et apparaissent sur une photographie de l'atelier du peintre prise juste après sa mort.

KBB

she described herself as the beautiful daughter of a bankrupt Shropshire squire who secured a letter of introduction to John Everett Millais. She stated that Lawrence Alma-Tadema, Edward Burne-Jones, and Leighton were also among the artists by whom she was employed in the 1890s, and that she sat for Thomas Brock's bronze allegorical figure of Sculpture seated at the foot of Leighton's tomb in St. Paul's Cathedral. Postle believes that Lloyd posed not only for Lachrymæ but also for 'Twixt Hope and Fear (private collection) and probably for Flaming June (Fundación Luis A. Ferré, Museo de Arte de Ponce, Puerto Rico), Leighton's best-known work. All three were exhibited at the 1895 Royal Academy summer exhibition and all appear in a photograph of Leighton's studio taken just after his death.

KBB

Historique
[Tooth, Londres, jusqu'en 1896; vendu au MMA.]

Expositions
Londres, Royal Academy, *Summer Exhibition*, mai-juillet 1895, nº 182 (prêt de Sir F. Leighton, Baronet, P.R.A.). Manchester, City Art Gallery, Minneapolis Institute of Arts et Brooklyn Museum, *Victorian High Renaissance*, 1er septembre 1978 - 8 avril 1979, nº 62. Londres, Royal Academy, *Frederic Leighton, 1830–1896*, 15 février - 21 avril 1996, nº 120.

Bibliographie
[F. G. Stephens], «Fine-Art Gossip», *The Athenæum*, nº 3514 (2 mars 1895), p. 290. [F. G. Stephens], «The Royal Academy (First Notice)», *The Athenæum*, nº 3523 (4 mai 1895), p. 576. *The Times*, 4 mai 1895, p. 12. M. H. Spielmann, «The Royal Academy Exhibition, I», *Magazine of Art* (1895), p. 243. Edgcumbe Staley, *Lord Leighton of Stretton, P.R.A.*, Londres, 1906, pp. 159, 215-216, 249. Leonée Ormond et Richard Ormond, *Lord Leighton*, New Haven, 1975, pp. 129, 173, nº 390, pl. 185. Ian Jenkins, «Frederic Lord Leighton and Greek Vases», *Burlington Magazine* 125 (octobre 1983), p. 601, fig. 25. Martin Postle, «Leighton's Lost Model: The Rediscovery of Mary Lloyd», *Apollo* 143 (février 1996), pp. 27, 29, fig. 6. Tim Barringer, «Rethinking Delaroche/Recovering Leighton», *Victorian Studies* 44 (automne 2001), pp. 1-2, 9-10n12, fig. 1.

Ex collection
[Tooth, London, until 1896; sold to MMA.]

Exhibitions
London, Royal Academy, Summer Exhibition, *May–July, 1895, no. 182 (lent by Sir F. Leighton, Baronet, P.R.A.). Manchester, City Art Gallery, Minneapolis Institute of Arts, and Brooklyn Museum,* Victorian High Renaissance, *September 1, 1978–April 8, 1979, no. 62. London, Royal Academy,* Frederic Leighton, 1830–1896, *February 15–April 21, 1996, no. 120.*

References
[F. G. Stephens], "Fine-Art Gossip," The Athenæum, *no. 3514 (March 2, 1895), p. 290. [F. G. Stephens], "The Royal Academy (First Notice),"* The Athenæum, *no. 3523 (May 4, 1895), p. 576.* The Times, *May 4, 1895, p. 12. M. H. Spielmann, "The Royal Academy Exhibition, I,"* Magazine of Art *(1895), p. 243. Edgcumbe Staley,* Lord Leighton of Stretton, P.R.A. *(London, 1906), pp. 159, 215–16, 249. Leonée Ormond and Richard Ormond,* Lord Leighton *(New Haven, 1975), pp. 129, 173, no. 390, pl. 185. Ian Jenkins, "Frederic Lord Leighton and Greek Vases,"* Burlington Magazine *125 (October 1983), p. 601, fig. 25. Martin Postle, "Leighton's Lost Model: The Rediscovery of Mary Lloyd,"* Apollo *143 (February 1996), pp. 27, 29, fig. 6. Tim Barringer, "Rethinking Delaroche/Recovering Leighton,"* Victorian Studies *44 (Autumn 2001), pp. 1–2, 9–10n12, fig. 1.*

Anton Raphael Mengs

Allemand, né à Aussig, en Bohême, le 12 mars 1728; mort à Rome, le 29 juin 1779
German, born Aussig, Bohemia, March 12, 1728; died Rome, June 29, 1779

Mengs était le fils et fut l'élève d'Ismael Mengs, peintre de la cour de Frédéric-Auguste II, électeur de Saxe. A l'automne 1740, Ismael emmène sa famille à Rome, où son fils étudie la sculpture antique ainsi que la peinture de la Renaissance et du baroque, fréquentent les ateliers de Sebastiano Conca et de Marco Benefial. De retour à Dresde fin 1744, Anton Raphael s'engage dans une carrière de pastelliste, prenant modèle, pour ses portraits, sur l'œuvre de la célèbre artiste vénitienne Rosalba Carriera, dont les pastels figuraient en bonne place dans les collections de l'électeur. Entre 1746 et 1749, il est de nouveau en Italie, avec sa famille; il visite Parme, Bologne, Venise, et apprend à mieux connaître Rome, où il se convertit au catholicisme, avant d'épouser Margherita Guazzi, qui était son modèle. Repartant pour Dresde, Mengs y travaille principalement à des portraits de la cour peints à l'huile, avant de recevoir une commande de l'électeur pour trois peintures d'autel destinées à la nouvelle Hofkirche. Il est ainsi autorisé à effectuer un troisième voyage d'étude en Italie et, après avoir été nommé *Hofmaler*, part pour Venise et Rome en 1751. Il ne revint jamais. Son *Ascension du Christ* pour le maître-autel de la Hofkirche, commencée en 1756, fut achevée à Madrid en 1766.

Après sa rupture avec la cour de Saxe au milieu des années 1750, Mengs dut accepter de nouvelles commandes de portraits, provenant, pour beaucoup, d'aristocrates anglais qui effectuaient alors le Grand Tour. A l'occasion, il se fit aussi marchand d'art et d'antiquités. En 1757, il commence à travailler à sa première fresque, *La Glorification de saint Eusèbe*, pour la voûte de l'église romaine du même nom, qui est accueillie avec enthousiasme. Il entreprend le voyage de Naples à l'automne 1759 pour y peindre la famille du roi Charles III, avant le retour de celle-ci pour l'Espagne. Durant son séjour, il rassemble une collection de vases antiques et étudie les peintures murales mises au jour à Herculanum. Dès son retour à Rome, Mengs accepte une commande du cardinal Alessandro Albani, pour décorer les plafonds de la salle de bal dans la villa du prélat (aujourd'hui Villa Torlonia), avec une vue du *Parnasse*, qu'il achèvera en 1761, dans un style tout imprégné de classicisme, portant la marque indélébile de Raphaël.

Mengs was the son and pupil of Ismael Mengs, court painter to Friedrich August II, elector of Saxony. In the autumn of 1740 Ismael took his family to Rome, where his son studied antique sculpture as well as Renaissance and Baroque painting and attended the studios of Sebastiano Conca and Marco Benefial. Returning to Dresden late in 1744, Anton Raphael embarked on a career as a pastelist, modeling his portraits on the work of the celebrated Venetian Rosalba Carriera, whose pastels were well represented in the electoral collections. Between 1746 and 1749 he was again with his family in Italy, visiting Parma, Bologna, and Venice as well as Rome, where he converted to Catholicism and married Margherita Guazzi, who had been his model. Once more in Dresden, Mengs worked principally on court portraits in oils until he received a commission from the elector for three altarpieces for the new Hofkirche. He was thereby afforded the opportunity to make a third study trip to Italy and, having been appointed Hofmaler, *departed for Venice and Rome in 1751, never to return. His* Ascension of Christ *for the high altar of the Hofkirche, begun in 1756, was completed in Madrid in 1766.*

After breaking with the Saxon court in the mid-1750s, Mengs found it necessary to accept additional portrait commissions, many from English aristocrats on the Grand Tour, and occasionally he also acted as a dealer in art and antiquities. In 1757 he began work on his first fresco, The Glorification of Saint Eusebius, *for the vault of the Roman church of the same name, which was received with acclaim. He traveled to Naples in the autumn of 1759 to paint the family of King Carlos III before their departure for Spain, and while there he formed a collection of antique vases and studied the ancient wall paintings unearthed at Herculaneum. Upon his return to Rome, Mengs accepted a commission from Cardinal Alessandro Albani to decorate the ballroom ceiling of the cardinal's villa (now the Villa Torlonia) with a view of Parnassus, which he completed in 1761 in a classical revival style that is indelibly influenced by Raphael.*

Carlos III called both Mengs and Giovanni Battista Tiepolo to work at the Palacio Real in Madrid. While

Giovanni Battista Tiepolo et Mengs sont tous deux appelés par Charles III pour travailler au Palacio Real à Madrid. Si Tiepolo obtient la commande pour le plafond de la salle du trône, Mengs, en 1762 et 1763, commence à peindre plusieurs fresques de plus petites dimensions, dont *La Naissance d'Aurore*, pour l'un des appartements de la reine mère Isabelle Farnèse, ainsi que *La Réception d'Hercule et l'Assemblée des dieux*. Un certain nombre de beaux portraits des enfants royaux datent aussi de cette période. En 1769, sa santé déclinant, Mengs, qui a été nommé en 1766 *primer pintor de cámara*, demande à être relevé de ses fonctions et, après quelques mois de voyage, revient à Rome, où on lui commande, en 1771, la décoration de la Camera dei Papiri de la Bibliothèque vaticane. En 1774, de nouveau à Madrid, il travaille à une fresque représentant *L'Apothéose de Trajan* pour le Palacio Real. Puis, une dernière fois, il quitte l'Espagne pour l'Italie, où il meurt deux ans plus tard, âgé de 51 ans, vraisemblablement d'un empoisonnement au plomb.

25 Johann Joachim Winckelmann

Huile sur toile, 63,5×49,2 cm, peinte vers 1777
Inscription (sur le dos du livre, en grec): ILIAD
Fonds Harris Brisbane Dick, 1948 (48.141)

Mengs fut l'ami et le disciple de Johann Joachim Winckelmann (1717-1768), l'écrivain et archéologue allemand à qui est attribuée la redécouverte de l'art grec. Winckelmann, né pauvre dans la ville brandebourgeoise de Stendal, fit ses études de latin, de grec et de théologie dans les universités de Halle et d'Iéna, et vécut modestement, donnant des cours et des leçons particulières, jusqu'en 1748. Cette année-là, le comte Heinrich von Bünau, bibliophile, l'engage comme bibliothécaire, et Winckelmann s'installe dans la propriété de Bünau à Nöthnitz, en Saxe. Nöthnitz est voisine de Dresde, où Winckelmann se fait connaître des écrivains et des peintres de la cour de Frédéric-Auguste II, étudiant à loisir les splendides collections d'art qui y sont rassemblées. C'est de retour à Dresde qu'il publie, en 1755, *Pensées sur l'imitation des œuvres grecques en peinture et en sculpture* (*Gedanken über die Nachahmung der griechischen Werke in der Malerei und Bildhauerkunst*).

Totalement absorbé par l'étude de l'Antiquité classique, Winckelmann abjure la foi luthérienne pour se convertir au catholicisme et, grâce à ses relations dans la hiérarchie de l'Église, finit par rejoindre Rome, d'où il est censé tenir la cour de Saxe au courant des dernières découvertes archéologiques, plus particulièrement celles d'Herculanum. Il entre alors au service du cardinal Albani, furieux collectionneur d'antiquités, qui deviendra le mécène de Mengs. En 1760, Winckelmann publie une étude sur les pierres gravées antiques qui fera date et, en 1764, son œuvre la plus importante, l'*Histoire de l'Art chez les Anciens* (*Geschichte der Kunst des Altertums*). Apportant à ses écrits sur l'art grec son excellente connaissance de la littérature et de la culture, il souligne la singulière importance du nu

Tiepolo was awarded the commission for the ceiling of the throne room, in 1762 and 1763 Mengs began painting several smaller frescoes, including The Birth of Aurora, *for one of the apartments of the queen mother, Isabella Farnese, as well as* The Reception of Hercules *and the Assembly of the Gods. A number of fine portraits of the royal children also date to this period. In 1769, his health in decline, Mengs, who in 1766 had been named* primer pintor de cámara, *asked to be relieved of his duties and returned after some months of travel to Rome, where in 1771 he was commissioned to decorate the Camera dei Papiri in the Biblioteca Vaticana. Once more in Madrid in 1774, he worked in the royal palace on a fresco representing* The Apotheosis of Trajan. *He left Spain for Italy for the last time in 1777 and died two years later at the age of fifty-one, apparently from lead poisoning.*

25 *Johann Joachim Winckelmann*

Oil on canvas, 63.5×49.2 cm, painted about 1777
Inscribed (on the spine of the book, in Greek): ILIAD
Harris Brisbane Dick Fund, 1948 (48.141)

Mengs was a friend and disciple of Johann Joachim Winckelmann (1717–68), the German writer and archaeologist who is credited with the rediscovery of Greek art. Winckelmann, born into poverty in the town of Stendal in Brandenburg, was educated in Latin, Greek, and theology at the universities of Halle and Jena and lived modestly as a teacher and tutor until 1748. In that year the bibliophile Graf Heinrich von Bünau engaged him as a librarian, and Winckelmann moved to Bünau's estate at Nöthnitz in Saxony. Nöthnitz is near Dresden, where Winckelmann made himself known to writers and painters at the electoral court of Friedrich August II and also studied the splendid art collections. He later moved to Dresden, and there, in 1755, published Thoughts on the Imitation of Greek Works in Painting and Sculpture (*Gedanken über die Nachahmung der griechischen Werke in der Malerei und Bildhauerkunst*).

Unswervingly dedicated to the study of classical antiquity, Winckelmann converted from the Lutheran faith to Catholicism and, through connections in the church hierarchy, finally made his way to Rome, where he was to report to the Saxon court on the newest archaeological discoveries, especially at Herculaneum. He soon entered the service of the same Cardinal Albani, a voracious collector of antiquities, who would become a patron of Mengs. In 1760 Winckelmann published a seminal study of antique engraved gems and in 1764, his most important work, The History of Ancient Art (*Geschichte der Kunst des Altertums*). *Bringing to his writings on Greek art an expert knowledge of the literature and culture, he focused on the singular importance of the male*

masculin dans son contexte classique et homoérotique. Pour lui, l'art classique de la Grèce ancienne est supérieur à l'art hellénistique et à l'art romain, et c'est en tant que spécialiste de l'Antiquité qu'il soutient l'émergence du style néoclassique.

Dans les jours qui suivent son arrivée à Rome, en novembre 1755, Winckelmann rencontre Mengs, qui, bien qu'il soit son cadet de dix ans, a passé ses années d'apprentissage dans la capitale italienne. Les deux hommes viennent aussi de la cour de Dresde. Pendant six années, ils passent ensemble une grande partie de leur temps, partageant souvent les mêmes intérêts et les mêmes connaissances parmi les artistes et les étrangers en visite à Rome (Winckelmann faisait aussi fonction de cicérone et de marchand d'art). Mengs portait à Winckelmann une grande admiration. C'est par lui qu'il acquit son vaste savoir sur l'Antiquité et c'est sous son influence qu'il devint, lui aussi, écrivain et théoricien de l'art. Winckelmann, quant à lui, qualifiait le peintre de phénix ressuscité des cendres de Raphaël. Au début des années 1760, à peu près au moment du départ de Mengs pour l'Espagne, c'est la rupture entre les deux hommes, déclenchée par la question d'une fausse fresque antique, apparue sur le marché de l'art local, puis acceptée et publiée comme authentique par Winckelmann. Beaucoup plus tard, il fut prouvé qu'elle avait été peinte par Mengs. En 1768, après douze années passées en Italie, Winckelmann pousse jusqu'à Vienne, sur le chemin de l'Allemagne, mais décide alors d'annuler son voyage et revient à Trieste. C'est dans une chambre du plus grand hôtel de cette ville, tandis qu'il attend un navire en partance, qu'il est brutalement assassiné par un voyou, sans doute à la suite d'une rencontre homosexuelle. Le meurtre du grand archéologue fait grand bruit, et sa perte est profondément ressentie.

Dans ses lettres à divers correspondants, Winckelmann mentionne et décrit des portraits de sa personne peints à Rome: le plus ancien, qu'on peut dater de 1760 et qui n'est connu que par sa seule description, est dû à l'artiste danois Peder Als; les portraits les plus célèbres, souvent reproduits par la gravure, furent peints par Angelika Kauffmann, en 1764 (Kunsthaus Zürich), et par un élève autrichien de Mengs, Anton von Maron, qui commença le sien en 1767 (Kunstsammlungen zu Weimar, Schlossmuseum). La tradition voulait que l'œuvre ici présentée eût été réalisée entre 1755 et 1761, mais Winckelmann, dans sa volumineuse correspondance, ne mentionne aucun portrait de lui par Mengs; Hans Diepolder et Walter Rehm, éditeurs des lettres de l'archéologue, ainsi que la spécialiste de Mengs, Steffi Roettgen, en concluent qu'il doit s'agir d'un hommage posthume.

En 1777, Johann Friedrich Reiffenstein commanda au jeune sculpteur allemand Friedrich Wilhelm Doell un buste en mémoire de Winckelmann. Doell, ne l'ayant jamais rencontré, utilisa comme modèle un dessin ou une copie de la peinture de von Maron, la dernière qui fut faite du vivant de Winckelmann. Comme il avait bien connu le savant, Mengs fut invité à commenter le plâtre qu'en avait réalisé Doell. Le peintre jugea qu'il manquait de ressemblance et suggéra à Doell de recommencer sous son conseil, en s'inspirant d'une copie en plâtre d'un buste romain (qu'on pensait alors être celui de Cicéron) que possédait Mengs. Un bronze du second buste de Doell, coulé par

nude in its classical, homoerotic context. He found the classic art of ancient Greece superior to Hellenistic and Roman art and, as an antiquarian, endorsed the emergent Neoclassical style.

Within days of his arrival in Rome in November 1755, Winckelmann met Mengs, who, although his junior by a decade, had spent his formative years in the Italian capital. Both had come from the court at Dresden. For six years they were together often, sharing a variety of interests and a wide acquaintance among artists and foreign visitors to Rome (Winckelmann frequently acted as both a cicerone and an art dealer). Mengs greatly admired Winckelmann, through whom he acquired extensive knowledge of the antique and under whose influence he too became a writer and art theorist. Winckelmann described the painter as a phoenix arisen from the ashes of Raphael. In the early 1760s, at roughly the time of Mengs's departure for Spain, there was a rupture between them over a false antique fresco that appeared on the local art market and that was accepted and published by Winckelmann as an original; much later, it proved to have been painted by Mengs. In 1768, after twelve years in Italy, Winckelmann traveled as far as Vienna on his way to Germany but then canceled his onward journey and returned to Trieste. There, on June 8, while waiting for transportation by sea, he was brutally murdered in his room in the city's principal hotel by a petty criminal in what may have been a homosexual encounter. The murder of the prominent archaeologist was widely reported, and he was deeply mourned.

Winckelmann described in his letters to various correspondents the portraits of himself that had been painted in Rome: the earliest of these, datable to 1760 and known only by description, was by the Danish artist Peder Als; the most famous images, often engraved, are by Angelika Kauffmann, painted in 1764 (Kunsthaus Zurich), and by Mengs's Austrian pupil Anton von Maron, begun in 1767 (Kunstsammlungen zu Weimar, Schlossmuseum). Traditionally, the present work was assigned to the years 1755 to 1761; however, Winckelmann does not mention a portrait of himself by Mengs in his voluminous correspondence, and Hans Diepolder and Walter Rehm, editors of the archaeologist's letters, together with Mengs expert Steffi Roettgen, conclude that it must therefore be a posthumous tribute.

In 1777, when the young German sculptor Friedrich Wilhelm Doell received from J. F. Reiffenstein a commission for a memorial portrait bust of Winckelmann, whom Doell had never met, he used as his model a drawing or copy of Von Maron's painting, the last one made within the scholar's lifetime. As someone who had known Winckelmann well, Mengs was invited to comment on Doell's plaster model; the painter found the resemblance wanting and suggested that Doell begin again under his supervision, taking inspiration from a plaster copy of a Roman bust (then identified as Cicero) that Mengs had in his possession. Doell's second bust survives in the form of a bronze cast by Luigi Valadier (Hessisches Landesmuseum, Kassel). Perhaps inspired by Doell's work, and by images from classical antiquity that reminded him

Luigi Valadier, a subsisté (Kassel, Hessisches Landesmuseum). Inspiré peut-être par l'œuvre de Doell, et par des images de l'Antiquité classique qui lui évoquaient l'ami disparu, Mengs dut peindre ce portrait élégiaque, idéalisé, du célèbre archéologue durant les dernières années de sa propre vie, une sorte de *ricordo*, témoignage de son souvenir personnel. José Nicolás de Azara, qui avait bien connu les deux hommes, et qui fut aussi le premier propriétaire de ce portrait de Winckelmann par Mengs, disait qu'il était «plus beau que ne l'avait été l'homme et pourtant pareil à lui».

KBB

Historique

Don José Nicolás de Azara, marquis de Nibbiano, ambassadeur d'Espagne à Rome (au moins à partir de 1794-†1804). Son neveu, le cardinal Don Dionisio Bardaji y Azara, Rome (1804-1807/1808; vendu à LeBrun). [Jean-Baptiste Pierre LeBrun, Paris, 1807/1808-1810; LeBrun, Notice 1809, nº 217; vente, Paris, LeBrun, 23 mars 1810, nº 186, sous le titre *Le Portrait de Vilkelmann* «de la collection d'Azara», à Leroche pour Arteria.] [Arteria, Vienne, 1810.] Princesse Isabella Lubomirska, Vienne (1810-†1816). Les princes Lubomirski, Lemberg et Cracovie (à partir de 1816). Prince Casimir Lubomirski, Cracovie (au moins à partir de 1905-†1930). Prince Sebastian Lubomirski, Cracovie et Zurich (1930-1947; vendu par l'intermédiaire de Hugelshofer au MMA).

Expositions

Florence, Palazzo Vecchio, *Mostra del ritratto italiano dalla fine del sec. XVI all'anno 1861*, mars-juillet 1911, nº 66 (sous le titre *L'archeologo Winckelmann [?]*, prêt du prince Casimir Lubomirski, Cracovie). Madrid, Musée du Prado, *Antonio Rafael Mengs, 1728-1779*, juin-juillet 1980, nº 29. Philadelphia Museum of Art et Houston, Museum of Fine Arts, *Art in Rome in the Eighteenth Century*, 16 mars - 17 septembre 2000, nº 259.

Bibliographie

Johann Joachim Winckelmann, *Histoire de l'Art chez les Anciens*, trad. M. Huber, 2 vol. in 3º, Paris, 1802-1803, vol. 1 (1802), frontis., gravure d'après la peinture intitulée J. WINKELMANN avec cette légende: «Gravé d'après le Dessin de Salésa fait sur le tableau d'Antoine Raphaël Mengs qui est dans le Cabinet de M. le Chev. D'Azara, Ministre. Plen. Du Roi d'Espagne à Rome». Domenico Rossetti, *Il sepolcro di Winckelmann in Trieste*, Venise, 1823, p. 160. Otto Jahn, «Die Bildnisse Winckelmanns», *Allgemeine Monatsschrift für Wissenschaft und Literatur* 4 (juin 1854), pp. 428-429, 432, 434, 436-437. G. Henry Lodge, éd. et trad., *The History of Ancient Art, Translated from the German of John Winckelmann*, 4 vol., Boston, 1872, vol. 1, p. 138. Walter Rehm et Hans Diepolder, éd., *Johann Joachim Winckelmann: Briefe*, 4 vol., Berlin, 1952-1957, vol. 3 (1956), p. 264, nº 856, vol. 4 (1957), pp. 232, 502-503, nº 125b. Steffi Roettgen, *Anton Raphael Mengs, 1728–1779*, 2 vol., Munich, 1999-2003, vol. 1 (1999), pp. 306-307, 322, nº 237, ill., vol. 2 (2003), pp. 159, 370, fig. III-1, VI-34.

of the friend he had lost, Mengs must have painted this elegiac, idealized portrait of the famous archaeologist in the last years of his own life, as a ricordo or personal memento. José Nicolás de Azara, who was well acquainted with them both and who was also the first owner of Mengs's Winckelmann, described the present work as "handsomer than he, and yet like him."

KBB

Ex collections

Don José Nicolás de Azara, Marqués de Nibbiano, Spanish ambassador to Rome (by 1794–d. 1804). His nephew, Cardinal Don Dionisio Bardaji y Azara, Rome (1804–1807/8; sold to LeBrun). [Jean-Baptiste Pierre LeBrun, Paris, 1807/8–1810; LeBrun, Notice 1809, no. 217; sale, Paris, LeBrun, March 23, 1810, no. 186, as Le Portrait de Vilkelmann *"de la collection d'Azara," to Leroche for Arteria.] [Arteria, Vienna, 1810.] Princess Isabella Lubomirska, Vienna (1810–d. 1816). The Princes Lubomirski, Lemberg and Cracow (from 1816). Prince Casimir Lubomirski, Cracow (by 1905–d. 1930). Prince Sebastian Lubomirski, Cracow and Zurich (1930–47; sold through Hugelshofer to MMA).*

Exhibitions

Florence, Palazzo Vecchio, Mostra del ritratto italiano dalla fine del sec. XVI all'anno 1861, *March–July 1911, no. 66 (as* L'archeologo Winckelmann [?], *lent by Prince Casimir Lubomirski, Cracow). Madrid, Museo del Prado,* Antonio Rafael Mengs, 1728–1779, *June–July 1980, no. 29. Philadelphia Museum of Art and Houston, Museum of Fine Arts,* Art in Rome in the Eighteenth Century, *March 16–September 17, 2000, no. 259.*

References

Johann Joachim Winckelmann, Histoire de l'Art chez les Anciens, *trans. M. Huber, 2 vols. in 3 (Paris, 1802–3), vol. 1 (1802), frontis., an engraving after the painting titled* J. WINKELMANN *and inscribed "Gravé d'après le Dessin de Salésa fait sur le tableau d'Antoine Raphaël Mengs qui est dans le Cabinet de M. le Chev. D'Azara, Ministre. Plen. Du Roi d'Espagne à Rome." Domenico Rossetti,* Il sepolcro di Winckelmann in Trieste *(Venice, 1823), p. 160. Otto Jahn, "Die Bildnisse Winckelmanns,"* Allgemeine Monatsschrift für Wissenschaft und Literatur *4 (June 1854), pp. 428–29, 432, 434, 436–37. G. Henry Lodge, ed. and trans.,* The History of Ancient Art, Translated from the German of John Winckelmann, *4 vols. (Boston, 1872), vol. 1, p. 138. Walter Rehm and Hans Diepolder, eds.,* Johann Joachim Winckelmann: Briefe, *4 vols. (Berlin, 1952–57), vol. 3 (1956), p. 264, no. 856, vol. 4 (1957), pp. 232, 502–3, no. 125b. Steffi Roettgen,* Anton Raphael Mengs, 1728–1779, *2 vols. (Munich, 1999–2003), vol. 1 (1999), pp. 306–7, 322, no. 237, ill., vol. 2 (2003), pp. 159, 370, figs. III-1, VI-34.*

Angelika Kauffmann

Suissesse, née à Coire, canton des Grisons, le 30 octobre 1741; morte à Rome, le 5 novembre 1807
Swiss, born Chur, Graubünden, October 30, 1741; died Rome, November 5, 1807

Le père d'Angelika, Johann Joseph Kauffmann, était artiste et décorateur itinérant, avec lequel, dès son plus jeune âge, elle voyagea, devenant son élève puis assistante, tandis qu'il cherchait des commandes, de la Suisse à l'Italie du Nord. En juin 1762, il l'emmène à Florence; en janvier 1763, à Rome, et en juillet de cette même année, à Naples, où ils demeurent jusqu'au printemps suivant. Pendant son séjour à Naples, Angelika copie les œuvres des collections royales de Capodimonte, pratique qu'elle perpétuera longtemps et qui jouera un rôle important dans sa formation. Elle peint aussi des portraits, dont celui de l'acteur anglais David Garrick (Burghley House Collection, Lincolnshire), qui visite alors l'Italie. Ce portrait, envoyé en 1765 à la Société libre des artistes, à Londres, est sa première œuvre exposée en public. Quittant Rome l'été 1765, les Kauffmann se rendent à Venise, passant par Bologne et Parme. Là, Angelika se sépare de son père pour la première fois, acceptant l'invitation au voyage de Lady Wentworth, épouse du consul d'Angleterre à Venise, qui revient au pays.

Lorsque Angelika arrive à Londres, le 22 juin 1766, elle a 24 ans; peintre de talent, mais aussi chanteuse accomplie, elle parle couramment l'anglais, ainsi que l'allemand, l'italien et le français. Comme elle veut devenir peintre d'histoire, elle a étudié la perspective et l'anatomie (travaillant d'après les sculptures antiques, car, étant femme, elle ne peut dessiner sur le vif le nu masculin, ce qui constitue alors la pratique ordinaire de l'enseignement académique). Elle a déjà eu l'honneur d'être élue à la prestigieuse Académie de Saint-Luc à Rome; elle devient, en 1768, membre fondateur de l'Académie royale de Londres et présente des peintures d'histoire à la première exposition de l'Académie l'année suivante. Entre 1778 et 1780, elle peint des allégories, *Le Génie*, *La Composition*, *La Couleur* et *Le Dessin*, pour l'Académie royale à Somerset House, transférées depuis à Burlington House. Sa richesse considérable lui vint pourtant de ses portraits, de femmes et de groupes familiaux dans leur grande majorité, qui furent toujours très recherchés. Le style classicisant, suave et élégant, qu'elle développa à Londres convenait parfaitement à ce propos.

Angelika's father, Johann Joseph Kauffmann, was an itinerant artist and decorator with whom, from an early age, she traveled as a pupil and assistant as he sought commissions in Switzerland and northern Italy. In June 1762 he took her to Florence, in January 1763 to Rome, and in July 1763 to Naples, where they remained until the following spring. While in Naples Angelika copied works in the royal collection at Capodimonte, a practice which had long been part of her training, and painted portraits, including one of the visiting English actor David Garrick (Burghley House Collection, Lincolnshire) that was sent in 1765 to the Free Society of Artists in London, her first publicly exhibited work. Leaving Rome in the summer of 1765, the Kauffmanns traveled by way of Bologna and Parma to Venice. There Angelika separated from her father for the first time, having received and accepted an invitation to travel with Lady Wentworth, wife of the English Resident in Venice, who was returning home.

When Angelika arrived in London on June 22, 1766, she was twenty-four years old, not only a gifted painter but also an accomplished singer, and fluent in English as well as in German, Italian, and French. In pursuit of her desire to become a history painter, she had studied perspective and anatomy (working from antique sculptures, since, as a woman, she could not draw the nude male model from life, which was standard academic practice). Already honored with election to Rome's prestigious Accademia di San Luca, she became a founder member of the Royal Academy in 1768 and showed history paintings at the first Academy exhibition in the following year. Between 1778 and 1780 she painted allegories of Genius, Composition, Color, *and* Design *for the Royal Academy at Somerset House, since transferred to Burlington House. Her considerable wealth, however, came from portraits, in her case principally of women and family groups, which were always in demand. The mild and elegant classicizing style she developed in London was well suited to the purpose.*

Peu après la mort, en 1780, de son premier mari, un aventurier, elle épouse l'artiste vénitien Antonio Zucchi, plus âgé de quinze ans et qui, en fait, s'occupera de gérer sa carrière. En 1781, ils retournent ensemble en Italie. Après avoir visité Venise, Rome et Naples, et après avoir rejeté l'invitation faite à Angelika par Ferdinand IV et Caroline de devenir peintre de la cour, les Zucchi reviennent à Rome en novembre 1782, et s'installent pour le reste de leur vie dans la capitale. Angelika continue de peindre tant des portraits que des sujets d'histoire, ces derniers étant plus demandés sur le continent. Tandis qu'elle expose en Angleterre, qu'elle a pour clients des Anglais et des Italiens, elle reçoit aussi des commandes de la haute société suisse, autrichienne, allemande, française, russe et polonaise. A la fin de sa vie, elle régnait sur l'école romaine et elle fut, parmi toutes les femmes peintres, l'une des figures les plus importantes.

26 Télémaque et les nymphes de Calypso
Huile sur toile, 82,6×112,4 cm, peinte en 1782
Legs de Collis P. Huntington, 1900 (25.110.188)

Selon l'artiste, cette scène et la suivante (n° 27), toutes deux de la vie de Télémaque, le fils d'Ulysse, sont inspirées non pas de *L'Odyssée*, mais des *Aventures de Télémaque* de Fénelon, publiées pour la première fois en 1699, et qui, durant tout le XVIIIᵉ siècle, connurent un grand succès. Au cours de son voyage à la recherche de son père, Télémaque, guidé par Athéna qui a pris les traits du vieux Mentor, fait naufrage au large de l'île de Calypso. Ici, ses nymphes virevoltent autour du jeune homme, assis près du rivage, et tentent de ranimer ses esprits en lui offrant des fruits, du vin et une guirlande de fleurs. A gauche, la belle Calypso elle-même éloigne le vieux Mentor barbu. Angelika a laissé une description de la peinture dans sa *Memoria delle piture* (sic), où elle a consigné ses commandes depuis octobre 1781:

> per Sua Eccelenza D. Honoratto Gaetani
> Napoli 1782.
> Un quadro di piedi inglesi 3.10 largo, su p. 2.9.
> Rapresenta Telemaco nell'Isola di Calipso, quando la Dea tiene a parte Mentore per dare campo alle sue ninfe di ralegrare Telemaco, una delle qualli (Eucaris) è inamorata di Telemaco.
> pagatto onzie napolitane 100.

La note indique soit que Mᵍʳ Onorato Caetani lui passa cette première commande durant le bref séjour qu'elle fit à Rome en avril 1782, soit qu'il lui fit part de la façon dont il voulait que le sujet fût traité durant les six mois qu'elle passa à Naples, peignant des études pour son portrait de groupe de la famille royale (Naples, Musée et Galerie nationale de Capodimonte), où la toile ici présentée, pour prix de laquelle elle demanda cent onces napolitaines, fut de toute évidence réalisée.

Shortly after the death in 1780 of her first husband, an adventurer, she married the Venetian artist Antonio Zucchi, who was fifteen years her senior and who became, in effect, her manager. Together they returned in 1781 to Italy, where, having visited Venice, Rome, and Naples, and having turned down Ferdinando IV and Carolina's invitation to Angelika to become their court painter, the Zucchis arrived in Rome in November 1782, settling in the capital for the balance of their lives. Angelika continued to paint both portraits and historical subjects, the latter in greater demand on the Continent. While she exhibited in England and had English and Italian clients, she also received commissions from Swiss, Austrian, German, French, Russian, and Polish patrons of the highest rank. She was the reigning artist of the Roman school in her old age and is among the most important of all women painters.

26 Telemachus and the Nymphs of Calypso
Oil on canvas, 82.6×112.4 cm, painted in 1782
Bequest of Collis P. Huntington, 1900 (25.110.188)

According to Kauffmann, this scene and the following one (no. 27), both from the life of Telemachus, son of Odysseus, were based not on the Odyssey but on Fénelon's Télémaque, which was first published in 1699 and remained popular throughout the eighteenth century. In the course of his journey in search of his father, Telemachus, guided by Athena in the guise of Mentor, is shipwrecked off Calypso's island. Here her nymphs hover around Telemachus, who is seated by the shore, and try to raise his spirits with offers of fruit, wine, and a garland of flowers. At left the elderly, bearded Mentor is led away by the beautiful Calypso herself. Angelika describes the picture in her Memoria delle piture (sic), in which she recorded her commissions beginning in October 1781:

> per Sua Eccelenza D. Honoratto Gaetani
> Napoli 1782.
> Un quadro di piedi inglesi 3.10 largo, su p. 2.9.
> Rapresenta Telemaco nell'Isola di Calipso, quando la Dea tiene a parte Mentore per dare campo alle sue ninfe di ralegrare Telemaco, una delle qualli (Eucaris) è inamorata di Telemaco.
> pagatto onzie napolitane 100.

Her notes indicate either that Monsignor Onorato Caetani offered her this first commission during her brief stay in Rome in April 1782 or that he made known his requirements during the six months she spent in Naples, painting studies for her group portrait of the royal family (Museo e Gallerie Nazionali di Capodimonte, Naples), where the present picture, for which she charged one hundred Neapolitan onzie, was evidently painted.

27 La Tristesse de Télémaque

Huile sur toile, 83,2 × 114,3 cm, peinte en 1783
Legs de Collis P. Huntington, 1900 (25.110.187)

Angelika décrit la seconde œuvre dans les termes suivants:

> per sua Eccellenza il Sig.re D. Honoratto Gaettani
> Roma [1783].
> Un quadro di piedi inglesi 3.10 – su 2.9 alto –
> Rapresentante Telemaco nella grotta di Calipso allorché la
> Dea fa sospender il canto alle sue ninfe che lodavano Ulisse
> accordgendosi dell ratristamento di Telemaco che con la
> Dea e Mentore sedevano a tavola godendo del rinfresco
> che Calipso regalava li suoi ospiti – soggetto tiratto dall
> Romanzo dell Telemaco di M.r Fenellon.
> per onzie napolitane 100 – circa zechini 120

Calypso fait donc taire les nymphes qui chantaient les louanges d'Ulysse lorsqu'elle remarque la tristesse qui s'est emparée de Télémaque. Les deux toiles sont composées comme des frises, et les fonds sont construits de la même manière. La seconde toile devait servir de pendant à la première. Les prix et les formats sont identiques. Les sujets correspondent, et les mesures sont peu ou prou équivalentes, c'est-à-dire, sans compter le cadre, 2⅝ par 3⅝ pouces anglais. Les deux œuvres suivent de très près le texte de Fénelon.

Caetani – protonotaire apostolique, savant et écrivain – était le dernier descendant d'une vieille et noble famille romaine. Il avait commandé des portraits de sa personne à Mengs, en 1779, à Pompeo Batoni, en 1782, ainsi qu'à Angelika Kauffmann, en 1783, l'année même où elle entreprit *La Tristesse de Télémaque*. Elle travailla ensuite, toujours en 1783, selon la *Memoria*, à un ensemble de quatre grandes toiles ovales représentant des figures allégoriques (deux toiles traitant de ces mêmes sujets sont aujourd'hui conservées au Schleswig-Holsteinisches Landesmuseum, au château de Gottorf), lesquelles furent peintes à Rome pour Caetani, qui demeurait alors à Naples, puis achevées en janvier 1784, date à laquelle l'artiste lui soumit une note de 858 ducats napolitains pour cinq des six peintures. Neuf mois plus tard, à Naples, elle accepta ce qui allait être la dernière commande de Caetani, un portrait de la duchesse de Corigliano avec son fils et la nurse de celui-ci (localisation inconnue). Par la suite, le nom de Caetani disparaît des comptes de l'artiste.

En août 1787, Angelika était à Rome, travaillant à une peinture pour son amie londonienne Mrs. Brayer (ou Bryer), représentant *Bacchus dictant des vers aux nymphes* (Angleterre, collection particulière), un sujet tiré d'Horace. Le pendant en était une *Tristesse de Télémaque*, plus petite que la toile réalisée pour Caetani, avec un fond quelque peu différent, qu'on retrouva à Vienne sur le marché de l'art en 1998. Une version signée, proche de la toile du Metropolitan Museum, mais plus grande et d'une facture plus lisse, est conservée au Bündner Kunstmuseum Chur. Il s'agit d'une peinture achevée en octobre 1788 pour un certain «duca Pietro di Curlandia» (ainsi est-il nommé dans les notes de l'artiste), qui avait pour pendant *Le Départ d'Adonis pour la chasse* (France, collection particulière). Parmi ses œuvres qu'elle considérait comme les plus réussies, Angelika devait mentionner plusieurs de ces sujets mythologiques.

KBB

27 The Sorrow of Telemachus

Oil on canvas, 83.2 × 114.3 cm, painted in 1783
Bequest of Collis P. Huntington, 1900 (25.110.187)

Angelika describes the second work in the following terms:

> per sua Eccellenza il Sig.re D. Honoratto Gaettani
> Roma [1783].
> Un quadro di piedi inglesi 3.10 – su 2.9 alto –
> Rapresentante Telemaco nella grotta di Calipso allorché
> la Dea fa sospender il canto alle sue ninfe che lodavano
> Ulisse accordgendosi dell ratristamento di Telemaco che
> con la Dea e Mentore sedevano a tavola godendo del rin-
> fresco che Calipso regalava li suoi ospiti – soggetto tiratto
> dall Romanzo dell Telemaco di M.r Fenellon.
> per onzie napolitane 100 – circa zechini 120

She explains that Calypso silences the nymphs who have been singing Odysseus's praises when she sees the sorrow of his son. The compositions are friezes, with similarly constructed backgrounds, and the second picture was intended as a pendant to the first. The prices and sizes are identical. The subjects correspond, while the measurements are roughly equivalent, that is, without frames, 2⅝ by 3⅝ English feet. Both follow Fénelon's text closely.

Caetani—apostolic protonotary (Protonotaio Apostolico), savant, and writer—was a younger son of an ancient and noble Roman family. He commissioned portraits of himself from Anton Raphael Mengs in 1779, from Pompeo Batoni in 1782, and from Kauffmann in 1783, the same year she undertook The Sorrow of Telemachus. Later in 1783, according to the Memoria, she was also working on a set of four large oval canvases representing allegorical figures (two of the same subjects are in the Schleswig-Holsteinisches Landesmuseum, Schloss Gottorf); these were painted in Rome for Caetani in Naples and completed in January 1784, when she submitted her bill of 858 Neapolitan ducats for five of the six pictures. Nine months later, in Naples, she accepted what proved to be a final commission from Caetani, for a portrait of the Duchessa di Corigliano with her son and his nurse (whereabouts unknown). Thereafter Caetani's name disappears from her accounts.

In August 1787 Angelika was at work in Rome on a painting for her London friend Mrs. Brayer (or Bryer) representing Bacchus Dictating Verses to the Nymphs (private collection, England), a subject from Horace. The companion was a Sorrow of Telemachus, a smaller canvas than Caetani's with a somewhat different background, which was on the Vienna art market in 1998. A larger, similar, but more smoothly painted signed version of the Metropolitan Museum's Sorrow of Telemachus is in the Bündner Kunstmuseum Chur. It can be identified with a picture completed in October 1788 for a patron Kauffmann calls "duca Pietro di Curlandia," which had as a pendant The Departure of Adonis for the Hunt (private collection, France). Kauffmann was to list several of these mythologies among her favorite works.

KBB

Historique

Mgr Onorato Caetani, Naples et Rome (à partir de 1782 pour la première et de 1783-1784 pour la seconde). [Haskard, Florence, jusqu'en 1895; vendus à Agnew.] [Agnew, Londres, 1895-1899; vendus à Fischof.] [Eugène Fischof, Paris, à partir de 1899.] Collis P. Huntington, New York (jusqu'à †1900; en usufruit à son épouse, Arabella; à leur fils, Archer, par extinction de l'usufruit en 1925).

Exposition

Athènes, Pinacothèque nationale, Musée Alexander Soutzos, *Treasures from The Metropolitan Museum of Art, New York: Memories and Revivals of the Classical Spirit*, 24 septembre - 31 décembre 1979, n°s 70-71.

Bibliographie

Giovanni Gherardo de Rossi, *Vita di Angelica Kauffmann pittrice*, Florence, 1810. Steffi Roettgen, «I ritratti di Onorato Caetani dipinti da Mengs, Batoni e Angelica Kauffmann», *Paragone* 221 (juillet 1968), pp. 52-71. Anthony Morris Clark, «Roma mi è sempre in pensiero», *in Studies in Roman Eighteenth-Century Painting*, éd. Edgar Peters Bowron, Washington, D.C., 1981, p. 132, fig. 165, 166. Carlo Knight, éd., *La «Memoria delle piture» di Angelica Kauffmann*, Rome, 1998, pp. 15, 18-21.

Ex collections

Monsignor Onorato Caetani, Naples and Rome (from 1782 and from 1783–84). [Haskard, Florence, until 1895; sold to Agnew.] [Agnew, London, 1895–99; sold to Fischof.] [Eugène Fischof, Paris, from 1899.] Collis P. Huntington, New York (until d. 1900; life interest to his wife, Arabella, and to their son, Archer, terminated in 1925).

Exhibition

Athens, National Pinakothiki, Alexander Soutzos Museum, Treasures from The Metropolitan Museum of Art, New York: Memories and Revivals of the Classical Spirit, *September 24– December 31, 1979, nos. 70–71.*

References

Giovanni Gherardo de Rossi, Vita di Angelica Kauffmann pittrice *(Florence, 1810). Steffi Roettgen, "I ritratti di Onorato Caetani dipinti da Mengs, Batoni e Angelica Kauffmann,"* Paragone *221 (July 1968), pp. 52–71. Anthony Morris Clark, "Roma mi è sempre in pensiero," in* Studies in Roman Eighteenth-Century Painting, *ed. Edgar Peters Bowron (Washington, D.C., 1981), p. 132, figs. 165, 166. Carlo Knight, ed.,* La "Memoria delle piture" di Angelica Kauffmann *(Rome, 1998), pp. 15, 18–21.*

Gustav Klimt

Autrichien, né à Baumgarten, près de Vienne, le 14 juillet 1862; mort à Vienne, le 6 février 1918
Austrian, born Baumgarten, near Vienna, July 14, 1862; died Vienna, February 6, 1918

Klimt, fils d'artisan, entre en 1876 à l'Ecole des arts décoratifs de Vienne, où il est formé aux techniques traditionnelles et académiques de la peinture. Sept ans plus tard, il ouvre un atelier avec son frère Ernst et Franz Matsch, qui ont tous deux été ses condisciples. En 1886, les trois artistes reçoivent leur première commande importante à Vienne: il s'agit de décorer à la fresque les plafonds des escaliers du nouveau Burgtheater, avec des scènes tirées de l'histoire du théâtre. En 1890, ils sont invités par Karl Hasenauer, l'un des deux architectes du Kunsthistorisches Museum, à achever la décoration de l'escalier, commencée par Hans Makart et Mihály de Munkácsy, un projet auquel Gustav Klimt contribuera par la réalisation de onze figures allégoriques inspirées par la peinture italienne de la Renaissance et par les arts de la Grèce et de l'Egypte antiques. Les peintures de Gustav pour le musée montrent qu'il avait acquis une vaste connaissance de l'art ancien et moderne, y compris des divers mouvements de l'avant-garde européenne.

Le succès du groupe est tel qu'en 1894 le ministre de l'Education fait à Matsch et à Klimt l'honneur d'une commande pour le plafond de la salle des fêtes de l'Université de Vienne. Cinq sujets au total sont prévus, dont deux sont confiés à Matsch et trois à Klimt (la Jurisprudence, la Philosophie et la Médecine). Lorsque Klimt les soumet à la commission ad hoc, ses études pour les trois peintures destinées à l'Université sont reçues avec consternation. Les membres de la commission exigent de l'artiste une plus grande clarté dans ses dessins préparatoires et insistent pour que la figure distordue du nu féminin, au centre de l'esquisse de la *Médecine* (collection particulière), qualifiée d'obscène et d'insultante par un critique, soit drapée ou remplacée par une figure masculine. Klimt n'effectua jamais ces changements, et bien que les peintures en grande partie achevées eussent été acceptées pour clore la commande, il devint évident, au regard des protestations du public, qu'elles ne seraient jamais installées au plafond pour lequel elles avaient été conçues. La façon dont Klimt appréhendait la figure féminine, avec son érotisme sans fard et torturé, allait au-delà de la compréhension d'un trop grand nombre de ses contemporains et heurtait leur sensibilité. En 1905, il renvoya ses

Klimt, the son of an artisan, entered Vienna's Kunstgewerbeschule in 1876 and was trained there in traditional academic painting practices. Seven years later he set up a studio with his brother Ernst and with Franz Matsch, both of whom had been his fellow students. In 1886 the three artists received their first important commission in Vienna: to fresco the stair halls of the new Burgtheater with scenes from the history of the theater. They were invited in 1890 by Karl Hasenauer, one of the two architects of the Kunsthistorisches Museum, to finish the decoration of the stair hall begun by Hans Makart and Mihály de Munkácsy, a project toward the completion of which Gustav Klimt contributed eleven figures personifying aspects of Egyptian and Greek art and of Italian Renaissance painting. It is evident from Gustav's paintings for the museum that he had wide-ranging knowledge of ancient and modern art, including the various northern European and western European avant-garde movements.

The group's success was such that in 1894 the Ministry of Education honored Matsch and Gustav Klimt with a commission to paint the ceiling of the aula, or great hall, of Vienna University. There were to be five subjects in all, of which two were assigned to Matsch and three to Klimt (Jurisprudence, Philosophy, and Medicine). The studies for the three paintings for the university that Klimt submitted to the appropriate commissions for review in 1898 were received with consternation. The commissioners demanded that the artist introduce greater clarity into his designs and insisted that the twisted, nude female figure at the center of the sketch for Medicine *(private collection), described by one critic as obscene and mocking, be draped or replaced with that of a man. Klimt never made these changes, and although the largely finished paintings were accepted in fulfillment of the commission, it became clear that, on account of the public outcry the works engendered, they would never be installed in the ceiling for which they had been intended. The bold, tortured eroticism of Klimt's engagement with the female figure was beyond the comprehension of, and offensive to, the sensibility of*

honoraires. Deux des trois esquisses, ainsi que les grandes peintures représentant *La Philosophie* et *La Jurisprudence*, intégrèrent la collection d'August Lederer et de son épouse, Serena, sujet du présent portrait.

Si, dans les années 1890 et au tournant du siècle, Klimt affichait avec ses peintures murales et ses allégories un désir délibéré de choquer le public, il travaillait encore, en tant que portraitiste et peintre de paysage, dans les limites fixées par la convention. Pour les paysages, il affectionnait les toiles de format carré sur lesquelles, d'une touche égale, il donnait peu à peu naissance à des effets de surface plus légers et mouchetés. Pour les portraits, il avait d'abord utilisé les techniques descriptives traditionnelles et une palette plutôt sombre. A partir de 1899, les visages et les costumes sophistiqués, blancs et flottants de ses élégants modèles – Serena Lederer, Hermine Gallia, Margaret Stonborough-Wittgenstein et Fritza Riedler –, s'ornèrent de légers motifs, peints en touches minutieuses et délicatement colorées, dans un cadre ouvert et plus abstrait.

Klimt fait partie du groupe d'artistes désirant rompre avec le passé et embrasser le modernisme qui se retirent du Künstlerhaus (qui était en Autriche une sorte d'équivalent du Salon) et fondent, en 1897, la Sécession, dont il devient le premier président. En 1906, Klimt et dix-huit autres membres se séparent de la Sécession pour fonder une organisation parallèle et, en 1908, ils commanditent la première Kunstschau. Klimt y expose *Le Baiser* (Vienne, Österreichische Galerie), qui est acheté par la ville grâce à une souscription publique. En même temps, le style nouveau trouve sa pleine expression dans les arts décoratifs et dans les productions de la Wiener Werkstätte, l'Atelier viennois, fondé en 1903, auquel Klimt sera plus ou moins associé.

Lors de la XIVᵉ exposition de la Sécession, au printemps 1902, la sculpture polychrome grandeur nature de *Beethoven* (Leipzig, Museum der Bildenden Künste), due au sculpteur de Leipzig Max Klinger, est pour la première fois présentée au public. Klimt est présent avec ses grandes peintures murales qui ouvrent l'exposition, la fameuse *Frise Beethoven* (Vienne, Österreichische Galerie), pour laquelle il emploie aussi bien la peinture à la caséine que l'or ou d'autres matériaux réfléchissants, afin de créer un contraste entre surfaces mattes et miroitantes. Il puise ses références à des sources aussi diverses que les peintures funéraires égyptiennes, les mosaïques byzantines et le somptueux graphisme linéaire de l'illustrateur anglais Aubrey Beardsley. Des motifs métalliques aux formes acérées, aux couleurs éclatantes, viennent rehausser les lignes sinueuses de nus pâles, de face ou de profil, en un style qu'on identifiera bientôt à l'artiste, ce «style doré» de la première décennie du XXᵉ siècle, pour lequel, à l'époque, il était aussi loué que vilipendé, et pour lequel, aujourd'hui, il est justement célèbre. Dans

too many of the artist's Viennese contemporaries. In 1905 he returned his fee. Two of three sketches and the large pictures with corresponding subjects, Philosophy *and* Jurisprudence, *passed into the collection of August Lederer and his wife, Serena, who is the subject of this portrait.*

In the 1890s and at the turn of the century, while Klimt displayed a willful desire to shock the public with his murals and allegories, as a portraitist and landscape painter he was still working within the limits of convention. For landscapes, he preferred square canvases in which smooth brushwork gave way gradually to lighter, more dappled surface effects. He had at first used traditional descriptive techniques and a fairly dark range of colors for his portraits. Beginning in 1899, the faces and the elaborate, unstructured white costumes of his elegant sitters—Serena Lederer, Hermine Gallia, Margaret Stonborough-Wittgenstein, and Fritza Riedler—were painted in patterns of minute, delicately colored strokes, with open and more abstract settings.

Klimt had been among those who, wishing to break with the past and embrace modernism, withdrew from the Austrian Künstlerhaus in 1897 to found the Secession, of which he became the first president. In 1906 he and eighteen others withdrew to form a parallel organization, and in 1908 they sponsored the first major Kunstschau. He exhibited The Kiss *(Österreichische Galerie, Vienna), which was acquired for the city with funds raised by public subscription. Simultaneously, the new style saw its fullest expression in the decorative arts in the products of the Wiener Werkstätte, or Vienna Workshops, established in 1903, with which Klimt was also loosely associated.*

At the XIV Secession exhibition in the spring of 1902, the full-size polychrome sculpture of Beethoven *(Museum der Bildenden Künste, Leipzig) by the Leipzig sculptor Max Klinger was given its first showing. Klimt provided wall paintings for the introductory gallery, the so-called* Beethoven Frieze *(Österreichische Galerie, Vienna), in which he combined casein paint with gold and other reflective materials to create contrasting matte and shimmering surfaces. For precedents he looked to works of art as diverse as Egyptian tomb paintings, Byzantine mosaics, and the sumptuous linear graphic art of the English illustrator Aubrey Beardsley. Hard, colorful metallic patterns set off the sinuous contours of pale nudes, frontal or in profile, in a style that is prototypical for Klimt, the so-called golden style of the first decade of the twentieth century, for which at the time he was both celebrated and denigrated, and for which he is now justly famous. In Klimt's late works, both portraits and landscapes, the decorative, patterned surfaces are softly colored, more naturalistic,*

les dernières œuvres de Klimt, dans ses portraits aussi bien que dans ses paysages, les surfaces décoratives, à motifs, sont doucement colorées, plus naturalistes, et reflètent parfois l'introversion mélancolique du temps de la Grande Guerre. Klimt ne devait pas survivre au conflit. Il meurt le 6 février 1918, à Vienne, où il est enterré, au cimetière de Hietzinger.

28 Serena Pulitzer Lederer

Huile sur toile, 190,8×85,4 cm, peinte en 1899
Signée (en bas à droite): *GVSTAV / KLIMT*
Achat, Fonds Wolfe, Fonds Rogers et Munsey, don de Henry Walters, legs de Catharine Lorillard Wolfe et de Collis P. Huntington, par échange, 1980 (1980.412)

Serena Pulitzer, d'origine juive et hongroise, était née à Budapest, le 20 mai 1867. Elle y avait épousé, le 5 juin 1892, l'industriel August Lederer, et c'est là qu'elle décéderait le 27 mars 1943. Lederer était propriétaire d'une distillerie, la Raaber Spiritusfabrik und Raffinerie, située à mi-chemin entre Vienne et Budapest, à Raab (Győr en hongrois), où le couple possédait une maison de campagne. Ils eurent trois enfants, Elizabeth, Erich, qui devait devenir l'un des plus importants mécènes du peintre expressionniste autrichien Egon Schiele, et Fritz. Selon Erich Lederer, que Sir John Pope-Hennessy persuada de vendre cette peinture au Metropolitan Museum, la commande de ce portrait, qui date de 1899 et pour lequel son père paya la somme colossale de trente-cinq mille couronnes, fut à l'origine de l'association entre les Lederer et Klimt, qui devait durer toute la vie de l'artiste.

Plus tard, Frau Lederer étudia avec Klimt, tandis qu'Erich prenait des leçons auprès de Schiele. Entre 1914 et 1916, Klimt peignit la fille du couple, Elizabeth Bachofen-Echt (Kunstmuseum Basel), et, en 1917, la mère de Frau Lederer, Charlotte Pulitzer (localisation inconnue). Ces mêmes années, Schiele négocia l'achat, pour les Lederer, de la *Frise Beethoven* auprès d'un autre collectionneur privé, et Klimt, pour les remercier, leur présenta quelque cent cinquante dessins préparatoires de l'œuvre. Vingt-cinq feuilles que les Lederer avaient achetées à Klimt furent publiées en fac-similé en 1919, tandis que, peu après la mort du peintre, Serena Lederer achetait en bloc deux cents dessins de la succession Klimt exposés par Gustav Nebehay dans sa galerie de l'Hôtel Bristol, à Vienne. Outre la peinture moderne et les arts décoratifs, les Lederer collectionnaient les bronzes Renaissance, dont l'un est aujourd'hui conservé au Victoria and Albert Museum, et les peintures italiennes sur fond d'or, dont l'une appartient désormais au J. Paul Getty Museum de Los Angeles, ainsi que des meubles anciens.

Femme d'une grande beauté, élégante, cultivée, passionnée d'œuvres d'art et extrêmement riche, telle était Serena, le modèle. Klimt ne put qu'être fasciné, et l'image qu'il en compose s'inscrit dans une veine nouvelle et délicate. Aux yeux d'un critique contemporain, elle évoquait une tulipe noire sur une tige nue. De nombreux dessins préparatoires sont attestés. On dit que l'artiste trouva une source d'inspiration dans la

and occasionally reflective of the melancholy introversion of the World War I era. Klimt did not survive the war; he died on February 6, 1918, in Vienna and was buried there in the Hietzinger Friedhof.

28 Serena Pulitzer Lederer

Oil on canvas, 190.8×85.4 cm, painted in 1899
Signed (lower right): GVSTAV / KLIMT
Purchase, Wolfe Fund, and Rogers and Munsey Funds, Gift of Henry Walters, and Bequest of Catharine Lorillard Wolfe and Collis P. Huntington, by exchange, 1980 (1980.412)

Serena Pulitzer, of Hungarian-Jewish descent, was born in Budapest on May 20, 1867. There, on June 5, 1892, she married the industrialist August Lederer, and there she died on March 27, 1943. Lederer owned a distillery, Raaber Spiritusfabrik und Raffinerie, that was located midway between Vienna and Budapest in Raab (Győr in Hungarian), where the couple had a country house. Their three children were Elizabeth, Erich, who was to become one of the Austrian Expressionist Egon Schiele's most important patrons, and Fritz. According to Erich Lederer, whom Sir John Pope-Hennessy persuaded to sell this picture to the Museum, the commission for the portrait, which dates to 1899 and for which his father paid the enormous price of thirty-five thousand kronen, initiated an association between the Lederers and Klimt that lasted the balance of the artist's life.

Later, Frau Lederer studied with Klimt while Erich took lessons from Schiele. Between 1914 and 1916 Klimt painted the couple's daughter, Elizabeth Bachofen-Echt (Kunstmuseum Basel), and in 1917 Frau Lederer's mother, Charlotte Pulitzer (whereabouts unknown). During these years Schiele arranged for the Lederers to buy the Beethoven Frieze from another private collector, and Klimt thankfully presented to them some one hundred fifty related preparatory drawings. Twenty-five sheets that the Lederers had bought from Klimt were published in facsimile in 1919, while shortly after the painter's death, Serena Lederer purchased en bloc two hundred drawings from Klimt's estate that Gustav Nebehay exhibited at his gallery in the Hotel Bristol, Vienna. In addition to modern paintings and decorative arts, August and Serena collected Renaissance bronzes, one of which is in the Victoria and Albert Museum, London; Italian gold-ground pictures, one of which belongs to the J. Paul Getty Museum, Los Angeles; and antique furniture.

The sitter was beautiful, elegant, cultivated, passionate about works of art, and exceedingly wealthy. Klimt can only have been fascinated, and his image of her is in a new and delicate vein. A contemporary critic was reminded of a black tulip on a leafless stem. Many preparatory drawings for the portrait are recorded. It is said that the artist found inspiration in James McNeill Whistler's 1862 Symphony in White,

Symphonie en blanc, N° 1: La Jeune Fille blanche de James McNeill Whistler (1862, Washington, D.C., National Gallery of Art), qui avait été exposée en 1863 à Londres et à Paris, au Salon des refusés, puis envoyée en 1875 aux Etats-Unis. Klimt admirait Whistler, mais il est difficile d'imaginer que les effets de couleur de son œuvre puissent être redevables à une reproduction du XIXᵉ siècle. Le portrait de Serena Lederer, qui est dans son cadre d'origine, ressemble, dans sa manière, à celui, plus traditionnel, de Sonia Knips en robe rose (Vienne, Österreichische Galerie), datant de 1898, ainsi qu'à son *Schubert au piano*, datant de 1899, dont une version (détruite en 1945) appartenait à Frau Lederer, et pour lequel on rapporte qu'elle aurait prêté aux modèles des costumes provenant de sa propre garde-robe. (Elle comptait parmi les élégantes clientes du Salon Breier sur l'Opernring.) On doit aussi relier ce portrait à l'esquisse très originale de la *Jurisprudence* (détruite en 1945) – triomphante femme brune, les bras minces levés, portant une fine épée, vêtue d'une robe blanche et enveloppée dans l'arc d'une draperie flottante –, qui ne doit rien à Whistler, et qui fut sans doute complétée dès le mois de mai 1898 et appartint plus tard aux Lederer.

En 1938 ou vers cette date, les Lederer obtinrent la permission d'expatrier leurs portraits de famille, tandis que le reste de la collection, au titre des biens juifs, était confisqué par l'Etat. Les intérêts commerciaux de la famille furent saisis la même année. Durant la plus grande partie de 1939, Frau Lederer résida à l'Hôtel Sacher, à Vienne, puis elle dut fuir le pays pour sa Hongrie natale. En 1944, quinze pièces de Klimt saisies aux Lederer furent mises en sécurité au château d'Immendorf, que les troupes allemandes, battant en retraite devant les Russes, incendièrent en mai 1945, brûlant ainsi les œuvres. Les Klimt de la collection Lederer comptaient parmi les plus belles pièces de l'artiste en mains privées, et leur destruction constitue la perte la plus considérable qu'a subie l'art autrichien durant la Seconde Guerre mondiale.

KBB

No. 1: The White Girl (*National Gallery of Art, Washington, D.C.*), which had been exhibited in 1863 in London and at the Paris Salon des Refusés and had been sent in 1875 to the United States. Klimt admired Whistler, but it is difficult to imagine that the color effects of that work could have been conveyed by a nineteenth-century reproduction. Serena Lederer's portrait, which is in its original frame, is similar in handling to Klimt's more traditional 1898 portrait of Sonia Knips (*Österreichische Galerie, Vienna*) in a pink dress and to his 1899 Schubert at the Piano, *a version of which* (destroyed 1945) *belonged to Frau Lederer, and for which she is reported to have lent the models costumes from her own wardrobe.* (She was among the stylish clients of the Salon Breier in the Opernring.) *It also relates to the highly original and un-Whistler-esque sketch for* Jurisprudence (*destroyed 1945*)—*a triumphant dark-haired woman with slender, upraised arms and a narrow sword, robed in white and enveloped in a long arc of billowing drapery—which was presumably completed not later than May 1898 and later belonged to the Lederers.*

In or about 1938, permission was given for the export of the family portraits, while the balance of the collection, as Jewish property, was forfeited to the state. The Lederer business interests were seized in the same year. Frau Lederer stayed at the Hotel Sacher in Vienna during much of 1939 and then fled to her native Hungary. In 1944 fifteen Klimts that had been seized from the Lederers were taken for safe-keeping to Schloss Immendorf, where, in May 1945, as the Russians approached, retreating German troops set fire to the castle, burning these works of art. The Lederer Klimts had been the finest holding of the artist's work in private hands, and their destruction constituted the most significant loss of Austrian art sustained during World War II.

KBB

Historique

August et Serena Lederer, Bartensteingasse 8, Vienne (1899-†1936 A. Lederer). Serena Lederer, Bartensteingasse 8, Vienne (1936-†1943). Erich Lederer, Genève (1943-1980; vente, Dorotheum, Vienne, 18 mars 1948, n° 76, sous la mention «Bildnis einer stehenden Dame in weissem Gesellschaftskleid vor hellgrauem Hintergrund», retiré de la vente; prêté au Kunstmuseum Basel, 1949-1980; vendu au MMA).

Exposition

Vienne, Sécession, *X Ausstellung*, 15 mars - 12 mai 1901, n° 66 (sous le titre *Bildnis Serena Lederer*).

Bibliographie

Ver Sacrum 4, 15 mars 1901, p. 155, ill. Ludwig Hevesi, *Acht Jahre Sezession*, Vienne, 1906, p. 318. Fritz Novotny et Johannes Dobai, *Gustav Klimt, with a Catalogue Raisonné of His Paintings*, New York, 1968, pp. 312-313, 360-361, 384, n° 103, ill., pl. 17. Christian M. Nebehay, *Gustav Klimt: Dokumentation*, Vienne, 1969, pp. 38, 176, 191-192n2, 249, pl. coul. 280, fig. 338. Alice Strobl, *Gustav Klimt: Die Zeichnungen*, 4 vol., 1980-1989, vol. 1 (1980), pp. 143-144, ill. Christian M. Nebehay, *Gustav Klimt, Egon Schiele und die Familie Lederer*, Berne, 1987, pp. 24-25, ill. (coul.). Toni Stooss et Christoph Doswald, éd., *Gustav Klimt*, cat. exp., Stuttgart, 1992, pp. 329-330, 366, ill. (coul.). Christian Brandstätter, *Gustav Klimt und die Frauen*, Vienne, 1994, pp. 54-55, ill. (dét. coul.). Tobias G. Natter et Gerbert Frodl, éd., *Klimt's Women*, cat. exp., Cologne, 2000, pp. 35, 45, 48, 59, 88-91, 133, 199, ill. (coul.). Sophie Lille, *Was einmal war: Handbuch der enteigneten Kunstsammlungen Wiens*, Vienne, 2003, pp. 656-666, ill.

Ex collections

August and Serena Lederer, Bartensteingasse 8, Vienna (1899–his d. 1936). Serena Lederer, Bartensteingasse 8, Vienna (1936–d. 1943). Erich Lederer, Geneva (1943–80; sale, Dorotheum, Vienna, March 18, 1948, no. 76, as "Bildnis einer stehenden Dame in weissem Gesellschaftskleid vor hellgrauem Hintergrund," withdrawn; lent to the Kunstmuseum Basel, 1949–80; sold to MMA).

Exhibition

Vienna, Secession, X Ausstellung, *March 15–May 12, 1901, no. 66 (as* Bildnis Serena Lederer*).*

References

Ver Sacrum *4 (March 15, 1901), p. 155, ill. Ludwig Hevesi,* Acht Jahre Sezession *(Vienna, 1906), p. 318. Fritz Novotny and Johannes Dobai,* Gustav Klimt, with a Catalogue Raisonné of His Paintings *(New York, 1968), pp. 312–13, 360–61, 384, no. 103, ill., pl. 17. Christian M. Nebehay,* Gustav Klimt: Dokumentation *(Vienna, 1969), pp. 38, 176, 191–92n2, 249, colorpl. 280, fig. 338. Alice Strobl,* Gustav Klimt: Die Zeichnungen, *4 vols. (1980–89), vol. 1 (1980), pp. 143–44, ill. Christian M. Nebehay,* Gustav Klimt, Egon Schiele und die Familie Lederer *(Bern, 1987), pp. 24–25, ill. (color). Toni Stooss and Christoph Doswald, eds.,* Gustav Klimt, *exh. cat. (Stuttgart, 1992), pp. 329–30, 366, ill. (color). Christian Brandstätter,* Gustav Klimt und die Frauen *(Vienna, 1994), pp. 54–55, ill. (color detail). Tobias G. Natter and Gerbert Frodl, eds.,* Klimt's Women, *exh. cat. (Cologne, 2000), pp. 35, 45, 48, 59, 88–91, 133, 199, ill. (color). Sophie Lille,* Was einmal war: Handbuch der enteigneten Kunstsammlungen Wiens *(Vienna, 2003), pp. 656–66, ill.*

Francisco de Goya y Lucientes

Espagnol, né à Fuendetodos, dans les environs de Saragosse, le 30 mars 1746; mort à Bordeaux, le 16 avril 1828
Spanish, born Fuendetodos, near Zaragoza, March 30, 1746; died Bordeaux, April 16, 1828

Fils d'un maître doreur, Goya étudie à Saragosse auprès de José Luzán Martínez avant de se rendre à Rome. En 1770, il est en Italie, et en juin 1771, déjà, de retour à Saragosse, où, l'été suivant, il termine un plafond à la fresque (qu'on peut encore voir aujourd'hui) dans la basilique Nuestra Señora del Pilar. En 1773, il épouse Josefa Bayeu, sœur du peintre Francisco Bayeu, et, en 1774, est appelé à la Manufacture royale de Santa Bárbara, à Madrid, pour laquelle il réalisera, jusqu'en 1792, plus de soixante cartons de tapisserie à l'huile sur toile (Madrid, Musée du Prado). Dès le début, il y affirme son immense talent, attirant l'attention d'Anton Raphael Mengs, peintre de la cour et théoricien du néoclassicisme.

Elu à l'Académie royale des beaux-arts de San Fernando, à l'unanimité, en 1780, Goya y présente une *Crucifixion* (Madrid, Musée du Prado) et poursuit avec succès sa carrière de peintre de sujets religieux avec une nouvelle fresque pour la basilique de Saragosse et deux peintures d'autel pour la cathédrale de Valence, représentant des scènes de la vie de saint François Borgia (toujours en place). Très demandé à la cour, il y peint aussi bien les enfants que les adultes et les groupes familiaux: ainsi réalise-t-il en 1783 le portrait de Marie-Thérèse de Bourbon, nièce de Charles III (Washington, D.C., National Gallery of Art), et, en 1788, celui de *La Famille des ducs d'Osuña* (Madrid, Musée du Prado). En 1785, Goya devient directeur de la peinture à l'Académie, puis, en 1786, il est nommé peintre du roi. Il devait ainsi servir trois monarques: Charles III, Charles IV et Ferdinand VII.

En 1792, tandis qu'ils travaillent à des cartons de tapisserie, Goya et son beau-frère, Ramón Bayeu, tombent malades. Ramón meurt. Goya se rétablit, mais il perd l'ouïe. Il demeurera complètement sourd tout le reste de sa longue vie. Affaibli, en proie à une crise profonde, il abandonne provisoirement son activité de peintre de la cour en 1793, pour se consacrer à des projets plus personnels. L'année suivante, il envoie à l'Académie deux petites peintures sur fer-blanc représentant des courses de taureaux. Il peint aussi des représentations de sorcières et de possédés, dont *Le Sabbat des sorcières* du Musée Lázaro Galdiano, à Madrid.

The son of a gilder, Goya studied in Zaragoza with José Luzán Martínez before departing for Rome. He was in Italy in 1770, and by June 1771 he was back in Zaragoza, where the following summer he completed a ceiling fresco in the cathedral of Nuestra Señora del Pilar (still in situ). In 1773 he married Josefa Bayeu, sister of the painter Francisco Bayeu, and in 1774 he was summoned to the Real Fábrica de Tapices de Santa Bárbara in Madrid. Goya painted tapestry cartoons in oil on canvas (Museo del Prado, Madrid) until 1792, completing more than sixty in all, and the Neoclassical artist and court painter Anton Raphael Mengs remarked that from the start he was exceedingly skilled at this work.

In 1780 Goya, having been unanimously elected to the Real Academia de Bellas Artes de San Fernando, presented a canvas representing The Crucifixion *(Museo del Prado, Madrid). He achieved further success as a painter of religious subjects with another fresco for Zaragoza Cathedral and, for the cathedral of Valencia, two altarpieces with scenes from the life of Saint Francis Borgia (all in situ). At court he was in demand as a portraitist, painting children as well as adults and family groups: in 1783, María Teresa de Borbón, niece of Carlos III (National Gallery of Art, Washington, D.C.), and in 1788,* The Family of the Duques de Osuña *(Museo del Prado, Madrid). Goya became deputy director of painting at the Academy in 1785. He was appointed* pintor del rey *in 1786, eventually serving three monarchs: Carlos III, Carlos IV, and Fernando VII.*

While at work on tapestry cartoons in 1792, both Goya and Ramón Bayeu, his brother-in-law, fell ill. Ramón died; Goya recovered, but he lost and never regained his hearing, remaining completely deaf for the balance of his long life. Weakened and overwrought, in 1793 he temporarily put aside the tasks of a court painter to devote himself to more personal projects. The next year he sent to the Academy some small pictures on tin plate showing bullfights. He also painted representations of witches and bewitchings, of which a notable example is The Witches' Sabbath *(Museo Lázaro Galdiano, Madrid).*

Reprenant son activité de portraitiste, alors qu'il séjourne dans le domaine des ducs d'Albe en Andalousie, Goya peint, en 1797, la duchesse d'Albe, devenue veuve, en noir (New York, Hispanic Society of America). Il dessine beaucoup, au pinceau et au lavis d'encre de Chine, dans ce qu'on nommera plus tard les cahiers A et B (tous deux dispersés), qui fourniront la matière de la série de gravures des *Caprices*, publiés en 1799. De la même époque date *Le Miracle de saint Antoine de Padoue*, brillant trompe-l'œil autour de la coupole de l'église San Antonio de la Florida, à Madrid. En 1800, Goya réalise *La Famille de Charles IV* (Madrid, Musée du Prado) et, à peu près en même temps, *La Maja nue* et *La Maja vêtue* (toutes deux, également, au Musée du Prado), qui lui vaudront d'être cité, en 1815, devant le tribunal de l'Inquisition. Bien que la représentation de la nudité soit proscrite, il échappera à la condamnation.

Les temps étaient très agités, tant sur le plan social que politique. En 1793, la France républicaine avait déclaré la guerre à l'Espagne, qu'elle avait vaincue en 1795. 1808 vit l'abdication de Charles IV, en faveur de son fils Ferdinand VII, puis son retour sur le trône, avant qu'il ne se rende à Napoléon, lequel attribuait la couronne d'Espagne à l'un de ses frères, Joseph Bonaparte. Ce qui déclencha une insurrection et la reprise de la guerre. Le duc de Wellington, à la tête des troupes anglaises, vainquit les forces napoléoniennes en 1813, et Joseph Bonaparte – José Ier – s'enfuit. Rentré en Espagne, Ferdinand VII annula les réformes libérales, abolit la Constitution et rétablit l'Inquisition; mais son nouveau gouvernement fut renversé et la paix ne fut pas rétablie avant 1823, date à partir de laquelle il affermit son pouvoir et régna en souverain absolu. Par la suite, Goya reçut du roi l'autorisation de quitter l'Espagne pour l'étranger. Il s'exila à Paris puis à Bordeaux, où il mourut, en 1828.

Les dessins et peintures de la guerre et de l'insurrection espagnole donnèrent naissance à la célèbre série de gravures *Les Désastres de la guerre*, que Goya réalisa à partir de 1810. Dans une douleur toujours aussi vive, il peignit, quelques années après les événements, le *2 mai 1808* et le *3 mai 1808* (tous deux au Musée du Prado) pour commémorer le soulèvement contre les armées d'occupation françaises. Au-delà de ses convictions politiques, il témoigna d'une sensibilité exacerbée à la terreur engendrée par les guerres péninsulaires, aux souffrances, à la faim, à la mort qui partout l'environnaient, et, comme chroniqueur de la guerre, il n'a pas été égalé à l'époque moderne.

Returning to his role as a portraitist, in 1797, while staying at the Alba estate in Andalusia, Goya painted the widowed Duquesa de Alba in black (Hispanic Society of America, New York). He drew copiously in brush and wash, in what became known as Albums A and B (both dispersed), sketches that were used as a repertory of subjects for the Caprichos *prints, published in 1799. To the same period belongs the brilliant trompe l'œil decoration surrounding the base of the cupola of the church of San Antonio de la Florida, Madrid,* The Miracle of Saint Anthony of Padua. *In 1800 Goya painted* The Family of Carlos IV *(Museo del Prado, Madrid) and, about the same time,* The Naked Maja *and* The Clothed Maja *(both Museo del Prado, Madrid), the latter resulting in a summons in 1815 to appear before the Inquisition. Although the description of nudity was proscribed, he escaped punishment.*

The era was one of extreme social and political unrest. In 1793, republican France declared war on, and in 1795 defeated, Spain; 1808 saw the abdication and return to the throne of Carlos IV, who, having surrendered to Napoleon, was succeeded by the emperor's brother, José, resulting in a revolt against the French and the onset of war. The Duke of Wellington defeated the Napoleonic forces in 1813; José I fled, and Fernando VII formed an alliance with Napoleon against England. Shortly after 1814, when Fernando canceled Liberal reforms, revoked the Constitution, and reestablished the Inquisition, his new government was overthrown and peace was not restored until 1823, when he resumed power as an absolute monarch. Thereafter Goya was given leave by the king to go abroad. He departed for Paris and Bordeaux, where in 1828 he died.

Goya's drawings and paintings of the military conflicts and civil uprisings in Spain gave rise to his famous print series, Disasters of War, *begun in 1810. In the teens, some years after the events, he painted the* Second of May 1808 *and the* Third of May 1808 *(both Museo del Prado, Madrid) to commemorate the Spanish insurrection against the armies of France. Whatever his political convictions, he was acutely sensitive to the terror occasioned by the Peninsular Wars, to the suffering, famine, and death that surrounded him, and as a chronicler of war he has not been equaled in the modern era.*

29 José Costa y Bonells, surnommé Pepito
Huile sur toile, 105,1×84,5 cm, signée et datée *18[13?]*
Don de la comtesse Bismarck, 1961 (61.259)

*29 **José Costa y Bonells, Called Pepito***
Oil on canvas, 105.1×84.5 cm, signed and dated 18[13?]
Gift of Countess Bismarck, 1961 (61.259)

Le nom du modèle est inscrit en bas à gauche du portrait, Pepito Costa y Bonells, Pepito étant le diminutif de José. Le grand-père maternel de l'enfant était Jaime Bonells, médecin des ducs d'Albe, et son père aurait été un temps celui de Ferdinand VII. La date de naissance de Pepito est apparemment inconnue. Tout ce que nous savons de lui, c'est qu'il épousa Antonia Bayo et que le couple perdit son seul enfant. Le tableau, lui aussi, était demeuré à peu près inconnu, jusqu'en 1906, date à laquelle il fut pour la première fois reproduit, et ce n'est qu'en 1972, à la mort de la comtesse Bismarck, qu'il fut possible de l'étudier, lorsqu'il revint au Metropolitan Museum. Le portrait de Pepito rejoignit alors celui de Manuel Osorio de Zuñiga, daté de 1788, le célèbre enfant en costume rouge avec sa cage d'oiseaux chanteurs et sa pie attachée par la patte à une cordelette, où s'affirme un saisissant contraste, comme l'a fait remarquer Everett Fahy, conservateur du Metropolitan, entre le style poétique rococo et le réalisme profondément émouvant d'un artiste dont le monde s'était transformé dans les premières années du XIXe siècle.

Goya était, dit-on, un ami de la famille Bonells. Le grand-père maternel de Pepito mourut en 1813 ; cette année-là, l'artiste aurait pu reprendre (selon une analyse aux rayons X, il y eut en effet une étape antérieure) un portrait commencé en 1805 de la mère de l'enfant, Fernanda ou Amalia Bonells de Costa (Detroit Institute of Arts). On s'accorde le plus souvent à attribuer cette même date au portrait du garçon. José Costa et sa femme recueillirent chez eux lorsqu'elle était encore enfant, après la mort de sa mère, une de leurs nièces, Matilde Quesada y Bayo, de qui proviennent les deux toiles et par qui celle-ci fut vendue, aux dires de la famille, après la mort du comte de Gondomar, son époux, en 1904.

Pepito Costa, vêtu d'un costume militaire d'enfant, tient dans la main droite un shako noir orné de plumes rouges et bleues. Dans la doublure du chapeau, un rehaut argenté en forme de croissant de lune marque un reflet. Le petit garçon porte une casaque vert bouteille ornée de galons dorés et de glands, par-dessus un costume blanc, col de batiste bordé de dentelle et pantalons de satin qui laissent voir des chaussettes roses ; les souliers, à lacets, sont ocre jaune. Il a pour attributs un cheval sellé à roulettes, dont il serre la bride dans la main gauche, ainsi qu'un petit tambour et un fusil à baïonnette. Le fond est gris ; la lumière provenant de la gauche projette une ombre vers la droite et derrière la figure. Malgré la couleur rouge brique de la première couche, qui transparaît par endroits, le ton est sobre. La touche, dansante, suggère, plus qu'elle ne décrit. Quelques repentirs apparaissent, notamment dans les jambes du cheval.

L'enfant, sérieux ou mélancolique, imite la posture d'un adulte, et l'image doit être lue comme un portrait équestre miniature dont le cavalier a mis pied à terre. L'expression du petit garçon suggère qu'il est d'une certaine façon conscient du chaos de l'époque. En raison de son iconographie quasi militaire, on a longtemps pensé que la toile appartenait aux années de guerre (1808-1818). Ce qui correspondrait à la date notée sur la peinture, qui devait se terminer par un trois ou un huit : 1803, 1808, 1818 ou, plus vraisemblablement, 1813.

The portrait is inscribed at lower left with the sitter's name, Pepito Costa y Bonells, substituting the diminutive form of José. The boy's maternal grandfather was Jaime Bonells, the Alba family's doctor, while his father is reported to have briefly been Fernando VII's physician. Pepito's date of birth is apparently not recorded, and all that is known about him is that he married Antonia Bayo and the couple lost their only child. The picture, too, was quite unknown until 1906, when it was first reproduced, and remained unavailable for study until it came into the Metropolitan Museum in 1972 upon the death of Countess Bismarck. Pepito's portrait then joined the famous 1788 portrait of Manuel Osorio de Zuñiga, the boy in scarlet with a cage of songbirds and a magpie on a leading string, providing, as Metropolitan curator Everett Fahy has remarked, a contrast between the poetic Rococo style and the profoundly moving realism of an artist whose world was transformed in the first years of the nineteenth century.

Goya was reportedly a family friend of the Bonells. The year Pepito's maternal grandfather died, 1813, is the same year the artist may have repainted (according to information provided by an X-radiograph, there was an earlier stage) a portrait begun perhaps about 1805 of the boy's mother, whose name was either Fernanda or Amalia Bonells de Costa (Detroit Institute of Arts). The boy's portrait is now most often dated to the same year. José Costa and his wife took into their home when she was a little girl, upon the death of her mother, a niece, Matilde Quesada y Bayo, to whom the two pictures by Goya descended and by whom, as the widowed Condesa de Gondomar, this one was sold, according to members of her family, in 1904.

Pepito Costa wears a child's military costume and holds in his right hand a black hat with a high crown, a brim peaked at the front, and silky red and blue plumes. The lining of the hat throws back a moon-shaped golden highlight. The boy's bottle-green velvet casaque trimmed with gold braid and tassels is worn over white, a lace-trimmed lawn collar and satin pantaloons, with rose-colored stockings and tan shoes with knotted laces. His attributes are a saddled toy horse on wheels, whose bridle he clasps with his left hand, and a little drum and musket with a fixed bayonet. The background is gray; the light entering from the left casts a shadow toward the right and behind the figure. Despite the brick red color of the ground layer showing through, the tone is sober. The brushwork flickers and is suggestive rather than literally descriptive, and there are some pentimenti, notably changes in the horse's legs.

The serious—or melancholy—child mimics an adult role, and the picture should be read as a dismounted equestrian portrait in miniature. The boy's expression suggests that he is in some way aware of the chaotic conditions of the time. In consideration of its quasi-military iconography, the canvas has long been thought to belong to the war years, 1808 to 1818. This accords with the date on the picture, which seems to have ended in a three or an eight: that is, 1803 or 1808, 1818, or, most likely, 1813.

KBB

KBB

Historique

José Costa y Bonells (jusqu'à †1870). Sa nièce, Matilde Quesada y Bayo, comtesse de Gondomar (1870-1904). [Trotti, Paris, jusqu'en 1906; vendue à Knoedler.] [Knoedler, Londres et New York, 1906; vendue à Simpson.] Mr. et Mrs. J. W. Simpson, New York (1906-1917; vendue à Knoedler). [Knoedler, New York, 1917-1918; à Mellon.] Andrew W. Mellon, Pittsburgh (1918; rétrocédée à Knoedler). [Knoedler, New York, 1918; vendue à Plant.] Morton F. Plant, New York (†1918). Mrs. Morton F. Plant, plus tard Mrs. William Hayward, New York (1918-1929). [Knoedler, New York, 1929; vendue à Williams.] Harrison Williams, New York (1929-†1953). Mrs. Harrison Williams, plus tard comtesse Bismarck, New York et Paris (1953-1961).

Expositions

New York, Knoedler, *Paintings by El Greco and Goya*, janvier 1915, nº 18. The Metropolitan Museum of Art, *Goya in The Metropolitan Museum of Art*, 12 septembre - 31 décembre 1995. Madrid, Musée du Prado, *Goya: 250 Aniversario*, 30 mars - 2 juin 1996, nº 140.

Bibliographie

«A Portrait of a Boy by Goya», *Burlington Magazine* 10, octobre 1906, pp. 54-55, ill. A. de Beruete y Moret, *Goya pintor de retratos*, Madrid, 1916, pp. 126-127, 180, nº 254, pl. 47. August L. Mayer, *Francisco de Goya*, Londres, 1924, pp. 68, 153, nº 243, pl. 237. F. J. Sánchez Cantón, «Los niños en las obras de Goya», in *Goya (Cinco estudios)*, Saragosse, 1949, pp. 85-86. Valentín de Sambricio, «La exposición bordelesa de Goya, en Madrid», *Seminario de arte aragonés* 4 (1952), p. 21. Pierre Gassier et Juliet Wilson, *The Life and Complete Work of Francisco Goya*, éd. rév., New York, 1971, pp. 208, 214, 253, 262, nº 895, ill. José Gudiol, *Goya, 1746-1828: Biography, Analytical Study, and Catalogue of His Paintings*, trad. K. Lyons, 4 vol. (1971), vol. 1, pp. 179, 335-336, nº 662, vol. 4, fig. 1072-1073. José Camón Aznar, *Fran. de Goya*, 4 vol., Saragosse, 1980-1982, vol. 4 (1982), pp. 13, 37, pl. coul. Edward J. Sullivan, «Goya's 'Two Portraits' of Amalia Bonells de Costa», *Arts Magazine* 57, janvier 1983, pp. 78-81, fig. 3. José Luis Morales y Marín, *Goya: Catálogo de la pintura*, Saragosse, 1994, p. 321, nº 441, ill.

Ex collections

José Costa y Bonells (until d. 1870). His niece, Matilde Quesada y Bayo, Condesa de Gondomar (1870–1904). [Trotti, Paris, until 1906; sold to Knoedler.] [Knoedler, London and New York, 1906; sold to Simpson.] Mr. and Mrs. J. W. Simpson, New York (1906–17; sold to Knoedler). [Knoedler, New York, 1917–18; to Mellon.] Andrew W. Mellon, Pittsburgh (1918; returned to Knoedler). [Knoedler, New York, 1918; sold to Plant.] Morton F. Plant, New York (d. 1918). Mrs. Morton F. Plant, later Mrs. William Hayward, New York (1918–1929). [Knoedler, New York, 1929; sold to Williams.] Harrison Williams, New York (1929–d. 1953). Mrs. Harrison Williams, later Countess Bismarck, New York and Paris (1953–61).

Exhibitions

New York, Knoedler, Paintings by El Greco and Goya, *January 1915, no. 18. The Metropolitan Museum of Art,* Goya in The Metropolitan Museum of Art, *September 12–December 31, 1995. Madrid, Museo del Prado,* Goya: 250 Aniversario, *March 30–June 2, 1996, no. 140.*

References

"A Portrait of a Boy by Goya," Burlington Magazine *10 (October 1906), pp. 54–55, ill. A. de Beruete y Moret,* Goya pintor de retratos *(Madrid, 1916), pp. 126–27, 180, no. 254, pl. 47. August L. Mayer,* Francisco de Goya *(London, 1924), pp. 68, 153, no. 243, pl. 237. F. J. Sánchez Cantón, "Los niños en las obras de Goya," in* Goya (Cinco estudios) *(Zaragoza, 1949), pp. 85–86. Valentín de Sambricio, "La exposición bordelesa de Goya, en Madrid,"* Seminario de arte aragonés *4 (1952), p. 21. Pierre Gassier and Juliet Wilson,* The Life and Complete Work of Francisco Goya, *rev. ed. (New York, 1971), pp. 208, 214, 253, 262, no. 895, ills. José Gudiol,* Goya, 1746–1828: Biography, Analytical Study, and Catalogue of His Paintings, *trans. K. Lyons, 4 vols. (1971), vol. 1, pp. 179, 335–36, no. 662, vol. 4, figs. 1072–73. José Camón Aznar,* Fran. de Goya, *4 vols. (Zaragoza, 1980–82), vol. 4 (1982), pp. 13, 37, colorpl. Edward J. Sullivan, "Goya's 'Two Portraits' of Amalia Bonells de Costa,"* Arts Magazine *57 (January 1983), pp. 78–81, fig. 3. José Luis Morales y Marín,* Goya: Catálogo de la pintura *(Zaragoza, 1994), p. 321, no. 441, ill.*

Nicolas Poussin

Français, né aux Andelys, Normandie, en juin 1594; mort à Rome, le 19 novembre 1665
French, born Les Andelys, Normandy, June 1594; died Rome, November 19, 1665

Le père de Poussin était de noble naissance, mais sans fortune. Nicolas reçut une éducation traditionnelle et apprit les rudiments de la peinture auprès d'un artiste itinérant qui travaillait aux Andelys. En 1612, il vient à Paris pour y continuer ses études. Là, il rencontre le poète italien Giovanni Battista Marino, et les dessins qu'il fait d'après Ovide (château de Windsor, British Royal Collection) pour Marino sont à peu près tout ce qui ait survécu de sa jeunesse. Passant par Venise, Poussin arrive à Rome en mars 1624. Il a 29 ans. Ne parvenant pas à trouver un mécène, il étudie la sculpture antique et l'art de la Renaissance, dessine sur le modèle dans les ateliers du Dominiquin et de Sacchi, peint et tente de vendre des sujets mythologiques et bibliques. En 1628, il achève *La Mort de Germanicus* (Minneapolis Institute of Arts) pour le cardinal Francesco Barberini et, en 1629, *Le Martyre de saint Erasme* (Pinacothèque du Vatican), pour un autel du transept de Saint-Pierre. Ces peintures étaient les plus anciennes qui nous soient parvenues jusqu'à ce que *La Destruction du temple de Jérusalem*, peinte en 1625-1626 pour le cardinal Barberini, n'apparaisse sur le marché et soit acquise, en 1998, par le Musée d'Israël. Cette œuvre révèle à quel point l'artiste était imprégné des principes du classicisme; elle montre en outre que le style pour lequel il est passé à la postérité s'affirma sur le tard, mais de façon fulgurante. Le *Midas* du Metropolitan Museum appartient à cette période.

En 1630, Poussin épouse Anne-Marie Dughet; par la suite, il s'intéressera de plus en plus au paysage; son beau-frère Gaspard deviendra son élève, et un peintre de paysage talentueux. Quoi qu'il en soit, cette année-là, Poussin, qui entreprend *L'Empire de Flore* (Dresde, Gemäldegalerie), atteint le sommet de ses facultés. Deux ans plus tard, il est élu membre de l'Académie de Saint-Luc et, en 1635, entre au service du cardinal de Richelieu. A la fin des années 1630, tandis qu'il est occupé à peindre, pour Paul Fréart de Chantelou, *Les Israélites recueillant la manne dans le désert* (Paris, Musée du Louvre), Louis XIII l'appelle à Paris. Peu de temps après son arrivée, en décembre 1640, il est nommé premier peintre du roi. Et reçoit de nombreuses commandes pour la décoration des palais royaux, projets qu'il n'achèvera

Poussin's father was of noble birth but impoverished. Nicolas was educated traditionally and received some training in painting from an itinerant artist who was working in Les Andelys before setting out for Paris in 1612 to continue his studies. In Paris he met the Italian poet Giovanni Battista Marino, and the drawings after Ovid (British Royal Collection, Windsor Castle) that he made for Marino are practically all that survives from his youth. Traveling by way of Venice, Poussin arrived in Rome in March 1624 at the age of twenty-nine. There, failing to find a patron, he studied antique sculpture and Renaissance art, drew from the model in the studios of Domenichino and Sacchi, and painted and tried to sell a variety of mythological and biblical subjects. In 1628 Poussin completed The Death of Germanicus *(Minneapolis Institute of Arts) for Cardinal Francesco Barberini and in 1629* The Martyrdom of Saint Erasmus *(Pinacoteca Vaticana) for a transept altar in St. Peter's. These had been his earliest documented works until* The Destruction and Sack of the Temple of Jerusalem, *painted in 1625–26 for Cardinal Barberini, appeared on the art market and was acquired in 1998 by the Israel Museum. That work demonstrates the degree to which the artist had already imbibed the tenets of classicism and indicates that the development of the style for which he is known came late but was meteoric. The Museum's* Midas *belongs to these years.*

Poussin married Anne-Marie Dughet in 1630; thereafter he became increasingly interested in landscape, and his wife's brother, Gaspard, became his student and a gifted landscape painter. That year, in which he undertook The Kingdom of Flora *(Staatliche Gemäldegalerie, Dresden), Poussin reached the height of his powers. Two years later he was elected to membership in the Accademia di San Luca, and by 1635 he was in the employ of Cardinal Richelieu. Toward the end of the thirties he was painting* The Israelites Gathering Manna *(Musée du Louvre, Paris) for Paul Fréart de Chantelou when Louis XIII summoned him to Paris. Shortly after his arrival in December 1640 he was named first painter to the king and given*

jamais. En 1642, il obtient la permission de retourner à Rome pour accompagner sa femme dans le voyage de Paris; au lieu de quoi il demeure dans la Ville éternelle le reste de sa vie.

La plupart des clients de Poussin, à partir des années 1640, étaient des membres de la haute bourgeoisie française: banquiers et marchands, riches et cultivés. La seconde série des *Sept Sacrements* (Edimbourg, prêt du duc de Sutherland aux National Galleries of Scotland), réalisée pour Fréart de Chantelou, qui l'occupe entre 1644 et 1648, est l'une de ses plus grandes réussites. En vieillissant, Poussin travaille plus lentement, médite longuement ses toiles, de plus en plus inspiré par l'Antiquité classique et par l'exemple de Raphaël, partageant à peu près son temps entre sujets bibliques et mythologiques, s'intéressant toujours davantage au paysage. En 1648, la *Sainte Famille* dite «à l'escalier» (Cleveland Museum of Art), peinte pour Hennequin de Fresnes, se caractérise par sa noblesse et sa calme ordonnance; quant à l'*Annonciation* de 1657 (Londres, National Gallery), elle réduit le récit biblique à l'essentiel. Parmi les dernières œuvres de Poussin, les *Quatre Saisons* (Paris, Musée du Louvre) frappent par leur originalité, leur unité de conception, leur largeur de vue. Poussin est le peintre suprême du classicisme. Il a inspiré des artistes comme Jacques Louis David et Paul Cézanne.

numerous commissions to design decorations for the royal palaces, projects that he would never complete. He secured permission in 1642 to go back to Rome to accompany his wife to Paris but, instead, remained in Rome for the balance of his life.

Most of Poussin's important clients from the 1640s onward were members of the French haute bourgeoisie: *bankers and merchants of standing and intellectual distinction. The second series of the* Seven Sacraments *(lent by the Duke of Sutherland to the National Galleries of Scotland, Edinburgh) for Fréart de Chantelou, which occupied him between 1644 and 1648, is one of his greatest achievements. As he grew older, Poussin worked slowly and with deliberation, increasingly inspired by classical antiquity and by the example of Raphael, giving more or less equal time to mythological and biblical subjects and taking a greater interest in landscape. His 1648* Holy Family of the Steps *(Cleveland Museum of Art) for Hennequin de Fresnes is characterized by nobility and ordered calm, while* The Annunciation *of 1657 (National Gallery, London) reduces biblical narrative to its essentials. Among Poussin's last works, the* Four Seasons *(Musée du Louvre, Paris) are marked by originality, unity of conception, and breadth of handling. He is the supreme classicist and has inspired French painters from Jacques Louis David to Paul Cézanne.*

30 Midas se lavant à la source du Pactole
Huile sur toile, 97,5 × 72,7 cm, peinte vers 1627
Achat, 1871 (71.56)

Poussin tire son sujet, une allégorie de la vanité, des *Métamorphoses* d'Ovide (XI, 85-145). Le dieu Bacchus demandant au roi phrygien Midas de choisir un présent qui lui fît plaisir, celui-ci répondit qu'il désirait que tout ce qu'il touchait fût changé en or. Son souhait fut exaucé. Mais Midas ne pouvait plus boire ni manger, car tout ce qu'il portait à sa bouche se transformait en or. Il supplia le dieu de le délivrer de son enchantement, ce que Bacchus accepta: «Va-t'en, dit-il, vers le fleuve voisin de la grande ville de Sardes et, en remontant son cours entre les hauteurs de ses bords, poursuis ta route jusqu'à ce que tu arrives à l'endroit où il prend naissance; alors, quand tu seras devant sa source écumante, là où il jaillit en flots abondants, immerge ta tête sous les eaux; lave en même temps ton corps et ta faute.» Le roi, docile à cet ordre, se plonge dans la source; la vertu qu'il possède de tout changer en or donne aux eaux une couleur nouvelle et passe du corps de l'homme dans le fleuve» (trad. Georges Lafaye).

Le fleuve Pactole, qui coulait près de l'antique Sardes, dans l'ouest de l'Anatolie, était connu pour charrier dans son cours des paillettes d'or; c'est ce qui aurait inspiré le mythe. Poussin a représenté Midas immergé jusqu'à mi-corps, la tête dans ses

30 Midas Washing at the Source of the Pactolus
Oil on canvas, 97.5 × 72.7 cm, painted about 1627
Purchase, 1871 (71.56)

Poussin draws his subject, an allegory of vanity, from Ovid's Metamorphoses *(11: 85–145). When the god Bacchus offered the Phrygian king Midas a gift, the king asked that everything he touched be transmuted into gold. His request was granted. Thereafter, having discovered that he could neither eat nor drink, Midas asked to be relieved of the gift, and Bacchus instructed him to "'go to the stream which flows by mighty Sardis town, [and] take your way climbing the slope up the tumbling stream until you come to the river's source. There plunge your head and body beneath the foaming fountain where it comes leaping forth, and by that act wash your sin away.' The King went to the stream as he was bid. The power of the golden touch imbued the water and passed from the man's body into the stream."*

The myth seems to have been inspired by the fact that the Pactolus River, which flowed beside the ancient city of Sardis in western Anatolia, was known to carry a quantity of gold dust. In the picture, Midas, behind a promontory, is partially submerged, his head in his clasped hands, while the wreathed river god lies nude upon the bank in front of him. Water streams through Midas's fingers and

mains jointes, derrière une roche surplombant les eaux, où se tient le dieu nu et couronné du fleuve, étendu, tourné vers lui. L'eau coule entre les doigts du roi phrygien et de deux vases que des putti également couronnés, agenouillés en bas à droite, déversent dans le fleuve.

On peut considérer que c'est Anthony Blunt, le grand expert de Poussin, qui a redécouvert cette toile entrée au Metropolitan Museum avec l'achat fondateur de 1871, mais dont le sujet n'avait pas été identifié et qui était demeurée plus ou moins inaperçue jusqu'en 1938. Blunt, avec Ellis Waterhouse, reconstitua l'histoire de l'œuvre, et ses résultats sont couramment acceptés aujourd'hui par la plupart des critiques. Il y a, dans la collection des ducs de Devonshire, à Chatsworth, une œuvre de jeunesse du peintre intitulée *Bergers d'Arcadie*. Une toile du même sujet est répertoriée en 1677 dans l'inventaire après décès du collectionneur romain Camillo Massimo, comme l'un de *«due quadri compagni»*, associé en l'occurrence à une œuvre représentant *«il rè Mida, che si lava nel fiume Patolo»*. Des copies, sans doute réalisées lorsque les originaux furent vendus, étaient encore visibles au Palazzo Massimo alle Colonne, sur le Corso, après la Seconde Guerre mondiale (elles ont depuis disparu, mais on sait que celle de *Midas* ne montrait que les deux figures principales). Massimo était trop jeune pour avoir commandé les originaux, et Blunt conjectura qu'ils devaient provenir de la collection de Cassiano dal Pozzo, «antiquaire», ami de Massimo et principal mécène du jeune Poussin lorsque celui-ci entreprit dans Rome ses premiers pas.

Si la chronologie des premières œuvres de Poussin est encore objet de débat, il semble qu'on puisse dater *Midas* vers 1627, peu de temps avant la réalisation des *Bergers d'Arcadie*. La touche est large et libre, et la toile est peinte dans des tonalités chaudes, sur un fond d'ocres aux riches nuances. Poussin avait visité Venise sur le chemin de Rome et la palette qu'il a choisie pour cette peinture rappelle Titien, qu'il admirait, et dont le *Bacchus et Ariane* (Londres, National Gallery) faisait à l'époque partie de la collection Aldobrandini à Rome. Bien que Poussin n'ait pas peint de copies, une variante, très proche quoique inachevée (collection particulière), considérée par la plupart des critiques comme autographe et probablement un peu plus tardive, apparut sur le marché de l'art à Londres en 1984. Nous pensons donc, sans toutefois en avoir la preuve, que la peinture que nous présentons ici, parce qu'elle est achevée, est bien celle de la collection Massimo. *Midas* fut la première œuvre de Poussin à intégrer une collection américaine.

KBB

trickles into the river from two urns supported by putti, also wreathed, kneeling at lower right.

Anthony Blunt, the great Poussin expert, might be said to have rediscovered the picture, which entered the Metropolitan Museum with the founding purchase of 1871 but went more or less unnoticed, its subject unidentified, until 1938. Blunt, with Ellis Waterhouse, pieced together a history for the work which has been accepted by most authorities ever since. In the collection of the dukes of Devonshire at Chatsworth there is an early Poussin titled Arcadian Shepherds. A Poussin with this subject is also listed in the 1677 estate inventory of Roman collector Camillo Massimo as one of "due quadri compagni" and paired with "il rè Mida, che si lava nel fiume Patolo." Copies, doubtless substituted when the originals were sold, were still in Palazzo Massimo alle Colonne on the Corso after World War II (they have since disappeared, but it is known that the copy of Midas showed only the two principal figures). Massimo was too young to have commissioned the originals, and Blunt hypothesized that they might have come from the antiquary and collector Cassiano dal Pozzo, Massimo's friend and the young Poussin's principal patron when he was first in Rome.

While the chronology of Poussin's early work has been a source of debate, it seems likely that this Midas dates to about 1627, shortly before the Arcadian Shepherds. The brushwork in the Midas is broad and open, and the picture is painted in warm tones over a rich brown ground. Poussin had visited Venice on his way to Rome, and the palette he chose for this picture is reminiscent of Titian, whom he admired and whose Bacchus and Ariadne (National Gallery, London) was in the Aldobrandini collection in Rome at the time. Despite the fact that Poussin did not paint replicas, a close, unfinished variant (private collection), judged by most authorities to be autograph and probably a little later in date, was on the London art market in 1984. It is here assumed, though unproven, that the Museum's picture, because it is finished, is the one from the Massimo collection. Midas was the first work by Poussin to enter an American collection.

KBB

Historique

Cardinal Camillo Massimo, Rome (jusqu'à †1677; inv., 1677). Son frère, Fabio Camillo Massimo, Rome (à partir de 1677). (?) [Vincent Donjeux, jusqu'en 1793; sa vente de succession, Lebrun, Paris, 29 avril 1793, n° 312, sous la mention «quatre figures dans un paysage [...] principalement [...] un homme endormi et vu de dos», 35×26 p., à Renoult pour 111 livres.] (?) Pierre Joseph Renoult (à partir de 1793). Chevalier de Solirène, Paris (au moins à partir de 1812-1836; sa vente, Delaroche, Paris, 11-13 mars 1812, n° 86, intitulé «*Faunes endormis* [...] deux Enfans couchés et appuyés sur des Urnes», 36×26 p., à Delaroche pour 300 francs, ravalé; sa vente, Henry, Paris, 5-7 mai 1829, n° 118, ravalé, vendu à Smith). [John Smith, Londres, à partir de 1836.] (?) Cropley Ashley Cooper, 6e comte de Shaftesbury, St. Giles's House, Wimborne, Dorset. Marquis du Blaisel (jusqu'en 1870; sa vente de succession, Hôtel Drouot, Paris, 16-17 mars 1870, n° 102, sous la mention «la figure d'un fleuve étendu et sommeillant; à gauche [...] un satyre endormi; à droite, deux petits bacchants [...] tiennent des urnes», à Gauchez pour 3500 francs ou à Philips pour 3900 francs). [Léon Gauchez, Bruxelles et Paris, avec Alexis Febvre, Paris, 1870; vendu à Blodgett.] William Tilden Blodgett, Paris et New York (1870-1871; vendu pour moitié à Johnston). William Tilden Blodgett et John Taylor Johnston, New York (1871; vendu au MMA).

Ex collections

Cardinal Camillo Massimo, Rome (until d. 1677; inv., 1677). His brother, Fabio Camillo Massimo, Rome (from 1677). ?[Vincent Donjeux, until 1793; his estate sale, Lebrun, Paris, April 29ff., 1793, no. 312, as "quatre figures dans un paysage ... principalement ... un homme endormi et vu de dos," 35×26 in., to Renoult for 111 livres.] ? Pierre Joseph Renoult (from 1793). Chevalier de Solirène, Paris (by 1812–36; his sale, Delaroche, Paris, March 11–13, 1812, no. 86, as "Faunes endormis ... deux Enfans couchés et appuyés sur des Urnes," 36×26 in., to Delaroche for Fr 300, bought in; his sale, Henry, Paris, May 5–7, 1829, no. 118, bought in, sold to Smith). [John Smith, London, from 1836.] ? Cropley Ashley Cooper, 6th Earl of Shaftesbury, St. Giles's House, Wimborne, Dorset. Marquis du Blaisel (until 1870; his estate sale, Hôtel Drouot, Paris, March 16–17, 1870, no. 102, as "la figure d'un fleuve étendu et sommeillant; à gauche ... un satyre endormi; à droite, deux petits bacchants ... tiennent des urnes," to Gauchez for Fr 3,500 or to Philips for Fr 3,900). [Léon Gauchez, Brussels and Paris, with Alexis Febvre, Paris, 1870; sold to Blodgett.] William Tilden Blodgett, Paris and New York (1870–71; sold half-share to Johnston). William Tilden Blodgett and John Taylor Johnston, New York (1871; sold to MMA).

Expositions

Fort Worth, Kimbell Art Museum, *Poussin: The Early Years in Rome*, 24 septembre - 27 novembre 1988, n° 152. Paris, Grand Palais, *Nicolas Poussin, 1594–1665*, 27 septembre 1994 - 2 janvier 1995, n° 10. Londres, Royal Academy, *Nicolas Poussin, 1594–1665*, 19 janvier - 9 avril 1995, n° 12. Rome, Palazzo delle Esposizioni, *Nicolas Poussin: I primi anni romani*, 26 novembre 1998 - 1er mars 1999, n° 31.

Exhibitions

Fort Worth, Kimbell Art Museum, Poussin: The Early Years in Rome, *September 24–November 27, 1988, no. 152. Paris, Grand Palais,* Nicolas Poussin, 1594–1665, *September 27, 1994–January 2, 1995, no. 10. London, Royal Academy,* Nicolas Poussin, 1594–1665, *January 19–April 9, 1995, no. 12. Rome, Palazzo delle Esposizioni,* Nicolas Poussin: I primi anni romani, *November 26, 1998–March 1, 1999, no. 31.*

Bibliographie

John Smith, *A Catalogue Raisonné of the Works of the Most Eminent Dutch, Flemish, and French Painters*, 9 vol., Londres, 1829-1842, vol. 8 (1837), p. 128, n° 248. J. A. F. Orbaan, *Documenti sul barocco in Roma*, Rome, 1920, p. 521. Anthony Blunt, «Notes and Reviews: Poussin's ‹Et in Arcadia Ego›», *Art Bulletin* 20 (mars 1938), pp. 96-100, ill. Anthony Blunt, «Poussin Studies–II: Three Early Works», *Burlington Magazine* 89 (octobre 1947), p. 270, pl. 3b. Francis Haskell, *Patrons and Painters: A Study in the Relations between Italian Art and Society in the Age of the Baroque*, New York, 1963, p. 117. Anthony Blunt, *The Paintings of Nicolas Poussin: A Critical Catalogue* [Londres, 1966], pp. 80, 119, n° 165, ill. Anthony Blunt, «Poussin Reconsidered», *Connoisseur* 206 (mars 1981), pp. 226-228, ill. Judith Bernstock, *Poussin and French Dynastic Ideology*, Berne, 2000, pp. 69, 72-73, fig. 1b.

References

John Smith, A Catalogue Raisonné of the Works of the Most Eminent Dutch, Flemish, and French Painters, *9 vols. (London, 1829–42), vol. 8 (1837), p. 128, no. 248. J. A. F. Orbaan,* Documenti sul barocco in Roma *(Rome, 1920), p. 521. Anthony Blunt, "Notes and Reviews: Poussin's 'Et in Arcadia Ego,'"* Art Bulletin *20 (March 1938), pp. 96–100, ill. Anthony Blunt, "Poussin Studies–II: Three Early Works,"* Burlington Magazine *89 (October 1947), p. 270, pl. 3b. Francis Haskell,* Patrons and Painters: A Study in the Relations between Italian Art and Society in the Age of the Baroque *(New York, 1963), p. 117. Anthony Blunt,* The Paintings of Nicolas Poussin: A Critical Catalogue *[London, 1966], pp. 80, 119, no. 165, ill. Anthony Blunt, "Poussin Reconsidered,"* Connoisseur *206 (March 1981), pp. 226–28, ill. Judith Bernstock,* Poussin and French Dynastic Ideology *(Bern, 2000), pp. 69, 72–73, fig. 1b.*

Claude Gellée dit le Lorrain

Français, né à Chamagne, Lorraine, vers 1604-1605 (?); mort à Rome, le 23 novembre 1682
French, born Chamagne, Lorraine, ca. 1604–05?; died Rome, November 23, 1682

Né en Lorraine, alors duché indépendant, Claude Gellée se faisait appeler le Lorrain. Ayant passé presque toute sa vie de peintre à Rome, il utilisait la forme italienne, Claudio, pour signer. De souche paysanne, il semble qu'il soit né en 1604 ou 1605, non pas en 1600 comme le suggère l'inscription sur sa tombe à l'église de la Trinité-des-Monts. L'un de ses deux biographes, Joachim von Sandrart, affirme que Gellée débuta à Rome comme pâtissier. Selon Filippo Baldinucci, il quitta Rome pour Naples, où il étudia avec Goffredo Wals, et les deux sources rapportent que, lorsqu'il revint, il entra comme apprenti chez Agostino Tassi, qui avait été le maître de Wals. Gellée retourna en Lorraine en avril 1625 et semble y être demeuré jusqu'en septembre 1626, travaillant à Nancy comme assistant de Claude Déruet, peintre de la cour, qui avait lui aussi suivi l'enseignement de Tassi.

Claude le Lorrain passa le reste de sa vie dans la capitale italienne, où il demeura via Margutta, dans la paroisse de Santa Maria del Popolo, de 1627 à 1650, puis dans une rue voisine, aujourd'hui nommée via del Babuino. Sa première œuvre datée (1629) est une scène pastorale (Philadelphia Museum of Art); en dix ans, il allait devenir le peintre de paysage le plus recherché de Rome. En 1633, il entre à l'Académie de Saint-Luc. Vers 1635, il prend l'habitude de consigner les peintures qu'il vient d'achever, avant qu'elles n'aient quitté son atelier, sur le *Liber Veritatis* (Londres, British Museum), où il rassemble des dessins, à partir de 1637, à la plume et au lavis d'encre brune sur papier blanc ou bleu. Ils y sont rangés par ordre chronologique et comportent, de la main de l'artiste, la mention du commanditaire de la peinture ou de la ville à qui elle était destinée, et, à partir de 1647, la date. Le Lorrain appartenait à une communauté internationale d'artistes. Il avait pour mécènes et clients des hommes de diverses classes sociales et de différentes nationalités, au nombre desquels on peut compter le roi d'Espagne Philippe IV, le pape florentin Urbain VIII, l'amateur et collectionneur romain Lorenzo Onofrio Colonna, ainsi que plusieurs diplomates et ambassadeurs français.

The artist's given name was Claude Gellée, but he called himself "le Lorrain" after his birthplace in what was then the independent duchy of Lorraine; as he spent nearly his entire working life as a painter in Rome, he used the Italian form Claudio for signatures. Claude was of peasant stock, and it seems likely that he was born in 1604 or 1605, not in 1600, as suggested by the inscription on his tomb in the church of the Trinità dei Monti. One of his two biographers, Joachim von Sandrart, states that Claude started out in Rome as a pastry cook. He left for Naples, according to Filippo Baldinucci, to study with Goffredo Wals, and both authorities report that upon his return he apprenticed himself to Agostino Tassi, who had been Wals's teacher. Claude returned to Lorraine in April 1625 and seems to have remained there through September 1626, working in Nancy as an assistant to court painter Claude Déruet, who had also trained with Tassi.

Claude spent the balance of his life in the Italian capital: from 1627 until 1650 in Via Margutta, in the parish of Santa Maria del Popolo, and later in the nearby street that is now called Via del Babuino. A pastoral scene of 1629 (Philadelphia Museum of Art) is his earliest dated work; within a decade, he had become the most sought-after landscape painter in Rome. In 1633 Claude joined the Accademia di San Luca. About 1635 he established the practice of recording his finished paintings before they left his studio in the Liber Veritatis *(British Museum, London), a volume of his drawings dating from 1637 onward. The* Liber Veritatis *drawings are in pen and brown ink wash on white or blue paper. They were arranged in chronological order and each was inscribed by the artist with the name either of the person who ordered the picture or of the city for which it was intended and, beginning in 1647, the date as well. Claude belonged to an international community of artists. His patrons, of various social classes and many different European nationalities, included Philip IV of Spain; the Florentine pope, Urban VIII; the Roman connoisseur Lorenzo Onofrio Colonna; and several French diplomats and ambassadors.*

Les dons naturels de cet artiste s'étendaient égale-ment au dessin et à la gravure. Von Sandrart écrit que, lorsqu'ils étaient jeunes, ils partaient tous deux dans la campagne des environs de Rome, avec Nicolas Poussin et Pieter van Laer, pour y dessiner d'après nature. Le Lorrain fit ainsi des centaines d'études, dont la majorité figurent bosquets, rivières, étangs, collines ondoyantes, peuplées de paysans et d'animaux domestiques. Elles sont réalisées rapidement, d'une main libre et sûre. Les effets d'ombre et de lumière sont saisis par un jeu entre les couleurs du papier, les taches et les zones de lavis plus ou moins dilué. Nombre des plus beaux dessins de paysages du Lorrain datent des années 1630 et du début des années 1640, et il est assez probable que son talent de dessinateur ait mûri avant ses dons de peintre. Son maniement de la pointe sèche était tout à la fois hardi et expérimental. Sa vision était cohérente. En vieillissant, il accorda simplement plus d'attention à un nombre plus restreint d'œuvres importantes, de grande taille, se consa-crant aux sujets d'inspiration biblique ou classique. Il fut le peintre insurpassable du paysage idéal.

Claude is an artist whose natural gifts extended to both drawing and etching. Von Sandrart writes that when they were young the two of them went with Nicolas Poussin and Pieter van Laer into the Campagna around Rome to make drawings after nature. Claude made hundreds of such studies, the majority of which show groups of trees, rivers, ponds, and rolling fields, with country folk and domestic animals. They are worked quickly in a free and certain hand. Claude captures effects of light and shade by offsetting the color of the paper with pools and blobs of wash of varying density. Many of his finest landscape drawings date from the 1630s and early 1640s, and it is probable that he matured first as a draftsman and later as a painter. His handling of the etching needle was equally bold and experimental. Claude's vision is consistent. As he grew older he simply gave greater attention to smaller numbers of large and important pictures, devoting himself to biblical and classical subjects. He was the supreme painter of the ideal landscape.

31 Le Gué

Huile sur toile, 74,3 × 101 cm, probablement peinte en 1636
Signée, avec traces d'une date, plus lisible (en bas à gauche):
CLAVD[IO F] / ROM[AE] [1636?]
Fonds Fletcher, 1928 (28.117)

Les études à la plume et au lavis que le Lorrain réalisa dans la campagne des environs de Rome le préparèrent à peindre des paysages imaginaires de ce genre. *Le Gué* semble un tableau presque naturaliste, sans effet, une «tranche» de réel; mais il n'en est rien, c'est une pure invention, rigoureusement orga-nisée selon des principes immuables de composition. L'hori-zon est posé légèrement en dessous du milieu de l'image. Le sol, les arbres, le pont et les collines sont disposés en bandes parallèles au plan de la peinture. Les ombres occupent à peu de chose près le triangle situé sous une des diagonales du tableau, en bas à gauche, et les lumières dessinent un triangle symétrique, en haut à droite. Le Lorrain peint effectivement des symétries: l'ombre fraîche du matin et le poudroiement de soleil dans le lointain; la densité, la bigarrure des feuillages et le vide de l'air; les galets, les brindilles méticuleusement dessinés, jon-chant le sol moussu, et les contours estompés des collines à l'horizon. Mais si ses représentations de l'air et de l'eau dans la lumière changeante sont à peu près incomparables, ses figures sont un peu empruntées, gauches, sans lien véritable les unes avec les autres. Sa connaissance de l'anatomie laissait à désirer, notamment parce qu'il semble avoir appris à dessi-ner les figures non pas d'après nature, mais en étudiant les œuvres de ses contemporains.

Cette composition est consignée sous le numéro 8 sur le *Liber Veritatis* de Claude le Lorrain. L'artiste a porté au verso de la feuille deux mentions: «faict pour Paris» et, séparément,

31 *The Ford*

Oil on canvas, 74.3 × 101 cm, probably painted in 1636
Signed and with traces of a date, no longer legible (lower left):
CLAVD[IO F] / ROM[AE] [1636?]
Fletcher Fund, 1928 (28.117)

The ink and wash studies that Claude made in the country-side around Rome prepared him to paint imaginary land-scapes of this kind. The Ford appears to be natural, even art-less, a slice of life, but it is in fact an invention, rigorously organized according to timeless principles of composition. The horizon lies slightly below the middle of the picture. The ground, trees, bridge, and hills are arranged in bands parallel to the picture plane. The darks form a triangle at lower left, and the lights a triangle at upper right. Claude paints opposites: the cool shade of morning and the blur of the bright, distant sun; the dense, multicolored patterns of the foliage and the airy void; the meticulously drawn twigs and pebbles lying on mossy ground and the dissolving con-tours of the distant hills. While his descriptions of air and water in changing light are more or less incomparable, his figures are awkward, tightly drawn, and quite disconnected from one another. His knowledge of anatomy was inad-equate, in part because he seems to have learned to draw figures not from the life but by studying the work of his contemporaries.

This composition is recorded as number 8 in Claude's Liber Veritatis. The artist inscribed the sheet twice on the verso, "faict pour Paris" and, separately, "Claudio fecit / in VR.," that is, "made for [a client in ?] Paris" and "Claude painted it in the city of Rome." Unfortunately, the name of the indi-vidual who commissioned the picture is not recorded. By

«Claudio fecit / in VR [dans la ville de Rome]». Malheureusement, le nom du commanditaire n'est pas cité. En 1741, lorsque Francis Vivares en réalisa la gravure, la peinture – qui portait alors le titre de *Morning* («Matin») – appartenait au Dr Richard Mead, médecin londonien et collectionneur distingué. Sous la mention «a landscape and figures, the cool of the morning» («paysage avec figures, la fraîcheur du matin»), elle porte le numéro 51 dans la vente de succession du Dr Mead en 1754 et atteint la somme de 108 guinées. Dans la même vente, le numéro 52 est ainsi décrit: «du même, le soir après le coucher du soleil. Il y en a une petite estampe, gravée par lui. Même format que le précédent.» Si, dans la collection du Dr Mead, les deux pièces – prétendument de la même dimension et dont les thèmes sont symétriques – semblent effectivement avoir été considérées comme une paire, elles furent séparées en 1754. *Evening* («Soir», collection particulière) ne figure pas dans le *Liber Veritatis*, mais fut en revanche gravé, comme indiqué, par le Lorrain.

La légende, sur la gravure de Vivares, indique que *Le Gué* fut peint en 1656, mais il ne peut s'agir que d'une erreur de lecture quant à la date inscrite sur la toile, qui était peut-être déjà difficile à décrypter au XVIIIe siècle, et qui a aujourd'hui presque disparu. Comme Charles Sterling fut le premier à le remarquer, la manière plaide pour les années 1630. Marcel Röthlisberger souligne que la figure de femme assise tirant sur son bas apparaît pour la première fois dans une gravure du Lorrain en 1634. En outre, on a des raisons de croire que les peintures consignées sous les numéros 6 et 9 sur le *Liber Veritatis* peuvent être datées de 1636. Il est donc généralement admis que l'œuvre ici présentée fut peinte la même année. Si l'autre paysage de la collection du Dr Mead a effectivement un format voisin (75×99,5 cm), il est peut-être un peu plus tardif. Les deux compositions ne forment pas un ensemble harmonieux et il semble peu vraisemblable que ces œuvres aient été conçues pour se répondre l'une l'autre.

KBB

1741, when Francis Vivares engraved it, the painting—then called Morning—*belonged to Dr. Richard Mead, a London physician and a distinguished collector. Titled "a landscape and figures, the cool of the morning," it was number 51 in Dr. Mead's 1754 estate sale and fetched 108 guineas. Number 52 in the sale was "another, by [Claude]; the evening after sunset. There is a slight print of it etched by himself. The same size with the former." While in Dr. Mead's collection, the two—with contrasting subjects and said to be of the same dimensions—seem to have been treated as a pair, but in 1754 they were separated.* Evening *(private collection) is not in the* Liber Veritatis, *but was, as indicated, etched in reverse by Claude.*

The inscription on Vivares's print indicates that The Ford *was painted in 1656, but this can only be a misreading of the date on the canvas, which may already have been difficult to interpret in the eighteenth century and by now has all but disappeared. As Charles Sterling was the first to point out, the handling suggests the 1630s. Marcel Röthlisberger notes that the figure of a seated woman pulling on her stocking first appears in an etching by Claude of 1634. As there is reason to believe that the paintings recorded as numbers 6 and 9 in the* Liber Veritatis *can be assigned to 1636, it is now generally agreed that the present work was painted in that year. While the other landscape from Dr. Mead's collection, at 75 by 99.5 centimeters, is close in size, it may be a little later. The compositions do not form a harmonious pair, and it seems unlikely that the works were conceived as pendants.*

KBB

Historique
Collection particulière, Paris. Dr Richard Mead, Londres (au moins 1741-†1754; vente, Langford's, Londres, 21 mars 1754, n° 51). George Anson, Lord Anson, Soberton, Hampshire (à partir de 1754). Par héritage à Thomas William Anson, 1er comte de Lichfield, Shugborough Hall, Stafford (jusqu'en 1842; sa vente, Robins, Shugborough Hall, 10 août 1842, n° 101, sous le titre *Bridge and Fisherman in a Boat*, pour la somme de 325 livres à Bassagio). [? Giuseppe Bassegio, Rome, 1856; vendu à Fould.] Madame Benoît (Helena) Fould, Paris (à partir de 1856). Par héritage à Hélène de Cernowitz, vicomtesse Guy de Lantivy de Trédion, Paris (jusqu'en 1928). [Durlacher, 1928; vendu au MMA.]

Ex collections
Private collection, Paris. Dr. Richard Mead, London (by 1741–d. 1754; sale, Langford's, London, March 21, 1754, no. 51). George Anson, Lord Anson, Soberton, Hampshire (from 1754). By descent to Thomas William Anson, 1st Earl of Lichfield, Shugborough Hall, Stafford (until 1842; his sale, Robins, Shugborough Hall, August 10, 1842, no. 101, as Bridge and Fisherman in a Boat, *for £325 to Bassagio). [? Giuseppe Bassegio, Rome, 1856; sold to Fould.] Madame Benoît (Helena) Fould, Paris (from 1856). By descent to Hélène de Cernowitz, vicomtesse Guy de Lantivy de Trédion, Paris (until 1928). [Durlacher, 1928; sold to MMA.]*

Expositions

The Metropolitan Museum of Art, *The Splendid Century; French Art: 1600–1715*, 8 mars - 30 avril 1961, nº 178. Yokohama Museum of Art, *Treasures from The Metropolitan Museum of Art: French Art from the Middle Ages to the Twentieth Century*, 25 mars - 4 juin 1989, nº 38.

Bibliographie

Richard Mead, *Authentic Memoirs of the Life of Richard Mead, M.D.*, Londres, 1755, cat. vente, p. vii. *Liber Veritatis; or A Collection of Prints, After the Original Designs of Claude Le Lorrain ... Executed by Richard Earlom*, 3 vol., Londres, 1777-1819, vol. 1 (1777), p. 13, nº 8, ill. John Smith, *A Catalogue Raisonné of the Works of the Most Eminent Dutch, Flemish, and French Painters*, 9 vol., 1829-1842, vol. 8 (1837), p. 198, vol. 9 (1842), p. 807, nº 10. Théodore Lejeune, *Guide théorique et pratique de l'amateur de tableaux*, 3 vol., Paris, 1864-1865, vol. 1 (1864), p. 148. Charles Sterling, *The Metropolitan Museum of Art: A Catalogue of French Paintings*, 3 vol., Cambridge, Mass., 1955-1967, vol. 1, *XV–XVIII Centuries* (1955), pp. 82-83, ill. Marcel Röthlisberger, «Earliest Dated Claude», *Philadelphia Museum of Art Bulletin* 52, nº 253 (1957), p. 54. Michael Kitson et Marcel Röthlisberger, «Claude Lorrain and the *Liber Veritatis*–I», *Burlington Magazine* 101 (janvier 1959), p. 23. Marcel Röthlisberger, *Claude Lorrain: The Paintings*, 2 vol., New Haven, 1961, vol. 1, pp. 108-110, 474n2, vol. 2, fig. 40. Michael Kitson, *Claude Lorrain: Liber Veritatis*, Londres, 1978, p. 56.

Exhibitions

The Metropolitan Museum of Art, The Splendid Century; French Art: 1600–1715, *March 8–April 30, 1961, no. 178. Yokohama Museum of Art*, Treasures from The Metropolitan Museum of Art: French Art from the Middle Ages to the Twentieth Century, *March 25–June 4, 1989, no. 38.*

References

Richard Mead, Authentic Memoirs of the Life of Richard Mead, M.D. *(London, 1755), sale cat., p. vii.* Liber Veritatis; or A Collection of Prints, After the Original Designs of Claude Le Lorrain ... Executed by Richard Earlom, *3 vols. (London, 1777–1819), vol. 1 (1777), p. 13, no. 8, ill. John Smith*, A Catalogue Raisonné of the Works of the Most Eminent Dutch, Flemish, and French Painters, *9 vols. (1829–42), vol. 8 (1837), p. 198, vol. 9 (1842), p. 807, no. 10. Théodore Lejeune*, Guide théorique et pratique de l'amateur de tableaux, *3 vols. (Paris, 1864–65), vol. 1 (1864), p. 148. Charles Sterling*, The Metropolitan Museum of Art: A Catalogue of French Paintings, *3 vols. (Cambridge, Mass., 1955–67), vol. 1*, XV–XVIII Centuries *(1955), pp. 82–83, ill. Marcel Röthlisberger, "Earliest Dated Claude,"* Philadelphia Museum of Art Bulletin *52, no. 253 (1957), p. 54. Michael Kitson and Marcel Röthlisberger, "Claude Lorrain and the* Liber Veritatis–I," *Burlington Magazine* 101 (January 1959), p. 23. Marcel Röthlisberger, *Claude Lorrain: The Paintings, *2 vols. (New Haven, 1961), vol. 1, pp. 108–10, 474n2, vol. 2, fig. 40. Michael Kitson*, Claude Lorrain: Liber Veritatis *(London, 1978), p. 56.*

Sébastien Bourdon

Français, né à Montpellier, le 2 février 1616; mort à Paris, le 8 mai 1671
French, born Montpellier, February 2, 1616; died Paris, May 8, 1671

Peintre, dessinateur et graveur très doué, Bourdon était le fils d'un peintre verrier et le petit-fils d'un orfèvre. La famille était calviniste. Né dans une période de troubles, le garçon sut se débrouiller très tôt. Il aurait, dit-on, été apprenti durant sept ans auprès d'un artiste nommé Barthélemy, qui n'a pas été identifié avec certitude. Entre 1634 et 1637, il est à Rome, où il vend à un marchand d'art local ses copies et pastiches d'œuvres contemporaines. Ainsi devient-il familier du style de Nicolas Poussin et de Claude le Lorrain, et tombe-t-il sous le charme de l'Antiquité classique. Ses toiles représentent des soldats, des mendiants, des voyous, campant et s'amusant dans des paysages italiens; il est alors associé aux Bambocciati, peintres de genre venus de différents pays d'Europe du Nord et vivant à Rome, dont le chef de file est Pieter van Laer, surnommé le Bamboccio (la marionnette).

En 1637, à l'âge de 21 ans, Bourdon s'installe à Paris et, quelques années plus tard, il obtient un logement au Louvre. Il fait partie des fondateurs de l'Académie royale de peinture et de sculpture en 1648. Puis il part pour Stockholm et séjourne à la cour de la reine Christine, de 1652 à l'abdication de celle-ci en 1654. Il y réalise d'élégants portraits de la souveraine et des membres de sa suite. En 1655, il est élu recteur de l'Académie de Paris. Il retourne en 1657 dans sa ville natale, Montpellier, où il réalise, pour l'autel de la cathédrale, *La Chute de Simon le Magicien*, toujours en place. Vers la fin de sa vie, Bourdon aime faire l'apologie de son séjour à Rome; il donne, devant ses collègues de l'Académie, des leçons sur Poussin, sur Annibal Carrache et sur la figure humaine dans l'art antique. Il meurt peu de temps après la seule commande royale qu'il ait jamais reçue, pour la décoration d'un plafond au palais des Tuileries.

Bourdon fut précoce et, malgré son apprentissage, dut être essentiellement autodidacte: un imitateur aux dons extraordinaires. Des œuvres qui lui sont attribuées, certaines l'ont été alternativement à Poussin, à Benedetto Castiglione, aux frères Le Nain ou à différents membres du groupe des Bambocciati. Il ne signa jamais ni ne data ses peintures, et elles sont rarement documentées. Dans la quarantaine, il semble que Bourdon

Bourdon, a gifted painter, draftsman, and printmaker, was the son of a stained-glass painter and the grandson of a goldsmith. The family was Calvinist. Born in a period of unrest, the boy was resourceful from an early age. He is said to have been apprenticed for seven years to an artist called Barthélemy, who has not yet been identified with certainty. Between 1634 and 1637 he was in Rome, where he sold his copies and pastiches of the work of various contemporaries to a local art dealer. Bourdon became familiar with the styles of both Nicolas Poussin and Claude Lorrain and fell under the spell of classical antiquity. His canvases depicting soldiers, beggars, and ruffians camping and disporting themselves in Italian landscapes indicate that he was associated with the Bambocciati, genre painters of various northern European nationalities living in Rome who were led by Pieter van Laer, called il Bamboccio (the puppet).

In 1637, at age twenty-one, Bourdon settled in Paris and several years later was granted lodgings in the Louvre. He was among the founders of the Académie royale de peinture et de sculpture in 1648. Thereafter he went to Stockholm, where, as court painter to Queen Christina of Sweden from 1652 until her abdication in 1654, he painted elegant portraits of the queen and members of her retinue. In 1655 he was elected principal of the Paris Académie. He returned to his native Montpellier in 1657 to paint the high altarpiece of the cathedral, The Fall of Simon Magus, *which is still in situ. Toward the end of his life, Bourdon described the importance of the experience of art in Rome, delivering several lectures to his fellow academicians on Poussin, on Annibale Carracci, and on the human figure in antique art. He died not long after receiving his only royal commission, for the decoration of a ceiling in the Tuileries Palace.*

Bourdon was precocious and, despite his apprenticeship, must have been largely self-taught: a mimic with an extraordinary capacity for imitation. Works ascribed to him have been attributed alternatively to Poussin, Benedetto Castiglione, and the brothers Le Nain as well as to various members of the Bambocciati

se soit de plus en plus intéressé au paysage, trouvant son langage propre, adapté de celui de Poussin. Les œuvres figuratives de la maturité, qu'elles soient d'inspiration biblique ou mythologique, sont éminemment personnelles, d'un goût classique, d'un raffinement et d'une élégance mesurés.

32 Paysage classique

Huile sur toile, 69,9×92,1 cm,
probablement peinte dans les années 1660
Don d'Atwood A. Allaire, Pamela Askew
et Phoebe A. DesMarais, en mémoire de leur mère,
Constance Askew, 1985 (1985.90)

Cette peinture, arrivée en Amérique au début du XXe siècle, venue d'une collection anglaise, n'a apparemment jamais été exposée en Europe et est à peu près inconnue de la critique moderne. Toutefois, il n'était pas difficile d'imaginer que le goût anglais pour Poussin, ou plus encore pour Gaspard Dughet, s'étendrait à ces paysages de Bourdon, dont relativement peu d'œuvres de ce genre ont survécu. Il existe cependant un certain nombre de gravures assez comparables, notamment un groupe de six paysages pastoraux d'après des dessins de Bourdon, gravés par Etienne Baudet et publiés à Paris en 1664. Ces dessins sont caractérisés par l'abondance de ruines (antiques pour la plupart), par la présence d'arbres à feuilles caduques, de bassins et de chutes d'eau, de lavandières et de troupeaux de moutons, tous disposés parallèlement au plan de l'image. Deux gravures, d'un ensemble de quatre, d'après les paysages de Bourdon et des suites de quatre gravures consacrées à l'histoire du Bon Samaritain et à des scènes du Nouveau Testament, sont composées selon les mêmes principes, avec des figures proportionnellement petites. L'architecture et les troncs des arbres imposent à toutes ces compositions une structure quadrillée.

 Dans ce paysage classique, Bourdon puise à la source antique comme à celle du XVIIe siècle. Le cheval cabré est modelé sur l'un des chevaux des Dioscures du Quirinal et c'est un symbole familier de la Rome antique; les figures dansantes tout à droite sont, quant à elles, inspirées, sans doute, de la *Bacchanale devant un terme* de Poussin (Londres, National Gallery), peinte à Rome dans les années 1630. Le cheval se cabre devant un ensemble de constructions antiques s'élevant en une perspective assez raide: une rotonde, un obélisque et deux statues égyptiennes flanquant une volée de marches. Les danseurs sous les arbres célèbrent Bacchus; plus en avant, un berger avec sa houlette est étendu, surveillant un troupeau de moutons et une chèvre au poil bigarré. Une vasque en forme de conque s'écoule dans un bassin rectangulaire. Les figures drapées au centre – l'une de face, les deux autres de profil (celle qui est au milieu du groupe vêtue d'une robe couleur de brique), s'avançant vers la droite – soulignent la calme ordonnance et l'horizontalité du dessin. Les tons bleu-gris et sableux sont typiques de l'artiste.

KBB

group. He neither signed nor dated his pictures, and they are rarely documented. In his forties, Bourdon seems to have become increasingly interested in landscape, working in a distinctive idiom adapted from that of Poussin. Bourdon's mature figurative work, whether biblical or mythological, is highly individual, classically inspired, and of a measured elegance and refinement.

32 A Classical Landscape

Oil on canvas, 69.9×92.1 cm,
probably painted in the 1660s
Gift of Atwood A. Allaire, Pamela Askew,
and Phoebe A. DesMarais, in memory of their mother,
Constance Askew, 1985 (1985.90)

The picture, which came to America from an English collection early in the twentieth century, has apparently never been exhibited in Europe and is largely unknown to modern scholarship. However, it is not difficult to imagine that British taste for Poussin, and particularly for Gaspard Dughet, would extend to this type of Bourdon landscape. Relatively few examples of the artist's work as a painter in this genre have survived, but there are a number of roughly comparable prints, notably a set of six pastoral landscapes after drawings by Bourdon that were engraved by Etienne Baudet and published in Paris in 1664. Bourdon's designs for Baudet's engravings are characterized by the presence of quantities of ruins (antique in the main), deciduous trees in leaf, pools and falls of water, washerwomen, and a flock of sheep, all arranged parallel to the picture plane. Two of a set of four engravings by Bourdon after his own pastoral landscapes, and suites of four engravings each devoted to the story of the Good Samaritan and to scenes from the New Testament, are composed according to the same principles, with figures of proportionately small size. The architecture and the trunks of the trees impose a gridlike structure on all of these compositions.

 In this classical landscape Bourdon quotes from both antique and seventeenth-century sources. The rearing horse is modeled on one of the horses of the Dioscuri on the Quirinal Hill and is a familiar symbol of ancient Rome, while the dancing figures at far right were doubtless inspired by Poussin's Bacchanalian Revel *(National Gallery, London), painted in Rome in the 1630s. The horse rears over an assemblage of ancient buildings arranged in steep perspective: a rotunda, an obelisk, and a pair of Egyptian statues flanking a flight of stairs. Among the trees are bacchic dancers, and in front of them is a reclining shepherd with a crook watching over a flock of sheep and a parti-colored goat. A shell-shaped basin overflows into a rectangular pool of water. The heavily draped central figures—one frontal and the others (one in a brick-colored robe) in strict profile proceeding to the right—underline the ordered calm and horizontality of the design. The blue-gray and sandy tonalities are typical of the artist.*

KBB

Historique

Comte de Loudon. [Durlacher, New York; vendu ou donné à Atwood.] Mrs. Eugene Atwood, Stonington, Conn. (au moins 1931-†1942). Sa fille et son gendre, Mr. et Mrs. R. Kirk Askew Jr., New York (1942-1984).

Expositions

Hartford, Wadsworth Atheneum and Morgan Memorial, *Retrospective Exhibition of Landscape Painting*, 20 janvier - 9 février 1931, n° 20 (prêté par Mrs. Eugene Atwood). New York, Wildenstein, *Gods & Heroes: Baroque Images of Antiquity*, 30 octobre 1968 - 4 janvier 1969, n° 1 (prêté par Mr. et Mrs. R. Kirk Askew Jr.).

Bibliographie

Pierre Rosenberg, *France in the Golden Age: Seventeenth-Century French Paintings in American Collections*, cat. exp., New York, 1982, p. 230. Keith Christiansen, *in* «Recent Acquisitions: A Selection, 1985–1986», *Metropolitan Museum of Art Bulletin*, 1986, pp. 32-33, ill. (coul.). Jacques Thuillier, *Sébastien Bourdon, 1616-1671*, cat. exp., Paris, 2000.

Ex collections

Earl of Loudon. [Durlacher, New York; sold or given to Atwood.] Mrs. Eugene Atwood, Stonington, Conn. (by 1931–d. 1942). Her daughter and son-in-law, Mr. and Mrs. R. Kirk Askew Jr., New York (1942–84).

Exhibitions

Hartford, Wadsworth Atheneum and Morgan Memorial, Retrospective Exhibition of Landscape Painting, *January 20– February 9, 1931, no. 20 (lent by Mrs. Eugene Atwood). New York, Wildenstein,* Gods & Heroes: Baroque Images of Antiquity, *October 30, 1968–January 4, 1969, no. 1 (lent by Mr. and Mrs. R. Kirk Askew Jr.).*

References

Pierre Rosenberg, France in the Golden Age: Seventeenth-Century French Paintings in American Collections, *exh. cat. (New York, 1982), p. 230. Keith Christiansen, in "Recent Acquisitions: A Selection, 1985–1986,"* Metropolitan Museum of Art Bulletin *(1986), pp. 32–33, ill. (color). Jacques Thuillier,* Sébastien Bourdon, 1616–1671, *exh. cat. (Paris, 2000).*

Jean Antoine Watteau

Français, baptisé à Valenciennes, le 10 octobre 1684; mort à Nogent-sur-Marne, le 18 juillet 1721
French, baptized Valenciennes, October 10, 1684; died Nogent-sur-Marne, July 18, 1721

Watteau, fils d'un couvreur, était d'origine modeste. La famille vivait à Valenciennes, ville flamande, rattachée à la France en 1678, ancienne capitale du comté de Hainaut, région frontalière ayant appartenu à la Bourgogne et à l'Autriche. Watteau y reçoit sa première éducation artistique, probablement dans l'atelier du peintre Jacques Albert Gérin. En 1702, il part pour Paris, où il travaille d'abord, selon son ami et biographe Edmé Gersaint, au service d'un artiste médiocre nommé Métayer, puis subsiste en réalisant de petits portraits et des images de dévotion dans la boutique d'un artisan qui les vend en province. Plus tard, il est assistant de Claude Gillot, spécialisé dans la peinture de la vie théâtrale, notamment dans les personnages et les scènes de la commedia dell'arte, ainsi que du peintre décorateur Claude Audran III.

Le 6 avril 1709 – l'une des rares dates précises que nous connaissions dans la vie de Watteau –, il fait partie de ceux qui sont invités à se présenter au concours annuel de l'Académie royale de peinture et de sculpture pour le Prix de Rome, c'est-à-dire pour une pension et une bourse d'étude dans la capitale italienne. Classé second, il n'obtient pas le séjour espéré. C'est sans doute cette déception qui le pousse alors à rentrer dans sa ville natale. Il finance son voyage en vendant soixante livres une petite toile, *La Recrue allant rejoindre le régiment* (lieu de conservation inconnu), au verrier et marchand de tableaux Pierre Sirois, qui en commandera ensuite une seconde, pour faire pendant, qu'il paiera deux cents livres, *Le Camp volant* (Moscou, Musée d'Etat Pouchkine), peinte à Valenciennes, peut-être aujourd'hui la plus ancienne toile de Watteau qui ait survécu. La guerre de Succession d'Espagne faisait rage et Valenciennes, près de la ligne de front, n'était certainement pas un endroit de tout repos. En outre, Watteau n'était pas même membre de l'académie locale et n'avait donc pas le droit d'y vendre ses peintures. Après ce qui dut être un bref séjour, durant lequel il dessina la vie des soldats et des ribaudes, il revint à Paris en compagnie de Jean-Baptiste Joseph Pater, qui devint son élève et son assistant.

Watteau est agréé par l'Académie royale en 1712, mais durant plusieurs années, malgré les demandes

Of humble origins, Watteau was the son of a roofer. The family lived in Valenciennes, once the capital of the ancient Flemish province of Hainaut, a border region that had belonged to Burgundy and Austria before being reunited with France in 1678. Watteau received his earliest training there, probably in the studio of the painter Jacques Albert Gérin. In 1702 he went to Paris, where, according to his friend and biographer Edmé Gersaint, he worked first with a mediocre artist called Métayer and then subsisted painting small portraits and devotional pictures in the shop of an artisan-dealer who sold them to clients in the provinces. Later Watteau was an assistant to Claude Gillot, who specialized in theatrical subjects, particularly characters and scenes from the Italian commedia dell'arte, and to the ornamental painter Claude Audran III.

On April 6, 1709—one of the few certain dates we have for Watteau—he was among those invited to enter the annual competition sponsored by the Académie royale de peinture et de sculpture for the Prix de Rome, which provided for subsidized accommodation and study in the Italian capital. His disappointment when he placed second but was not afforded the opportunity to go to Rome is thought to have driven him to return home, a trip he financed by selling a small canvas called The Departure of the Troops (whereabouts unknown) for sixty livres to the glazier and picture dealer Pierre Sirois, who subsequently paid two hundred livres for a companion piece, The Bivouac (Pushkin State Museum, Moscow). The Bivouac, which was painted in Valenciennes, may be Watteau's earliest surviving picture. The War of the Spanish Succession was going against the armies of Louis XIV, and Valenciennes, near the front lines, cannot have been a salutary place. Watteau was not in any event a member of the local academy and was therefore prohibited from living and selling pictures in the town. After what was probably a brief stay, during which he made drawings from the life of soldiers and camp followers, he returned to Paris with Jean-Baptiste Joseph Pater, who became his pupil and assistant.

pressées et répétées des académiciens, il rechigne à soumettre sa pièce de réception. Il est finalement reçu le 28 août 1717, sur présentation d'une peinture «représentant une feste galante», le poétique et lyrique *Pèlerinage à l'île de Cythère* (Paris, Musée du Louvre). La nouvelle catégorie de peintre des fêtes galantes dans laquelle il est admis, créée à son intention, ne lui donne toutefois pas le droit d'accéder au rang de professeur, un honneur accordé aux seuls peintres d'histoire. L'*Almanach royal* rapporte qu'en 1720 Watteau est à Londres (souffrant de la tuberculose, il y est venu consulter un spécialiste, le Dr Richard Mead), tandis que la pastelliste vénitienne Rosalba Carriera note dans son journal qu'il est de retour à Paris en août et qu'il lui rend visite et pose pour elle en février 1721. Peu de temps après, il se retire à la campagne. A l'Académie, on annonce «la mort de Monsieur Antoine Watteau, peintre, académicien [...] décédé le dix-huit [juillet] à Nogent-sur-Marne, âgé de trente-cinq ans», comme le dit le procès-verbal. Il en avait probablement 36.

Watteau était d'une nature mélancolique, réservée et encline à la solitude. Il ne se maria pas, ne se fixa nulle part, peut-être marqué par l'indigence et la précarité de ses premières années. Dessinateur brillant et prolifique, il réalisa des milliers d'études de figures d'après nature, mais seulement deux cents peintures environ. Il a peint les comédiens au théâtre et, le plus souvent, des scènes galantes, où des couples élégants folâtrent dans des paysages verdoyants et champêtres. Tout chez lui est allusif, jusque dans les détails, qui semblent faire écho aux circonstances souvent obscures d'une vie sur laquelle on sait bien peu de choses.

Watteau was accepted for admission to the Académie royale in 1712, but for several years, despite repeated warnings from the academicians, he failed to submit his reception piece. He was received on August 28, 1717, when he presented a picture "représentant une feste galante," the lyrical and poetic Pilgrimage to the Island of Cythera (*Musée du Louvre, Paris*). Watteau was admitted as a painter of fêtes galantes, *a new category that was invented for his benefit but that did not qualify him to become a professor, an honor accorded only to history painters. In 1720 the* Almanach royal *reports that Watteau was in London (he was suffering from tuberculosis and had gone there to seek the advice of a specialist, Dr. Richard Mead), while the Venetian pastelist Rosalba Carriera notes in her journal that he was back in Paris in August 1720 and that he came to see her and sat for her in February 1721. Not long thereafter he retired to the country. The* procès-verbal *of the Académie announced "la mort de Monsieur Antoine Watteau, peintre, académicien ... décédé le dix-huit [juillet] à Nogent-sur-Marne, âgé de trente-cinq ans." He was probably thirty-six years old.*

Watteau was of a melancholy nature, retiring and inclined to solitude, unmarried, unsettled, perhaps marked by the poverty and uncertainty of his early years. A brilliant and prolific draftsman, he made thousands of studies of figures from the life, but only some two hundred pictures. He painted theatrical subjects and, most often, scenes of dalliance, in which elegant and amorous men and women are shown in verdant, parklike settings. The specifics of their subject matter are as obscure as the details of the artist's own little-documented life.

33 Les Comédiens-Français
Huile sur toile, 57,2 × 73 cm, peinte vers 1720
Collection Jules Bache, 1949 (49.7.54)

A en croire Gersaint, Watteau dessina très jeune des comédiens et des bateleurs, ce qui laisse penser qu'il a toujours été fasciné par les acteurs. En décembre 1731, dix ans après sa mort, le *Mercure de France* annonçait la publication d'une gravure d'après l'une des toiles de l'artiste, «des Comédiens François représentant une tragi-comédie». Sept ans plus tard, la peinture ici présentée était reproduite par Jean Michel Liotard dans le *Recueil Jullienne*, catalogue gravé de l'œuvre de Watteau, imprimé sous la direction de Jean de Jullienne, manufacturier, marchand et collectionneur distingué, qui fut le principal mécène de l'artiste. Elle est légendée en français et en latin, avec titre, noms de l'artiste, du graveur et du propriétaire de la toile (Jullienne) et ses dimensions: «haut de

33 *The French Comedians*
Oil on canvas, 57.2 × 73 cm, painted about 1720
The Jules Bache Collection, 1949 (49.7.54)

Edmé Gersaint's report that, as a youth, Watteau drew comedians and quacks suggests that the artist had always been fascinated by actors. In December 1731, ten years after his death, the Mercure de France *announced the publication of an engraving after one of his pictures, "des Comédiens François représentant une tragi-comédie." Several years later the print, which is by Jean Michel Liotard and after the present painting, was reproduced in the* Recueil Jullienne, *an annotated catalogue of engravings of Watteau's work compiled under the direction of Jean de Jullienne, a manufacturer and a celebrated dealer and collector who had been the artist's most important patron. The print is inscribed in French and Latin with the title, the names of the artist, the*

1. pied 10. pouces sur 2. pieds 4. pouces de large», soit environ 59,5 sur 75,7 centimètres. En 1900, le format notifié pour la même toile est de 57 par 73 centimètres, plus petit de 2,5 centimètres en hauteur et en largeur. A en juger par la gravure, la toile avait été rognée sur tous les côtés, mais principalement à droite et en bas. Le cadre n'est donc pas d'origine, bien qu'il soit d'époque.

Un faisceau d'indices permet d'affirmer que Watteau, à Paris, fut intimement mêlé au monde du théâtre durant les dix dernières années de sa brève existence. La Comédie-Française avait été instituée en 1680 par Louis XIV. On y donnait deux représentations par jour, en alternant les pièces comiques et tragiques. Et bien que la troupe de l'ancienne Comédie-Italienne eût été dissoute en 1697 et que le théâtre d'improvisation italien ne fût rétabli dans la capitale avant vingt ans, de nombreux acteurs se produisaient durant cette période dans les foires, avec des compagnies itinérantes. Watteau peignit souvent les grandes figures comiques du théâtre italien, Arlequin, Mezzetin (The Metropolitan Museum of Art), Pierrot et Scaramouche.

Mais il est un personnage comique du théâtre français qui l'intéresse aussi : c'est Crispin, valet égotiste et triste, souvent joué par un acteur que Watteau connaissait, Paul Poisson. Crispin, vêtu de noir, avec fraise blanche, bandeau et chapeau noirs, probablement représenté ici, pénètre dans l'espace du tableau, en bas à droite. L'habit démodé des autres acteurs masculins ne se retrouve pas dans les autres scènes de la vie théâtrale qu'a peintes Watteau, pas plus que leurs immenses et très protocolaires perruques. Les costumes, qui sont ceux du XVIIᵉ siècle, auraient été portés lors des représentations des tragédies parlées ou chantées. La figure centrale arbore une armure de parade, au plastron rembourré, avec épaulières et cuissards, quelque peu prétentieusement brodée de fil d'argent, tandis que l'héroïne est vêtue d'une robe assortie mais aux couleurs inversées et dépourvue des rubans rose saumon qui ornent le héros. Les bas de celui-ci, de soie blanche mais pourtant flasque, et ses chausses rouges attirent l'attention du spectateur sur son anatomie ingrate, ses jambes arquées et ses maigres chevilles – manifestant au passage l'humour acide de l'artiste. Il n'a jamais été possible d'identifier ni les acteurs ni la pièce, et Watteau a tout aussi bien pu inventer une image générique de la tragi-comédie, comme le suggère le titre de 1731.

KBB

engraver, and the owner (Jullienne), and the dimensions of the picture: "haut de 1. pied 10. pouces sur 2. pieds 4. pouces de large," roughly 59.5 by 75.7 centimeters. In 1900, the size was recorded as 57 by 73 centimeters, smaller by about 2.5 centimeters in height and width. Judging from the print image, the canvas was trimmed on all sides but mainly at the right and the bottom. The fine frame is therefore not the original, although it is of the period.

There is evidence of various kinds to suggest that in Paris in the last decade of his short life Watteau was intimately involved with the theater. The Comédie-Française had been established in its final form in 1680, and there were daily performances of two plays, with comic and serious subjects alternating. Although the old Comédie-Italienne troupe had been dismissed in 1697 and Italian improvisational theater was not reinstated in the capital for some twenty years, many players were acting with itinerant companies at fairs. Watteau often painted the stock Italian comic figures Harlequin, Mezzetin (The Metropolitan Museum of Art), Pierrot, and Scaramouche.

One French comic character also interested him: Crispin, a cheerless and egotistical manservant often played by an actor Watteau knew, Paul Poisson. Crispin, who dressed in black with a white ruff and a black headband and hat, is probably shown here, entering the picture space from the lower right. The old-fashioned dress of the other male actors does not appear elsewhere in Watteau's theatrical pictures, nor do their full, formal wigs. The costumes, of seventeenth-century type, would have been worn for performances of spoken or sung tragedy. The principal figure wears parade armor, with a padded breastplate and shin and shoulder defenses elaborately embroidered with silver lace, while the heroine's costume is en suite, with the colors reversed, and without the salmon-pink ribbons. The hero's sagging white silk stockings and red boots draw the spectator's attention to his anatomy, notably his bowed legs and skinny ankles—and perhaps to the artist's sense of humor. It has never been possible to identify either the players or the play, and Watteau may have intended a generic evocation of tragicomedy, as the 1731 title suggests.

KBB

Historique

Jean de Jullienne, Paris (au moins depuis 1731-au moins jusqu'en 1735; vendu à Frédéric II le Grand). Frédéric II le Grand, roi de Prusse, Potsdam (au moins depuis 1756-†1786). Famille royale prussienne et famille impériale allemande, Potsdam et Berlin (1786-1888). Guillaume II, Berlin (1888-1928; le Kaiser abdique en 1918, s'exile et vend la toile, qui reste en Allemagne, par Hugo Moser à Duveen). [Duveen, New York, 1928; vendu à Bache.] Jules Bache, New York (1928-1944).

Expositions

Berlin, Königliche Akademie der Künste, *Werke Französischer Kunst des XVIII. Jahrhunderts*, 26 janvier - 6 mars 1910, n° 88 (propriété de Sa Majesté l'Empereur et Roi). Washington, D.C., National Gallery of Art, et Paris, Grand Palais, *Watteau, 1684-1721*, 17 juin 1984 - 28 janvier 1985, n° 70. Berlin, château de Charlottenburg, *Watteau, 1684-1721*, 23 février - 27 mai 1985, n° 121.

Bibliographie

Edmond de Goncourt, *Catalogue raisonné de l'œuvre peint, dessiné et gravé d'Antoine Watteau*, Paris, 1875, p. 64, n° 64. R. Dohme, «Zur Literatur über Antoine Watteau», *Zeitschrift für bildende Kunst* 11 (1876), p. 90, n° 8. Paul Seidel, *Les collections d'œuvres d'art françaises du XVIIIᵉ siècle appartenant à Sa Majesté l'Empereur d'Allemagne Roi de Prusse*, Berlin, 1900, p. 147, n° 157. Emile Dacier et Albert Vuaflart, *Jean de Jullienne et les graveurs de Watteau au XVIIIᵉ siècle*, 4 vol., 1921-1929, vol. 1 (1929), pp. 64, 240, 264, vol. 2 (1922), pp. 35, 63, 95, 97-98, 130, 142, 162, vol. 3 (1922), p. 95, n° 205, vol. 4 (1921), pl. 205. Hélène Adhémar, *Watteau, sa vie – son œuvre*, Paris, 1950, pp. 50, 119, 121, 231, n° 212, pl. 147, 148 (couleur). Charles Sterling, *The Metropolitan Museum of Art: A Catalogue of French Paintings*, 3 vol., Cambridge, Mass., 1955-1967, vol. 1, *XV–XVIII Centuries* (1955), pp. 102-105, ill. K. T. Parker et J. Mathey, *Antoine Watteau: Catalogue complet de son œuvre dessiné*, 2 vol., 1957, vol. 1, p. 18, vol. 2, pp. 316, 343, 383. André Blanc, «Watteau et le théâtre français», in *Antoine Watteau (1684-1721): Le peintre, son temps et sa légende*, Paris, 1987, pp. 200-202, pl. 68.

Ex collections

Jean de Jullienne, Paris (by 1731–at least 1735; sold to Frederick the Great). Frederick the Great, King of Prussia, Potsdam (by 1756–d. 1786). The Prussian royal family and the German imperial family, Potsdam and Berlin (1786–1888). Kaiser Wilhelm II, Berlin (1888–1928; the Kaiser abdicated in 1918, fled, and sold the picture, which remained in Germany, through Hugo Moser to Duveen). [Duveen, New York, 1928; sold to Bache.] Jules Bache, New York (1928–44).

Exhibitions

Berlin, Königliche Akademie der Künste, Werke Französischer Kunst des XVIII. Jahrhunderts, *January 26–March 6, 1910, no. 88 (Im Besitz Seiner Majestät des Kaisers und Königs). Washington, D.C., National Gallery of Art, and Paris, Grand Palais,* Watteau, 1684–1721, *June 17, 1984–January 28, 1985, no. 70. Berlin, Schloss Charlottenburg,* Watteau, 1684–1721, *February 23–May 27, 1985, no. 121.*

References

Edmond de Goncourt, Catalogue raisonné de l'œuvre peint, dessiné et gravé d'Antoine Watteau *(Paris, 1875), p. 64, no. 64. R. Dohme, "Zur Literatur über Antoine Watteau,"* Zeitschrift für bildende Kunst *11 (1876), p. 90, no. 8. Paul Seidel,* Les collections d'œuvres d'art françaises du XVIIIᵉ siècle appartenant à Sa Majesté l'Empereur d'Allemagne Roi de Prusse *(Berlin, 1900), p. 147, no. 157. Emile Dacier and Albert Vuaflart,* Jean de Jullienne et les graveurs de Watteau au XVIIIᵉ siècle, *4 vols. (1921–29), vol. 1 (1929), pp. 64, 240, 264, vol. 2 (1922), pp. 35, 63, 95, 97–98, 130, 142, 162, vol. 3 (1922), p. 95, no. 205, vol. 4 (1921), pl. 205. Hélène Adhémar,* Watteau, sa vie – son œuvre *(Paris, 1950), pp. 50, 119, 121, 231, no. 212, pls. 147, 148 (color). Charles Sterling,* The Metropolitan Museum of Art: A Catalogue of French Paintings, *3 vols. (Cambridge, Mass., 1955–67), vol. 1, XV–XVIII Centuries (1955), pp. 102–5, ill. K. T. Parker and J. Mathey,* Antoine Watteau: Catalogue complet de son œuvre dessiné, *2 vols. (1957), vol. 1, p. 18, vol. 2, pp. 316, 343, 383. André Blanc, "Watteau et le théâtre français," in* Antoine Watteau (1684–1721): Le peintre, son temps et sa légende *(Paris, 1987), pp. 200–202, pl. 68.*

Jean-Baptiste Joseph Pater

Français, né à Valenciennes, le 29 décembre 1695; mort à Paris, le 25 juillet 1736
French, born Valenciennes, December 29, 1695; died Paris, July 25, 1736

A la naissance de Pater, Valenciennes n'est rattachée à la France que depuis moins de vingt ans; c'est donc en terre flamande que l'artiste grandit. Son père, Antoine, qui est sculpteur, le place comme apprenti, en 1706, chez un peintre local, Jean-Baptiste Guidé. Edmé Gersaint rapporte qu'à la fin de l'année 1709 ou au début de 1710, le jeune homme quitte Valenciennes, en compagnie de son aîné et compatriote, Jean Antoine Watteau, qui repart pour Paris. Mais Watteau est d'un caractère difficile et, au bout de quelque temps, se désintéresse de son élève, qui, peinant à mener dans la capitale une carrière indépendante, retourne dans sa ville natale. En 1716, il s'y attire les foudres de la Guilde de Saint-Luc locale, à laquelle, bien que peintre, il n'est pas affilié, son père se chargeant de vendre sa peinture. Fuyant l'hostilité et le conservatisme du milieu artistique valenciennois, et sans doute en quête d'un avenir meilleur, il s'établit définitivement à Paris en 1718.

Pater fut le seul élève de Watteau et les deux hommes avaient de nombreux points communs. Tous deux d'origine flamande, ils étaient venus tenter fortune à Paris, menèrent une existence errante, ne se marièrent pas, s'affirmèrent sur le tard et moururent jeunes. En 1721, Watteau, miné par la tuberculose, se retire à la campagne, à Nogent-sur-Marne. Pris de remords, il invite Pater à venir le voir et se propose de lui léguer son savoir de peintre. L'élève accourt, mais Watteau meurt au bout d'un mois. Ainsi Pater est-il le second à se spécialiser dans ce que l'Académie royale de peinture et de sculpture nomme désormais la «fête galante», genre inventé par le grand Watteau.

En 1725, effectivement, Pater est agréé par l'Académie, puis reçu, en 1728, sur présentation d'une scène de la vie militaire, comme «peintre dans le talent particulier des fêtes galantes». Bien qu'il eût pour clients les plus éminents collectionneurs parisiens, qu'il fût très apprécié de Frédéric II de Prusse, qui n'acheta pas moins de quarante de ses toiles, Pater vécut dans la crainte de la pauvreté et de l'échec. Il travaillait sans relâche, avec beaucoup de facilité, mais n'accordant que peu de place à l'invention, se contentant de variations sur ses thèmes favoris: réunions élégantes, d'acteurs, de

Pater, a native of Valenciennes, grew up in a Flemish area that had been reunited with France less than twenty years before he was born. There his father, Antoine, a sculptor, apprenticed him in 1706 to a local painter, Jean-Baptiste Guidé. Edmé Gersaint reported that Pater left Valenciennes for Paris with Jean Antoine Watteau. This was either late in 1709 or in 1710. The older artist's temperament was difficult, and in due course the two separated; the younger artist, unable to make an independent living in the capital, returned after several years to his native town. Pater was established in Valenciennes again by 1716, and there he fell afoul of the powerful guild of Saint-Luc, of which he was not a member despite the fact that he was painting pictures and his father was selling them. To escape the strictures of the conservative local art establishment, and doubtless also in hope of a more promising future, in 1718 Pater again decamped for Paris, where he remained until his death.

Pater was Watteau's only pupil, and the two had much in common. Both were French nationals of Flemish origin, and both moved to Paris, lived an unsettled existence, never married, matured late, and died young. By 1719 Watteau was suffering from tuberculosis, and in 1721 he retired to a country house in Nogent-sur-Marne. Remorseful in the end, he invited Pater to visit him and to learn all he knew about painting. Pater went to Nogent, but Watteau died within a month. Pater was the second painter to specialize in the fête galante, *the new genre that the Académie royale de peinture et de sculpture had named, but that Watteau himself had invented.*

In 1725 Pater was approved for admission to the Académie, and in 1728, upon presentation of a military subject (Musée du Louvre, Paris), he was received into the Académie as a "peintre dans le talent particulier des fêtes galantes." Despite the fact that he was patronized by several of the most prominent collectors in Paris, and that he was especially favored by Frederick the Great of Prussia, who owned forty of his works, Pater feared poverty and failure. He worked tirelessly and with ease and facility, but he gave little

34 **Troupes en marche**
Huile sur toile, 54×65,4 cm, peinte vers 1725
Legs d'Ethel Tod Humphrys, 1956 (56.55.1)

*34 **Troops on the March***
Oil on canvas, 54×65.4 cm, painted about 1725
Bequest of Ethel Tod Humphrys, 1956 (56.55.1)

35 Troupes au repos
Huile sur toile, 54×65,4 cm, peinte vers 1725
Legs d'Ethel Tod Humphrys, 1956 (56.55.2)

35 Troops at Rest
Oil on canvas, 54×65.4 cm, painted about 1725
Bequest of Ethel Tod Humphrys, 1956 (56.55.2)

danseurs et de musiciens, ou encore nus dans des cadres champêtres… Le Metropolitan Museum s'enorgueillit de posséder l'une de ses plus grandes œuvres, *La Foire de Bezons*. Mais Pater a défié la recherche moderne. Florence Ingersoll-Smouse nous en a livré, il y a presque quatre-vingts ans, une monographie exemplaire, qui fait toujours autorité.

thought to invention, producing variations on favorite themes—principally elegant gatherings, often with actors, dancers, musicians, or nudes in parklike settings. The Metropolitan Museum is fortunate to own one of his greatest works, The Fair at Bezons. *Pater has held modern scholarship at bay; Florence Ingersoll-Smouse wrote an exemplary monograph almost eighty years ago that has not been replaced.*

Bien que son «morceau de réception» à l'Académie fût intitulé *Une fête champêtre. Réjouissance de soldats* (Paris, Musée du Louvre), les scènes de la vie militaire n'occupent qu'une faible place dans l'œuvre de Pater. Souvent conçues pour former des paires, elles montrent presque autant de soldats que de ribaudes suivant l'armée: femmes, dont certaines sont chargées d'enfants ou portent leur bébé, qui chevauchent ou marchent aux côtés des hommes lorsque la troupe est en mouvement, ou s'assoient parmi eux, près du feu, au bivouac. Celles qui ont des enfants portent un bonnet, et les autres, une coiffe. Les soldats, couverts d'un tricorne, sont en uniforme, ceints du sabre ou de l'épée, portant mousquets, piques et sacs de munitions. Apparemment, la troupe ne compte ni commandant ni officiers, mais est accompagnée des inévitables vivandiers. Quelques couples s'enlacent, mais la tonalité générale est sombre. Les collines de ces paysages imaginaires sont emplies d'arbres vaporeux, de chariots, de tentes, de maisons et de barrières délabrées, d'enceintes, de tours, de poternes en ruine.

En 1701, l'Europe commençait de s'entre-déchirer dans la guerre de Succession d'Espagne, dont l'issue allait déterminer le destin des Pays-Bas espagnols, à la frontière nord de la France. Après la défaite d'Audenarde en 1708, Louis XIV dut renoncer à sa politique expansionniste et les armées françaises furent repoussées à l'intérieur de leurs frontières; l'année suivante, la bataille de Malplaquet, près de Valenciennes, fut plus meurtrière encore. Dans les années qui ont précédé son départ pour Paris en compagnie de Watteau, Pater, encore enfant, fut sans doute témoin du passage des troupes, des privations et des maux engendrés par la guerre. Dans son œuvre, les toiles datées ou qu'on peut dater remontent toutes au début des années 1730, à l'exception de son morceau de réception, de 1728, qui, avec ses quarante figures, est l'une de ses plus grandes pièces (113,5×153,5 cm). Vraisemblablement, il peignit des scènes de la vie militaire avant et après cette œuvre importante.

Dans la plupart des scènes de ce genre, la palette de Pater, déclinée à partir des couleurs de la terre, est plus sombre que dans ses autres toiles. Cette tonalité assombrie rappelle d'ailleurs les quelques scènes de la vie militaire peintes par son maître, qui sont parmi les premiers tableaux de celui-ci. Watteau peignit *La Recrue allant rejoindre le régiment* pour le beau-père de Gersaint et, avec l'argent que lui avait rapporté la vente de ce tableau, put financer son retour à Valenciennes, en 1709; là-bas, il reçut commande d'un pendant représentant

Despite the fact that Pater submitted a painting titled Soldiers Celebrating *(Musée du Louvre, Paris) to the Académie as his reception piece, military scenes account for only a small part of his œuvre. His military subjects, often conceived as pairs, show almost as many camp followers as soldiers: women, often with nursing babies or small children, who walk or ride with the men on the march and, in camp, sit with them by the fireside. The women with children wear bonnets, while the others wear caps. The soldiers wear tricorne hats, uniform coats, and sabers, and carry muskets, pikes, and ammunition bags. Apparently there are no commanders or officers of rank among them, only the ever-present victuallers. Some couples embrace, but the mood is somber. The rolling imaginary landscapes are furnished with filmy trees, wagons, tents, dilapidated houses and fences, and ruined walls and city gates.*

In 1701 Europe went to war over the Spanish succession, a conflict whose outcome would determine the fate of the Spanish Netherlands, France's neighbor to the north. Louis XIV was forced to abandon his expansionist intentions when the French armies were driven back over their northern border following a defeat at Oudenaarde in 1708 and, in the following year, suffered a further bitter loss at Malplaquet, near Valenciennes. In the decade leading up to his escape to Paris with Watteau, the boy Pater must have experienced troop movements, deprivation, and other travails of war. His few dated and datable works are all from the early 1730s except for his 1728 Académie submission, at 1 by 1.5 meters one of his largest canvases, with forty figures. It seems likely that military subjects preceded and led up to, as well as followed, this important work.

The palette of a number of troop pictures of this type, worked up over an earth-colored ground, is darker than Pater's usual color schemes. The somber overall tone is a characteristic they share with Watteau's few military pieces, which are among his earliest. Watteau painted a Departure of Troops *for Gersaint's father-in-law and with the proceeds of the sale of the picture returned in 1709 to Valenciennes. While there, he received a commission for a pendant, representing soldiers in camp, a small canvas now belonging to the Pushkin State Museum, Moscow. The Pushkin painting is the Watteau that the present* Troops at Rest *most closely resembles, and it is not difficult to imagine that Pater saw it, and others of the kind, while he was Watteau's assistant.*

des soldats bivouaquant, une petite toile aujourd'hui conservée au Musée d'Etat Pouchkine de Moscou. C'est à cette toile que les *Troupes au repos* ressemblent sans doute le plus, et il n'est pas difficile d'imaginer en effet que Pater la vit, ainsi que d'autres de cette sorte, lorsqu'il était assistant de Watteau. Pour les deux toiles de Pater ici présentées, on peut avancer la date du début des années 1720. Il existe une réplique signée, de format similaire et comportant quelques variations de détail, des *Troupes en marche*, qui fut gravée au XVIIIe siècle par Larmessin et au XIXe par Courtry. Ayant appartenu aux collections Greffulhe, Oppenheim et Péreire, aujourd'hui dans une collection particulière, il s'agit sans nul doute de la peinture que le marchand Cailleux présenta en 1954 à Londres, lors de l'exposition *European Masters of the Eighteenth Century*.

KBB

A date for this pair in the early 1720s might be envisaged. There is a signed replica, close in size and with slight variations in detail, of Troops on the March, *which was engraved in the eighteenth century by Larmessin and in the nineteenth century by Courtry. From the Greffulhe, Oppenheim, and Péreire collections and now privately owned, it is evidently the painting that the dealer Cailleux showed in 1954 at the London exhibition* European Masters of the Eighteenth Century.

KBB

François Boucher

Français, né à Paris, le 29 septembre 1703; mort à Paris, le 30 mai 1770
French, born Paris, September 29, 1703; died Paris, May 30, 1770

A 20 ans, Boucher est remarqué par François Lemoyne, grâce auquel il peut s'inscrire au concours de l'Académie pour le Prix de Rome, en 1723. Autant qu'on sache, il n'a eu d'autre professeur que son propre père, Nicolas, peintre ornemaniste. Boucher remporte le prix, mais, n'ayant pas les moyens du voyage à Rome, il travaille à la préparation d'une série d'eaux-fortes à partir de dessins de Watteau pour le graveur Jean-François Cars et le collectionneur Jean de Jullienne. A partir du printemps 1728, le jeune homme peut finalement se rendre dans la capitale italienne pour un séjour prolongé; il y étudie l'art du XVIIᵉ siècle et y développe encore son talent pour le dessin.

Boucher est agréé par l'Académie royale de peinture et de sculpture en 1731, puis reçu en 1734 sur présentation de son *Renaud et Armide* (Paris, Musée du Louvre). Sa brillante carrière de peintre de cour est définitivement lancée l'année suivante par une première commande royale – quatre médaillons avec putti pour le plafond de la chambre de la Reine à Versailles. En 1736, il livre, pour la décoration des Petits Appartements de Louis XV, une *Chasse au léopard*, puis, en 1738, une *Chasse au crocodile* (toutes deux aujourd'hui au Musée de Picardie d'Amiens). Madame de Pompadour, la maîtresse en titre du roi, fut sa grande protectrice, de 1747 à sa mort, en 1767. Il peignit pour elle, parmi de nombreuses autres pièces, *La Toilette de Vénus* (The Metropolitan Museum of Art), en 1751, et, en 1753, deux de ses plus importantes scènes mythologiques, *Le Lever du soleil* et *Le Coucher du soleil* (tous deux à la Wallace Collection de Londres). Il fut nommé premier peintre du roi et élu directeur de l'Académie royale en 1765, et en ces qualités connut le succès jusqu'à sa mort.

Ce peintre aux dons multiples inventa la pastorale moderne. Ses peintures décoratives, dans les genres les plus divers, étaient destinées à la vente ou à ses nombreux clients privés. Il réalisa des cartons de tapisserie, des décors et des costumes de théâtre, des dessins pour les porcelaines des manufactures de Sèvres et de Vincennes. Les gravures d'après ses œuvres connurent une très large diffusion. L'imagination fertile de Boucher allait de pair avec une technique impeccable, tant pour

At twenty, Boucher came to the notice of François Lemoyne, who made it possible for him to enter the competition for the 1723 Prix de Rome. As far as is known, his only previous study had been with his artisan-painter father, Nicolas. Boucher won the competition, but there were no openings at the Académie de France in Rome, so instead he worked for the engraver Jean-François Cars and for the collector and connoisseur Jean de Jullienne, for whom he prepared etchings after Watteau's drawings. The young man was finally able to visit the Italian capital for an extended period beginning in the spring of 1728; there he studied seventeenth-century art and further developed his skills as a draftsman.

Boucher was approved for admission to the Académie royale de peinture et de sculpture in 1731 and was received in 1734 upon presentation of Rinaldo and Armida (Musée du Louvre, Paris). His brilliant career as a court painter was launched the following year when he received his first royal commission—for four canvases representing putti for the chambre de la Reine at Versailles, where they remain in situ. In 1736 he was invited to contribute Leopard Hunt and, in 1738, Crocodile Hunt (both Musée de Picardie, Amiens) to the decoration of Louis XV's Petits Appartements at the palace. Madame de Pompadour, the king's maîtresse en titre, was his principal patron from 1747 until her death in 1767. For her he painted, among many other works, The Toilet of Venus (The Metropolitan Museum of Art) in 1751 and, in 1753, two of his most important mythologies, Rising of the Sun and Setting of the Sun (both Wallace Collection, London). He was appointed first painter to the king and elected director of the Académie royale in 1765, and in these capacities he flourished until his death.

The versatile Boucher invented the modern pastoral subject. His cabinet pictures in a variety of genres were intended for the trade as well as for his numerous private clients. He made tapestry cartoons, stage and costume designs, and drawings for the use of the Vincennes and Sèvres porcelain manufactories. Engravings after his work were widely distributed. Boucher's fertile

la peinture que le dessin et la gravure. En revanche, il dédaigna les sujets nobles tirés de l'histoire ancienne, qui formaient le fonds de la pratique académique et, à mesure qu'il vieillissait, les critiques se firent entendre, jugeant son travail frivole et sans vérité. Il n'est pas surprenant qu'il ait été oublié durant la période révolutionnaire et soit revenu à la mode avec le Second Empire.

imagination was matched by his impeccable technique in painting, drawing, and printmaking. However, he neglected the noble subjects drawn from ancient history that lay at the heart of academic practice and, as he grew old, critics increasingly found his work frivolous and lacking in truthfulness. It is not surprising that he was disparaged during the revolutionary period but came back into fashion with the Second Empire.

36 Vierge à l'Enfant
avec saint Jean-Baptiste enfant et des chérubins
Huile sur toile, 41×34,6 cm, 1765
Signée et datée (en bas à droite): *f Boucher / 1765*
Don d'Adelaide Milton de Groot, en souvenir
des familles de Groot et Hawley, 1966 (66.167)

36 *Virgin and Child*
with the Young Saint John the Baptist and Angels
Oil on canvas, 41×34.6 cm, 1765
Signed and dated (lower right): f Boucher / 1765
Gift of Adelaide Milton de Groot, in memory of
the de Groot and Hawley families, 1966 (66.167)

En 1750, à l'instigation de Madame de Pompadour, Boucher se préoccupe pour la première fois d'un sujet religieux. A 46 ans, il est en pleine maturité et compte parmi ses protégés. Pour l'autel de sa chapelle privée au château de Bellevue, il entreprend une *Nativité* (Lyon, Musée des Beaux-Arts) qui est exposée au Salon, peinture élégante aux accents champêtres, où la lumière émane de l'Enfant endormi. Sept ans plus tard, il expose *Le Repos pendant la fuite en Egypte* (Saint-Pétersbourg, Musée d'Etat de l'Ermitage), qui lui vaut de nombreuses louanges et qu'acquiert aussi la marquise de Pompadour. Elle lui commande encore une petite peinture ovale de *L'Enfant Jésus bénissant saint Jean* (Florence, Galerie des Offices), signée et datée de 1758. Son *Saint Jean-Baptiste en prière* (Minneapolis Institute of Arts) était également destiné à l'ornement de la chapelle funéraire de la favorite de Louis XV. Deux œuvres de jeunesse, deux autres peintures d'autel et quelques esquisses sur des thèmes religieux qui ont survécu complètent cet inventaire, soit une douzaine de pièces au total, bien peu.

La *Vierge à l'Enfant* de 1765 faisait sans doute partie de la vente de la collection Chariot en 1788, lors de laquelle elle est répertoriée sous le nom de «L'Enfant-Jésus sur les genoux de la Vierge, & adoré par saint Jean», et décrite comme une toile ovale d'environ 38 par 33 centimètres. Les raisins, à gauche, peuvent être lus comme un symbole eucharistique; des chérubins assistent du dessus à la scène et saint Jean est comme à l'habitude vêtu d'une peau de bête et accompagné d'un agneau. Agneaux et chérubins, ou putti, reviennent pourtant sans cesse dans la peinture de Boucher et, si ce n'était le nuage diaphane nimbant la tête de l'Enfant, on eût pu prendre la scène pour une pastorale. La composition est d'ailleurs très semblable à celle de deux sujets de pastorale, *La Danse du petit chien* (Paris, Musée du Petit Palais), de 1758, et *Le Repas à la campagne* (Baltimore, Walters Art Museum), de 1769, délicats arrangements de trois figures, qui s'adaptent très bien au format ovale souvent utilisé par le peintre. On peut penser que Boucher gardait sous la main un dessin du mouton, car il le

In 1750, at the instigation of Madame de Pompadour, Boucher first gave serious attention to a religious subject. He was forty-six, at midcareer, and her favorite. For the altar for her private devotions at the Château de Bellevue he painted a Nativity *(Musée des Beaux-Arts, Lyons) that was exhibited at the Salon, a graceful, rustic picture in which light emanates from the sleeping Christ Child. Seven years later he exhibited to much praise* The Rest on the Flight into Egypt *(State Hermitage Museum, St. Petersburg), which belonged to her, and she commissioned a small oval representation of* The Infant Christ Child Blessing the Infant Saint John the Baptist *(Galleria degli Uffizi, Florence), signed and dated 1758. His* Saint John the Baptist in the Wilderness *(Minneapolis Institute of Arts) was designed for her funerary chapel. Two early works, two other altarpieces, and several sketches with religious themes survive, for a total of perhaps a dozen pictures: a very small number.*

This Virgin and Child, *of 1765, was almost certainly sold from the Chariot collection in 1788 as "L'Enfant-Jésus sur les genoux de la Vierge, & adoré par saint Jean," and further described as an oval measuring about 38 by 33 centimeters. The grapes on the pedestal at left can be read as a Eucharistic symbol; there are angels overhead, and Saint John is, as usual, wrapped in an animal skin and accompanied by a lamb. However, lambs and angels, or putti, are ever present in Boucher's work and, were it not for the pale cloud surrounding the Christ Child's head, one might mistake the work for a* pastorale. *The composition is most similar to those of two of his pastoral subjects,* The Little Dog's Dance *(Musée du Petit Palais, Paris) of 1758, and* The Country Meal *(Walters Art Museum, Baltimore) of 1769. All are suave arrangements of three figures, well adapted to the oval format that he often employed. Boucher must have kept a drawing of the sheep at hand, as the animal appears frequently— for example in* Interrupted Sleep *(The Metropolitan Museum of Art), painted fifteen years earlier, in 1750.*

replace fréquemment, par exemple dans *Le Sommeil inter-rompu* (The Metropolitan Museum of Art), peint quinze ans plus tôt, en 1750.

Le numéro 57 de la vente Chariot est décrit comme «une première pensée» de la *Vierge à l'Enfant* montrée ici, environ les deux tiers de son format, et sur toile. Le lot suivant comprend deux esquisses de sujets allégoriques, dont l'une est de la main de Boucher, et un dessin, également de Boucher; le lot 55 est une *Adoration des bergers*, toujours de Boucher, «à l'imitation de Bénédette», c'est-à-dire à la manière de Benedetto Castiglione. Il y avait d'autres dessins du peintre, ce qui suggère que Chariot fut un collectionneur de Boucher, et aurait pu commander la toile.

KBB

Number 57 in the Chariot sale was identified as "une première pensée" for this Virgin and Child, *roughly two-thirds its size and on canvas. The succeeding lot comprised two sketches of allegorical subjects, one by Boucher, and a drawing by Boucher as well, while lot 55 was an* Adoration of the Shepherds *by Boucher "à l'imitation de Bénédette," that is, by Boucher in the manner of Benedetto Castiglione. There were drawings too, suggesting that Chariot was a collector of Boucher's work and might conceivably have commissioned the picture.*

KBB

Historique
Monsieur Ch[ariot] (jusqu'en 1788; vente du même nom, A. J. Paillet, Paris, 28 janvier 1788, sous le numéro 56, intitulé «L'Enfant-Jésus sur les genoux de la Vierge, & adoré par saint Jean; esquisse terminée & très agréable», 14×12 pouces [37,8×32,6 cm], forme ovale). Collection particulière (jusqu'en 1848; vente, Christie's, Londres, 3 mars 1848, sous le numéro 31, intitulé *The Virgin and Child, and St. John* – ovale, pour 20 guinées, ravalé). Joseph R. Bowles, Portland, Oregon (vraisemblablement dans les années 1920 et avant 1953). Sa fille (Marion Bowles), Mrs. William W. Hollis, San Francisco (jusqu'en 1959; vendu à Wildenstein). [Wildenstein, New York, 1959-1965; vendu à Miss de Groot.] Adelaide Milton de Groot, New York (1965-1966).

Ex collections
Monsieur Ch[ariot] (until 1788; his sale, A. J. Paillet, Paris, January 28, 1788, no. 56, as "L'Enfant-Jésus sur les genoux de la Vierge, & adoré par saint Jean; esquisse terminée & très agréable," 14×12 pouces [37.8×32.6 cm], oval). Private collection (until 1848; sale, Christie's, London, March 3, 1848, no. 31, as The Virgin and Child, and St. John—*oval, for 20 guineas, bought in). Joseph R. Bowles, Portland, Ore. (probably 1920s–before 1953). His daughter, Mrs. William W. (Marion Bowles) Hollis, San Francisco (until 1959; sold to Wildenstein). [Wildenstein, New York, 1959–65; sold to Miss de Groot.] Adelaide Milton de Groot, New York (1965–66).*

Expositions
Leningrad, Musée d'Etat de l'Ermitage, et Moscou, Musée d'Etat Pouchkine, *100 kartin iz Muzeia Metropoliten, Soedinennye Shtaty Ameriki* («100 peintures du Metropolitan Museum, Etats-Unis d'Amérique»), 22 mai - 2 novembre 1975, n° 53. Atlanta, High Museum of Art, *The Rococo Age: French Masterpieces of the Eighteenth Century*, 5 octobre - 31 décembre 1983, n° 10.

Exhibitions
Leningrad, State Hermitage Museum, and Moscow, Pushkin State Museum, 100 kartin iz Muzeia Metropoliten, Soedinen-nye Shtaty Ameriki *(100 Paintings from the Metropolitan Museum, United States of America), May 22–November 2, 1975, no. 53. Atlanta, High Museum of Art,* The Rococo Age: French Masterpieces of the Eighteenth Century, *October 5–December 31, 1983, no. 10.*

Bibliographie
Theodore Rousseau, «Reports of the Departments: European Paintings», *Metropolitan Museum of Art Bulletin*, n.s., 26 (octobre 1967), pp. 64, 67-68, ill. Alexandre Ananoff, avec la collaboration de Daniel Wildenstein, *François Boucher*, 2 vol. (Lausanne, 1976), vol. 2, p. 257, n° 617, fig. 1639. Alastair Laing, *François Boucher, 1703–1770*, cat. exp. (New York, 1996).

References
Theodore Rousseau, "Reports of the Departments: European Paintings," Metropolitan Museum of Art Bulletin, *n.s., 26 (October 1967), pp. 64, 67–68, ill. Alexandre Ananoff, with the collaboration of Daniel Wildenstein,* François Boucher, *2 vols. (Lausanne, 1976), vol. 2, p. 257, no. 617, fig. 1639. Alastair Laing,* François Boucher, 1703–1770, *exh. cat. (New York, 1996).*

Jean-Baptiste Greuze

Français, né à Tournus, le 21 août 1725; mort à Paris, le 21 mars 1805
French, born Tournus, August 21, 1725; died Paris, March 21, 1805

Greuze est Bourguignon; il est né à Tournus, et c'est là, puis à Lyon, qu'il prend ses premières leçons, avant de se rendre à Paris, où il étudie le dessin auprès de Charles Joseph Natoire. Soutenu par le sculpteur Jean-Baptiste Pigalle, Greuze présente son travail à l'Académie royale de peinture et de sculpture, et y est agréé en juin 1755 comme «peintre de genre particulier». Il expose au Salon cet été-là et régulièrement dès lors, bien qu'il attende 1769 pour soumettre son morceau de réception. Son succès est immédiat. Trois des pièces exposées en 1755 sont achetées par un collectionneur très connu en ce temps, Ange Laurent de Lalive de Jully, dont le portrait (Washington, D.C., National Gallery of Art) par Greuze figure au Salon de 1759.

Greuze voyage en Italie en compagnie d'un nouveau mécène, l'abbé Louis Gugenot, puis séjourne à Rome, de janvier 1756 au printemps 1757, où il est logé à l'Académie de France et prépare plusieurs toiles pour le Salon. Les plus importantes sont «quatre tableaux dans le costume italien», parmi lesquels *Les Œufs cassés* (The Metropolitan Museum of Art), scène de mélodrame dont l'héroïne est une jeune servante ayant perdu sa vertu, inspirée d'une peinture hollandaise du XVIIᵉ siècle. La peinture de genre était une catégorie mineure dans la hiérarchie du XVIIIᵉ siècle, et si de tels sujets domestiques étaient bien reçus, on considérait néanmoins que l'artiste eût plus utilement dépensé son temps en peignant d'après l'antique. En 1759, Greuze épouse Anne Gabrielle Babuti. Le mariage est un échec et s'achève par un divorce, la riche jeune femme se révélant une intrigante infidèle. Les tristes circonstances de sa vie familiale (le couple eut trois filles) ont inspiré à l'artiste certaines de ses peintures les plus émouvantes et nombre de ses plus beaux dessins. Greuze connaît un succès remarquable dans les années 1760, jusqu'à ce qu'il présente enfin, en 1769, son morceau de réception aux académiciens. *Septime Sévère reprochant à Caracalla, son fils, d'avoir voulu l'assassiner* (Paris, Musée du Louvre) lui vaut d'être reçu comme membre à part entière, mais, à la majorité des voix, dans la spécialité de la peinture de genre et non de la peinture d'histoire. Ce camouflet ternit le reste de sa carrière, et il n'exposera plus à l'Académie avant 1800, quand celle-ci aura été dissoute et réorganisée par la Révolution. Il meurt cinq ans plus tard, dans son atelier du Louvre, oublié, ou presque.

Greuze, a Burgundian from the town of Tournus, received instruction there and in Lyons before moving to Paris, where he studied drawing with Charles Joseph Natoire. Supported by the sculptor Jean-Baptiste Pigalle, Greuze, at the age of twenty-nine, presented work to the Académie royale de peinture et de sculpture and was approved for associate membership in June 1755 as a genre painter. He showed at the Salon later that summer and regularly thereafter, despite the fact that until 1769 he failed to present to the academicians the required reception piece. The artist was an immediate success, and three of his 1755 exhibits were bought by the distinguished collector Ange Laurent de Lalive de Jully, whose portrait (National Gallery of Art, Washington, D.C.) by Greuze was presented at the 1759 Salon.

Greuze toured Italy with a new patron, the abbé Louis Gugenot, before settling from January 1756 until the spring of 1757 in Rome, where he had lodgings in the Académie de France and prepared several canvases for the Salon. The most important of these were "quatre tableaux dans le costume italien," one of which, Broken Eggs (The Metropolitan Museum of Art), has for a subject the loss of virtue of a pretty working-class heroine, a melodrama based on a seventeenth-century Dutch painting. Genre was a minor category in the eighteenth-century hierarchy, and while such modern domestic themes were well received, it was thought that the artist's time would have been better spent on subjects after the antique. In 1759 Greuze married Anne Gabrielle Babuti. The marriage failed and ended in divorce, as his wealthy spouse was interfering and unfaithful; the miserable circumstances of their family life (the couple had three daughters) are reflected in some of the artist's finest paintings and drawings. Greuze was notably successful in the 1760s until, in 1769, he finally submitted Septimius Severus Reproaching Caracalla (Musée du Louvre, Paris) to the academicians and was accepted into full membership, but by a split vote, and as a specialist in genre, not a history painter, a blow that blighted the balance of his career. He did not exhibit at the Académie again until 1800, when, after the Revolution, it had been dissolved and reorganized. He died five years later in his studio at the Louvre, a more or less forgotten figure.

Comme peintre de genre, dessinateur et portraitiste, Greuze fut apprécié sa vie durant par nombre de collectionneurs des plus distingués. On l'admira à la fin du XIXᵉ siècle, jusqu'à l'extravagance, pour la part la plus sentimentale de son œuvre, mais le XXᵉ siècle le déprécia. Ces dernières années, les écrits du critique américain Edgar Munhall ont contribué à renouveler l'intérêt pour son œuvre et à redonner à son honnêteté émotionnelle peu commune la place qu'elle mérite. L'œuvre peint de Greuze est particulièrement bien représenté au Metropolitan Museum of Art.

37 Jean-Jacques Caffiéri, le sculpteur
Huile sur toile, ovale, 64,1×52,7 cm,
probablement peinte vers 1763-1765
Legs d'Ethel Tod Humphrys, 1956 (56.55.3)

Jean-Jacques Caffiéri (1725-1792) était Parisien, d'origine italienne. Après avoir étudié avec son père, Jacques Caffiéri, puis auprès de Jean-Baptiste Lemoyne, il fut lauréat du Prix de Rome et partit en Italie en 1749. Il revint à Paris en 1754, fut agréé par l'Académie royale de peinture et de sculpture en 1757 et reçu en 1759 sur présentation d'une sculpture, *Un fleuve* (Paris, Musée du Louvre). Il est mieux connu pour ses bustes de marbre, vivants et naturalistes.

Le livret du Salon de Paris de 1765 mentionne quatre sculptures présentées par Caffiéri, adjoint à professeur, dont trois sont des portraits. Greuze ne soumet pas moins de seize œuvres la même année: six têtes d'expression et figures isolées, catégorie qu'il a faite sienne et dans laquelle il est passé maître; trois esquisses pour des peintures de genre, et sept portraits. Portant le numéro 118, *Le Portrait de M. Caffiery, Sculpteur du Roi* compte parmi ces derniers. La forme de la toile n'est pas spécifiée, mais elle est censée avoir les mêmes dimensions que les portraits de Messieurs Wille et Guibert et de Mesdames Tassart et Greuze, à savoir: «2 pieds 6 pouces de haut, sur 2 pieds de large», c'est-à-dire 81,3 sur 64,8 centimètres. La taille du portrait de Caffiéri telle qu'on peut donc la déduire du livret ne correspond pas à celle de l'œuvre ici présentée, mais la différence trouve peut-être une explication si l'on considère que les mesures ont pu être prises sur un cadre ouvragé assez large. Si ce n'étaient ces contradictions, la peinture serait sans doute universellement reconnue pour être celle qui fut exposée au Salon de 1765, d'autant que le style coïncide avec cette période et qu'on ne connaît pas d'autres candidats.

Des autres portraits, seul celui de l'ami intime de Greuze, le graveur d'origine allemande Jean Georges Wille, a été identifié. Mathon de La Cour, qui rend compte de l'exposition, remarque que «les portraits de M. Wille et de M. Caffieri sont peints d'une manière très spirituelle, comme les artistes, en effet, devraient toujours l'être». Le portrait de Wille fut achevé en six séances de pose, entre novembre et décembre 1763. Il est communément admis qu'il s'agit de l'œuvre aujourd'hui conservée au Musée Jacquemart-André à Paris: une toile rectangulaire

As a genre painter and draftsman and as a portraitist, Greuze was favored during his lifetime by many noble and distinguished collectors. He was extravagantly admired in the later nineteenth century, particularly for his most sentimental work, but dismissed for most of the twentieth. In recent years the American scholar Edgar Munhall's writings have contributed to a renewal of interest in Greuze and to the recognition of the unusual emotional honesty and force of his œuvre. Greuze's work as a painter is particularly well represented at The Metropolitan Museum of Art.

37 Jean-Jacques Caffiéri, the Sculptor
*Oil on canvas, oval, 64.1× 52.7 cm,
probably painted about 1763–65
Bequest of Ethel Tod Humphrys, 1956 (56.55.3)*

Jean-Jacques Caffiéri (1725–92) was a native Parisian of Italian descent. Having studied with his father, Jacques Caffiéri, and with Jean-Baptiste Lemoyne, he won the Prix de Rome and departed for Italy in 1749. He returned to Paris in 1754, was approved for associate membership in the Académie royale de peinture et de sculpture in 1757, and was admitted as a full member in 1759 upon the presentation of a sculpture, The River God *(Musée du Louvre, Paris). He is best known for his lively and naturalistic marble portrait busts.*

According to the livret *of the 1765 Paris Salon, Caffiéri, adjunct professor, contributed four sculptures, three of which were portraits. Greuze submitted sixteen works, a very large number: six expressive heads and single figures, a specialized category that he had made his own, and in which he excelled; three sketches for genre paintings; and seven portraits. Number 118,* Le Portrait de M. Caffiery, Sculpteur du Roi, *was among them. The shape of the painting is not mentioned, but it is said to have been the same size as the exhibited portraits of Messieurs Wille and Guibert and of Mesdames Tassart and Greuze, that is: "2 pieds 6 pouces de haut, sur 2 pieds de large," which translates to 81.3 by 64.8 centimeters. The size of the Caffiéri portrait recorded in the* livret *does not match that of the present work, but the variance could perhaps be explained if the measurements were of the outside dimensions of an elaborate frame. Were it not for the discrepancy, the picture would probably have been universally accepted as the 1765 Salon exhibit, as the style is appropriate to the presumed date and there are no other candidates.*

Of the other portraits, only that of Greuze's close personal friend, the German-born engraver Jean Georges Wille, has been identified. Mathon de La Cour, reviewing the exhibition, remarked that "the portraits of M. Wille and M. Caffieri are painted in a most spirited manner, as, indeed, artists ought always to be painted." The portrait of Wille was completed in six sittings in November and December of 1763. It

201

mesurant 59 sur 49 centimètres, dont les dimensions ne correspondent pas davantage à celles que donne le catalogue du Salon. Les deux portraits ont beaucoup en commun, y compris le fond en clair-obscur et l'éclairage intense du visage – la lumière provenant de la gauche –, probablement inspiré de Rembrandt. La cravate de soie, le jabot de dentelle, le gilet damassé, brodé de fils d'or et chamarré de fleurs, sont aussi très semblables; les deux hommes portent une perruque, poudrée et frisée avec soin, une veste sombre, aux boutons de même couleur, et sans col, un ruban noir nouant la coiffure par-derrière et ramené autour du cou, passé dans le jabot, sous le gilet.

On ne sait rien des relations – si elles ont existé – qu'entretenaient Greuze et Caffiéri. Ils sont pourtant nés la même année, ont tous deux séjourné en Italie, bien qu'à des époques différentes, et c'est grâce à leurs portraits qu'ils connurent, tout en travaillant à d'autres genres, une certaine gloire académique. L'expression du modèle, aimable, teintée de nostalgie, laisse deviner une personnalité sympathique, mais aussi une certaine intimité avec le portraitiste. Les deux hommes avaient à l'époque la quarantaine.

C'est dans la célèbre collection d'art français du XVIIIe siècle du couturier et esthète Jacques Doucet que cette peinture a été répertoriée pour la première fois au XXe siècle. Lorsque cette collection fut vendue, en 1912, l'un des auteurs du catalogue précisait qu'une très vieille étiquette identifiant le modèle était collée sur l'une des traverses du cadre. Elle est toujours en place, et l'on peut encore y lire: «No 1180 / portrait de Caffieri / par / Greuze». Remarquons encore que la physionomie du modèle s'accorde très bien au portrait de Caffiéri daté de 1784, de trois quarts, en habits de cour, réalisé par Adolf Ulrik Wertmüller et conservé au Museum of Fine Arts de Boston.

KBB

is generally held to be the work now in the Musée Jacquemart-André, Paris: an upright canvas, measuring 59 by 49 centimeters, whose dimensions do not agree with the Salon catalogue listing either. The two portraits have much in common, including the penumbral gradated backgrounds and the strong lighting of the faces from the left, probably inspired by Rembrandt. The sitters' soft neck cloths, lace jabots, and damask vests embroidered with gold threads and brightly colored flowers are also similar; both wear neatly coiffed wigs, dark, collarless jackets with buttons of the same color, and black hair ribbons tied in back, looped round, and inserted into the lace and damask at the shirt front.

Nothing is known about the relationship, if any, between Greuze and Caffiéri. However, they were born the same year; both sojourned in Italy, though not at the same time; and both were associated with the Académie as successful portraitists while working in other genres. The presumed sitter's gentle, wistful expression suggests a sympathetic character and a close relationship with his portraitist. The two would have been about forty at the time.

The present painting is first recorded in this century as belonging to the couturier Jacques Doucet, who was known for his taste and for the refinement of his collection of eighteenth-century French art. One of the authors of the 1912 Doucet sale catalogue noted that a very old label identifying the sitter was glued to the stretcher of the picture. The small card is still there and reads: "No 1180 / portrait de Caffieri / par / Greuze." It should also be noted that the appearance of the sitter here accords quite well with a three-quarter-length 1784 portrait of Caffiéri in court dress by Adolf Ulrik Wertmüller (Museum of Fine Arts, Boston).

KBB

Historique
Jacques Antoine Doucet, Paris (jusqu'en 1912; vente, Georges Petit, Paris, 6 juin 1912, no 156, intitulé *Portrait présumé de Caffieri*, à Wildenstein). [Wildenstein, Paris et New York, depuis 1912; vendu à Humphrys.] Ethel Tod (Mrs. Julian S. L.) Humphrys, New York (depuis 1935 au moins-†1956).

Expositions
Paris, Salon, 1765, no 118. Bordeaux, Galerie des Beaux-Arts, *Profil du Metropolitan Museum of Art de New York: De Ramsès à Picasso*, 15 mai - 1er septembre 1981, no 109.

Bibliographie
Explication des peintures, sculptures et gravures, de Messieurs de l'Académie royale, Paris, 1765, pp. 24-26, nos 110-125, p. 36, nos 213-216. Jules Guiffrey, *Les Caffiéri, sculpteurs et fondeurs-ciseleurs: Etude sur la statuaire et sur l'art du bronze en France au XVIIe et au XVIIIe siècle*, Paris, 1877, p. 423. Edmond et Jules de Goncourt, *L'Art du dix-huitième siècle*, 3e éd., 2 vol., Paris, 1880, vol. 1, p. 341. Jean Seznec et Jean Adhémar, éd., *Diderot: Salons*, 3 vol., Oxford, 1957-1967, vol. 2 (1960), pp. 35-36. Edgar Munhall, *Jean-Baptiste Greuze, 1725-1805*, cat. exp., Hartford, 1976, p. 22.

Ex collections
Jacques Antoine Doucet, Paris (until 1912; sale, Georges Petit, Paris, June 6, 1912, no. 156, as Portrait présumé de Caffieri, *to Wildenstein). [Wildenstein, Paris and New York, from 1912; sold to Humphrys.] Ethel Tod (Mrs. Julian S. L.) Humphrys, New York (by 1935–d. 1956).*

Exhibitions
Paris, Salon, 1765, no. 118. Bordeaux, Galerie des Beaux-Arts, Profil du Metropolitan Museum of Art de New York: De Ramsès à Picasso, *May 15–September 1, 1981, no. 109.*

References
Explication des peintures, sculptures et gravures, de Messieurs de l'Académie royale *(Paris, 1765), pp. 24–26, nos. 110–25, p. 36, nos. 213–16. Jules Guiffrey,* Les Caffiéri, sculpteurs et fondeurs-ciseleurs: Etude sur la statuaire et sur l'art du bronze en France au XVIIe et au XVIIIe siècle *(Paris, 1877), p. 423. Edmond and Jules de Goncourt,* L'Art du dix-huitième siècle, *3rd ed., 2 vols. (Paris, 1880), vol. 1, p. 341. Jean Seznec and Jean Adhémar, eds.,* Diderot: Salons, *3 vols. (Oxford, 1957-67), vol. 2 (1960), pp. 35–36. Edgar Munhall,* Jean-Baptiste Greuze, 1725–1805, *exh. cat. (Hartford, 1976), p. 22.*

Jean Honoré Fragonard

Français, né à Grasse, le 4 avril 1732; mort à Paris, le 22 août 1806
French, born Grasse, April 4, 1732; died Paris, August 22, 1806

Fragonard était originaire de Grasse, en Provence, où son père était commerçant. En 1738, ses parents vinrent s'installer à Paris. Il fut l'élève de Jean Siméon Chardin et de François Boucher, ce dernier ayant certainement usé de son influence pour que le jeune homme, qui n'était pas inscrit à l'Académie royale de peinture et de sculpture, obtînt de se présenter au concours pour le Prix de Rome en 1752, qu'il remporta d'ailleurs, avec une peinture d'histoire, *Jéroboam sacrifiant aux idoles* (Paris, Ecole nationale supérieure des beaux-arts). Fragonard passa ensuite plusieurs années comme «élève protégé» à l'école royale dirigée par Carle van Loo, avant de rejoindre Rome, en décembre 1756. Au printemps 1761, après avoir parfait son éducation artistique en Italie, il entamait le voyage de retour vers Paris avec un nouveau mécène, l'abbé de Saint-Non.

Fragonard travailla pour son propre compte jusqu'à ce qu'en 1765 il fût agréé à l'Académie de Paris, sur présentation d'une nouvelle peinture d'histoire, véritablement héroïque celle-ci, tant par l'inspiration que par la taille, *Le Grand Prêtre Corésus se sacrifie pour sauver Callirhoé* (Paris, Musée du Louvre), admirée par Diderot, exposée sous les applaudissements au Salon et achetée pour les collections royales. Malgré ce succès, il ne chercha jamais à être reçu à l'Académie et n'exposa au Salon que sporadiquement, s'appuyant plutôt sur les commandes d'un cercle qui allait s'élargissant d'amis et de collectionneurs. Parmi ses réalisations les plus marquantes, il faut mentionner un cycle de peintures consacré aux *Progrès de l'amour dans le cœur des jeunes filles* (New York, The Frick Collection), datant de 1771-1772. Les panneaux avaient été commandés par Madame du Barry, favorite de Louis XV, pour son pavillon de Louveciennes. Inexplicablement, elle les refusa. A l'automne 1773, Fragonard entreprend un second voyage pour l'Italie, suivant cette fois le beau-frère de Saint-Non, le financier Bergeret de Grancourt. Les deux amis traversent le sud de la France, se rendent à Rome, puis à Naples, et visitent Vienne, Prague et Dresde avant de revenir à Paris en septembre 1774. Les années suivantes, Fragonard accorde plus d'attention aux paysages – c'est à cette époque qu'il réalise *La Fête à Saint-Cloud* (Paris, Banque

A shopkeeper's son from Grasse, in Provence, Fragonard moved with his parents to Paris in 1738. He was reportedly a pupil of Jean Siméon Chardin and François Boucher, and he counted upon the latter's influence when, although not enrolled in the Académie royale de peinture et de sculpture, he sought and gained entry to the 1752 competition for the Prix de Rome. He won this important prize with a history painting, Jeroboam Sacrificing to the Idols *(Ecole nationale supérieure des beaux-arts, Paris). Thereafter Fragonard spent several years as an élève protégé at the royal school directed by Carle van Loo before taking his place in Rome in December 1756. In the spring of 1761, having completed his education in Italy, he set off with a new patron, the abbé de Saint-Non, on the journey that would bring him back to Paris.*

Fragonard worked privately until 1765, when he was approved for admission to the Paris Académie on the strength of Corésus and Callirhoé *(Musée du Louvre, Paris), a history painting of heroic size and subject that was admired by the critic Denis Diderot, exhibited to applause at the Salon, and bought for the royal collection. Nevertheless, Fragonard never sought reception into the Académie and showed his work infrequently at the Salon, depending instead on commissions from a widening circle of friends and collectors. Among his most appealing achievements is a cycle of paintings dedicated to the Progress of Love (The Frick Collection, New York), dating to 1771–72. The pictures were ordered by Louis XV's mistress, Madame du Barry, for her new pavilion in the park at Louveciennes. Unaccountably, she rejected them. In the autumn of 1773 Fragonard set out on a second journey to Italy, this time accompanying Saint-Non's brother-in-law, the financier Bergeret de Grancourt. The party traveled through the south of France and Italy to Rome, and on to Naples, Vienna, Prague, and Dresden before returning to Paris in September 1774. In the succeeding years Fragonard gave more of his attention to landscapes, notably the* Fête at Saint-Cloud *(Banque de France, Paris), and to mythological*

de France) – et aux sujets mythologiques. Dans les années 1780, il illustre des auteurs prestigieux et exécute à cet effet des centaines de dessins.

En 1769, Fragonard épousa Marie-Anne Gérard, dont la sœur deviendrait son élève et son assistante. Le couple eut deux enfants: Rosalie, née l'année même du mariage, qui mourut jeune, et Alexandre Evariste, né en 1780, qui lui aussi serait peintre. En janvier 1790, craignant les excès révolutionnaires, la famille se retira à Grasse, ville natale de Jean Honoré et de sa femme, puis revint à Paris en 1792. Recommandé par Jacques Louis David, le vieil artiste devint alors l'un des premiers administrateurs des arts et joua un rôle de premier plan dans la transformation en musée de l'ancien palais du Louvre.

38 Portrait d'une femme jouant avec un petit chien

Huile sur toile, 81,3×65,4 cm, peinte vers 1769
Fonds Fletcher, 1937 (37.118)

Il existe au moins une autre toile de l'artiste représentant le même sujet. Il est donc impossible, d'autant que les dimensions n'y sont pas mentionnées, de savoir si le seul exemplaire du catalogue d'une vente tenue à Paris, chez Copreaux, le 25 juin 1779, fait effectivement référence à l'œuvre ici présentée. Cela dit, on ne sait rien de cette peinture avant 1907, date à laquelle elle est exposée pour la première fois, à la Galerie Georges Petit, sous le titre «Portrait de la sœur de Fragonard». Le peintre n'avait pas de sœur, et l'œuvre ne représente pas plus sa fille, Rosalie, née en 1769, ou sa belle-sœur. Il est peu probable que le nom du modèle nous soit jamais connu. Peut-être Fragonard le voulait-il ainsi.

Les portraits sont, presque toujours, des commandes, et on les juge généralement d'autant mieux qu'ils sont plus ressemblants, c'est-à-dire que le spectateur ayant eu le modèle sous les yeux le reconnaît dans son image. Ce qui n'empêchait pas les théoriciens et les artistes de l'Académie de tenir en piètre estime l'imitation, et de valoriser, en revanche, l'invention, l'interprétation, la vigueur, l'habileté de la touche, même et surtout lorsqu'il s'agissait de peindre l'humaine figure. C'est seulement dans ce sens, le plus large, le plus éclairé, parce qu'il restitue une personnalité, un certain esprit, qu'on peut considérer cette femme en robe fantaisie, avec son bichon maltais, comme un portrait.

La peinture appartient à un groupe d'environ une douzaine d'œuvres, présentant chacune un homme ou une femme en costume, à mi-corps, toutes remarquables par la fluidité expressive et le staccato de la technique de Fragonard. Elles furent toutes exposées lors de la grande rétrospective Fragonard qui se tint à Paris et à New York en 1987-1988. On a tenté, pendant des années, d'identifier les modèles. Avec plus ou moins de succès. L'une de ces pièces (Paris, Musée du Louvre) est signée et datée de 1769, portant au dos cette mention: «Portrait de M.ʳ de La Bretêche, peint par fragonard, en 1769, en une heure de temps». Si l'identité du modèle est juste, comme l'est sans doute la date, il s'agit alors de Louis de La Bretêche, frère

subjects. A brilliant draftsman, in the eighties he also made hundreds of drawings for book illustrations.

In 1769 Fragonard had married Marie-Anne Gérard, whose sister Marguerite became his pupil and assistant. The couple had two children: Rosalie, who was born that same year and died young, and Alexandre Evariste, born in 1780, who became a painter. The family retreated in January 1790 to Grasse, whence they had come, and returned to Paris in 1792, thereby avoiding some of the excesses of the revolutionary period. Having been recommended by Jacques Louis David, the elderly Fragonard then became one of the first arts administrators and played a major role in the establishment of the national museum in the former Palais du Louvre.

38 Portrait of a Woman with a Dog

Oil on canvas, 81.3×65.4 cm, painted about 1769
Fletcher Fund, 1937 (37.118)

There is at least one other Fragonard representing "une femme jouant avec un petit chien," and therefore, absent dimensions, it is impossible to know whether the present work is referred to in the unique copy of the catalogue of a sale held in Paris at Copreaux on June 25, 1779. This being said, nothing is known of the picture until 1907, when it was exhibited for the first time at the Galerie Georges Petit as "Portrait de la sœur de Fragonard." The artist did not have a sister, nor does the picture represent his daughter, Rosalie, born in 1769, or his sister-in-law, and it is unlikely that the name of the sitter or model will ever be known. Perhaps Fragonard had no other intention.

Portraits are, for the most part, commissioned, and excellence in portraiture is traditionally determined by the degree of likeness—the resemblance between the sitter and his or her image in the eyes of those who have seen them both. However, theorists and artists of the eighteenth-century Académie were little interested in imitative skills, valuing instead invention, interpretation, liveliness, and a deft brush when painting the human figure. Only in this wider, enlightened sense of capturing qualities of character and esprit might the woman in fancy dress with her Maltese lapdog be called a portrait.

The picture belongs to a group of roughly a dozen works, each of which shows a man or a woman in half-length and in costume, and each of which is notable for the expressive fluidity and staccato of Fragonard's technique. All were lent to the monographic exhibition devoted to Fragonard that was held in Paris and New York in 1987–88. Attempts that have been made over the years to identify the individuals represented vary in degrees of reliability. One of the paintings (Musée du Louvre, Paris) is signed and dated 1769 and labeled on the reverse "Portrait de M.ʳ de La Bretêche, peint par fragonard, en 1769, en une heure de temps." If this identification of the sitter is correct, as the date certainly is, then he was Louis de La Bretêche, elder brother of the abbé de

aîné de l'abbé de Saint-Non. Ces hommes et ces femmes sont vêtus «à l'espagnole», c'est-à-dire selon le style du XVIIᵉ siècle, pas nécessairement espagnol; le terme était employé pour les costumes de théâtre français au XVIIIᵉ siècle.

On n'accorda pas beaucoup d'importance à ces œuvres du vivant de Fragonard; ce n'est qu'avec l'époque moderne que l'esquisse commença réellement d'être appréciée, pour son immédiateté et sa franchise, en tant que catégorie artistique à part entière. Georges Wildenstein, écrivant en 1960, fut le premier à grouper ces pièces et à attirer l'attention sur leurs qualités intrinsèques. Il les nomma «figures de fantaisie», qu'on traduisit, sans doute à tort, par «*imaginary portraits*». Nous n'avons aucune preuve qu'elles aient été conçues comme un ensemble particulier, ou qu'elles aient été commandées, quoique certaines aient pu l'être. Il semble raisonnable de penser que Fragonard lui-même attachait quelque importance à la rapidité avec laquelle elles avaient été réalisées, ce qui ne signifie pas pour autant qu'elles aient été achevées en une heure comme le proclame l'étiquette de la toile du Louvre.

Ici, le visage est plus travaillé que le costume, où les tons du fond apparaissent sous la couleur, passée, parfois grossièrement, en coups rapides, tourbillonnants. Les bords empesés du col, montant en fraise derrière la nuque, sont animés de lignes ondulées et vibrionnantes, tracées dans la peinture avec le manche du pinceau. Le visage du modèle, au contour adouci par la pose de trois quarts, contraste avec le strict profil du petit chien, dont la queue en panache, soyeuse, à la tonalité plus chaude, fait contrepoint à la manchette amidonnée, raide et blanche, tout comme le bleu vif du ruban aux roses et aux ors de la robe. Les perles et la broche, aussi énormes que celles de Marie de Médicis dans les portraits que Rubens a faits d'elle (Paris, Musée du Louvre), sont évidemment fausses, dans l'esprit de ce costume fantaisie.

KBB

Saint-Non. The dress of the various men and women, at the time called "à l'espagnole," is rather generic seventeenth-century style, not necessarily Spanish, and was used for French theatrical costumes in the eighteenth century.

No special notice was taken of these works in Fragonard's lifetime; only in the modern era has the sketch come to be valued for its immediacy and directness as an independent category among works of art. Georges Wildenstein, writing in 1960, grouped them together for the first time and drew attention to their particular characteristics, calling them figures de fantaisie, *which in 1987 was translated "imaginary portraits" but which might better be translated literally as "fantasy figures." There is no evidence to suggest that they were intended as a group, or that they were commissioned, though some may have been. It seems reasonable to suppose that Fragonard himself attached importance to the rapidity with which they were painted, even if they were not, as the label claims, finished in an hour's time.*

Here the face is more fully worked up than is the costume, where the ground tone shows through the colorful slashes, swirls, and daubs of pigment. The sharp edges of the stand-up collar are animated with squiggles carved out of the paint layer with the butt of the brush. The model's soft chins contrast with the sharp profile of the small dog; her stiff, white starched cuff is set off by the warm coloring of its silky tail, the rose and gold of her dress by the bright blue ribbon. The pearls and brooch, as large as those worn by Marie de Médicis in her portraits by Peter Paul Rubens (Musée du Louvre, Paris), are doubtless fake, in the spirit of fancy dress.

KBB

Historique

(?) Vente, Copreaux, Paris, 25 juin 1779, n° 265, intitulé «une femme jouant avec un petit chien». (?) De Cambis-Alais. (?) Marquise des Isnards, Paris (après 1869; vendu à Féral). [Eugène Féral, Paris, avant sa mort en 1900; vendu à Burat.] Mᵐᵉ Louis Burat, Paris (au moins depuis 1907-†1937; sa vente de succession, Galerie Jean Charpentier, Paris, 17 juin 1937, n° 3, à Seligmann, Rey & Co. pour le MMA).

Expositions

Paris, Galerie Georges Petit, *Exposition Chardin et Fragonard*, juin-juillet 1907, n° 91 (intitulé *Portrait de la sœur de Fragonard*, prêt de Mᵐᵉ Burat). Leningrad, Musée d'Etat de l'Ermitage, et Moscou, Musée d'Etat Pouchkine, *100 kartin iz Muzeia Metropoliten, Soedinennye Shtaty Ameriki* («100 peintures du Metropolitan Museum, Etats-Unis d'Amérique»), 22 mai - 2 novembre 1975, n° 52. Paris, Grand Palais, et The Metropolitan Museum of Art, *Fragonard*, 24 septembre 1987 - 8 mai 1988, n° 139.

Bibliographie

Armond Dayot et Léandre Vaillat, *L'Œuvre de J.-B.-S. Chardin et de J.-H. Fragonard*, Paris, 1908, p. xi, n° 77, ill. Herman W. Williams Jr., «Portrait of a Lady with a Dog by Fragonard», *Metropolitan Museum of Art Bulletin* 33 (janvier 1938), pp. 14-16, ill. sur couv. Charles Sterling, *The Metropolitan Museum of Art: A Catalogue of French Paintings*, 3 vol., Cambridge, Mass., 1955-1967, vol. 1, *XV-XVIII Centuries* (1955), pp. 154-155, ill. Georges Wildenstein, *The Paintings of Fragonard, Complete Edition*, Londres, 1960, pp. 14, 257, 259, n° 256, ill. Mary D. Sheriff, «Invention, Resemblance, and Fragonard's ‹Portraits de Fantaisie›», *Art Bulletin* 69 (mars 1987), pp. 77-87. Jean-Pierre Cuzin, *Jean-Honoré Fragonard: Vie et œuvre, catalogue complet des peintures*, Fribourg, 1987, pp. 116-117, 293-294, n° 182, ill., pl. 144 (coul.).

208

Ex collections

? sale, Copreaux, Paris, June 25, 1779, no. 265, as "une femme jouant avec un petit chien." ? De Cambis-Alais. ? Marquise des Isnards, Paris (after 1869; sold to Féral). [Eugène Féral, Paris, before d. 1900; sold to Burat.] Madame Louis Burat, Paris (by 1907–d. 1937; her estate sale, Galerie Jean Charpentier, Paris, June 17, 1937, no. 3, to Seligmann, Rey & Co. for the MMA).

Exhibitions

Paris, Galerie Georges Petit, Exposition Chardin et Fragonard, *June–July 1907, no. 91 (as* Portrait de la sœur de Fragonard, *lent by Madame Burat). Leningrad, State Hermitage Museum, and Moscow, Pushkin State Museum,* 100 kartin iz Muzeia Metropoliten, Soedinennye Shtaty Ameriki *(100 Paintings from the Metropolitan Museum, United States of America), May 22–November 2, 1975, no. 52. Paris, Grand Palais, and The Metropolitan Museum of Art,* Fragonard, *September 24, 1987–May 8, 1988, no. 139.*

References

Armond Dayot and Léandre Vaillat, L'Œuvre de J.-B.-S. Chardin et de J.-H. Fragonard *(Paris, 1908), p. xi, no. 77, ill. Herman W. Williams Jr., "Portrait of a Lady with a Dog by Fragonard,"* Metropolitan Museum of Art Bulletin *33 (January 1938), pp. 14–16, ill. on cover. Charles Sterling,* The Metropolitan Museum of Art: A Catalogue of French Paintings, *3 vols. (Cambridge, Mass., 1955–67), vol. 1,* XV–XVIII Centuries *(1955), pp. 154–55, ill. Georges Wildenstein,* The Paintings of Fragonard, Complete Edition *(London, 1960), pp. 14, 257, 259, no. 256, ill. Mary D. Sheriff, "Invention, Resemblance, and Fragonard's 'Portraits de Fantaisie,'"* Art Bulletin *69 (March 1987), pp. 77–87. Jean-Pierre Cuzin,* Jean-Honoré Fragonard: Vie et œuvre, catalogue complet des peintures *(Fribourg, 1987), pp. 116–17, 293–94, no. 182, ills., pl. 144 (color).*

Jean-Baptiste Camille Corot

Français, né à Paris, le 17 juillet 1796; mort à Paris, le 22 février 1875
French, born Paris, July 17, 1796; died Paris, February 22, 1875

Lorsque Corot, dont le père est un riche commerçant parisien, peut enfin suivre sa vocation de peintre, après un apprentissage raté chez un marchand de drap, il a 26 ans. Sous la tutelle des peintres de paysage néoclassiques Achille-Etna Michallon et Jean Victor Bertin, Corot commence à travailler d'après nature, exécutant, sur le motif, de rapides esquisses à l'huile. Il a peint les paysages des bords de Seine, des alentours de la maison familiale de Ville-d'Avray et de la forêt de Fontainebleau. En 1825, il part pour le premier de ses trois voyages en Italie, réalisant en extérieur ses études à l'huile des ruines, des jardins de Rome et de la campagne autour de la ville. Ces ébauches servent de base aux paysages composés à l'atelier, qu'il présente au Salon. Corot place souvent, dans les paysages qu'il expose, des sujets bibliques ou classiques, ce qui ne l'empêche pas de rester fidèle au détail observé, fixé sur ses études de plein air. C'est ce naturalisme qui influença les premiers impressionnistes, dont Claude Monet et Camille Pissarro, qui fut l'un des élèves de Corot.

After a failed apprenticeship with drapers, Corot, whose father was a prosperous clothier in Paris, finally pursued his desire to become a painter when he was twenty-six. Under the tutelage of the Neoclassical landscape painters Achille-Etna Michallon and Jean Victor Bertin, Corot began sketching from nature, rapidly noting his motif in oil studies done on the spot. He painted sites along the Seine, around his family's home at Ville-d'Avray, and in the forest of Fontainebleau. In 1825 he made the first of three trips to Italy, painting outdoor oil studies of the ruins and gardens of Rome and the surrounding Campagna. Those sketches served as the basis for landscapes composed in his studio, which he submitted to the Salon. Corot often incorporated biblical or classical subjects in his exhibited landscapes even while retaining a fidelity to observed detail associated with his plein air sketches. It was this naturalism that influenced the emerging Impressionists, including Claude Monet and Camille Pissarro, who was one of Corot's pupils.

39 Femme ramassant des fagots à Ville-d'Avray
Huile sur toile, 72,1×57,2 cm, peinte vers 1871-1874
Collection Mr. et Mrs. Isaac D. Fletcher,
legs d'Isaac D. Fletcher, 1917 (17.120.225)

Ville-d'Avray, bourgade des environs de Paris où la famille de Corot possédait depuis 1817 une maison et un terrain, compta parmi les motifs favoris de l'artiste. Outre cette toile, il peignit à plusieurs reprises l'étang de la propriété, vu à travers un délicat rideau d'arbres. Alfred Robaut (1905), l'ami et le biographe de Corot, attribue cette peinture aux cinq dernières années de la vie de l'artiste, époque où Corot réalisa de nombreuses variations sur des thèmes plus anciens. De fait, cette vue de Ville-d'Avray est caractéristique du style et de l'ambiance des paysages de la dernière période, bois ombragés dans une lumière crépusculaire où apparaissent des figures silencieuses, comme hors du temps. Ces paysages composés, nés des réminiscences et de l'imagination de l'artiste plutôt que de l'observation directe, étaient très recherchés par les marchands et les collectionneurs parisiens du Second Empire. Les visions idylliques de Corot, qui rappellent la tradition française du paysage classique, convenaient au goût nostalgique de l'époque pour une nature préservée, alors même que les effets de l'industrialisation et le rapide développement économique transformaient profondément les campagnes françaises.

La tonalité argentée, un peu froide, de *Ville-d'Avray* pourrait résulter des études de l'artiste sur le nouveau médium que constituait la photographie. Le rendu flou des arbres au premier plan, par exemple, renvoie aux effets de feuillages en mouvement tels qu'ils étaient saisis par les photographes du XIXe siècle. Les mouchetures, d'une pâte plus épaisse, sur la végétation, en avant-plan, animent la composition.

KCG

39 A Woman Gathering Faggots at Ville-d'Avray
Oil on canvas, 72.1×57.2 cm, painted about 1871–74
Mr. and Mrs. Isaac D. Fletcher Collection,
Bequest of Isaac D. Fletcher, 1917 (17.120.225)

Ville-d'Avray, a town on the outskirts of Paris where Corot's family had owned a house and property since 1817, was among the artist's favorite motifs. This work is one of several paintings he made depicting the property's pond through a delicate screen of trees. Alfred Robaut (1905), Corot's friend and biographer, ascribed this painting to the last five years of the artist's life, when Corot made many variations on earlier themes. Indeed, this view of Ville-d'Avray typifies Corot's atmospheric late landscape style, which is characterized by misty, crepuscular views of wooded areas populated by silent, seemingly timeless figures. These composed landscapes, emanating from the artist's memory and imagination rather than from direct observation, were sought after by dealers and collectors in Paris during the Second Empire. Corot's idyllic visions, recalling the French classical landscape tradition, appealed to the period's nostalgic longing for unspoiled nature at a time when the effects of industrialization and the rapidly expanding economy were transforming the French countryside.

The silvery, cool tonality of *Ville-d'Avray* might have been influenced by the artist's study of the contemporary medium of photography. The blurred appearance of the trees in the foreground, for example, mirrors the effect of foliage in motion as captured in nineteenth-century photographs. Flecks of impasto paint in the foreground vegetation enliven the surface of the composition.

KCG

Historique

Van Praet. Henri Vever, Paris. Mr. et Mrs. Isaac D. Fletcher, New York (jusqu'à † Mr. Fletcher 1917).

Expositions

Naples, Musée national de Capodimonte, et Milan, Pinacothèque de Brera, *Capolavori impressionisti dei musei americani*, 3 décembre 1986 - 10 mai 1987, n° 11. Musée des Beaux-Arts de Yokohama, *Trésors du Metropolitan Museum of Art: l'art français du Moyen Age au XXe siècle*, 25 mars - 4 juin 1989, n° 80.

Bibliographie

Alfred Robaut, *L'Œuvre de Corot: Catalogue raisonné et illustré*, 5 vol. in 4°, Paris, 1905, vol. 3, p. 276, n° 2097, ill. p. 277. Charles Sterling et Margaretta M. Salinger, *French Paintings: A Catalogue of the Collection of The Metropolitan Museum of Art*, vol. 2, New York, 1966, pp. 68-69. George Heard Hamilton, *19th and 20th Century Art*, New York, 1970, pp. 85, 134.

Ex collections

Van Praet. Henri Vever, Paris. Mr. and Mrs. Isaac D. Fletcher, New York (until his d. 1917).

Exhibitions

Naples, Museo Nazionale di Capodimonte, and Milan, Pinacoteca di Brera, Capolavori impressionisti dei musei americani, *December 3, 1986–May 10, 1987, no. 11. Yokohama Museum of Art,* Treasures from The Metropolitan Museum of Art: French Art from the Middle Ages to the Twentieth Century, *March 25–June 4, 1989, no. 80.*

References

Alfred Robaut, L'Œuvre de Corot: Catalogue raisonné et illustré, *5 vols. in 4 (Paris, 1905), vol. 3, p. 276, no. 2097, ill. p. 277. Charles Sterling and Margaretta M. Salinger,* French Paintings: A Catalogue of the Collection of The Metropolitan Museum of Art, *vol. 2 (New York, 1966), pp. 68–69. George Heard Hamilton,* 19th and 20th Century Art *(New York, 1970), pp. 85, 134.*

Jean-François Millet

Français, né à Gruchy, le 4 octobre 1814; mort à Barbizon, le 20 janvier 1875
French, born Gruchy, October 4, 1814; died Barbizon, January 20, 1875

Natif de Normandie, Millet devint une figure marquante de l'école de Barbizon, un groupe de peintres de paysage dont beaucoup résidèrent dans ce village de la forêt de Fontainebleau. Les premières œuvres de Millet sont principalement des portraits; après s'être établi à Barbizon, en 1849, il s'intéresse de plus en plus à l'image du monde rural, qu'il dépeint dans un style naturaliste. Ses représentations de paysans et d'ouvriers agricoles, exposées au Salon, à Paris, trouvent, au lendemain de la révolution de 1848, un certain écho. Né dans une famille paysanne, Millet donne à ces sujets une monumentalité inédite. Le paysan du *Semeur* de 1850 (Boston, Museum of Fine Arts), arpentant son champ à grands pas, dont la puissante silhouette domine l'horizon, galvanise cette année-là le public du Salon; l'image effraie les uns et exalte les autres. L'art de Millet était une pierre de touche pour Vincent van Gogh, dont les peintures du monde paysan sont inspirées par l'exemple du maître de Barbizon. Millet fut aussi un dessinateur accompli. Ses expériences au pastel aboutirent à une technique novatrice, où lignes et couleurs se fondent, d'une manière qui préfigure les réalisations de la fin du XIXᵉ siècle.

A native of Normandy, Millet became a leading figure in the Barbizon School: a group of landscape painters in mid-nineteenth-century France named after the village in the Fontainebleau forest where many of the artists worked. Millet's early works were mostly portraits; after settling in Barbizon in 1849, he focused on rural imagery, rendered in a naturalistic style. His portrayals of agrarian laborers, exhibited in the Paris Salons, resonated in the aftermath of the revolution of 1848, and Millet, who was born into a peasant family, endowed these subjects with unprecedented monumentality. The striding peasant of The Sower *of 1850 (Museum of Fine Arts, Boston), whose powerful figure towers over the horizon line, galvanized the public at that year's Salon; the image was perceived, alternately, as either threatening or empowering. Millet's art was a touchstone for Vincent van Gogh, whose own paintings of peasant subjects were inspired by the Barbizon master's example. Millet was also an accomplished draftsman. His experiments with pastel resulted in an innovative technique that fused line and color in a way that anticipated developments in later nineteenth-century art.*

40 Meules de foin: Automne

Huile sur toile, 85,1 × 110,2 cm, peinte vers 1874
Legs de Lillian S. Timken, 1959 (60.71.12)

En 1868, Millet reçut une commande de Frédéric Hartmann, industriel alsacien, client de son ami Théodore Rousseau, pour peindre une série représentant les Quatre Saisons. Millet y travailla par intermittence pendant sept ans. Le *Printemps* (Paris, Musée d'Orsay) est achevé en 1873; en mars 1874, Millet note que les *Meules de foin: Automne*, la toile ici présentée, ainsi qu'*Eté, la moisson du blé noir* (Boston, Museum of Fine Arts) sont presque terminées. La peinture de l'hiver, sans doute *«Port aux Vaches» dans la neige, Solitude* (Philadelphia Museum of Art), demeure inachevée à la mort du peintre, l'année suivante. Bien que ces œuvres soient pour l'essentiel indépendantes les unes des autres, Millet parvient à en faire une série en y marquant subtilement le passage des heures, depuis le matin du *Printemps*, à la mi-journée puis à l'après-midi de l'*Eté* et de l'*Automne*, pour finir par le crépuscule de l'*Hiver*. A l'exception des moissonneurs de l'*Eté*, la présence humaine apparaît peu dans ces paysages.

Dans *Automne*, trois meules de foin dominent la composition. Leurs formes monumentales rappellent les trois paysannes des *Glaneuses* (1857, Paris, Musée d'Orsay). Ici, les moissons sont finies, même les glaneuses sont parties; ne restent plus que les moutons, mis à la pâture. Derrière les meules de foin s'étend la plaine de Chailly, et l'on voit les toits de Barbizon, tandis que de gros nuages noirs menacent de perturber cette scène tranquille. La peinture est d'une exécution plutôt lâche, qui fait penser à une étude, caractéristique du dernier style de Millet; par endroits, la couleur rose lilas un peu sombre du fond apparaît, et le dessin préparatoire est visible, notamment celui des meules et des moutons. Bien que la manière suggère la spontanéité d'une toile impressionniste de plein air, l'œuvre fut peinte à l'atelier. Le peintre américain Will Low se souvenait d'avoir vu *Automne* dans l'atelier de Millet à Barbizon, en 1874, ajoutant que, l'année précédente, Millet lui en avait montré un dessin préparatoire au crayon sur un carnet. L'esquisse, selon Low, révélait les formes des trois meules de foin. Millet avait alors commenté: «C'était un jour d'orage, en revenant à la maison, je me suis assis et j'ai commencé la peinture, mais à partir d'études directes – voilà tout.»

Si la tradition des séries figurant les Quatre Saisons remonte aux illustrations des livres d'heures du Moyen Age, leur représentation au XIXe siècle est plus rare. Camille Pissarro exécuta une série de peintures sur le thème en 1872 et 1873. Millet lui-même avait auparavant abordé le sujet au pastel. La composition d'*Automne* reprend, avec des variations minimes, un pastel exécuté par Millet pour Emile Gavet vers 1868 (La Haye, Rijksmuseum Hendrik Willem Mesdag). Hartmann, frappé par le pastel qu'il avait vu à Paris en mars 1868, commanda alors à Millet la série des Quatre Saisons, qui devait comprendre *Meules de foin: Automne*. L'œuvre fut exposée à la rétrospective parisienne de Millet en 1887, où Van Gogh et Claude Monet l'auraient vue tous deux. Les recherches de

40 Haystacks: Autumn

Oil on canvas, 85.1 × 110.2 cm, painted about 1874
Bequest of Lillian S. Timken, 1959 (60.71.12)

In 1868 Millet received a commission from Frédéric Hartmann, an Alsatian industrialist and patron of Millet's friend, the artist Théodore Rousseau, to paint a series representing the Four Seasons. Millet worked on the commission intermittently for the next seven years, completing Spring *(Musée d'Orsay, Paris) in 1873. In March 1874 he reported that the Metropolitan's painting,* Haystacks: Autumn, *and* Summer: Buckwheat Harvest *(Museum of Fine Arts, Boston) were almost finished. The painting of winter, probably* "Port aux Vaches" in the Snow, Solitude *(Philadelphia Museum of Art), was incomplete at the time of Millet's death the following year. Although the paintings are essentially independent works, Millet subtly unites them as a series by charting the passage of time, from morning in* Spring, *to midday and afternoon in* Summer *and* Autumn, *respectively, and finally to sunset in* Winter. *With the exception of the harvesters depicted in* Summer, *the human presence is minimized in these landscapes.*

In Autumn, *the trio of haystacks dominates the composition, their monumental forms recalling Millet's presentation of the three peasant women in* The Gleaners *(1857; Musée d'Orsay, Paris). Here, with the harvest finished, the gleaners have departed, and only the sheep are left to graze. Beyond the haystacks lie the plain of Chailly and the rooftops of Barbizon, while looming storm clouds threaten to disrupt the tranquil scene. The work has the loose, sketchlike execution characteristic of Millet's late style; patches of the dark, lilac-pink ground color are deliberately exposed, and the underdrawing is visible, particularly in the outlines of the haystacks and the sheep. Although its handling suggests the spontaneity of an Impressionist plein air canvas, the work was painted from memory in the studio. The American painter Will Low recalled seeing* Autumn *in Millet's Barbizon studio in 1874, adding that in the previous year Millet had shown him a preparatory pencil drawing of it done in a pocket-size sketchbook. That sketch, according to Low, showed the outlines of the three haystacks. Millet then commented, "It was a stormy day, and on my return home I sat down and commenced the picture, but of direct studies—voilà tout."*

Although the tradition of serial depictions of the Four Seasons dates back to illustrations in medieval books of hours, nineteenth-century representations are less common. Camille Pissarro executed a series of paintings representing the seasons in 1872 and 1873. Millet himself first took up the motif in pastel; the composition of Autumn *is a repetition, with minor variations, of a pastel that Millet executed for Emile Gavet about 1868 (Rijksmuseum Hendrik Willem Mesdag, The Hague). Hartmann, struck by the pastel, which he saw in Paris in March 1868, subsequently commissioned Millet to paint the series of Four Seasons that includes* Haystacks: Autumn. *The work was included in Millet's retrospective in Paris in 1887, where both Van Gogh and Claude Monet*

Monet sur la lumière et les effets d'atmosphère dans sa série des meules de foin, peinte la décennie suivante, évoquent le thème traité par Millet.

KCG

would have seen it. Monet's exploration of light and atmospheric effects in his Haystacks series, painted the following decade, evokes Millet's precedent.

KCG

Historique

Frédéric Hartmann, Munster (à partir de 1874-1881; commandé à l'artiste en 1868; sa vente de succession, Hôtel Drouot, Paris, 7 mai 1881, n° 6, sous le titre *Les Meules*, pour 36 000 francs, probablement ravalé). Sa veuve, Mᵐᵉ Samson-Davilliers, Munster (1881-1909; vente, Dépendant des successions Hartmann, Hôtel Drouot, 6 mai 1909, n° 2, sous le titre *Les Meules*, pour 65 000 francs à Le Roy). [E. Le Roy et Cie., Paris, 1909-1910.] [Knoedler, New York, 1910-1911.] C. K. G. Billings, New York (1911-1926; sa vente, American Art Association, New York, 8 janvier 1926, n° 17, à Thomas Williams, probablement l'agent de Timken). Lillian S. Timken, New York (1926-†1959).

Expositions

Paris, Ecole des Beaux-Arts, *J.-F. Millet*, 1887, n° 55. Paris, *Exposition universelle internationale de 1889: Exposition centennale de l'art français (1789-1889)*, mai-novembre 1889, n° 521. Paris, Grand Palais, et Londres, Hayward Gallery, *Jean-François Millet*, 17 octobre 1975 - 7 mars 1976, nᵒˢ 246 et 149. Amsterdam, Rijksmuseum Vincent van Gogh, *Van Gogh & Millet*, 9 décembre 1988 - 26 février 1989, n° 14. Paris, Musée d'Orsay, *Millet – Van Gogh*, 14 septembre 1998 - 3 janvier 1999, n° 26. Williamstown, Sterling and Francine Clark Art Institute, Amsterdam, Van Gogh Museum, et Pittsburgh, Frick Art Museum, *Jean-François Millet: Drawn into the Light*, 18 juin 1999 - 23 avril 2000, n° 87.

Bibliographie

T. H. Bartlett, «Barbizon and Jean-François Millet», *Scribner's Magazine* 7 (juin 1890), p. 755. Julia Cartwright, *Jean-François Millet, His Life and Letters*, New York, 1902, pp. 332, 336, 341, 344, 365. Charles Sterling et Margaretta M. Salinger, *French Paintings: A Catalogue of the Collection of The Metropolitan Museum of Art*, vol. 2, New York, 1966, pp. 93-94. Stéphanie Constantin, «Millet's ‹Four Seasons› and the Cardiff ‹Faggot Gatherers›», *Burlington Magazine* 89 (avril 1997), pp. 258-260.

Ex collections

Frédéric Hartmann, Munster (by 1874–81; commissioned from the artist in 1868; his estate sale, Hôtel Drouot, Paris, May 7, 1881, no. 6, as Les Meules, *for Fr 36,000, probably bought in). His widow, Mme Samson-Davilliers, Munster (1881–1909; sale, Dépendant des successions Hartmann, Hôtel Drouot, May 6, 1909, no. 2, as* Les Meules, *for Fr 65,000 to Le Roy). [E. Le Roy et Cie., Paris, 1909–10.] [Knoedler, New York, 1910–11.] C. K. G. Billings, New York (1911–26; his sale, American Art Association, New York, January 8, 1926, no. 17, to Thomas Williams, probably as agent for Timken). Lillian S. Timken, New York (1926–d. 1959).*

Exhibitions

Paris, Ecole des Beaux-Arts, J.-F. Millet, 1887, no. 55. Paris, Exposition universelle internationale de 1889: Exposition centenale de l'art français (1789–1889), May–November 1889, no. 521. Paris, Grand Palais, and London, Hayward Gallery, Jean-François Millet, October 17, 1975–March 7, 1976, nos. 246 and 149. Amsterdam, Rijksmuseum Vincent van Gogh, Van Gogh & Millet, December 9, 1988–February 26, 1989, no. 14. Paris, Musée d'Orsay, Millet – Van Gogh, September 14, 1998–January 3, 1999, no. 26. Williamstown, Sterling and Francine Clark Art Institute, Amsterdam, Van Gogh Museum, and Pittsburgh, Frick Art Museum, Jean-François Millet: Drawn into the Light, June 18, 1999–April 23, 2000, no. 87.

References

T. H. Bartlett, "Barbizon and Jean-François Millet," Scribner's Magazine 7 (June 1890), p. 755. Julia Cartwright, Jean-François Millet, His Life and Letters (New York, 1902), pp. 332, 336, 341, 344, 365. Charles Sterling and Margaretta M. Salinger, French Paintings: A Catalogue of the Collection of The Metropolitan Museum of Art, vol. 2 (New York, 1966), pp. 93–94. Stéphanie Constantin, "Millet's 'Four Seasons' and the Cardiff 'Faggot Gatherers,'" Burlington Magazine 89 (April 1997), pp. 258–60.

Jean Désiré Gustave Courbet

Français, né à Ornans, le 10 juin 1819; mort à La Tour-de-Peilz, près de Vevey, le 31 décembre 1877
French, born Ornans, June 10, 1819; died La Tour-de-Peilz, near Vevey, December 31, 1877

Natif d'Ornans, en Franche-Comté, Courbet devait immortaliser son village dans un groupe de peintures décrivant la vie rurale de l'époque exposées au Salon de 1850. Ces œuvres, dont *Un enterrement à Ornans* (Paris, Musée d'Orsay) et *Les Casseurs de pierres* (détruits), se moquaient des conventions, tant par leurs sujets que par leur grande taille et le rejet affirmé de l'idéal académique; elles contribuèrent à faire de l'artiste une des figures de proue du mouvement réaliste dans les années 1850. En 1855, après que le jury a rejeté son *Atelier du peintre* (Paris, Musée d'Orsay) pour l'Exposition universelle, Courbet organise une exposition personnelle, construisant à cet effet le «Pavillon du Réalisme». Dans le catalogue accompagnant l'exposition, l'artiste explique son but dans un Manifeste réaliste: «[...] Etre à même de traduire les mœurs, les idées, l'aspect de mon époque, selon mon appréciation [...] en un mot, faire de l'art vivant.» Les dix années suivantes, Courbet se tourne vers la peinture de paysage, de nus, de scènes de chasse: des œuvres qui n'ont pas le contenu politique explicite de ses peintures d'Ornans. La politique allait toutefois reprendre sa place dans la vie de Courbet avec son engagement aux côtés de la Commune de Paris, pour lequel il serait emprisonné, puis finalement exilé en Suisse où il s'éteignit, en 1877.

A native of Ornans in Franche-Comté, Courbet would memorialize his birthplace in a group of paintings of contemporary rural life that were shown in the Paris Salon of 1850. These works, including A Burial at Ornans *(Musée d'Orsay, Paris) and* The Stonebreakers *(destroyed), flouted convention in their subject matter, their large scale, and their emphatic rejection of academic ideals, helping to establish the artist as the leading figure in the Realist movement of the 1850s. In 1855, after the jury rejected his* Painter's Studio *(Musée d'Orsay, Paris) for the Exposition universelle, Courbet organized a one-man show of his work, for which he had constructed a "Pavillon du Réalisme." In the accompanying exhibition catalogue, the artist asserted his goals in a Realist manifesto: "Etre à même de traduire les mœurs, les idées, l'aspect de mon époque, selon mon appréciation ... en un mot, faire de l'art vivant" (To be capable of depicting the manners, ideas, and appearance of my time, as I see it ... in short, to produce living art). The following decade Courbet turned to painting landscapes, nudes, and hunting scenes: works that lacked the explicit political charge of his Ornans paintings. Politics came to the fore in Courbet's personal life, however, with his involvement in the Commune of 1871, for which he was later imprisoned and, ultimately, exiled to Switzerland, where he died in 1877.*

41 La Source

Huile sur toile, 120×74,3 cm, peinte en 1862
Collection H. O. Havemeyer,
legs de Mrs. H. O. Havemeyer, 1929 (29.100.58)

La Source fut sans doute peinte lors du séjour de Courbet au château de Rochemont, en Saintonge, où il fut invité par le collectionneur Etienne Baudry. De Rochemont, Courbet écrit qu'il y peint «des femmes nues et des paysages dans le plus joli pays qu'on puisse voir». La baigneuse de *La Source*, rendue dans un style naturaliste, pourrait être la réponse de Courbet au nu idéalisé de Jean Auguste Dominique Ingres, dans un tableau du même titre datant de 1856, qui avait été exposé à Paris, à la Galerie Martinet, en 1861. Une telle démarche serait tout à fait dans le ton des relations qu'entretenait Courbet avec le milieu artistique établi. En 1868, il peint une autre version de *La Source* (Paris, Musée d'Orsay), représentant cette fois une baigneuse assise de dos sur la rive, tendant une main sous la cascade. Les deux images sont absolument dénuées des fioritures habituelles de l'allégorie, suivant les principes du réalisme de Courbet. Dans l'œuvre ici présentée, sa facture, particulièrement pour le paysage de l'arrière-plan, marque son refus du fini académique, et témoigne de sa préférence pour une manière plus lâche, pour une texture plus brute.

La toile fut acquise en 1916 par Louisine Havemeyer, qui la décrit dans ses *Mémoires* (1930) comme «l'un des paysages les plus jolis et les plus solitaires [de Courbet]», ajoutant: «Mon nu est nacré et gris, et ses demi-teintes sont lumineuses et charmantes.» Les Havemeyer réunirent la plus grande collection au monde de nus peints par Courbet. *La Source* rejoignit les collections du Metropolitan Museum en 1929, en même temps que les autres œuvres du legs Havemeyer.

KCG

41 *The Source*

Oil on canvas, 120 × 74.3 cm, painted in 1862
H. O. Havemeyer Collection,
Bequest of Mrs. H. O. Havemeyer, 1929 (29.100.58)

The Source *was possibly painted while Courbet was a guest of the collector Etienne Baudry at his Château de Rochemont, in Saintonge. From Rochemont, Courbet wrote of painting "des femmes nues et des paysages dans le plus joli pays qu'on puisse voir" (nudes and landscapes in the most delightful countryside you can imagine). The bather in* The Source, *who is rendered in a naturalistic style, might have been Courbet's response to an idealized 1856 nude of the same title by Jean Auguste Dominique Ingres, which had been exhibited at the Galerie Martinet in Paris in 1861. Such a move would have been entirely in keeping with Courbet's antagonistic relationship with the artistic establishment. In 1868 he painted another version of* The Source *(Musée d'Orsay, Paris), this one depicting a female bather seated beside a stream, turned away from the viewer, and with one hand reaching into a cascade of water. Both images are devoid of the trappings of allegory, in accordance with the tenets of Courbet's Realism. In the present work, Courbet's handling of paint, especially in the landscape background, reveals his rejection of the academic polished finish, showing his preference for more loosely handled paint and a rougher surface texture.*

In 1916 the painting was acquired by Louisine Havemeyer, who in her Memoirs *(1930) described it as "one of [Courbet's] loveliest and loneliest landscapes," adding "My nude is pearly and gray and the half-tones luminous and bewitching." The Havemeyers assembled the largest collection of Courbet's nudes in the world.* The Source *entered the Metropolitan Museum's collection in 1929 along with the other works of art in the Havemeyer bequest.*

KCG

Historique

[Bernheim-Jeune, Paris.] Collection particulière, Bordeaux (jusqu'en 1916; vendu à Durand-Ruel). [Durand-Ruel, Paris, 1916; vendu le 11 avril à Durand-Ruel.] [Durand-Ruel, New York, 1916, n° de magasin 3954; vendu le 11 mars pour 50 000 francs à Havemeyer.] Mrs. H. O. (Louisine W.) Havemeyer, New York (1916-†1929).

Expositions

The Metropolitan Museum of Art, *Loan Exhibition of the Works of Gustave Courbet*, 7 avril - 18 mai 1919, n° 13. The Metropolitan Museum of Art, *The H. O. Havemeyer Collection*, 10 mars - 2 novembre 1930, n° 29. The Metropolitan Museum of Art, *Splendid Legacy: The Havemeyer Collection*, 27 mars - 20 juin 1993, n° A135. Sydney, Art Gallery of New South Wales, *Body*, 12 septembre - 16 novembre 1997, n° 33.

Bibliographie

Charles Léger, *Courbet*, Paris, 1929, p. 90. Charles Sterling et Margaretta M. Salinger, *French Paintings: A Catalogue of the Collection of The Metropolitan Museum of Art*, vol. 2, New York, 1966, pp. 121-122. Marie-Thérèse de Forges, *Gustave Courbet (1819-1877)*, Rome, 1969, pp. 78, 80. Roger Bonniot, *Gustave Courbet en Saintonge, 1862-1863*, Paris, 1973, pp. 88-89. Robert Fernier, *La Vie et l'Œuvre de Gustave Courbet*, vol. 1, Lausanne, 1977, p. 190, n° 328. Eldon N. van Liere, «Solutions and Dissolutions: The Bather in Nineteenth-Century French Painting», *Arts Magazine* 54 (mai 1980), pp. 107-108. Susan Alyson Stein et Gary Tinterow, éd., *Sixteen to Sixty: Memoirs of a Collector*, New York, 1993, pp. 185, 195, 197-198, 328n254, 330n278, 331n282.

Ex collections

[Bernheim-Jeune, Paris.] Private collection, Bordeaux (until 1916; sold to Durand-Ruel). [Durand-Ruel, Paris, 1916; sold April 11 to Durand-Ruel.] [Durand-Ruel, New York, 1916, stock no. 3954; sold March 11 for Fr 50,000 to Havemeyer.] Mrs. H. O. (Louisine W.) Havemeyer, New York (1916-d. 1929).

Exhibitions

The Metropolitan Museum of Art, Loan Exhibition of the Works of Gustave Courbet, *April 7–May 18, 1919, no. 13. The Metropolitan Museum of Art,* The H. O. Havemeyer Collection, *March 10–November 2, 1930, no. 29. The Metropolitan Museum of Art,* Splendid Legacy: The Havemeyer Collection, *March 27–June 20, 1993, no. A135. Sydney, Art Gallery of New South Wales,* Body, *September 12–November 16, 1997, no. 33.*

References

Charles Léger, Courbet *(Paris, 1929), p. 90. Charles Sterling and Margaretta M. Salinger,* French Paintings: A Catalogue of the Collection of The Metropolitan Museum of Art, *vol. 2 (New York, 1966), pp. 121–22. Marie-Thérèse de Forges,* Gustave Courbet (1819–1877) *(Rome, 1969), pp. 78, 80. Roger Bonniot,* Gustave Courbet en Saintonge, 1862–1863 *(Paris, 1973), pp. 88–89. Robert Fernier,* La Vie et l'Œuvre de Gustave Courbet, *vol. 1 (Lausanne, 1977), p. 190, no. 328. Eldon N. van Liere, "Solutions and Dissolutions: The Bather in Nineteenth-Century French Painting,"* Arts Magazine *54 (May 1980), pp. 107–8. Susan Alyson Stein and Gary Tinterow, eds.,* Sixteen to Sixty: Memoirs of a Collector *(New York, 1993), pp. 185, 195, 197–98, 328n254, 330n278, 331n282.*

Camille Pissarro

Français, né à Charlotte Amalie, Saint-Thomas, îles Vierges danoises, le 10 juillet 1830; mort à Paris, le 13 novembre 1903
French, born Charlotte Amalie, St. Thomas, Danish Virgin Islands, July 10, 1830; died Paris, November 13, 1903

Pissarro, qui représente, à plus d'un titre, la quintessence de l'impressionnisme, naît à Saint-Thomas, aux Antilles. Il fait néanmoins ses études à Paris, où il entre, vers 1859, à l'Académie suisse pour y poursuivre sa formation artistique. C'est là qu'il rencontre, parmi d'autres rapins, Paul Cézanne et Claude Monet, dont les carrières devaient rejoindre la sienne. S'il participe au Salon officiel de 1859 à 1870, il emprunte par la suite une voie plus indépendante et devient l'un des membres fondateurs du groupe d'artistes qu'on allait baptiser du nom d'impressionnistes. Il fut le seul à participer aux huit expositions du groupe, organisées entre 1874 et 1886.

Pissarro peignit d'abord des paysages et des scènes de la vie rurale. En 1866, il s'installe à Pontoise, ancienne ville de marchés et de foires, où il passe la plus grande part des années 1870. En 1872, Cézanne l'y rejoint, et durant presque dix ans les deux hommes vont y pratiquer la peinture en plein air; Paul Gauguin suit, en 1879. En 1884, Pissarro s'établit dans le village d'Eragny-sur-Epte, aux confins du Vexin, où il demeure jusqu'à sa mort en 1903. L'imagerie urbaine, largement absente au début de son œuvre, se fait une place dans les toiles des dix dernières années de la vie de l'artiste. Des boulevards de Paris aux quais de Rouen, Pissarro saisit le spectacle de la ville moderne. Souvent nommé le «père» des impressionnistes, il fut aussi le patriarche d'une famille de huit enfants, dont six devinrent artistes à leur tour.

Pissarro, in many ways the quintessential Impressionist, was born in St. Thomas, in the West Indies. He was educated in Paris, where he entered the Académie suisse about 1859 to pursue his artistic training. It was there that he met, among other artists, Paul Cézanne and Claude Monet, whose careers would intersect with his own. Although Pissarro participated in the government-sponsored Salons from 1859 until 1870, he subsequently pursued a career as an independent, becoming a founding member of the group of artists who would become known as the Impressionists. He was the only artist to participate in all eight of their exhibitions, held between 1874 and 1886.

Pissarro painted primarily landscapes and scenes of rural life. In 1866 he moved to the market town of Pontoise, where he spent most of the 1870s. In 1872 Cézanne joined him there, and over the course of almost ten years the two would experiment with plein air painting; Paul Gauguin followed in 1879. In 1884 Pissarro settled in the village of Eragny-sur-Epte in the Vexin, where he remained until his death in 1903. Urban imagery, largely absent from his earlier œuvre, figures in the works painted during the last decade of his life. From the boulevards of Paris to the quays of Rouen, Pissarro captured the spectacle of the modern city. Often called "the father" of the Impressionists, he was also the patriarch of a family of eight children, six of whom became artists.

42 Peupliers, Eragny

Huile sur toile, 92,7×64,8 cm, peinte en 1895
Legs de Miss Adelaide Milton de Groot (1876-1967), 1967
(67.187.93)

Au printemps 1884, juste avant que Pissarro ne vienne s'installer dans le village d'Eragny-sur-Epte, il en vante, dans une lettre à son fils aîné, Lucien, les principaux mérites: «La maison est superbe et pas cher [...]. C'est à deux heures de Paris [...]. Les prairies sont vertes, les silhouettes lointaines fines.» Les prés environnant sa propriété allaient devenir l'un de ses motifs favoris, qu'il devait peindre aux différentes heures et saisons, par temps clair ou gris, jusqu'à la fin de sa vie. *Peupliers, Eragny*, datant de l'été 1895, montre un coin du jardin de l'artiste, vu de la fenêtre de l'atelier. A cette époque, souffrant d'une affection qui lui détériore peu à peu la vue, Pissarro ne peut plus travailler dehors; ses paysages d'Eragny, dont l'œuvre ici présentée, tout comme ses vues contemporaines des boulevards parisiens, sont peints depuis l'intérieur de l'atelier ou d'une chambre d'hôtel. Ici, la peinture est posée en touches d'une pâte épaisse, créant une texture particulièrement riche. Sa facture, et notamment l'emploi de ces petites touches de couleurs vives et pures, rappelle les expériences de l'artiste du côté de la technique néo-impressionniste durant la seconde moitié des années 1880.

Comme ses autres vues tardives de la campagne, *Peupliers, Eragny* évoque un monde rural idyllique, préservé des effets de la révolution industrielle. A la différence des vues plus anciennes de Pontoise, les paysages d'Eragny évitent les références à la modernité, ponts de chemin de fer ou cheminées d'usines. Les images bucoliques de Pissarro pouvaient séduire divers courants idéologiques des années 1890, notamment une certaine croyance anarchiste en un idéal rural, que ces peupliers ne sont pas sans évoquer. Une peinture de ces arbres au coucher du soleil, datant de 1891, suscita l'admiration de Monet, qui, la même année, commença sa série des Peupliers, dont le rendu soigné et décoratif contraste avec le naturel, l'apparente simplicité de cette vue de Pissarro. Cette peinture appartenait à un groupe que l'artiste vendit le 22 novembre 1895 au marchand Paul Durand-Ruel, et qui fit partie de la grande exposition que ce dernier lui consacra au printemps 1896.

KCG

42 Poplars, Eragny

Oil on canvas, 92.7×64.8 cm, painted in 1895
Bequest of Miss Adelaide Milton de Groot (1876–1967), 1967
(67.187.93)

In the spring of 1884, just before Pissarro moved to the village of Eragny-sur-Epte, he extolled its chief attractions in a letter to his eldest son, Lucien: "La maison est superbe et pas chère ... C'est à deux heures de Paris ... Les prairies sont vertes, les silhouettes lointaines fines" (The house is superb and not expensive ... It's two hours from Paris ... The fields are green, the distant outlines delicate). The meadows surrounding his property became a favorite motif, which he depicted in different seasons, times of day, and weather conditions until the end of his life. Poplars, Eragny, *from the summer of 1895, depicts a corner of the artist's garden as seen from his studio window. By this date, a progressively deteriorating eye ailment prevented Pissarro from working outdoors; his Eragny landscapes, including this work, as well as his contemporaneous views of Parisian boulevards were painted from the interior space of his studio or hotel room. Here the paint is applied in thickly impastoed touches, creating a richly textured surface. His handling, notably his use of small brushstrokes and bright, pure colors, recalls his experimentation with the Neoimpressionist technique during the second half of the 1880s.*

Like Pissarro's other late views of the countryside, Poplars, Eragny *suggests a timeless rural idyll untouched by the effects of the Industrial Revolution. Unlike his earlier views of Pontoise, the Eragny landscapes also omit such references to modernity as railway bridges and factory smokestacks. Pissarro's idyllic images would have appealed to various ideological currents in the 1890s, including the anarchist belief in a rural ideal. The poplars surrounding his property at Eragny recur in his imagery. An 1891 painting of the trees at sunset elicited Monet's admiration, and that same year Monet began his Poplar series, whose decorative, formal qualities contrast with the natural, unstudied appearance of* Poplars, Eragny. *This painting figured among a group of works that Pissarro sold on November 22, 1895, to the dealer Paul Durand-Ruel, who included it in a major exhibition of the artist's work held in the spring of 1896.*

KCG

C. Pissarro. 95.

223

Historique

[Durand-Ruel, Paris, 1895-1927; acheté à l'artiste le 22 novembre 1895 pour 1250 francs, n° de magasin 3434; collection particulière Durand-Ruel; vendu le 3 novembre 1924 à Durand-Ruel, Paris, n° de magasin 12296; vendu à Durand-Ruel, New York, sans n° d'inventaire, pour de Groot.] Adelaide Milton de Groot, Paris, Nice et New York (1927-†1967; confié à Durand-Ruel, Paris, le 22 décembre 1927, sous le n° 13268; envoyé par bateau à Durand-Ruel, New York, le 21 décembre 1928, pour de Groot).

Expositions

Paris, Galeries Durand-Ruel, *Exposition d'œuvres récentes de Camille Pissarro*, 15 avril - 9 mai 1896, n° 29. Paris, Galeries Durand-Ruel, *Exposition de tableaux de Monet, Pissarro, Renoir et Sisley*, avril 1899, n° 60. Canberra, National Gallery of Australia, et Brisbane, Queensland Art Gallery, *Paris in the Late 19th Century*, 30 novembre 1996 - 22 mai 1997, cat. non numéroté.

Bibliographie

Ludovic Rodo Pissarro et Lionello Venturi, *Camille Pissarro, son art – son œuvre*, 2 vol., Paris, 1939, vol. 1, p. 208, n° 920, vol. 2, pl. 186, n° 920. Anne Schirrmeister, *Camille Pissarro*, New York, 1982, p. 14, pl. coul. 8. Charles S. Moffett, *Impressionist and Post-Impressionist Paintings in The Metropolitan Museum of Art*, New York, 1985, pp. 94-95.

Ex collections

[*Durand-Ruel, Paris, 1895–1927; bought from the artist November 22, 1895, for Fr 1,250, stock no. 3434; Durand-Ruel private collection; sold November 3, 1924, to Durand-Ruel, Paris, stock no. 12296; sold to Durand-Ruel, New York, no inventory no., for de Groot.] Adelaide Milton de Groot, Paris, Nice, and New York (1927–d. 1967; consigned to Durand-Ruel, Paris, on December 22, 1927, consignment no. 13268; shipped to Durand-Ruel, New York, December 21, 1928, for de Groot).*

Exhibitions

Paris, Galeries Durand-Ruel, Exposition d'œuvres récentes de Camille Pissarro, *April 15–May 9, 1896, no. 29. Paris, Galeries Durand-Ruel,* Exposition de tableaux de Monet, Pissarro, Renoir et Sisley, *April 1899, no. 60. Canberra, National Gallery of Australia, and Brisbane, Queensland Art Gallery,* Paris in the Late 19th Century, *November 30, 1996–May 22, 1997, unnumbered cat.*

References

Ludovic Rodo Pissarro and Lionello Venturi, Camille Pissarro, son art – son œuvre, *2 vols. (Paris, 1939), vol. 1, p. 208, no. 920, vol. 2, pl. 186, no. 920. Anne Schirrmeister,* Camille Pissarro *(New York, 1982), p. 14, colorpl. 8. Charles S. Moffett,* Impressionist and Post-Impressionist Paintings in The Metropolitan Museum of Art *(New York, 1985), pp. 94–95.*

Edouard Manet

Français, né à Paris, le 23 janvier 1832; mort à Paris, le 30 avril 1883
French, born Paris, January 23, 1832; died Paris, April 30, 1883

Issu d'une famille bourgeoise, Manet suivit une carrière artistique qui embrassa la tradition et la défia tout à la fois. Formé par l'académicien Thomas Couture, dans l'atelier duquel il s'inscrit en 1850, Manet débute au Salon en 1861; ses premières œuvres reflètent l'influence des peintres espagnols du XVIIᵉ siècle, notamment celle de Vélasquez, et de la Renaissance italienne. Déjà, en 1863, le refus que lui oppose le jury du Salon et sa participation au Salon des refusés – où son *Déjeuner sur l'herbe* (Paris, Musée d'Orsay) provoque un vif débat critique – établissent sa réputation dans l'avant-garde artistique. Ceux qui allaient devenir les impressionnistes furent marqués par l'originalité de sa technique et la modernité de ses sujets. Manet fut d'ailleurs invité à participer aux expositions impressionnistes, mais il refusa, préférant au contraire soumettre ses œuvres au Salon officiel, malgré l'ambivalence persistante des jurés. Pourtant, dans les années 1870, l'art de Manet porte la trace des innovations impressionnistes; il adopte une palette plus vive et fait l'expérience de la peinture en plein air. En 1881, il est fait chevalier de la Légion d'honneur et reçoit, au Salon, une médaille du jury. L'année suivante, pour ce qui devait être sa dernière participation, il y expose son ultime image du Paris moderne, *Bar aux Folies-Bergère* (Courtauld Institute Galleries, University of London).

Born into the bourgeoisie, Manet pursued an artistic career that both embraced and defied tradition. Trained by the academician Thomas Couture, in whose atelier he enrolled in 1850, Manet debuted in the Salon of 1861; his early paintings reflect the influence of seventeenth-century Spanish artists, notably Velázquez, along with Italian Renaissance art. Yet his rejection by the Salon jury in 1863, and his participation the same year in the Salon des refusés—in which his Déjeuner sur l'herbe *(Musée d'Orsay, Paris) provoked a critical controversy—established his reputation in the artistic vanguard. The artists who would become the Impressionists were influenced by the originality of his technique and the modern subjects he depicted. Although Manet was invited to participate in the Impressionists' exhibitions, he refused, preferring instead to submit his works to the state-sponsored Salon despite the ongoing ambivalence of its juries. Nonetheless, in the 1870s Manet's art reflected the influence of the Impressionists' innovations, as he adopted a brighter palette and experimented with plein air painting. In 1881 he was made a chevalier of the Légion d'honneur, and that same year he received a medal from the Salon jury. At the following Salon, which would be his last, he exhibited his final image of modern Paris,* Bar at the Folies-Bergère *(Courtauld Institute Galleries, University of London).*

43 Le Guitariste
Huile sur toile, 147,3 × 114,3 cm, peinte en 1860
Don de William Church Osborn, 1949 (49.58.2)

La peinture de Manet traduit tout autant la vogue que connurent l'art et la culture hispaniques dans le Paris du Second Empire que sa propre prédilection pour les thèmes espagnols dans les années 1860. *Le Guitariste* valut à Manet son premier succès critique et public lors de ses débuts au Salon, en 1861. Il en obtint une mention honorable. Il composa l'œuvre à l'atelier, utilisant un modèle et des accessoires. Victorine Meurent porte, dans *Mlle V... en costume d'espada* (The Metropolitan Museum of Art), peinte en 1862, le même chapeau à larges bords et le même boléro. L'artifice est encore souligné par le fait que le guitariste, qui est gaucher, tient un instrument dont les cordes sont disposées pour un droitier et dont on se demande, au vu de sa posture précaire, comment il pourrait en jouer.

A propos des sources d'inspiration de cette peinture, Manet cita, dit-on, «les maîtres espagnols», allusion sans doute aux artistes du XVIIᵉ siècle, notamment à Vélasquez, qu'il admirait. Les contemporains de Manet reconnurent également le lignage artistique de son sujet, comme le fit remarquer Théophile Gautier dans *Le Moniteur universel*: «Vélasquez le saluerait d'un petit clignement d'œil amical et Goya lui demanderait du feu pour allumer son papelito.» En 1863, un critique voyait en Manet «un Espagnol de Paris».

Manet peignit l'œuvre rapidement, notant plus tard avec un certain plaisir qu'il avait achevé la tête en une seule séance de deux heures. Néanmoins, plusieurs critiques réagirent défavorablement au style de Manet, jugeant son réalisme excessif et dénonçant les traces visibles de sa brosse, où ils ne voyaient que «plaqués et plâtrés, mortier sur mortier». Malgré ses détracteurs, la peinture inspira à un groupe de jeunes artistes, parmi lesquels Henri Fantin-Latour et Carolus-Duran, l'idée d'un pèlerinage à l'atelier de Manet, ce qui contribua à l'établir comme l'un des chefs de file de l'avant-garde.

En 1873, le chanteur d'opéra Jean-Baptiste Faure acheta *Le Guitariste*, avec une autre toile de Manet, au marchand Paul Durand-Ruel. Ces pièces furent les premières sur plus de soixante œuvres de l'artiste acquises par Faure pour sa collection. Il possédait aussi une aquarelle de Manet du même sujet.

KCG

43 The Spanish Singer
Oil on canvas, 147.3 × 114.3 cm, painted in 1860
Gift of William Church Osborn, 1949 (49.58.2)

Manet's painting reflects the vogue for the art and culture of Spain in Paris during the Second Empire as well as the artist's own preoccupation with Spanish themes in the 1860s. The Spanish Singer *garnered Manet his first critical and popular success at his debut in the Salon of 1861, where it was awarded an honorable mention. He composed the work in his studio using a model and props; Victorine Meurent, his model for the 1862 canvas* Mlle V... *in the Costume of an Espada (The Metropolitan Museum of Art), wears the same broad-brimmed hat and bolero jacket worn by the singer. The painting's artifice is further underscored by the fact that Manet's left-handed guitar player holds a guitar strung for the right hand, and his precarious pose would have made playing the instrument nearly impossible.*

Referring to his sources for the painting, Manet reportedly cited "the Madrid masters," a reference to the seventeenth-century Spanish artists, especially Velázquez, whom he admired. Manet's contemporaries also recognized his subject's artistic lineage, as Théophile Gautier commented in the Moniteur universel: *"Vélasquez le saluerait d'un petit clignement d'œil amical et Goya lui demanderait du feu pour allumer son papelito" (Velázquez would have greeted him with a friendly wink, and Goya would have asked him for a light for his* papelito). *In 1863 one critic even called Manet "un Espagnol de Paris" (a Parisian Spaniard).*

Manet painted the work rapidly, later noting with pleasure that he completed the head in a single two-hour session. Several critics responded unfavorably to Manet's style, however, finding its realism excessive and describing his visible brushwork as "plaqués et plâtrés, mortier sur mortier" (caked and plastered on, mortar on top of mortar). Despite its detractors, the painting inspired a group of young artists, among them Henri Fantin-Latour and Carolus-Duran, to make a pilgrimage to Manet's studio and helped establish him as a leader of the avant-garde movement.

In 1873 the opera singer Jean-Baptiste Faure purchased The Spanish Singer, *along with another work by Manet, from the dealer Paul Durand-Ruel. These works were the first of more than sixty works by the artist that Faure would acquire for his collection. He also owned Manet's watercolor version of the subject.*

KCG

Historique

L'artiste, Paris (1860-1872; en dépôt chez Théodore Duret, Paris, septembre 1870-1871; vendu en janvier 1872 pour 3000 francs à Durand-Ruel). [Durand-Ruel, Paris, 1872-1873; n° de magasin 934; vendu le 3 janvier 1873 pour 7000 francs à Faure.] Jean-Baptiste Faure, Paris (1873-1906; en dépôt chez Durand-Ruel, Paris, 20 janvier 1906 [agenda n° L.10909]; vendu le 17 avril 1906 pour 20 000 francs à Durand-Ruel; inv. 1902, n° 29). [Durand-Ruel, Paris, 1906-1907; n° de magasin 8136; vendu le 2 mai 1907 pour 150 000 francs à Osborn.] William Church Osborn, New York (1907-1949).

Expositions

Paris, Salon, 1er-(?) mai 1861, n° 2098. Paris, Ecole nationale des beaux-arts, *Exposition des œuvres d'Edouard Manet*, 6-28 janvier 1884, n° 8. Paris, Galeries nationales du Grand Palais, et The Metropolitan Museum of Art, *Manet, 1832-1883*, 22 avril - 27 novembre 1983, n° 10. Paris, Musée d'Orsay, *Manet, Velázquez: La manière espagnole au XIXe siècle*, 16 septembre 2002 - 5 janvier 2003, n° 72; The Metropolitan Museum of Art, *Manet/Velázquez: The French Taste for Spanish Painting*, 24 février - 8 juin 2003, n° 131.

Bibliographie

Paul Jamot et Georges Wildenstein, *Manet*, Paris, 1932, vol. 1, pp. 21-22, 75, 89, 119, n° 40. Charles Sterling et Margaretta M. Salinger, *French Paintings: A Catalogue of the Collection of The Metropolitan Museum of Art*, vol. 3, New York, 1967, pp. 27-30. Denis Rouart et Daniel Wildenstein, *Edouard Manet: Catalogue raisonné*, Paris, 1975, vol. 1, pp. 3, 11-12, 17, 24, 50-51, n° 32, ill.

Ex collections

The artist, Paris (1860–72; on deposit with Théodore Duret, Paris, September 1870–71; sold January 1872 for Fr 3,000 to Durand-Ruel). [Durand-Ruel, Paris, 1872–73; stock no. 934; sold January 3, 1873, for Fr 7,000 to Faure.] Jean-Baptiste Faure, Paris (1873–1906; on deposit with Durand-Ruel, Paris, January 20, 1906 [date book no. L.10909]; sold April 17, 1906, for Fr 20,000 to Durand-Ruel; inv. 1902, no. 29). [Durand-Ruel, Paris, 1906–7; stock no. 8136; sold May 2, 1907, for Fr 150,000 to Osborn.] William Church Osborn, New York (1907–49).

Exhibitions

Paris, Salon, May 1–?, 1861, no. 2098. Paris, Ecole nationale des beaux-arts, Exposition des œuvres d'Edouard Manet, *January 6–28, 1884, no. 8. Paris, Galeries nationales du Grand Palais, and The Metropolitan Museum of Art,* Manet, 1832–1883, *April 22–November 27, 1983, no. 10. Paris, Musée d'Orsay,* Manet, Velázquez: La manière espagnole au XIXe siècle, *September 16, 2002–January 5, 2003, no. 72; The Metropolitan Museum of Art,* Manet/Velázquez: The French Taste for Spanish Painting, *February 24–June 8, 2003, no. 131.*

References

Paul Jamot and Georges Wildenstein, Manet *(Paris, 1932), vol. 1, pp. 21–22, 75, 89, 119, no. 40. Charles Sterling and Margaretta M. Salinger,* French Paintings: A Catalogue of the Collection of The Metropolitan Museum of Art, *vol. 3 (New York, 1967), pp. 27–30. Denis Rouart and Daniel Wildenstein,* Edouard Manet: Catalogue raisonné *(Paris, 1975), vol. 1, pp. 3, 11–12, 17, 24, 50–51, no. 32, ill.*

Hilaire Germain Edgar Degas

Français, né à Paris, le 19 juillet 1834; mort à Paris, le 27 septembre 1917
French, born Paris, July 19, 1834; died Paris, September 27, 1917

En 1854, Degas, l'aîné d'une grande famille de banquiers parisiens, entre dans l'atelier de Louis Lamothe, un peintre qui a étudié auprès de Jean Auguste Dominique Ingres. Deux ans plus tard, Degas part pour son premier voyage en Italie. Dans ses représentations de la vie moderne, il intégrera ses observations de l'œuvre des maîtres anciens, ce qui deviendra la marque de son style. Vers 1861, il rencontre Edouard Manet au Louvre, devant un portrait de l'infante Marguerite par Vélasquez, dont les deux artistes réalisaient alors une copie. A la fin de la décennie, Degas allait répondre à l'intérêt croissant pour le réalisme et la représentation de la vie moderne, telle que l'art de Manet l'avait incarnée, en abandonnant les sujets d'histoire peints pour les expositions du Salon durant les années 1860. Avec Camille Pissarro, Degas s'affirma comme l'une des figures de proue de l'impressionnisme, participant à sept des huit expositions organisées par le groupe entre 1874 et 1886. Degas, pourtant, n'aimait pas le terme d'«impressionniste», préférant celui de réaliste ou d'indépendant. Néanmoins, à l'instar des impressionnistes, il s'attacha à saisir dans sa peinture le Paris moderne, des repasseuses et des modistes aux danseuses de ballet et aux jockeys; des coulisses ou de la scène de l'Opéra et des cafés-concerts à l'intimité de ses baigneuses ou des personnages de ses portraits.

In 1854 Degas, the eldest son of an affluent Parisian family of bankers, entered the studio of Louis Lamothe, a painter who had studied with Jean Auguste Dominique Ingres. Two years later Degas made his first study trip to Italy; integrating his observations of the works of the old masters into his depictions of modern life would become a hallmark of his style. About 1861 he met Edouard Manet at the Louvre in front of Velázquez's portrait of the Infanta Margarita, which at the time both artists were copying. By the end of the decade Degas would respond to the growing interest in Realism and the imagery of modern life, as embodied in Manet's art, by abandoning the historical subjects that he had painted for exhibition at the Salon during the 1860s. Along with Camille Pissarro, Degas emerged as a leading figure among the Impressionists, and he participated in seven of their eight exhibitions between 1874 and 1886. Degas disliked the term "Impressionist," however, preferring to call himself either a Realist or an Independent. Like the Impressionists, though, Degas captured modern Paris in his imagery, from laundresses and milliners to ballet dancers and jockeys; from the stages of the Opéra and cafés-concerts to the intimate worlds of his bathers and portrait subjects.

44 Portrait d'une femme en gris

Huile sur toile, 91,4×72,4 cm, peinte vers 1865
Don de Mr. et Mrs. Edwin C. Vogel, 1957 (57.171)

Degas exécuta peu de portraits à la commande, préférant plutôt représenter sa famille et ses amis, et il vendait rarement ceux qu'il avait peints. Ce portrait d'une femme inconnue, datant environ de 1865, était dans son atelier au moment de sa mort et faisait partie de sa vente de succession, comme l'indique la signature au tampon en bas à droite. Le modèle semble vouloir se lever du sofa, comme sur le point de partir, une attitude dont la fugacité s'accorde à l'esthétique impressionniste naissante. Ce portrait, dans la manière dont il est abordé, procure un sentiment d'intimité qui n'est pas sans rappeler l'effet d'une photographie; de fait, Degas travailla parfois d'après des photographies, et devint plus tard un photographe amateur passionné. À l'époque où cette œuvre fut peinte, Degas réalisa plusieurs doubles portraits, dont les formats évoquent ceux des daguerréotypes contemporains. Mais la facture de la *Femme en gris* témoigne d'une approche de peintre, particulièrement dans la touche large et lâche de la jupe, où vient se fondre la broderie, plus librement rendue encore, de l'écharpe noire, ainsi que dans le jeu entre le ton gris, plutôt froid, du costume et celui du papier peint, chaud, d'un or orangé.

Peu de temps après avoir peint la *Femme en gris*, Degas note, dans l'un de ses carnets, son désir de «faire des portraits des gens dans des attitudes familières et typiques». Ses innovations dans le genre du portrait trouvèrent un ardent défenseur en la personne de son ami Edmond Duranty, romancier et critique, qui signa, en 1876, un petit essai, intitulé *La Nouvelle Peinture*, où il prend fait et cause pour le mouvement impressionniste. Duranty appelle de ses vœux des portraits qui puissent saisir «les traits caractéristiques de l'individu moderne – dans sa façon de s'habiller, en société, chez lui ou dans la rue»; il fait ainsi écho, on ne peut plus clairement, à l'approche moderne de Degas. Ici, en effet, le peintre montre, à travers son vêtement et la nature expressive de son attitude, la condition individuelle de son modèle, créant un portrait qui n'a rien perdu de l'immédiateté du moment dans lequel il a été conçu.

KCG

44 Portrait of a Woman in Gray

Oil on canvas, 91.4×72.4 cm, painted about 1865
Gift of Mr. and Mrs. Edwin C. Vogel, 1957 (57.171)

Degas executed few commissioned portraits, preferring instead to depict his family and friends, and he rarely sold those portraits that he did paint. This portrait of an unknown woman, dating to about 1865, was in his studio at the time of his death and was included in his 1918 estate sale, as indicated by the stamped signature in the lower right corner. The sitter appears to be rising from the sofa, as if about to depart, a pose whose fleeting aspect is in keeping with the emerging Impressionist aesthetic. Degas's portrayal also conveys a sense of intimacy not unlike the effect of a photograph; indeed, Degas sometimes worked from photographs and later in life became an avid amateur photographer. At the same time this work was painted Degas made several double portraits whose format resembles that of contemporary daguerreotypes. His handling in Woman in Gray, *though, reveals his painterly approach, particularly in the broad, loose brushwork of the skirt, which dissolves into the even more freely rendered lace of the black scarf, and in the play of the cool gray tonality of the sitter's attire on the warm, golden orange of the wallpaper.*

Not long after painting Woman in Gray, *Degas recorded in one of his notebooks his desire [to] "faire des portraits des gens dans des attitudes familières et typiques" (make portraits of people in familiar and typical poses). His innovations in portraiture found a champion in his friend Edmond Duranty, the novelist and critic who penned the 1876 essay* The New Painting *in support of the Impressionist movement. Duranty's call for portraiture that would capture "the special characteristics of the modern individual—in his clothing, in social situations, at home, or on the street" clearly echoes Degas's modern approach. Here Degas communicates the particular circumstances of an individual through her clothing and the expressive nature of her pose, creating a portrait that has lost none of the immediacy of the moment in which it was created.*

KCG

231

Historique

Edgar Degas, Paris (jusqu'à †1917; sa vente de succession, Galerie Georges Petit, Paris, 6-8 mai 1918, n° 75, sous le titre *Portrait de femme (robe blanche, chapeau noir)*, pour 75 000 francs à Viau). D' Georges Viau, Paris (1918-†1939; sa vente de succession, Galerie Charpentier, Paris, 22 juin 1948, n° 2, sous le titre *La Femme en gris*, pour 9 100 000 francs à Durand-Ruel). [Durand-Ruel, New York, 1948; n° de magasin 5750; vendu le 28 octobre 1948 à Vogel.] Mr. et Mrs. Edwin C. Vogel, New York (1948-1957).

Expositions

Paris, Galerie Georges Petit, *Exposition Degas*, 12 avril - 2 mai 1924, n° 49. Paris, Musée de l'Orangerie, *Degas: Portraitiste, sculpteur*, 19 juillet - 1er octobre 1931, n° 34. Londres, Royal Academy, *Exhibition of French Art: 1200–1900*, 4 janvier - 12 mars 1932, n° 390. New York, Exposition universelle, Pavillon de la France, *Cinq siècles d'histoire à travers cinq siècles d'art français*, 1939, n° 373. Boston, Museum of Fine Arts, *Edgar Degas: The Reluctant Impressionist*, 20 juin - 1er septembre 1974, n° 3. Leningrad, Musée d'Etat de l'Hermitage, et Moscou, Musée d'Etat Pouchkine, *100 kartin iz Muzeia Metropoliten, Soedinennye Shtaty Ameriki* («100 peintures du Metropolitan Museum, Etats-Unis d'Amérique»), 22 mai - 2 novembre 1975, n° 65. Naples, Musée national de Capodimonte, et Milan, Pinacothèque de Brera, *Capolavori impressionisti dei musei americani*, 3 décembre 1986 - 10 mai 1987, n° 18. Kunsthaus Zürich, *Les Portraits de Degas*, 2 décembre 1994 - 5 mars 1995, n° 72.

Bibliographie

Paul-André Lemoisne, *Degas et son œuvre*, 4 vol., Paris, 1946-1949, vol. 2 (1946), pp. 64-65, n° 128. Charles Sterling et Margaretta M. Salinger, *French Paintings: A Catalogue of the Collection of The Metropolitan Museum of Art*, vol. 3, New York, 1967, pp. 60-61. Charles S. Moffett, *Degas: Paintings in The Metropolitan Museum of Art*, New York, 1979, pp. 6-7, 9. Charles S. Moffett, *Impressionist and Post-Impressionist Paintings in The Metropolitan Museum of Art*, New York, 1985, pp. 11, 54-55, 250.

Ex collections

Edgar Degas, Paris (until d. 1917; his estate sale, Galerie Georges Petit, Paris, May 6–8, 1918, no. 75, as Portrait de femme (robe blanche, chapeau noir), for Fr 75,000 to Viau). Dr. Georges Viau, Paris (1918–d. 1939; his estate sale, Galerie Charpentier, Paris, June 22, 1948, no. 2, as La Femme en gris, for Fr 9,100,000 to Durand-Ruel). [Durand-Ruel, New York, 1948; stock no. 5750; sold on October 28, 1948 to Vogel.] Mr. and Mrs. Edwin C. Vogel, New York (1948–57).

Exhibitions

Paris, Galerie Georges Petit, Exposition Degas, April 12–May 2, 1924, no. 49. Paris, Musée de l'Orangerie, Degas: Portraitiste, sculpteur, July 19–October 1, 1931, no. 34. London, Royal Academy, Exhibition of French Art: 1200–1900, January 4–March 12, 1932, no. 390. New York, World's Fair, Pavillon de la France, Five Centuries of History Mirrored in Five Centuries of French Art, 1939, no. 373. Boston, Museum of Fine Arts, Edgar Degas: The Reluctant Impressionist, June 20–September 1, 1974, no. 3. Leningrad, State Hermitage Museum, and Moscow, Pushkin State Museum, 100 kartin iz Muzeia Metropoliten, Soedinennye Shtaty Ameriki (100 Paintings from the Metropolitan Museum, United States of America), May 22–November 2, 1975, no. 65. Naples, Museo Nazionale di Capodimonte, and Milan, Pinacoteca di Brera, Capolavori impressionisti dei musei americani, December 3, 1986–May 10, 1987, no. 18. Kunsthaus Zürich, Degas Portraits, December 2, 1994–March 5, 1995, no. 72.

References

Paul-André Lemoisne, Degas et son œuvre, 4 vols. (Paris, 1946–49), vol. 2 (1946), pp. 64–65, no. 128. Charles Sterling and Margaretta M. Salinger, French Paintings: A Catalogue of the Collection of The Metropolitan Museum of Art, vol. 3 (New York, 1967), pp. 60–61. Charles S. Moffett, Degas: Paintings in The Metropolitan Museum of Art (New York, 1979), pp. 6–7, 9. Charles S. Moffett, Impressionist and Post-Impressionist Paintings in The Metropolitan Museum of Art (New York, 1985), pp. 11, 54–55, 250.

Alfred Sisley

Anglais, né à Paris, le 30 octobre 1839; mort à Moret-sur-Loing, le 29 janvier 1899
English, born Paris, October 30, 1839; died Moret-sur-Loing, January 29, 1899

Bien qu'il ait passé la plus grande partie de sa vie en France, Sisley, né à Paris de parents anglais en 1839, ne se fit jamais naturaliser Français. En 1861, il entre dans l'atelier du peintre Charles Gleyre. Parmi ses condisciples, Claude Monet, Pierre-Auguste Renoir et Frédéric Bazille, avec lesquels il peindra des paysages dans la forêt de Fontainebleau durant les années 1860. A la suite de la Commune de Paris, en 1871, Sisley déménage à Louveciennes, sur les hauteurs dominant la vallée de la Seine, à l'ouest de la capitale. Il ne revint jamais à Paris, préférant résider dans divers villages, le long de la Seine et du Loing. Avant tout peintre de paysage, Sisley participa à cinq des huit expositions impressionnistes entre 1874 et 1886. Il ne connut pas le succès critique de certains autres artistes du groupe, et sa carrière fut grevée de difficultés financières. Gravement malade les dernières années de sa vie, il succomba d'un cancer en 1899.

Although he spent most of his life in France, Sisley, who was born in Paris to English parents in 1839, never became a naturalized French citizen. He entered the studio of the painter Charles Gleyre in 1861; his fellow students included Claude Monet, Pierre-Auguste Renoir, and Frédéric Bazille, with whom he painted landscapes in the forest of Fontainebleau in the 1860s. In the aftermath of the Commune of 1871, Sisley left Paris and moved to Louveciennes, west of the city along the Seine. He never returned to the capital, instead settling in various villages along the Seine and Loing rivers. Primarily a painter of landscapes, Sisley exhibited in five of the eight Impressionist exhibitions between 1874 and 1886. He did not attain the critical success of some of the other artists in the group, and his career was beset by financial problems. He was also gravely ill in the last years of his life, succumbing to cancer in 1899.

45 Vue de Marly-le-Roi du Cœur-Volant
Huile sur toile, 65,4×92,4 cm, peinte en 1876
Legs de Miss Adelaide Milton de Groot (1876-1967), 1967
(67.187.103)

Au début de l'année 1875, Sisley et sa famille quittent Louveciennes pour le village voisin de Marly-le-Roi, qui évoque l'Ancien Régime (le château y fut construit pour Louis XIV). Durant les deux années qui suivent, il produit certains de ses plus importants paysages de Marly et autour de Marly. Cette vue, prise du hameau tout proche du Cœur-Volant, donnant sur la propriété retirée du chanteur amateur et mécène musical Robert Le Lubez, montre Marly dans les lointains, encadré par le chalet et le bouquet d'arbres du jardin, en avant-plan. La palette de Sisley accentue les contrastes de couleurs, avec l'orange doré des feuillages posé contre un ciel bleu éclatant. Le jardin, couvert de givre automnal, est rendu par une touche hachée, caractéristique du style de Monet au milieu des années 1870. La facture libre de Sisley est équilibrée par la structure que créent les courbes du chemin, entaillant le paysage au premier plan.

Durant l'hiver 1876, Sisley peignit deux autres vues de Marly depuis le Cœur-Volant; la flèche de l'église Saint-Vigor, du XIIe siècle, s'élevant au-dessus des toits du village, figure sur les trois toiles. On a récemment conjecturé que cette peinture avait été présentée parmi d'autres œuvres de Sisley à la troisième exposition impressionniste, en 1877, sous le titre *Le Chalet; Gelée blanche*.

KCG

45 *View of Marly-le-Roi from Cœur-Volant*
Oil on canvas, 65.4×92.4 cm, painted in 1876
Bequest of Miss Adelaide Milton de Groot (1876–1967), 1967
(67.187.103)

In early 1875 Sisley and his family moved from Louveciennes to nearby Marly-le-Roi, a village with ancient régime associations (it was the site of Château de Marly, built for Louis XIV). Over the next two years he produced some of his most important landscapes in and around Marly-le-Roi. This view from the neighboring hamlet of Cœur-Volant, on the secluded property of the amateur singer and music patron Robert Le Lubez, shows Marly-le-Roi in the distance, framed by the chalet and the cluster of trees in the foreground garden. Sisley's palette emphasizes sharp color contrasts, with golden orange foliage juxtaposed against a vivid blue sky. The garden, blanketed in an autumn frost, is rendered in the broken brushstrokes characteristic of Monet's style in the mid-1870s. Balancing Sisley's free handling is the underlying structure of the curved pathway, which carves out the foreground landscape.

Sisley painted two other views of Marly from Cœur-Volant in the winter of 1876; all three incorporate the steeple of the twelfth-century church of Saint-Vigor, rising above the roofs of the town. It has recently been suggested that this painting was included among Sisley's works in the third Impressionist exhibition in 1877 as Le Chalet; Gelée blanche.

KCG

Historique
[Acheté à l'artiste par Durand-Ruel, Paris, 1882.] Mrs. Potter Palmer, Chicago, 1894. [Durand-Ruel, New York, 1894-1928.] Adelaide Milton de Groot, New York (1928-†1967).

Expositions
(?) Paris, *Troisième Exposition impressionniste*, 1877, n° 211. St. Louis Exposition and Music Hall Association, *Twelfth Annual Exhibition*, 1895, n° 501. New York, Galeries Durand-Ruel, *Sisley*, 28 novembre - 12 décembre 1914, n° 9. New York, Galeries Durand-Ruel, *Sisley*, 24 mars - 7 avril 1917, n° 22. New York, Galeries Durand-Ruel, *Pissarro et Sisley*, février-mars 1925, n° 13. New York, Galeries Durand-Ruel, *Exhibition of Paintings by Alfred Sisley, 1839–1899*, 19 avril - 3 mai 1927, n° 9. New York, Perls Galleries, *Masterpieces from the Collection of Adelaide Milton de Groot*, 14 avril - 3 mai 1958, n° 4. Ohio, Columbus Gallery of Fine Arts, *Masterpieces from the Adelaide Milton de Groot Collection*, 1958, n° 36. Hanover, Hopkins Art Center, Dartmouth College, *Impressionism*, 1962. The Metropolitan Museum of Art, *Paintings from Private Collections, Summer Loan Exhibition*, 1963, n° 73. New York, Wildenstein, *Olympia's Progeny*, 28 octobre - 27 novembre 1965, n° 16. New York, Wildenstein, *Sisley*, 27 octobre - 3 décembre 1966, n° 27. Tokyo, Musée national, et Kyoto, Musée municipal, *Treasured Masterpieces of The Metropolitan Museum of Art*, 10 août - 26 novembre 1972, n° 95. Shizuoka, Musée préfectoral des Beaux-Arts, et Kobe, Musée de la Ville, *Landscape Painting in the East and West*, 19 avril - 13 juillet 1986, n° 12. Musée des Beaux-Arts de Yokohama, *Treasures from The Metropolitan Museum of Art, French Art from the Middle Ages to the Twentieth Century*, 25 mars - 4 juin 1989, n° 93. Fort Lauderdale, Museum of Art, *Corot to Cézanne: Nineteenth-Century French Paintings from The Metropolitan Museum of Art*, 22 décembre 1992 - 11 avril 1993. Londres, Hayward Gallery, et Boston, Museum of Fine Arts, *Landscapes of France: Impressionism and Its Rivals*, 18 mai 1995 - 14 janvier 1996, n° 85.

Bibliographie
François Daulte, *Alfred Sisley, catalogue raisonné de l'œuvre peint*, Lausanne, 1959, n° 208. Charles S. Moffett, *Impressionist and Post-Impressionist Paintings in The Metropolitan Museum of Art*, New York, 1985, pp. 154-155. Charles S. Moffett, éd., *The New Painting, Impressionism, 1874–1886*, Washington, D.C., et San Francisco, 1986, p. 206. William R. Johnston, *in Alfred Sisley*, New Haven, 1992, pp. 66, 69. Ruth Benson, éd., *The New Painting, Impressionism, 1874–1886, Documentation*, San Francisco, 1996, vol. 1, p. 120, vol. 2, p. 83.

Ex collections
[Purchased from the artist by Durand-Ruel, Paris, 1882.] Mrs. Potter Palmer, Chicago, 1894. [Durand-Ruel, New York, 1894–1928.] Adelaide Milton de Groot, New York (1928–d. 1967).

Exhibitions
? Paris, Third Impressionist Exhibition, *1877, no. 211. St. Louis Exposition and Music Hall Association*, Twelfth Annual Exhibition, *1895, no. 501. New York, Galeries Durand-Ruel*, Sisley, *November 28–December 12, 1914, no. 9. New York, Galeries Durand-Ruel*, Sisley, *March 24–April 7, 1917, no. 22. New York, Galeries Durand-Ruel*, Pissarro and Sisley, *February–March 1925, no. 13. New York, Galeries Durand-Ruel*, Exhibition of Paintings by Alfred Sisley, 1839–1899, *April 19–May 3, 1927, no. 9. New York, Perls Galleries*, Masterpieces from the Collection of Adelaide Milton de Groot, *April 14–May 3, 1958, no. 4. Ohio, Columbus Gallery of Fine Arts*, Masterpieces from the Adelaide Milton de Groot Collection, *1958, no. 36. Hanover, Hopkins Art Center, Dartmouth College*, Impressionism, *1962. The Metropolitan Museum of Art*, Paintings from Private Collections, Summer Loan Exhibition, *1963, no. 73. New York, Wildenstein*, Olympia's Progeny, *October 28–November 27, 1965, no. 16. New York, Wildenstein*, Sisley, *October 27–December 3, 1966, no. 27. Tokyo National Museum and Kyoto Municipal Museum*, Treasured Masterpieces of The Metropolitan Museum of Art, *August 10–November 26, 1972, no. 95. Shizuoka Prefectural Museum of Art, and Kobe City Museum*, Landscape Painting in the East and West, *April 19–July 13, 1986, no. 12. Yokohama Museum of Art*, Treasures from The Metropolitan Museum of Art, French Art from the Middle Ages to the Twentieth Century, *March 25–June 4, 1989, no. 93. Fort Lauderdale, Museum of Art*, Corot to Cézanne: Nineteenth-Century French Paintings from The Metropolitan Museum of Art, *December 22, 1992–April 11, 1993. London, Hayward Gallery, and Boston, Museum of Fine Arts*, Landscapes of France: Impressionism and Its Rivals, *May 18, 1995–January 14, 1996, no. 85.*

References
François Daulte, Alfred Sisley, catalogue raisonné de l'œuvre peint *(Lausanne, 1959), no. 208. Charles S. Moffett*, Impressionist and Post-Impressionist Paintings in The Metropolitan Museum of Art *(New York, 1985), pp. 154–55. Charles S. Moffett, ed.*, The New Painting, Impressionism, 1874–1886 *(Washington, D.C., and San Francisco, 1986), p. 206. William R. Johnston, in* Alfred Sisley *(New Haven, 1992), pp. 66, 69. Ruth Benson, ed.*, The New Painting, Impressionism, 1874–1886, Documentation *(San Francisco, 1996), vol. 1, p. 120, vol. 2, p. 83.*

Claude Monet

Français, né à Paris, le 14 novembre 1840; mort à Giverny, le 6 décembre 1926
French, born Paris, November 14, 1840; died Giverny, December 6, 1926

Ayant grandi dans la ville portuaire du Havre, Monet, encouragé par le peintre de paysage Eugène Boudin, commence à peindre en plein air à la fin des années 1850. En 1862, il entre dans l'atelier de Charles Gleyre, à Paris, où il rencontre Pierre-Auguste Renoir, Frédéric Bazille et Alfred Sisley; ensemble, ils complètent leurs études parisiennes par des excursions à Fontainebleau pour y peindre la forêt. Avec Sisley et Renoir, Monet devient l'un des membres fondateurs du groupe d'artistes qui se feront bientôt connaître sous le nom d'impressionnistes; il participera à cinq des huit expositions organisées par le groupe entre 1874 et 1886.

Monet passe la plus grande partie des années 1870 à Argenteuil, dans la banlieue de Paris, peignant des vues de la ville, de la Seine toute proche et du jardin de la maison qu'il y loue. A l'automne 1878, il déménage pour le village de Vétheuil, où il demeure trois ans, avant de se fixer à Giverny en 1883. A partir des années 1890, Monet peint de plus en plus de séries, représentant le même motif à différentes heures du jour et à différentes saisons, saisissant ainsi les changements de lumière et d'atmosphère, depuis les meules de foin et les reflets dansants des nymphéas dans l'étang de Giverny jusqu'aux façades intemporelles de la cathédrale de Rouen et du Parlement de Londres. C'est aussi l'époque où il façonne les jardins et la pièce d'eau de sa propriété de Giverny, acquise en 1890, créant un environnement qui allait inspirer son art jusqu'à la fin de ses jours. Là, dans un atelier spécialement construit, équipé de chevalets roulants, il réalise les panneaux panoramiques des Nymphéas, commencés entre 1914 et 1919, et qui l'occuperont jusqu'en 1926, l'année de sa mort.

Raised in the port city of Le Havre, Monet, encouraged by the landscape painter Eugène Boudin, began painting plein air in the late 1850s. He entered the atelier of Charles Gleyre in Paris in 1862, where he met Pierre-Auguste Renoir, Frédéric Bazille, and Alfred Sisley; together, they supplemented their studies in Paris with excursions to Fontainebleau to paint in its forest. Along with Sisley and Renoir, Monet became a founding member of the group of artists who would become known as the Impressionists, participating in five of their eight exhibitions held between 1874 and 1886.

Monet spent most of the 1870s in the Paris suburb of Argenteuil, painting views of the town, the nearby Seine, and the garden of his rented home. In the autumn of 1878 he moved to the village of Vétheuil, where he remained for three years before relocating to Giverny in 1883. By the 1890s Monet increasingly painted in series, depicting the same motif at different times of day and in different seasons, thereby capturing changing effects of light and atmosphere, from the haystacks and the floating reflections of the water lilies on the pond at Giverny to the timeless facades of Rouen Cathedral and the Houses of Parliament. Over the course of the same decade, Monet developed the gardens and pond on his property at Giverny, which he had purchased in 1890, creating an environment that would inspire his art for the rest of his career. There, in a specially constructed studio equipped with moving easels, he realized his panoramic Water Lilies murals, which he began between 1914 and 1919 and completed by 1926, the year of his death.

46 Bouquet de tournesols

Huile sur toile, 101×81,3 cm, peinte en 1881
Collection H. O. Havemeyer,
legs de Mrs. H. O. Havemeyer, 1929 (29.100.107)

Si les paysages dominent dans l'œuvre de Monet, il réalisa, tout au long de sa carrière, un certain nombre de natures mortes, dont un groupe d'une vingtaine de toiles, rapidement exécutées, représentant des fleurs de jardin, peintes entre 1878 et 1883. Ces natures mortes de chrysanthèmes, de capucines, de dahlias et d'autres fleurs, saisis dans la peinture en plein épanouissement, étaient très recherchées des collectionneurs. Les tournesols qui composent ce luxuriant bouquet, que Monet peignit en 1881, flanquaient les marches descendant au jardin, à Vétheuil, où l'on peut les voir sur quatre vues réalisées la même année. Avec leurs pigments vibrants, la richesse de leur texture colorée, ces tournesols remplissent la toile, l'orange doré de leurs pétales ressortant sur les teintes complémentaires du fond.

Monet présenta le *Bouquet de tournesols* à la septième exposition impressionniste, en 1882, où «le brio et l'audace» de sa technique suscitèrent l'admiration des critiques: «M. Claude Monet fait les fleurs, les chrysanthèmes et les glaïeuls, les vases vernissés, les faisans, en un mot, la nature morte, avec un grand talent.» Vincent van Gogh, qui avait sans doute vu les *Tournesols* de Monet dans la galerie de Paul Durand-Ruel lorsqu'il arriva à Paris au début de l'année 1886, devait plus tard s'en souvenir quand il en réalisa sa propre série. Ainsi écrit-il, dans une lettre à Théo de décembre 1888: «Gauguin me disait l'autre jour qu'il avait vu de Claude Monet un tableau de tournesols dans un grand vase japonais très beau, mais – il aime mieux les miens. Je ne suis pas de cet avis [...].» La toile de Monet fut également présentée lors de la première exposition américaine d'œuvres impressionnistes, organisée par Durand-Ruel, qui se tint à la National Academy of Design de New York au printemps 1886, date à laquelle elle fut achetée par le collectionneur américain Alden Wyman Kingman avec onze autres pièces de Monet.

KCG

46 *Bouquet of Sunflowers*

Oil on canvas, 101×81.3 cm, painted in 1881
H. O. Havemeyer Collection,
Bequest of Mrs. H. O. Havemeyer, 1929 (29.100.107)

Although landscapes dominate Monet's œuvre, he produced a number of still lifes throughout his career, including a group of some twenty rapidly painted depictions of garden flowers dating from 1878 to 1883. These still lifes of chrysanthemums, nasturtiums, dahlias, and other flowers, captured in paint as they bloomed, were sought after by collectors. The sunflowers that fill this lush bouquet, which Monet painted in 1881, flanked the steps leading down to his garden at Vétheuil, seen in four views done that same year. Rendered in vibrant, richly textured pigments, the sunflowers fill the canvas, their golden-orange petals standing out against the complementary hue of the background.

Monet exhibited Bouquet of Sunflowers *at the seventh Impressionist exhibition in 1882, where the "brio and daring" of his technique elicited the critics' admiration: "M. Claude Monet fait les fleurs, les chrysanthèmes et les glaïeuls, les vases vernissés, les faisans, en un mot, la nature morte, avec un grand talent" (Claude Monet paints flowers, chrysanthemums and gladiolas, varnished vases, pheasants—in a word, still lifes—with great talent). Vincent van Gogh, who probably saw Monet's* Sunflowers *in Paul Durand-Ruel's gallery when he arrived in Paris in early 1886, would later recall Monet's work in relation to his own Sunflowers series in a letter to his brother, Theo, in December 1888: "Gauguin was telling me the other day that he had seen a picture by Claude Monet of sunflowers in a large Japanese vase, very fine, but—he likes mine better. I don't agree...." Monet's painting was included in the first American exhibition of works by the Impressionists, organized by Durand-Ruel and held at the National Academy of Design in New York in the spring of 1886, when it was purchased by the American collector Alden Wyman Kingman along with eleven other works by Monet.*

KCG

Historique

[Durand-Ruel, Paris, acheté à l'artiste en octobre 1881.] Alden Wyman Kingman, New York (1886-1892; vendu à Durand-Ruel). [Durand-Ruel, New York, 1892; vendu à Lambert.] Catholina Lambert, Paterson, New Jersey (1892-1899; vendu en 1899 à Durand-Ruel). [Durand-Ruel, New York, 1899; nᵒ de magasin 2120; vendu le 10 mars 1899 à Havemeyer.] Mr. et Mrs. H. O. Havemeyer, New York (1899-† Mr. Havemeyer 1907). Mrs. H. O. Havemeyer, New York (1907-†1929).

Expositions

(?) Paris, *Septième Exposition des artistes indépendants*, 1ᵉʳ-31 mars 1882, nᵒ 78. New York, National Academy of Design, *Special Exhibition: Works in Oil and Pastel by the Impressionists of Paris*, 25 mai - 30 juin 1886, nᵒ 293. Washington, D.C., National Gallery of Art, et San Francisco, M. H. de Young Memorial Museum, *The New Painting: Impressionism, 1874–1886*, 17 janvier - 6 juillet 1986, nᵒ 123. Kunsthaus Zürich, *Le Jardin de Monet*, 29 octobre 2004 - 27 février 2005, nᵒ 23.

Bibliographie

Charles Sterling et Margaretta M. Salinger, *French Paintings: A Catalogue of the Collection of The Metropolitan Museum of Art*, vol. 3, New York, 1967, pp. 132-133. Daniel Wildenstein, *Claude Monet: Biographie et catalogue raisonné*, 5 vol., Lausanne, 1974-1991, vol. 1 (1974), pp. 382-383, nᵒ 628, ill. Daniel Wildenstein, *Monet, ou le triomphe de l'impressionnisme*, Cologne, 1996, pp. 239-240.

Ex collections

[Durand-Ruel, Paris, bought from the artist in October 1881.] Alden Wyman Kingman, New York (1886–92; sold to Durand-Ruel). [Durand-Ruel, New York, 1892; sold to Lambert.] Catholina Lambert, Paterson, New Jersey (1892–99; sold in 1899 to Durand-Ruel). [Durand-Ruel, New York, 1899; stock no. 2120; sold on March 10, 1899, to Havemeyer.] Mr. and Mrs. H. O. Havemeyer, New York (1899–his d. 1907). Mrs. H. O. Havemeyer, New York (1907–d. 1929).

Exhibitions

? Paris, Septième Exposition des artistes indépendants, *March 1–31, 1882, no. 78. New York, National Academy of Design,* Special Exhibition: Works in Oil and Pastel by the Impressionists of Paris, *May 25–June 30, 1886, no. 293. Washington, D.C., National Gallery of Art, and San Francisco, M. H. de Young Memorial Museum,* The New Painting: Impressionism, 1874–1886, *January 17–July 6, 1986, no. 123. Kunsthaus Zürich,* Monet's Garden, *October 29, 2004–February 27, 2005, no. 23.*

References

Charles Sterling and Margaretta M. Salinger, French Paintings: A Catalogue of the Collection of The Metropolitan Museum of Art, *vol. 3 (New York, 1967), pp. 132–33. Daniel Wildenstein,* Claude Monet: Biographie et catalogue raisonné, *5 vols. (Lausanne, 1974–91), vol. 1 (1974), pp. 382–83, no. 628, ill. Daniel Wildenstein,* Monet, or the Triumph of Impressionism *(Cologne, 1996), pp. 239–40.*

Pierre-Auguste Renoir

Français, né à Limoges, le 25 février 1841; mort à Cagnes-sur-Mer, le 3 décembre 1919
French, born Limoges, February 25, 1841; died Cagnes-sur-Mer, December 3, 1919

Après avoir suivi un bref apprentissage comme peintre sur porcelaine, Renoir suivit les cours de l'Ecole des beaux-arts, à Paris, de 1862 à 1863, tout en fréquentant l'atelier du peintre Charles Gleyre, où il rencontra Monet, Bazille et Sisley, se joignant à leurs excursions en forêt de Fontainebleau ou dans les environs de Paris pour y peindre des paysages. Si Renoir participa à la première exposition impressionniste, en 1874, il ne put résister à l'attrait du Salon officiel et, durant les années 1870, fut présent dans les deux manifestations. Le succès public et critique de son portrait de Madame Charpentier et de ses enfants (The Metropolitan Museum of Art) au Salon de 1879 atteste la réputation qu'il commence à s'y faire et, la même année, il refuse de participer à la quatrième exposition impressionniste.

Au début des années 1880, Renoir voyage beaucoup, en Afrique du Nord, en Provence et sur la côte méditerranéenne. Lors de son séjour en Italie, en 1881-1882, il cherche un renouvellement artistique dans les œuvres de l'Antiquité et de la Renaissance; dès son retour en France, il adopte un dessin plus appuyé et une palette plus froide. A partir de 1890, la réputation de l'artiste et sa situation financière se sont considérablement améliorées, en grande partie grâce au soutien de son marchand Paul Durand-Ruel, qui organise une rétrospective de l'œuvre de Renoir dans sa galerie parisienne en 1892. Distingué de la Légion d'honneur en 1900, Renoir, qui souffre de rhumatismes, trouve quelque répit dans le sud de la France, où il achète une propriété, à Cagnes-sur-Mer, en 1907. Il continue d'y peindre et d'y sculpter jusqu'à sa mort en 1919.

Following a brief apprenticeship as a porcelain decorator, Renoir attended classes at the Ecole des beaux-arts in Paris from 1862 to 1863 while also frequenting the studio of the painter Charles Gleyre. In Gleyre's atelier he met Claude Monet, Frédéric Bazille, and Alfred Sisley, whom he joined on excursions to paint landscapes in the environs of Paris and in the forest of Fontainebleau. Although Renoir participated in the first Impressionist exhibition in 1874, he could not resist the lure of the official Salon, and during the 1870s he exhibited in both venues. The critical and popular success of his portrait of Madame Charpentier and her children (The Metropolitan Museum of Art) at the Salon of 1879 attested to his rising fortunes there, and that same year he refused to participate in the fourth Impressionist exhibition.

In the early 1880s Renoir traveled extensively, journeying to North Africa, Provence, and the Mediterranean coast. During a trip to Italy in 1881–82 he sought artistic renewal in antique and Renaissance art; upon his return to France he emphasized drawing and adopted a cooler palette. By 1890 the artist's reputation and financial position had improved considerably, thanks in large part to the support of his dealer, Paul Durand-Ruel, who held a retrospective of Renoir's work at his Paris gallery in 1892. Awarded the Légion d'honneur in 1900, Renoir, who suffered from rheumatism, sought respite in the south of France, where he purchased property at Cagnes-sur-Mer in 1907. He continued to paint and sculpt there until his death in 1919.

47 Dans le pré

Huile sur toile, 81,3×65,4 cm, peinte vers 1888-1892
Legs de Sam A. Lewisohn, 1951 (51.112.4)

De 1888 à 1892, Renoir représenta des couples de jeunes filles dans des portraits et des scènes de genre intimes qui célèbrent l'innocence de la jeunesse. Ces deux jeunes filles, l'une blonde et l'autre brune, étaient sans doute des modèles de Paris que l'artiste employait régulièrement. Vêtues de la même façon, elles apparaissent dans diverses toiles, lisant, causant dans la campagne, au piano, ou bien encore, comme ici, cueillant des fleurs. Ces œuvres, qui rappellent un thème que Renoir avait exploré dans les années 1870 avec ses peintures de femmes dans les cafés et au théâtre, à Paris, satisfont aussi le goût du public au début des années 1890.

Dans le pré représente la peinture impressionniste dans sa quintessence, non seulement pour son cadre de plein air, mais aussi pour sa représentation des loisirs. (A l'époque où cette toile fut réalisée, ou à peu près, l'artiste Berthe Morisot, une amie de Renoir, peignait des images similaires de sa fille, de sa nièce et de Julie Manet dans les champs entourant sa maison de campagne de Mézy.) Le choix de ses sujets traduit aussi l'admiration que portait Renoir à l'art français de style rococo du XVIIIe siècle, en particulier aux pastorales idéalisées de Jean Antoine Watteau et de ses émules, ainsi qu'à l'utilisation du coloris propre à ce style pour rendre formes et volumes.

L'adoption par Renoir, vers 1890, d'une manière plus douce et plus fluide, dont témoigne *Dans le pré*, traduit son rejet du style qu'il avait expérimenté du milieu à la fin des années 1880, caractérisé par une stricte linéarité, et par l'insistance sur les formes sculpturales. Le fond est donc ici délicatement peint, tandis que les figures sont plus substantiellement rendues. Si la toile fut probablement réalisée dans l'atelier plutôt que sur le motif, Renoir intègre harmonieusement ses figures dans leur cadre extérieur, un défi qu'il relève à sa manière habituelle, comme il le rappelait à son ami Albert André en 1902: «Je me bats avec mes figures, jusqu'à ce qu'elles ne fassent qu'un avec le paysage, qui leur donne une assise, et je ne veux pas qu'on les sente plates, ni elles ni mes arbres.»

KCG

47 *In the Meadow*

Oil on canvas, 81.3×65.4 cm, painted about 1888–92
Bequest of Sam A. Lewisohn, 1951 (51.112.4)

From 1888 to 1892 Renoir depicted pairs of young girls in portraits and intimate genre scenes that celebrate youthful innocence. This pair, a blonde and a brunette, were possibly models from Paris whom the artist regularly used; similarly dressed, they appear, variously, reading, talking in the countryside, by a piano, and, as in the present example, gathering flowers. Such works, which recall a theme that Renoir had explored in the 1870s in his paintings of women in cafés and at the theater in Paris, also appealed to popular taste in the early 1890s.

In the Meadow is a quintessentially Impressionist painting, not only in its plein air setting but also in its depiction of leisure. (At about the same date it was made, the artist Berthe Morisot, a friend of Renoir's, painted similar images of her daughter, niece, and Julie Manet in the meadow surrounding her country house at Mézy.) Renoir's choice of subject also reflects his admiration of eighteenth-century French Rococo art, in particular the idyllic pastoral scenes of Jean Antoine Watteau and his followers as well as the painterly colorism of the style.

Renoir's embrace of a softer, more fluid handling about 1890, as seen in In the Meadow, represents a rejection of the style he had experimented with in the mid- to late 1880s, which is characterized by a hard linearity and an emphasis on sculptural forms. The background of In the Meadow is thus thinly painted while the figures are more substantially rendered. Although the canvas was probably executed in his studio rather than sur le motif, Renoir harmoniously integrates the figures within their outdoor setting, a challenge with which he typically struggled, as he would recall to his friend Albert André in 1902: "I fight with my figures until they are one with the landscape which provides them with a foundation and I want neither them nor my trees to be felt as flat."

KCG

Historique

[Durand-Ruel, Paris, 1892; acheté à l'artiste le 14 mars pour 2000 francs, nᵒ de magasin 2048; vendu le 29 avril pour 10 000 francs à Potter Palmer.] Mrs. Berthe Honoré Potter Palmer, Chicago (1892-1894; vendu le 23 novembre à Durand-Ruel). [Durand-Ruel, New York, 1894-1906, nᵒ de magasin 979; vendu le 21 février à Emmons.] Arthur B. Emmons, New York et Newport (1906-1920; vente, American Art Association, New York, 14 janvier 1920, nᵒ 46, pour 28 000 dollars à Durand-Ruel pour Lewisohn). Adolph Lewisohn, New York (1920-1938, cat. 1928, p. 136). Son fils, Samuel A. Lewisohn, New York (1938-†1951).

Expositions

The Metropolitan Museum of Art, *Fiftieth Anniversary Exhibition*, 8 mai - août 1920, cat. non numéroté (p. 10). New York, Duveen Galleries, *Renoir: Centennial Loan Exhibition, 1841–1941*, 8 novembre - 6 décembre 1941, nᵒ 61. Londres, Hayward Gallery, *Renoir*, 30 janvier - 21 avril 1985, nᵒ 85. Paris, Galeries nationales du Grand Palais, *Renoir*, 14 mai - 2 septembre 1985, nᵒ 84.

Bibliographie

Stephan Bourgeois, *The Adolph Lewisohn Collection of Modern French Paintings and Sculpture*, New York, 1928, pp. 136-137, ill. John Rewald, *The History of Impressionism*, New York, 1946, ill. ouv. p. 408. Walter Pach, *Pierre-Auguste Renoir*, New York, 1950, pp. 90-91, ill. François Daulte, *Auguste Renoir, Figures*, vol. 1, Lausanne, 1971, nᵒ 610, ill. Charles S. Moffett, *Impressionist and Post-Impressionist Paintings in The Metropolitan Museum of Art*, New York, 1985, pp. 170-171, ill.

Ex collections

[Durand-Ruel, Paris, 1892; bought from artist on March 14 for Fr 2,000, stock no. 2048; sold on April 29 for Fr 10,000 to Potter Palmer.] Mrs. Berthe Honoré Potter Palmer, Chicago (1892–94; sold on November 23 to Durand-Ruel). [Durand-Ruel, New York, 1894–1906, stock no. 979; sold on February 21 to Emmons.] Arthur B. Emmons, New York and Newport (1906–20; sale, American Art Association, New York, January 14, 1920, no. 46, for $28,000 to Durand-Ruel for Lewisohn). Adolph Lewisohn, New York (1920–38, cat. 1928, p. 136). His son, Samuel A. Lewisohn, New York (1938–d. 1951).

Exhibitions

The Metropolitan Museum of Art, Fiftieth Anniversary Exhibition, *May 8–August, 1920, unnumbered cat. (p. 10). New* York, Duveen Galleries, Renoir: Centennial Loan Exhibition, 1841–1941, *November 8–December 6, 1941, no. 61. London,* Hayward Gallery, Renoir, *January 30–April 21, 1985, no. 85.* Paris, Galeries nationales du Grand Palais, Renoir, *May 14– September 2, 1985, no. 84.*

References

Stephan Bourgeois, The Adolph Lewisohn Collection of Modern French Paintings and Sculpture *(New York, 1928), pp. 136–37, ill. John Rewald,* The History of Impressionism *(New York, 1946), ill. opp. p. 408. Walter Pach,* Pierre-Auguste Renoir *(New York, 1950), pp. 90–91, ill. François Daulte,* Auguste Renoir, Figures, *vol. 1 (Lausanne, 1971), no. 610, ill. Charles S. Moffett,* Impressionist and Post-Impressionist Paintings in The Metropolitan Museum of Art *(New York, 1985), pp. 170–71, ill.*

Paul Gauguin

Français, né à Paris, le 7 juin 1848; mort à Atuona, îles Marquises, le 8 mai 1903
French, born Paris, June 7, 1848; died Atuona, Marquesas Islands, May 8, 1903

Gauguin, peintre, sculpteur, graveur et céramiste, mena une carrière artistique bien peu conventionnelle, après avoir successivement travaillé comme marin de commerce puis comme agent de change. Invité à l'exposition impressionniste de 1879 par Camille Pissarro, auprès de qui il avait étudié la peinture pendant les cinq années précédentes, Gauguin y présente un buste en marbre de son fils Emile. Ses premières peintures reflètent l'influence de l'impressionnisme tant dans leur palette claire que dans la touche. Exécutée en 1888, lors de son second séjour en Bretagne, sa *Vision après le sermon* (Edimbourg, National Galleries of Scotland), dont les couleurs délibérément non naturalistes et la qualité visionnaire étonnent, fait de Gauguin l'une des grandes figures du mouvement symboliste. Cette même année, à l'automne, Gauguin se rend en Arles, sur l'invitation de Vincent van Gogh et avec le soutien de Théo, le frère de Vincent, mais les divergences artistiques et personnelles entre les deux hommes conduisent au brusque départ de Gauguin après seulement neuf semaines de vie commune. Son insatiable quête d'exotique et de «primitif» avait déjà mené Gauguin en Martinique, l'année 1887. En 1891, il part pour Tahiti, y demeure jusqu'en 1893, puis y séjourne de nouveau entre 1895 et 1901. Après, c'est le voyage aux îles Marquises, longtemps désiré, où Gauguin cherche, en même temps qu'un renouvellement artistique, un environnement moins «civilisé». Et c'est là qu'il succombe, atteint de la syphilis, en 1903.

Gauguin, a painter, sculptor, printmaker, and ceramicist, pursued an unconventional artistic career that was preceded by stints as a merchant seaman and stockbroker. Invited to participate in the 1879 Impressionist exhibition by Camille Pissarro, under whom he had been studying painting for the past five years, Gauguin submitted a marble bust of his son Emile. His early paintings reveal the influence of Impressionism in their light-colored palette and application of paint. A work executed in Brittany in 1888, Vision after the Sermon *(National Galleries of Scotland, Edinburgh), striking in its nonnaturalistic color and visionary quality, established Gauguin as a leader of the Symbolist movement. Later that year he traveled to Arles at the invitation of Vincent van Gogh and his brother, Theo, but artistic and personal differences led to Gauguin's abrupt departure after only nine weeks. The artist's insatiable quest for the exotic and "primitive" led him to Martinique in 1887 and to Tahiti, where he would remain from 1891 to 1893 and again from 1895 to 1901. In the latter year Gauguin made a long-awaited journey to the Marquesas Islands in search of artistic renewal and a less "civilized" environment. He died there, suffering from syphilis, in 1903.*

48 Une ferme en Bretagne

Huile sur toile, 72,4×90,5 cm, probablement peinte en 1894
Legs de Margaret Seligman Lewisohn,
en mémoire de son mari, Sam A. Lewisohn, 1954
(54.143.2)

L'été 1894, Gauguin se rend en Bretagne, où il demeure environ six mois. Ce paysage, représentant des lieux qui n'ont pas été exactement identifiés, fait sans doute partie d'une douzaine d'œuvres peintes pendant cette période – un autre paysage breton du même site (collection particulière) porte la date de 1894. Gauguin était déjà venu en Bretagne, en 1886, pensant y échapper aux mondanités parisiennes et y vivre de peu. La culture bretonne, imprégnée des vestiges d'un passé celtique et païen, l'attirait et correspondait à son goût pour le primitif et l'exotique. Une certaine nostalgie fut peut-être cause de son second voyage dans la région, après son retour de Tahiti, l'année précédente.

L'interlude de ces deux ans passés en France, entre août 1893 et juillet 1895 – le dernier séjour de l'artiste dans son pays natal –, marque pour lui une période de transition artistique, comme en témoigne *Une ferme en Bretagne*. Les touches courtes, horizontales, des bâtiments de la ferme évoquent celles, hachées, de ses œuvres plus anciennes, influencées par l'impressionnisme, tandis que les taches de couleur employées pour rendre champs et collines dans les lointains, au-delà du rideau de peupliers, tendent à l'abstraction. Dominée par le contraste entre les tonalités vert acide et les nuances vibrantes de rouge, de fuchsia, de corail, sa palette rappelle celle des peintures tahitiennes, apportant à cette image de la France rurale une saveur exotique. (Gauguin continua à peindre des thèmes tahitiens durant l'été et l'automne 1894.) Une aquarelle de l'artiste, aujourd'hui perdue, dépeint le même paysage breton.

KCG

48 A Farm in Brittany

Oil on canvas, 72.4×90.5 cm, probably painted in 1894
Bequest of Margaret Seligman Lewisohn,
in memory of her husband, Sam A. Lewisohn, 1954
(54.143.2)

In the summer of 1894 Gauguin traveled to Brittany, where he remained for some six months; this landscape, whose exact location is unknown, is possibly one of a dozen works painted during this period. (Another Breton landscape by the artist of the same site [private collection] is inscribed with the date 1894.) Gauguin had first visited Brittany in 1886, motivated by a desire to escape the cosmopolitanism of Paris and to live cheaply. Breton culture, infused with vestiges of its pagan Celtic past, appealed to the artist's taste for the primitive and the exotic. Perhaps nostalgia prompted his second visit to the region, as Gauguin had returned to France from Tahiti the previous year.

The two-year interlude in France from August 1893 to July 1895—Gauguin's last stay in his native country—marked a period of artistic transition for him, as evidenced in A Farm in Brittany. The short, horizontal strokes of paint applied to the farmhouses recall the broken brushwork of his earlier, Impressionist-influenced works, while the patches of color used to render the distant fields and hills beyond the row of poplars verge on the abstract. Dominated by the contrast of vivid green hues with vibrant shades of red, fuchsia, and coral, his palette recalls that of his Tahitian paintings, lending an exotic flavor to this image of rural France. (Gauguin continued to paint Tahitian imagery in the summer and fall of 1894.) A watercolor by the artist, now lost, depicts the same Breton landscape.

KCG

Historique

Edouard Simon-Wolfskehl, Francfort-sur-le-Main. [Justin K. Thannhauser, Munich.] Josef Stransky, New York (dès 1921). [French & Co., New York.] Adolph Lewisohn, New York (au moins à partir de 1928-†1938; cat. 1928, pp. 158-159, ill.). Son fils, Samuel A. Lewisohn, New York (1938-†1951). Son épouse, Margaret Seligman Lewisohn, New York (1951-†1954).

Expositions

The Metropolitan Museum of Art, *Loan Exhibition of Impressionist and Post-Impressionist Paintings*, 3 mai - 15 septembre 1921, nº 49. New York, Wildenstein and Co., *A Loan Exhibition of Paul Gauguin*, 3 avril - 4 mai 1946, nº 9. Art Institute of Chicago, *Gauguin: Paintings, Drawings, Prints, Sculpture*, 12 février - 29 mars 1959, nº 59. The Metropolitan Museum of Art, *Gauguin: Paintings, Drawings, Prints, Sculpture*, 23 avril - 31 mai 1959, nº 59. Londres, Tate Gallery, *Gauguin and the Pont-Aven Group*, 7 janvier - 13 février 1966, nº 40. Paris, Musée du Luxembourg, et Quimper, Musée des Beaux-Arts, *L'Aventure de Pont-Aven et Gauguin*, 2 avril - 30 septembre 2003, nº 117.

Bibliographie

Stephan Bourgeois, *The Adolph Lewisohn Collection of Modern French Paintings and Sculpture*, New York, 1928, pp. 157-159. Alfred H. Barr Jr., *Modern Works of Art*, New York, 1934, pp. 12, 23, nº 11, pl. 11. Sam A. Lewisohn, *Painters and Personality: A Collector's View of Modern Art*, New York, 1937, pp. xii, 60, 62. Georges Wildenstein, *Gauguin*, Paris, 1964, pp. 215-216, nº 526. Pierre Daix, *Paul Gauguin*, Paris, 1989, p. 265.

Ex collections

Edouard Simon-Wolfskehl, Frankfurt am Main. [Justin K. Thannhauser, Munich.] Josef Stransky, New York (by 1921). [French & Co., New York.] Adolph Lewisohn, New York (by 1928-d. 1938; cat. 1928, pp. 158-59, ill.). His son, Samuel A. Lewisohn, New York (1938-d. 1951). His wife, Margaret Seligman Lewisohn, New York (1951-d. 1954).

Exhibitions

The Metropolitan Museum of Art, Loan Exhibition of Impressionist and Post-Impressionist Paintings, *May 3–September 15, 1921, no. 49. New York, Wildenstein and Co.,* A Loan Exhibition of Paul Gauguin, *April 3–May 4, 1946, no. 9. Art Institute of Chicago,* Gauguin: Paintings, Drawings, Prints, Sculpture, *February 12–March 29, 1959, no. 59. The Metropolitan Museum of Art,* Gauguin: Paintings, Drawings, Prints, Sculpture, *April 23–May 31, 1959, no. 59. London, Tate Gallery,* Gauguin and the Pont-Aven Group, *January 7–February 13, 1966, no. 40. Paris, Musée du Luxembourg, and Quimper, Musée des Beaux-Arts,* L'Aventure de Pont-Aven et Gauguin, *April 2–September 30, 2003, no. 117.*

References

Stephan Bourgeois, The Adolph Lewisohn Collection of Modern French Paintings and Sculpture *(New York, 1928), pp. 157–59. Alfred H. Barr Jr.,* Modern Works of Art *(New York, 1934), pp. 12, 23, no. 11, pl. 11. Sam A. Lewisohn,* Painters and Personality: A Collector's View of Modern Art *(New York, 1937), pp. xii, 60, 62. Georges Wildenstein,* Gauguin *(Paris, 1964), pp. 215–16, no. 526. Pierre Daix,* Paul Gauguin *(Paris, 1989), p. 265.*

Vincent van Gogh

Hollandais, né à Zundert, le 30 mars 1853; mort à Auvers-sur-Oise, le 29 juillet 1890
Dutch, born Zundert, March 30, 1853; died Auvers-sur-Oise, July 29, 1890

Très jeune, Van Gogh s'essaie au métier de marchand d'art, puis à ce qu'il croit être sa vocation de prédicateur; ce n'est qu'à 27 ans qu'il décide de devenir artiste. Dans les dix années qui suivront, jusqu'à sa mort en 1890, il réalisera presque 900 peintures et plus de 1100 œuvres sur papier. Dans ses premières toiles, Van Gogh, essentiellement autodidacte, représente des paysans de la région de Nuenen, près d'Eindhoven, et sa première grande composition, *Les Mangeurs de pommes de terre* (Amsterdam, Musée Van Gogh), date de 1885. Il quitte la même année les Pays-Bas pour suivre les cours de l'Ecole des beaux-arts d'Anvers. Mais quelques mois plus tard, il part pour Paris. Il demeurera le reste de sa vie en France, où il entreprend bientôt, sur le plan artistique, une profonde mutation. Influencé par les innovations de l'art français et par les estampes japonaises, qu'il collectionne, il se sent attiré par le Sud, où il espère fonder une communauté d'artistes. Dans ses paysages provençaux, il saisit la clarté de la lumière et les couleurs vibrantes du Midi, immortalisant les champs de blé et les cyprès d'Arles et de Saint-Rémy. Cet élan prodigieusement fécond connaît une fin brutale avec son suicide, en juillet 1890, à Auvers, alors que son œuvre commence à retenir l'attention de la critique.

Early in his life Van Gogh pursued various vocations, including that of an art dealer as well as a clergyman, before deciding at the age of twenty-seven to become an artist. Over the course of the following decade, until his death in 1890, he produced nearly 900 paintings and more than 1,100 works on paper. Largely self-taught, Van Gogh depicted the peasants of rural Nuenen in his early paintings, which culminated in his first multifigured, large-scale composition, The Potato Eaters *(1885; Van Gogh Museum, Amsterdam). He left the Netherlands in 1885 to study at the Antwerp Academy in Belgium, departing for Paris three months later. In France, where he remained for the rest of his life, he underwent a profound transformation as an artist, influenced by contemporary innovations in French art as well as the Japanese prints that he collected. He was eventually drawn to the south of France, where he hoped to establish a community of artists. He captured the region's clarity of light and vibrant color in his Provençal landscapes, memorializing the wheat fields and cypresses of Arles and Saint-Rémy. His prolific career abruptly terminated with his suicide in July 1890, in Auvers, at a time when his work had begun to attract critical attention.*

49 Premiers Pas (d'après Millet)

Huile sur toile, 72,4×91,1 cm, peinte en 1890
Don de George N. et Helen M. Richard, 1964 (64.165.2)

Van Gogh, dont l'admiration pour Jean-François Millet ne se démentit pas, fut profondément marqué par sa rencontre avec l'œuvre du maître de Barbizon lors d'une exposition à Paris en 1875. Ses premiers dessins, réalisés vers 1880, comprennent des copies d'après Millet, qui demeura jusqu'à la fin, avec ses sujets pris dans la vie paysanne, une source d'inspiration pour son cadet. Durant l'automne et l'hiver 1889-1890, interné volontaire à l'asile de Saint-Rémy-de-Provence, Van Gogh peignit vingt et une copies d'après Millet. Une lettre d'octobre 1889 à son frère Théo exprime son regain d'intérêt pour Millet et, plus particulièrement, pour cette œuvre: «Tu sais, ce serait peut-être intéressant d'essayer de faire en peinture des dessins de Millet, ça ferait une collection de copies assez particulière… Comme ils sont beaux, ces ‹Premiers Pas d'un enfant› de Millet!»

Toutes les copies de Van Gogh d'après Millet proviennent d'images en noir et blanc – gravures, reproductions ou photographies –, comme l'œuvre ici présentée, qui a pour modèle une photographie mise au carreau du pastel original de Millet. Van Gogh qualifie ses copies d'«improvisations», ou de «traductions», comparant son approche à celle d'un musicien qui interprète l'œuvre d'un compositeur. Il dit improviser la couleur en s'aidant des souvenirs qu'il a des images de Millet, et il ajoute: «La mémoire… ça, c'est ma propre interprétation.» Plus loin, il précise sa pensée: «Travailler ainsi d'après ses dessins ou ses gravures sur bois n'est pas purement et simplement copier. C'est plutôt traduire – dans un autre langage – celui de la couleur – les impressions de lumière et d'ombre du noir et blanc.»

Van Gogh peignit les Premiers Pas en janvier 1890, confiné dans son atelier à l'asile, après avoir souffert d'une violente attaque à Noël. En avril, il envoya la toile, avec d'autres copies d'après Millet, à son frère Théo. A la réception des peintures de son frère, Théo lui écrit: «Les copies d'après Millet sont peut-être les plus belles choses que tu aies faites, et elles me font penser que le jour où tu te décideras à faire des compositions de figures nous réserve de grandes surprises.» La scène familiale représentée dans les Premiers Pas trouve sans doute un écho dans la vie personnelle de Théo, qui vient d'avoir un fils, prénommé Vincent Willem.

La palette de Van Gogh, où prédominent les tonalités douces des verts, se différencie des autres toiles faites à Saint-Rémy, mais elle préfigure aussi celle des derniers paysages d'Auvers-sur-Oise. La peinture est appliquée en touches calligraphiques plutôt lâches, qui rappellent les dessins de l'artiste au calame, la couche d'apprêt étant laissée nue par endroits. Pour Van Gogh, les Premiers Pas devaient faire partie d'une série, avec cinq autres copies de la même taille d'après Millet: le cycle des «Quatre Heures du jour» et sa Charrue et la Herse (1890, Amsterdam, Musée Van Gogh), d'après L'Hiver aux corbeaux. Il souhaitait que ces copies restassent en possession de Théo, mais sa mort prématurée, suivie six mois plus tard par celle de son frère, ne permit pas la réalisation de ce vœu. La veuve de Théo, Johanna, vendit quelques années plus tard les Premiers Pas et trois autres pièces de la série.

KCG

49 First Steps (after Millet)

Oil on canvas, 72.4×91.1 cm, painted in 1890
Gift of George N. and Helen M. Richard, 1964 (64.165.2)

Van Gogh, whose admiration of Jean-François Millet was long-standing, encountered the work of the Barbizon master at an exhibition in Paris in 1875. His earliest drawings, done around 1880, include copies after Millet, whose peasant subjects remained a source of influence on the younger artist until the end of his career. During the autumn and winter of 1889–90, while voluntarily interred in the asylum at Saint-Rémy, Van Gogh painted twenty-one copies after works by Millet. A letter of October 1889 from the artist to his brother, Theo, signals his renewed interest in Millet and, in particular, the subject of this copy: "You know it might be interesting to try to do Millet's drawings in painting, that would be quite a special collection of copies … How beautiful that Millet is, 'A Child's First Steps'!"

All of Van Gogh's copies after Millet derive from black-and-white images—prints, reproductions, or photographs—as does the present work, which is based on a squared-up photograph of Millet's original pastel. Van Gogh described his copies as "improvisations" or "translations," likening his approach to that of a musician who interprets a composer's work. He wrote of improvising color aided by his recollection of Millet's pictures, adding, "the memory … that is my own interpretation." He further elaborated: "Working thus on his drawings or on his woodcuts is not purely and simply copying. Rather it is translating—into another language—that of color—the impressions of light and shade in black and white."

Van Gogh painted First Steps in January 1890 while confined to his studio in the asylum, having suffered a severe attack over Christmas. In April he sent the work, along with other copies after Millet, to Theo. Upon receiving the paintings from his brother, Theo wrote, "The copies after Millet are perhaps the most beautiful things you have done, and they make me believe that on the day you set yourself to making compositions of figures, there will be great surprises in store for us." The intimate family scene represented in First Steps likely resonated on a personal level with Theo, whose son, Vincent Willem, was born earlier that year.

Van Gogh's palette, in which soft green tones predominate, stands apart from his other paintings done in Saint-Rémy but also prefigures that of his last landscapes from Auvers-sur-Oise. Paint is applied rather loosely throughout, in calligraphic touches reminiscent of the artist's drawings in reed pen and ink, with areas of the primed canvas exposed. The artist intended that First Steps would form a series, along with five other copies of the same dimensions, after Millet's Four Hours of the Day cycle and his Plow and Harrow (1890; Van Gogh Museum, Amsterdam). It was Van Gogh's wish that these copies remain with Theo; however, the artist's untimely death, followed six months later by that of his brother, prevented the realization of his vision. Theo's widow, Johanna, subsequently sold First Steps and three other works from the series.

KCG

Historique

Le frère de l'artiste, Théo van Gogh, Paris (1890-†1891; à qui Vincent l'envoie le 29 avril 1890). Sa veuve, Johanna van Gogh-Bonger, Amsterdam (1891-1905; vendu à Osthaus en octobre, avec six autres œuvres, pour la somme de 4 731,60 florins). Karl Ernst Osthaus, Hagen (1905-au moins jusqu'en 1917). [Alfred Flechtheim, Düsseldorf.] W. Russ Young, Serrières (jusqu'en 1924; vendu à Vallotton le 31 décembre). [Galerie Paul Vallotton, Lausanne, 1924-1926; vendu à Oppenheimer le 31 juillet 1926.] Julius Oppenheimer, New York (1926-1935). Son fils, Frank Oppenheimer, San Francisco (vers 1945-au moins 1949; vendu à Dalzell Hatfield). [Dalzell Hatfield Galleries, Los Angeles, jusqu'en 1955; vendu à Richard.] Mr. et Mrs. George N. Richard (1955-1964).

Expositions

Hagen, Musée Folkwang, *Moderne Kunst: Plastik, Malerei, Graphik*, juillet 1912, n° 133. New York, Museum of Modern Art, *First Loan Exhibition: Cézanne, Gauguin, Seurat, Van Gogh*, 8 novembre - 7 décembre 1929, n° 88. Art Institute of Chicago, *A Century of Progress*, 1er juin - 1er novembre 1933, n° 378. The Metropolitan Museum of Art, *Van Gogh: Paintings and Drawings*, 1er février - 15 avril 1950, n° 127. Tokyo, Musée national d'art occidental, Musée de la ville de Nagoya, *Vincent van Gogh*, 12 octobre 1985 - 2 février 1986, n° 85. The Metropolitan Museum of Art, *Van Gogh in Saint-Rémy and Auvers*, 25 novembre 1986 - 22 mars 1987, n° 46. Essen, Musée Folkwang, et Amsterdam, Musée Van Gogh, *Vincent van Gogh et le mouvement moderne: 1890-1914*, 11 août 1990 - 18 février 1991, n° 51. Melbourne, National Gallery of Victoria, et Brisbane, Queensland Art Gallery, *Van Gogh: His Sources, Genius and Influence*, 19 novembre 1993 - 13 mars 1994, n° 49.

Bibliographie

J.-B. de La Faille, *L'Œuvre de Vincent van Gogh: Catalogue raisonné*, 4 vol., Paris, 1928, vol. 1, p. 190, n° 668, vol. 2, pl. 181. Charles Sterling et Margaretta M. Salinger, *French Paintings: A Catalogue of the Collection of The Metropolitan Museum of Art*, vol. 3, New York, 1967, pp. 190-191. J.-B. de La Faille, *The Works of Vincent van Gogh: His Paintings and Drawings*, éd. rev. et corr., Amsterdam, 1970, pp. 262-263, 637, n° 668. Jan Hulsker, *The New Complete Van Gogh: Paintings, Drawings, Sketches*, Amsterdam, 1996, pp. 432-434, 496, n° 1883. Louis van Tilborgh *et al.*, *Millet/Van Gogh*, Paris, 1998, pp. 121-122, 152-153, 156-158n43, 170, 175, n° 81.

Ex collections

The artist's brother, Theo van Gogh, Paris (1890–d. 1891; sent to him by the artist on April 29, 1890). His widow, Johanna van Gogh-Bonger, Amsterdam (1891–1905; sold in October with six other works for Fl 4,731.60 to Osthaus). Karl Ernst Osthaus, Hagen (1905–at least 1917). [Alfred Flechtheim, Düsseldorf.] W. Russ Young, Serrières (until 1924; sold to Vallotton on December 31). [Galerie Paul Vallotton, Lausanne, 1924–26; sold to Oppenheimer on July 31, 1926.] Julius Oppenheimer, New York (1926–35). His son, Frank Oppenheimer, San Francisco (by 1945–at least 1949; sold to Dalzell Hatfield). [Dalzell Hatfield Galleries, Los Angeles, until 1955; sold to Richard.] Mr. and Mrs. George N. Richard, New York (1955–64).

Exhibitions

Hagen, Museum Folkwang, Moderne Kunst: Plastik, Malerei, Graphik, *July 1912, no. 133. New York, Museum of Modern Art,* First Loan Exhibition: Cézanne, Gauguin, Seurat, Van Gogh, *November 8–December 7, 1929, no. 88. Art Institute of Chicago,* A Century of Progress, *June 1–November 1, 1933, no. 378. The Metropolitan Museum of Art,* Van Gogh: Paintings and Drawings, *February 1–April 15, 1950, no. 127. Tokyo, National Museum of Western Art, and Nagoya City Museum,* Vincent van Gogh, *October 12, 1985–February 2, 1986, no. 85. The Metropolitan Museum of Art,* Van Gogh in Saint-Rémy and Auvers, *November 25, 1986–March 22, 1987, no. 46. Essen, Museum Folkwang, and Amsterdam, Van Gogh Museum,* Vincent van Gogh and the Modern Movement: 1890–1914, *August 11, 1990–February 18, 1991, no. 51. Melbourne, National Gallery of Victoria, and Brisbane, Queensland Art Gallery,* Van Gogh: His Sources, Genius and Influence, *November 19, 1993–March 13, 1994, no. 49.*

References

J.-B. de La Faille, L'Œuvre de Vincent van Gogh: Catalogue raisonné, *4 vols. (Paris, 1928), vol. 1, p. 190, no. 668, vol. 2, pl. 181. Charles Sterling and Margaretta M. Salinger,* French Paintings: A Catalogue of the Collection of The Metropolitan Museum of Art, *vol. 3 (New York, 1967), pp. 190–91. J.-B. de La Faille,* The Works of Vincent van Gogh: His Paintings and Drawings, *rev. ed. (Amsterdam, 1970), pp. 262–63, 637, no. 668. Jan Hulsker,* The New Complete Van Gogh: Paintings, Drawings, Sketches *(Amsterdam, 1996), pp. 432–34, 496, no. 1883. Louis van Tilborgh et al.,* Millet/Van Gogh *(Paris, 1998), pp. 121–22, 152–53, 156–58n43, 170, 175, no. 81.*

Paul Cézanne

Français, né à Aix-en-Provence, le 19 janvier 1839; mort à Aix-en-Provence, le 23 octobre 1906
French, born Aix-en-Provence, January 19, 1839; died Aix-en-Provence, October 23, 1906

Fils unique d'une famille bourgeoise d'Aix, Cézanne abandonne ses études de droit et part pour Paris en 1861, où il a décidé, avec les encouragements de son ami d'enfance Emile Zola, de suivre une carrière d'artiste. Son œuvre de la fin des années 1860 affiche une prédilection pour les sujets violents; elle se caractérise par une manière audacieuse, parfois même grossière, la peinture étant posée en couche épaisse, au couteau, plutôt qu'à la brosse. Après les refus réitérés des jurys du Salon, Cézanne quitte Paris en 1871 pour se rendre à Auvers-sur-Oise, près de Pontoise, où il travaille avec Camille Pissarro, dont l'engagement auprès du groupe impressionniste qui est en train de se constituer conduit à la participation de Cézanne lors de la première exposition impressionniste, en 1874, puis de la troisième, en 1877.

Durant les années 1880, Cézanne peint des paysages de sa Provence natale, méthodiquement rendus, en touches courtes et parallèles, construisant l'image, et qui deviendront dans la maturité sa marque de fabrique. Marginalisé pendant presque toute sa carrière, Cézanne était pratiquement inconnu avant la rétrospective que lui consacra le marchand Ambroise Vollard et qui établit sa réputation parmi l'avant-garde. Il resta fidèle jusqu'à la fin de sa vie à la peinture de paysage en plein air, et mourut en 1906, après avoir été pris sous l'orage tandis qu'il travaillait dehors, une semaine plus tôt.

The only son of a bourgeois family from Aix, Cézanne abandoned his study of law and moved to Paris in 1861 to pursue his career as an artist with the encouragement of his childhood friend, the novelist Emile Zola. His work of the later 1860s is marked by a predilection for violent subjects and a bold, at times coarse, handling of paint, often thickly applied with a palette knife rather than a brush. After repeated rejections by the Salon juries, Cézanne left Paris in 1871 and moved to Auvers-sur-Oise, near Pontoise, to work alongside Camille Pissarro, whose involvement with the nascent Impressionist group led Cézanne to participate in their first exhibition, in 1874, and again in 1877.

During the 1880s Cézanne painted a group of landscapes of his native Provence that were methodically rendered in the short, parallel constructive brushstrokes that would become a hallmark of his mature style. Marginalized for most of his career, Cézanne was virtually unknown as an artist until his 1895 retrospective staged by the dealer Ambroise Vollard, which established Cézanne's reputation among the avant-garde. Cézanne, who remained committed to a plein air approach to landscape painting until the end of his life, died in 1906 after having been caught in a thunderstorm while working outdoors a week earlier.

50 Nature morte avec pot, tasse et pommes

Huile sur toile, 60,6 × 73,7 cm, peinte vers 1877
Collection H. O. Havemeyer,
legs de Mrs. H. O. Havemeyer, 1929 (29.100.66)

Cézanne peignit des natures mortes durant toute sa carrière, s'en servant souvent comme terrain d'expériences formelles et techniques; le genre occupe une place centrale dans sa production artistique des années 1870. Sur les seize peintures qu'il soumit à l'exposition impressionniste de 1877, cinq étaient des natures mortes. Le papier peint caractéristique, au ton olive, de l'œuvre ici présentée apparaît, avec des variantes minimes, dans quatre autres natures mortes de Cézanne ainsi que sur deux peintures de figures réalisées vers 1877. Ce papier peint décorait sans doute une pièce de l'appartement que l'artiste occupa à Paris, par intermittence, de 1877 environ jusqu'à 1879. Le fond à motifs marque l'abandon des fonds neutres typiques du genre, et les «V» renversés des losanges du papier peint font écho à la forme de la serviette blanche dont un pli pend sur le côté du coffre. Ces analogies formelles font apparaître la structure mûrement réfléchie qui sous-tend les compositions des natures mortes de Cézanne. Plusieurs éléments représentés ici, notamment la tasse de porcelaine et le pot en terre émaillée, sont présents dans d'autres natures mortes; ainsi le coffre de bois, à loquets de métal, sur lequel sont disposés les objets, survient-il pour la première fois dans les natures mortes réalisées par l'artiste à Auvers. La peinture est appliquée en couche épaisse, avec des rehauts de pâte sur l'émail du pot, mais en touches discrètes, qui traduisent probablement l'assimilation de la technique impressionniste.

L'historien d'art Meyer Schapiro, dans un article paru en 1968, intitulé «The Apples of Cézanne: An Essay on the Meaning of Still-Life», fait apparaître le point commun avec les paysages: «La disposition des objets, des tables, des drapés évoque parfois une vaste étendue de terrain, qui serait comme modelée, et les tons du mur, au fond, ont la délicatesse de [ses] ciels.» Dans ce même ordre d'idée, la serviette blanche a été interprétée – quoique à l'envers – comme une allusion à la montagne Sainte-Victoire, l'un des motifs favoris de Cézanne, dont les crêtes et les ravins seraient dessinés par les plis profonds du tissu. L'année qui suivit la mort de l'artiste, les collectionneurs américains Henry et Louisine Havemeyer achetèrent cette nature morte sur les conseils de Mary Cassatt; leur collection comprendrait plus tard onze œuvres de Cézanne.

KCG

50 Still Life with Jar, Cup, and Apples

Oil on canvas, 60.6 × 73.7 cm, painted about 1877
H. O. Havemeyer Collection,
Bequest of Mrs. H. O. Havemeyer, 1929 (29.100.66)

Cézanne painted still lifes throughout his career, often using them for formal and technical experimentation, and the genre was central to his artistic production of the 1870s. Of the sixteen paintings he submitted to the 1877 Impressionist exhibition, five were still lifes. The distinctive olive-hued wallpaper in the present work appears, with minor variations, in four other still lifes by Cézanne as well as two figure paintings he made about 1877. The wallpaper apparently hung in a room in the Paris apartment that the artist occupied intermittently from about 1877 until 1879. The patterned background marks a departure from the neutral backgrounds typical of still lifes, while the inverted v-shapes of the wallpaper's design are mirrored in the form of the white cloth draped over the edge of the chest. Such formal analogies reveal the deliberate structure underlying Cézanne's still life compositions. Several of the objects depicted, including the white porcelain cup and the glazed earthenware jar, recur in other still lifes; for example, the wood chest with metal latches on which the objects are placed first appears in still lifes the artist painted in Auvers. The work is thickly painted, with impasto highlights in the glazed jar. Cézanne's application of paint in discrete touches possibly reflects his assimilation of the Impressionist technique.

The art historian Meyer Schapiro eloquently conjures Cézanne's landscapes in his 1968 essay "The Apples of Cézanne: An Essay on the Meaning of Still-life": "The setting of the objects, the tables and drapes, sometimes suggest a large modeled terrain, and the tones of the background wall have the delicacy of Cézanne's skies." To that end, the white cloth napkin in this work has been interpreted as a reference, albeit inverse, to Mont Sainte-Victoire, one of Cézanne's favorite motifs, with the mountain's ridges and valleys evoked by the deep folds in the napkin. The year following the artist's death the American collectors Henry and Louisine Havemeyer purchased this still life with the assistance of the artist Mary Cassatt; their collection would eventually include eleven works by Cézanne.

KCG

Historique

[(?) Durand-Ruel, Paris et New York, 1907; vendu en avril à Havemeyer par l'intermédiaire de Mary Cassatt; déposé par Cassatt chez Durand-Ruel le 7 mai; envoyé par bateau le 11 mai à Havemeyer.] Mr. et Mrs. H. O. Havemeyer, New York († Mr. Havemeyer 1907). Mrs. H. O. Havemeyer, New York (1907-†1929; cat. 1931, pp. 58-59, ill., sous le titre *Still Life*).

Expositions

The Metropolitan Museum of Art, *The H. O. Havemeyer Collection*, 10 mars - 2 novembre 1930, n° 7. Art Institute of Chicago et The Metropolitan Museum of Art, *Cézanne: Paintings, Watercolors and Drawings*, 7 février - 18 mai 1952, n° 20. Paris, Musée d'Orsay, *La Collection Havemeyer: Quand l'Amérique découvrait l'impressionnisme*, 20 octobre 1997 - 18 janvier 1998, n° 39.

Bibliographie

Lionello Venturi, *Cézanne: son art – son œuvre*, Paris, 1936, vol. 1, pp. 35, 112-113, n° 213, vol. 2, pl. 58, n° 213. Charles Sterling et Margaretta M. Salinger, *French Paintings: A Catalogue of the Collection of The Metropolitan Museum of Art*, vol. 3, New York, 1967, pp. 98-99. John Rewald, *The Paintings of Paul Cézanne: A Catalogue Raisonné*, New York, 1996, vol. 1, pp. 216-217, 220, 223, 319, 568, n° 322, vol. 2, p. 103, fig. 322.

Ex collections

[? Durand-Ruel, Paris and New York, 1907; sold in April to Havemeyer through Mary Cassatt; deposited by Cassatt with Durand-Ruel on May 7; shipped on May 11 to Havemeyer.] Mr. and Mrs. H. O. Havemeyer, New York (his d. 1907). Mrs. H. O. Havemeyer, New York (1907-d. 1929; cat. 1931, pp. 58-59, ill., as Still Life).

Exhibitions

The Metropolitan Museum of Art, The H. O. Havemeyer Collection, *March 10–November 2, 1930, no. 7. Art Institute of Chicago and The Metropolitan Museum of Art,* Cézanne: Paintings, Watercolors and Drawings, *February 7–May 18, 1952, no. 20. Paris, Musée d'Orsay,* La Collection Havemeyer: Quand l'Amérique découvrait l'impressionnisme, *October 20, 1997–January 18, 1998, no. 39.*

References

Lionello Venturi, Cézanne: son art – son œuvre *(Paris, 1936), vol. 1, pp. 35, 112–13, no. 213, vol. 2, pl. 58, no. 213. Charles Sterling and Margaretta M. Salinger,* French Paintings: A Catalogue of the Collection of The Metropolitan Museum of Art, *vol. 3 (New York, 1967), pp. 98–99. John Rewald,* The Paintings of Paul Cézanne: A Catalogue Raisonné *(New York, 1996), vol. 1, pp. 216–17, 220, 223, 319, 568, no. 322, vol. 2, p. 103, fig. 322.*

Liste des œuvres
Checklist

Les chiffres en italique renvoient aux numéros de catalogue.
Catalogue numbers are in italics.

Index

Les chiffres renvoient aux numéros de catalogue. Les noms des artistes exposés et les numéros de catalogue sont en **gras**.
*Organized by catalogue number. **Boldface** names and numbers indicate entries on a particular artist.*

Nous tenons à témoigner notre gratitude aux généreux mécènes, donateurs et Amis de la Fondation qui, par leur soutien, nous permettent la mise sur pied de notre programme de concerts et d'expositions.

Nous remercions tout particulièrement:

La Commune de Martigny
L'Etat du Valais

AXA Art Assurance SA, Zurich
Banque Cantonale du Valais
Banque Julius Bär & Cie SA
Bentley Genève – André Chevalley
Caves Orsat-Rouvinez Vins
Champagne Pommery
Christie's Suisse, J.-L. R.
Conseil de la culture, Etat du Valais
Fondation Coromandel, Genève
Fondation Symphasis
Generali Assurance
Groupe Mutuel, Martigny
Hôtel La Porte d'Octodure, Martigny-Croix
Imprimeries Réunies Lausanne s.a.
Journal Le Temps
Le Nouvelliste et Feuille d'Avis du Valais
Les Chemins de fer fédéraux suisses
Loterie Romande
M. Dan Mayer, Zoug
Mme H. M.-B., Berne
M. J. J. et Mme A. La B., Belgique
Mme Brigitte Mavromichalis, Martigny
Nestlé SA, Vevey
PAM, Valaisanne Holding SA, Martigny
Société de développement de Martigny
Swiss Life
Touring Club Suisse Valais
Tunnel du Grand-Saint-Bernard
UBS SA
Valmont

ainsi que: CREDIT SUISSE

La Fondation Pierre Gianadda

Temple de platine à Fr. 5000.–

Alpwater, eau minérale naturelle, Saxon
Bugnon Gérald, Verbier
Burrus Charles et Bernadette, Boncourt
Caves Orsat SA, Martigny
Debiopharm SA, Rolland-Yves Mauvernay,
    Lausanne
De Watteville Bernard et Caroline,
    Chêne-Bougeries
Distillerie Louis Morand et Cie, Martigny
Expositions Natural Le Coultre SA, Genève
Henniez SA, eaux minérales, Henniez
Hôtel des Bains de Saillon
Hôtel du Parc SA, Martigny
Imprimeries Réunies Lausanne s.a., Renens
Kuhn & Bülow, Versicherungsmakler, Zurich
La Mobilière, Assurances & prévoyance,
    Martigny
Le Gourmet, Hôtel du Forum, Martigny
Lombard Odier Darier Hentsch & Cie,
    Genève
Magnier John, Verbier
Monsieur et Madame Sylvestre Verger,
    Versailles, France
Nardin Pierre-Antoine, Le Locle
Office du Tourisme, Martigny
Paul Marti Matériaux SA, Martigny
Pictet & Cie, Genève
Rouvinez Vins SA
SGA, Bernard Develey, Sion
Société de Développement, Martigny
Thea Pharma, Clermont-Ferrand, France
Veuthey & Cie SA, Martigny

Chapiteau d'or à Fr. 1000.–

Adatis SA, M. Palisse, Martigny
Anonyme, Paris
Ascenseurs Schindler SA, Lausanne,
    succursale de Sion
Assunta Sommella Peluso,
    Ada Peluso and Romano I. Peluso
    in memory of Ignazio Peluso
AXO SA, Henri Barone, Meythet, France
Barbier Marie-Christine, Villars
Baronne Philippine de Rothschild, Paris
Basler Versicherungs-Gesellschaft,
    Abt. Transportversicherung, Bâle
Bauknecht SA, appareils ménagers, Crissier
Baumgartner Papiers, Inapa Suisse SA,
    Crissier
Bemberg Jacques, Lausanne
Berra Bernard, Martigny
Berrut G. et J., Hôtel Bedford, Paris

Betondrance SA, Martigny
Bétrisey Edouard, Martigny
Bloemsma Marco P., Lausanne
Bobst SA, Lausanne
Bonhôte Anne, Anières
Borloz Britta et René, Martigny-Croix
Bringhen Jean-Pierre, Martigny
Bron Joseph, Martigny, Monthey
BSI SA, Lausanne, Genève
Café-restaurant «Les Platanes»,
    Fabrice Grognuz, Martigny
Cappi-Marcoz SA, agence en douane,
    Martigny
Centre Rhodanien d'Impression SA,
    Martigny
Charles Lucienne, Epalinges
Classe Matu 1954-1955, Saint-Maurice
Cligman Léon, Paris
Clouzot Inès, Paris
Conforti Monique, Martigny
Conforti Roger SA, Martigny
Constantin Martial, Vernayaz
Coop Valais, Châteauneuf-Conthey
Corboud Gérard, Blonay
Couchepin Jean-Jules, Martigny
Cuendet J.-F., Pully
De Bruijn Louise et Bernard, Hérémence
De Kalbermatten Bruno, Jouxtens-Mézery
Degallier Isaac, Moudon
D'Ormesson André, Paris
Dufour Marcel, Lausanne
Dumas-Hermes Thierry et Odile,
    Neuilly-sur-Seine, France
Faibella Maria et Fred, Martigny
Faibella Maria et Fred, Martigny
Favre Bernard, Martigny
Feldschlösschen AG, Kilian Furrer, Sion
Fidag SA, fiduciaire, Martigny
Fondation du Grand-Théâtre de Genève,
    Guy Demole, Genève
Fournier Daniel, Martigny
Gagnebin Yvonne et Georges, Echandens
Galerie Lelong, Paris
Gandur Jean-Claude, Tannay
Genevoise Assurance, Genève
Gianadda François et Sakkas Yannis,
    Martigny
Gianadda Mariella, Martigny
Givel Edouard et Jacqueline, Anières
Givel Jean-Claude, Lonay
Grandchamp Claude, Martigny
Grande Dixence SA, Sion
Grieu Maryvonne, Bussigny
Grindler Christiane et Jacques, Kandersteg
Griot Jean, Louveciennes, France

Gross Christophe, Allianz Assurances,
    Martigny
Groupe Bernard Nicod, Lausanne
Guggenheim Josi, Zurich
Hersaint Evangeline, Crans-Montana
Hersaint Françoise, Crans-Montana
Hôtel du Vieux Stand, Amandus Heldner,
    Martigny
Huber Jean-Claude, Martigny
Isidor Jack, Le Mont-Pèlerin
Lacroix-Losey Marie-Juliette, Versoix
La Poste Suisse, CarPostal Valais Romand
    Haut-Léman
Lagonico Carmela, Cully
Lagonico Pierre, Cully
Lambert Pol, Saint-Sulpice
Lambrecht Barbara, Montreux
Les Fils de Charles Favre SA, Sion
Les Fils de Charles Favre SA, Sion
Levy James et Mireille, Lausanne
Leyvraz Jacques, Lausanne
Lonfat Raymond et Amely, Crans-sur-Sierre
Lorenz Paul, Sion
Losinger Holding SA, Jacky Gillmann, Berne
Lüscher Michel, Chardonne
Luyet Michel et Didier, Martigny
Mairie de Chamonix
M. K. G., Suisse
Manor AG, Bâle
Marcie-Rivière Jean-Pierre, Paris
Massimi-Darbellay Jacques et Lilette,
    Martigny
Matériaux Buser & Cie SA, Martigny
Mayer – Shoval, Genève
Morand Mireille, Martigny
Moret Serge & Fils, primeurs, Martigny
Municipalité de Salvan
Murisier-Joris Pierre-André, Martigny
Nehama Albert, Saint-Prex
Noetzli Rodolphe, Neuchâtel
Nordmann Monique, Vandœuvres
Oberson Marguerite, Verbier
Odier Patrick, Lombard Odier & Cie, Genève
Odier Patrick, Lombard Odier & Cie, Genève
Oltramare Yves, Vandœuvres
Optigal SA, Martigny, Courtepin
Pahud-Montfort Jean-Jacques, Monthey
PAM SA, Martigny, Sion, Eyholz
Papilloud Jean-Daniel, Sion
Perret Anne-Isabelle, Zurich
Pharmacies de la Gare, Centrale,
    de la Poste, Lauber, Vouilloz et Zurcher,
    Martigny
Philipona Raoul, Schmitten
Ports Francs et Entrepôts de Genève SA

Pot Philippe et Janine, Lausanne
Pour-cent culturel MIGROS
Pour-cent culturel MIGROS
Pour-cent culturel MIGROS
Pradervand Mooser Michèle, Chesières
Publicitas Valais
Reinshagen Maria, Zurich
Rigips SA, Usine la Plâtrière, Granges
Roduit Bernard, Fully
Rossa Jean-Michel, Martigny
Rügländer Elsbeth et Pierre, Lucerne
Rykiel Sonia, Paris
Salamin Electricité, Martigny
Saudan Les Boutiques, Martigny
Saudan Raymond, Sion, Martigny
Sauval Alain près l'Ambassade de France,
    Berne
Seiler Hotels Zermatt AG, Christian Seiler,
    Sion
Tarica, Paris
Téléverbier SA, Verbier
Tetra Laval International SA, Pully
Torrione Jean-Pierre, Martigny
UBS SA, François Gay, Martigny
Uniqa Versicherung AG, Vaduz,
    Liechtenstein
Vannay Stéphane, Martigny
Varnoux Gisèle, La Tour-de-Peilz
Vocat Olivier, Martigny
Vogt Bernard, Sion
Waser Robert, Sierre
Yerlès Fernande, Martigny
Zermatten Gil et Doris, Martigny
Zurcher-Michellod Madeleine et Jean-Marc,
    Martigny
Zwissig Victor, Sierre

Stèle d'argent à Fr. 500.–

Abriel Aline, Martigny
Accoyer Bernard, Veyrier-du-Lac, France
Adank Marie-Loyse, Neuchâtel
Ambassade de la Principauté de Monaco,
    Berne
Amon Albert, Lausanne
Arcusi Jacques, Vacqueyras, France
Art Edition R. + E. Reiter, Hinwil
Association du Personnel Enseignant
    Primaire et Enfantine de Martigny (APEM)
Avilor S.à r.l., Benoît Henriet, Schiltigheim,
    France
B. A., Riehen
Bachmann Roger, Cheseaux-Noréaz
Baudry Gérard, Grand-Lancy

Bender Emmanuel, Martigny
Berg-Andersen Bente et Per, Crans
Berger Peter, Pully
Bernheim Claude et André, Paris
Bernheim Hedi et ses Amis, Olten
Bestazzoni Umberto, Martigny
Bich Sabine, Nyon
Bodmer Henry C. M., Zollikerberg
Bonardelli Christian, Chêne-Bougeries
Bossy Jacqueline, Sion
Botteron Virgile, Reconvilier
Boucherie Peter Nessier, Münster
Bourban Narcisse, Haute-Nendaz
Bourgeoisie de Martigny
Brandicourt André, Chamonix, France
Brechtbühl-Vannotti Maria-Nilla, Muri
Bruchez Jean-Louis, Martigny
Brun Jean-François, Riddes
Bruttin Gaston, Martigny
Buchard Olivier, Martigny
Buhler-Zurcher Dominique et Jean-Pierre,
    Martigny
Burgener Emmanuel, Martigny
Buzzi Aleardo, Monaco
Café Moccador SA, Martigny
Cappi-Marcoz SA, agence en douane,
    Martigny
Cassaz Béatrice et Georges, Martigny
Castino Silvia et Marco, Turin, Italie
Cavada Tullio, Martigny
Cevins SA, Martigny
Chaudet Marianne, Chexbres
Chavaz Denis, Sion
Chevron Jean-Jacques, Bogis-Bossey
Christen Catherine, La Conversion
Claivaz Willy, Haute-Nendaz
Classe 1935, Martigny
Classe Matu 1954-1955, Saint-Maurice
Clément Joëlle et Pierre, Galerie Clément,
    Brent
Clouzot Inès, Paris
Cohen Luciano Pietro, Genève
Collombin Gabriel, Les Granges
Commune Randogne, Crans-Montana
Constantin Jean-Claude, Martigny
Couchepin Bernard, Martigny
Crans-Montana Tourisme, Crans-Montana
Cretton Georges-André et Marie-Rose,
    Martigny
Crommelynck Landa et Berbig Carine, Paris
D. A. (Mme), Martigny
Darbellay Michel et Caty, Martigny
D. G., Neuilly-sur-Seine, France
De la Béraudière Pilar, Genève
Delaloye Jean-Pierre, Ardon

Delamuraz-Reymond Catherine, Lausanne
Del Don Gemma, Gorduno
Delus-Chassinat Christiane, Lutry
De Preux Marie-Madeleine, Verbier
De Traz Cécile, Martigny
De Tscharner Richard, Coppet
Duc et Duchesse Decazes, Morges
Ducrey Guy, Martigny
Dura Daniel, Rotterdam, Pays-Bas
Edipresse SA, direction générale, Lausanne
Egger Heinz, Zurich
Ehrsam Jean-Pierre, Aigle
En souvenir d'Edouard et de Berthe
    Anderhub-Zimmermann, Krienz/Lucerne
Entreprise Dénériaz SA, génie civil,
    béton armé, charpentes, Sion
Ets Philippe, Dijon, France
Fardel Gabriel, Martigny
Favorol SA, stores, Savièse
Feron Patrice, Verbier
Ferreira Antonio José, Lausanne
Ferretti Marina, historienne d'art, Paris
Fiduciaire Duc-Sarrasin & Cie SA, Martigny
Fischer Christine et Jan, Zollikon
Fischer Edouard-Henri, Rolle
Fischer Pierre-Edouard, Prangins
Fischer Sonia, Thônex
Fixap SA, entretien d'immeubles, Monthey
Fleury Gabriel, Granges
Forestier-Chométy Anne-Marie, Besançon,
    France
Galerie Daniel Malingue, Paris
Gastaldo Yvan, Martigny
Gaudin Georges, Sion
Georg Waechter Memorial Foundation,
    Genève
Gerber Pierre et Bernadette,
    La Claie-aux-Moines
Gétaz Romang SA, Vevey
Giroud Lucienne, Martigny
Goldschmidt Léo et Anne-Marie, Val-d'Illiez
Grand Gabriel et Chantal, Vernayaz
Gras Savoye (Suisse) SA, Carouge
Grisard Anneta M., Riehen
Guex-Crosier Jean, Martigny
Gysi Pascal, Genève
Hahnloser Bernhard et Mania, Berne
Heine Holger, Oberwil
Héritier & Cie, bâtiments et travaux publics,
    Sion
Hoog-Fortis Janine, Thônex
Hopkins Waring, Paris
Hôtel-Club Sunways, Marie-Christine et
    Marc Laurant, Champex
Huber Suzanne, Genève

Hug Hans-Jürg, Küsnacht
IDIAP, Institut de recherche, Martigny
Imfeld Gérald, Martigny
Inoxa Perolo et Cⁱᵉ, Centre Magro, Uvrier
Jacquérioz Alexis, Martigny
Jacquillat Thierry et Marie Annick,
   Piccadilly, Londres
Jaques Paul-André et Madelaine,
   Haute-Nendaz
Jeanrenaud Ingrid, Genève
Joehr Jean-Pierre, Ardon
Kaufman Karen, Anneçy, France
Kearney-Stevens Kevin et Shirley, Charmey
Kessler Didier, Genève
King Lina, Genève
Klein Gérard, Gstaad
Köhli Josette, Grand-Saconnex
Kredietbank (Suisse) SA, Bernard Basecqz,
   Genève
Kwong Ming, restaurants chinois, Martigny
   et Lausanne
Lacchini Luigi, Lafin Spa, Crémone, Italie
Lambercy Jean-Luc, Martigny
Les Fils de Charles Favre SA, Sion
Leutwyler Hans A., Zurich
Levet Jacqueline, Paris
Levy Evelyn, Jouxtens-Mézery
Liuzzi Anthony, Küsnacht
Liuzzi Monique, Küsnacht
Lorenz Claudine et Florian Musso, Munich,
   Allemagne
Luce NS Concept, Augusto Mastrostefano,
   Marnand
Lüscher Monique, Clarens
Luy Hannelore, Martigny
Magnin Gabriel et Maryvonne, Sion
Maillard Alain, Lausanne
Masson Louis et Nicolette, Pully
Maus Bertrand, Genève
Michel François-Bernard,
   Montpellier, France
Michellod Christian, Martigny
Michellod Gilbert, Monthey
Möbel-Transport AG, Zurich
Monney-Campeanu Gilbert et May, Vétroz
Morard Jacques-Antoine, Genève
Motel des Sports, Jean-Marc Hebersaat,
   Martigny
Neubourg Hélène, Pully
Nordmann Serge et Annick, Vésenaz
Nydegger Simone-Hélène, Lausanne
Odier Patrick, Lombard Odier & Cⁱᵉ, Genève
Pain Josiane, Londres
Papaux SA, fenêtres, Savièse
Pasquier Jean et Bernadette, Martigny

Peppler Wilhelm, Montagnola
Pernet Claude, Lausanne
Perolo Raymond, Uvrier-Sion
Perraudin Georges, Martigny
Perrig Antoine, Sion
Pfister Paul, Bülach
Piota SA, combustibles, Martigny
Pitteloud Jean-Bernard, Sion
Pomari Alessandra, Minusio, Tessin
Pradervand Daniel, Martigny
Pralong Jean, Saint-Martin
Primatrust SA, Philippe Reiser, Genève
Probst Elena, Lisbonne
Prof. Yves et Françoise Grosgogeat, Paris
Proz Liliane et Marcel, Savièse
Putallaz Mizette, Martigny
Pysarevitch Michel, Martigny
Ramoni Raymond, Cossonay
Restaurant «Le Pont de Brent»,
   Gérard Rabaey, Brent
Restaurant «Sur-le-Scex»,
   Marie-France Gallay, Martigny-Croix
Rethoret Michel, Genève
Rhône-Color SA, Sion
Ribet André, Verbier
Ribordy Guido, Martigny
Riesco José, Martigny-Bourg
Rivier Françoise, Aïre
Roggli Helga et Georges, Brent
Romand Jean-Claude, Paris
Romerio Arnaldo, Verbier
Rosat Anne, Les Moulins
Rossati Ernesto, Verbier
Rossenwasser Andrei,
   Avry-sur-Matran/Fribourg
Rouiller Henri, Martigny
Rouiller Mathieu, Martigny
Rubimstein Daniel, Crans
Salina Henri, Bex
Salvi Serge, Gümligen
Saraillon Serge, Martigny
Savioz Gilbert, Veyras
Schenk Francis, Genève
Schildauer Ida, Weinheim, Allemagne
Schmidt Jürgen, Wiesbaden, Allemagne
Schroder & Co. Banque SA, Luc Denis,
   Genève
Schupbach Daniel, Yvorne
Société des Cafetiers de la Ville de Martigny
Société des Vieux-Stelliens Vaudois, Cully
SOS Surveillance, Glassey SA, Martigny
Sottas Bernard, Bulle
Spaethe Liliane et Dieter, Creux-de-Genthod
Stucky de Quay Jacqueline, Verbier
Suard André, Troistorrents

Tardy André-Pierre, Coinsins
Tarica, Paris
Taverne de la Tour, Martigny
Thétaz Anne-Marie et Pierre-Marie, Orsières
Thierry Solange, Paris
Tille Richard, Saint-Prex
Tissières Bernard, Martigny
Trèves François et Catherine, Paris
Trèves Martine, Coppet
Tripet-Ruchti Jacqueline, Hauterive
Varrin SA, plâtrerie-peinture, Prilly
Vêtement Monsieur, Martigny
Visentini Nato et Angelo, Martigny
Visual Cards International,
   Esteve Alexandre, Chamonix, France
Vocat Colette, Martigny
Von Ro, Daniel Cerdeira, Charrat
Von Tscharner Catharina, Gryon
Vouga Anne-Françoise, Morges
Vouillon Giselle, Belleville, France
Vouilloz Liliane et Raymond, Fully
Vouilloz Raymond et Liliane, Fully
Vuilloud Pierre-Maurice, Monthey
Wartmann Karl, Thônex
Wenger Fredy, Ecublens
Zuchuat Yvon et Raymond Gaston, Martigny
Zurcher Jean-Marie et Danièle, Martigny
Zwahlen & Mayr SA, charpente métallique,
   Aigle

Colonne de bronze à Fr. 250.–

Aboudaram Gilbert, Martigny
Abrifeu SA, Anne-Brigitte Balet Nicolas,
   Riddes
A. Varone SA, vitrerie, Martigny
ACS Voyages - Automobile Club Suisse,
   Sion
Aebi Jean-Marc, Savigny
Aebischer Jean-Pierre, Bienne
Aepli André, Dorénaz
Agid Michelle, Nice, France
Air-Glaciers SA, transports aériens, Sion
Akselrod Victor, Genève
Albertini Sylvette, Verbier
Alex Sports, Les Boutiques SA,
   Alex Barras, Crans-Montana
Alksnis Karlis, Genève
Allary Jacques et Marie-Claude,
   Saint-Priest, France
Allen Avril, Crésuz
Allisson Jean-Jacques, Yverdon-les-Bains
Alvarez de Miranda Hélène,
   Chêne-Bougeries

Alvarez-Rojo Gabriela, Coppet
Ambrosetti Molinari, Mme et M., Savone, Italie
Amherd Jean, Chambost-Longessaigne, France
Amrein Franz, Genève
Amy-Bossard Christiane, Zinal
Andenmatten Arthur, Genève
Andenmatten Michel, Sion
Andenmatten Roland, Martigny
Anonyme, Chamonix Mont-Blanc, France
Anonyme, Crassier
Anonyme, Genthod
Anonyme, Lausanne
Anonyme, Le Mont-sur-Lausanne
Anonyme, Sierre
Anonyme, Saint-Cergue
Anonyme, Versailles, France
Antinori Ilaria, Randogne
Antonioli Claude-A., Genève
Ardin-Scheibli Maria-Pia, Siviriez
Arlettaz Albert, Vouvry
Arlettaz Daniel, Martigny
Arlettaz Myriam, Donneloye
Arnaud Claude, Lausanne
Arnodin Martine et Antoine, Montrouge, France
Artiste peintre, Floride, St. Petersburg, et Suisse
Arts et Vie, résidence de loisirs, Samoens, France
Assal Patrick, Lausanne
Association des Résidents de la Vallée de Chamonix
Atelier Jeca, Catherine Vaucher-Cattin, Les Acacias
Atib ingénieurs conseils SA, Martigny
Aubailly André, Orléans, France
Aubry Jean-Michel, Chêne-Bougeries
Augsbourger Françoise, Vevey
Ausländer Alexandra, Lausanne
Auto-Electricité, Missiliez SA, Martigny
Avoyer Pierre-Alain, Martigny
Axima Romandie SA, Lausanne
Aykut Jeannette, Genève
Badoux Jean-René, Martigny
Baier Nelly, Sierre
Balmer Frieda, Zurich
Bamberger Béatrice, Neuchâtel
Banderet Georges, Martigny
Barbey Daniel, Genève
Baroffio Marceline et Pierre, Renens
Barth-Maus Martine, Genève
Bartholdi Paul et Irène, Nyon
Baruh Micheline, Cologny

Baseggio Olivier, Ollon
Basset Véronique, Aix-les-Bains, France
Batruch Christine, Veyrier
Baud Christophe, artiste peintre, Saint-Maurice
Baumgartner Pierre et Marguerite, Ostermundigen
Baumgartner Veronika, Ittigen
Baur François et Martine, Rillieux, France
Beck Jeannine, Morges
Bellan Jean-Claude, Crans-Montana
Belet Louis-Ph., Vendlincourt
Belgrand Jacques, Belmont
Bellicoso Michel Antonio, Martigny-Croix
Benczi Françoise, Zurich
Bender Laurent et Benoît, Martigny
Bender Yvon, Martigny
Beney Jean-Michel, Venthône
Berclaz Simone, Orsières
Berdat Françoise, Chamoson
Berg Peter Torsten, Grande-Bretagne
Berger Henri, Arboussols, France
Berguerand Anne, Martigny
Berguerand Marc, Nyon
Berlie Jacques, Miex
Bernard Nicole, Paris
Bernasconi Giancarlo, Agno
Bernasconi Sylvie, Troinex
Berne Jacques et Annick, Le Havre, France
Berthon Emile, Grilly, France
Berti Nicole, Villars-sur-Ollon
Bertrand Catherine, Genève
Berra-Légeret Françoise, Champéry
Berrut Jacques, Monthey
Bessac Danielle, Pringy, France
Besse Marie-Thérèse, Genève
Bessèche Alain, Echichens
Bessero Marianne, Martigny
Betschard Isabelle, Thônex
Bezençon Michel, Saillon
Bezinge Albert, Sion
Biaggi André, Crans
Bich Antoine, Nyon
Bideaux Alain, Foucherans, France
Bille Geneviève et René-Pierre, La Comballaz
Billion Denise et Jean-Francis, Lyon, France
Bircher Carole, Verbier
Birkigt Françoise, Vouzon, France
Bischof Louis et Jeannette, Muntelier
Black Findlay, Verbier
Blanc Jacky, Monthey
Blanc-Benon Jean, Lyon, France
Blaser André et Marie-Jeanne, Prangins

Blaser Heinz Paul, Sion
Bloch Raymond C. et Monique, Berne
Bloechliger-Gray Sally et Antoine, Jongny
Blum Jean et Tatiana, Gstaad
Boada José, Genthod
Boers Ettie, Borex
Boiseaux Christian, Annecy, France
Boissier Marie-Françoise, Verbier
Boissonnas Jacques et Sonia, Thônex
Bollin Dorothée, Martigny
Bollin Raymond, Martigny
Bolomey Marianne, Trimbach
Bonvin Antiquités, Nicolas Barras, Sion
Bonvin Louis, Crans-sur-Sierre
Bonvin Roger, Martigny
Bonvin Rosemary, Monthey
Bonvin Sébastien, Sion
Bonvin Venance, Lens
Bonzanigo Luca, Claro
Bordet Gaston, Besançon, France
Bosshart Pierre, Oberwil
Bottreau Jean-Claude, Sallanches, France
Bourcart Jean-Pierre, Ecublens
Bouchardy Maria, Meyrin
Boucheron Alain, Prangins
Bougard Alain J., Belmont-sur-Lausanne
Bourban Pierre-Olivier, Haute-Nendaz
Bourcart J.-P., Ecublens
Bourgeois Huguette, Genève
Bourges Pierre, Chamonix, France
Bovier Josiane, Clarens
Brabeck-Letmathe Carolina, Lausanne
Bretz Carlo et Roberta, Martigny
Brichard Jean-Michel, Bar-le-Duc, France
Bridel Frank, Blonay
Brochellaz Philippe, Martigny
Broekman - Van der Linden Queenie, Hilversum, Pays-Bas
Brossy Liliane et Claude, Echandens
Bruchez-Delaloye Georgette, Chamoson
Bruellan SA, Crans-Montana
Brun Francis, Saint-Etienne, France
Brun Jacques, Megève, France
Brünisholz Lynda, Vevey
Buchbinder Uta, La Tour-de-Peilz
Bucher Roland, Genève
Buchs Jean-Gérard, Haute-Nendaz
Buchser Pascal, Morges
Bugnard Valérie, Monthey
Buhl Marie-France, Cologny
Buholzer Marie-José, Genève
Bumann-Hoogendam Annemieke, Saas Fee
Burdet Michèle, Chesières
Bureau Technique Moret SA, Martigny

Buriat Jean-Louis, Paris
Burimmo SA, Lausanne
Burki Marcel, Lausanne
Burri-Dumrauf Irma et Pierre,
    Croix-de-Rozon
Burrus Yvane, Crans
Buser Niklaus et Michelle, Le Bry
Butler Angela, Genève
Café Bélem, Colette Roduit, Fully
Café-restaurant de Plan-Cerisier,
    Martigny-Croix
Cagneux Viviane et Michel, Commugny
Caillat Claude, Lausanne
Caille Suzanne, Prangins
Calandra Micheline et Pierre-Marie, Peseux
Calderari Alberto, Ecublens
Campanini Claude, La Chaux-de-Fonds
Campion Jean-Claude, Conthey
Campo Joseph, Martigny
Camporini Yolande, Bossey, France
Cand Jean-François, Yverdon-les-Bains
Candaux François, Grandson
Canonica Margrit, Saint-Prex
Cardana Cristiano, Verbania-Pallanza, Italie
Carenini Plinio, Bellinzone
Carron Anita, Martigny
Carron Josiane, Fully
Carron Annie et Michel, La Tsoumaz
Cartier Jacqueline, Genève
Casas Louis, Saint-Blaise
Casset Jacques, Domancy, France
Castella Pascal et Eliette,
    Saint-Pierre-de-Clages
Cavallero Yolande, Vandœuvres
Cavé Jacques, Martigny
CDM Hôtels et Restaurants SA, Lausanne
Ceffa-Payne Gilbert, Veyrier
Celio Teco, Crans-Montana
Cellier du Manoir, vinothèque, Martigny
Cerez Jean-Pierre et Gisèle, Chancy
Cert SA, Martigny
Chable Daniel et Laurence, Chexbres
Chalier Jean-Pierre, Genève
Chalvignac Philippe, Paris
Chandon-Moët Jean-Remy, Lausanne
Chapatte Francis, Grandvaux
Chapon Jean, Triors, France
Chappaz Claude, Martigny
Chappot SA, solutions informatiques,
    Martigny
Chappuis Nicole, Vessy
Charles Jean-Pierre, Baden
Chatillon Françoise, Laconnex
Chavan Bernadette et Jean-François, Pully
Chercher Samir, Lausanne

Cherpitel Nicole et Didier, Crans
Chevalley-Vouilloz Annette, Onex
Chevillard Christophe, Martigny
Chol Jacqueline, Lyon, France
Chouraqui Gérard, Blonay
Christe Madeleine, Genève
Cidel SA, Pierre-Gaston Girard, Lutry
Citroen Olga, Villars-sur-Ollon
Clair M.-Charlotte, Paris
Claustres Monique, Paris
Clerc Jean-Michel, Fully
Clivaz Fabienne, Genève
Clivaz Paul-Albert, Crans-Montana
Closuit Jean-Marie, Martigny
Closuit Léonard, Martigny
Closuit Marie-Thérèse, Martigny
Collège de Bagnes, Le Châble
Collin Robert, Les Rousses, France
Colomb Geneviève et Gérard, Bex
Comba Ina, Nyon
Combet Jean-Louis, Mulhouse, France
Commune de Bagnes, Le Châble
Commune de Martigny-Combe
Commune de Vouvry
Compagnies de Chemins de Fer,
    Martigny-Châtelard, Martigny-Orsières
Comte Philippe, Genève
Coppey Charles-Albert et Christian, Martigny
Copt Aloys, Martigny
Copt Marius-Pascal, Martigny
Corbat Ghity, Chêne-Bougeries
Cordonier Trudy, Crans-Montana
Corm Serge, Rolle
Cottier Denis et Antoinette, Morges
Couchepin François, Lausanne
Courcelle-Gruz Christiane, Saint-Cergues
Courtemanche Sabine, Lille, France
Cousin Bernard, Fleurier
Cowie Peter et Françoise, La Tour-de-Peilz
Cravino Luigi, Frassinello, Italie
Crettaz Arsène, Martigny
Crettaz Pierre-André, Riddes
Crettenand Dominique, Riddes
Crettenand Narcisse, Isérables
Crettenand Simon, Riddes
Crettex Bernard, Martigny
Cretton Bernard, Monthey
Crot Eric, Yverdon-les-Bains
Cuennet Marina, Pailly
Cunningham-Reid Helene, Lauenen
Cusani Josy, Martigny
Cuypers Marc, Martigny
Czartoryski Kristof, Verbier
Dallenbach Monique et Raynald, Chemin
Dallèves Anaïs, Salins

Damoiseau Philippe, Blonay
Dandelot Maurice, Aïre-Le Lignon
Dapples-Chable Françoise, Verbier
Darbellay Gilbert, Martigny
Darbellay Jean-Paul, Martigny
Darbellay Michel et Caty, Martigny
Darbellay Paule, Martigny
Darbellay Stéphane, Martigny
Darbellay Willy, Martigny
D'Arcis Yves, Pomy
D'Auriol Olivier, Pully
DCA S.à r.l., Martigny
Debrunner SA, Philippe Darbellay, Martigny
De Buman Jean-Luc et Marie-Danièle,
    Epalinges
Décaillet Charles, Troistorrents
De Clerck Christine, Crans-Montana
Defago Daniel, Veyras
De Haller Emmanuel B., Thalwil
De Kalbermatten Anne-Marie, Veytaux
De Kalbermatten Anne-Marie et Jean-Pierre,
    Sion
De Kalbermatten Isabelle, Salvan
Delacretaz Bernard, Lausanne
De Lavallaz Christiane, Sion
Délez Charly, Martigny
Délèze Marie-Marguerite, Vétroz
Della Torre Carla, Arzo
Deller Maurice, Mollie-Margot
Delli Zotti Marie-Louise, Lausanne
Delmi-Bagnoud Nadine, Vandœuvres
Delrvelle Jean-Claude, Verbier
Dely Isabelle et Olivier, Martigny
Denis Paulette, Genève
De Peyer Béatrice, Onex
De Preux Michèle, Jouxtens-Mézery
De Preux Thierry, Lutry
De Rambures Francis, Verbier
De Saint-Rapt Jean-Annet, Paris
De Selliers Claude, Bruxelles
Deruaz Anne, Cologny
Desbois Gérard, Saint-Louis, France
Desmond Corcoran, Londres
De Torrenté Bernard, Sion
Devaud Jacques, Les Agettes
Devaux Julien, Nyon
Devaux Marc, Sallanches, France
Derveloy Gérald, Martigny
De Witt Wijnen Otto, Bergambacht,
    Pays-Bas
Diacon Philippe, La Tour-de-Peilz
Didierjean Liliane, Genève
Diener-Carton Robert, Montreux
Diethelm Roger, Sion
Dietsch Jean-Eric, Paris

Dini Liliane, Savièse
Di Maggio Salvatore, Lausanne
Dirac Georges-Albert, Martigny
Djokitch Christine et Alexandre, Genève
Dolder Denise et Pierre, ancien président
    de l'OSR, Morgins
Dolmazon Jean, Samoens, France
Donette Levillayer Monique, Orléans, France
Dorsaz François, Martigny
Dorsaz Gérard, Martigny-Bourg
Dorsaz Michel, Martigny
Dorsaz Pierre, Verbier
Dougoud Maurice, Champéry
Dovat Viviane, Cointrin
Doy Jacques et Nella, Anières
Dreyfus Pierre et Patricia, Bâle
Driancourt Catherine, Hermance
Droz Marthe, Sion
Dubouchet Jacques, Vernier
Duclos Anne et Michel, Chambésy
Ducrey Jacques, Martigny
Ducrey Paul, Martigny
Ducry Alexandre et Ott Alexandra, Martigny
Ducry Danièle et Hubert, Martigny
Dupas Jean-Pierre, Lausanne
Duplirex, L'Espace Bureautique SA,
    Martigny
Durandin Marie-Gabrielle, Monthey
Duriaux André, Genève
Dutoit Bernard, Lausanne
Dutoit Michel, Romanel
Eberhard Michael et Gunda, Chamoson
Echaudemaison Max, Maisons-Alfort,
    France
Eckert Jean-François, Les Marécottes
Edmondson Ian, Champex-Lac
Egger Camille, Pully
Eggermann Geneviève, Genève
Ehrbar Ernest, Lausanne
Electricité d'Emosson SA, Martigny
Elettricità Cavalli SA, Verscio
Elfström Kristina, Verbier
Embiricos Marinah, Verbier
Emonet Joseph SA, commerce de fers,
    Martigny
Emonet Marie-Paule, Martigny
Emonet Philippe, Martigny
Entreprise Gay SA, Gérard Gay, Choëx
Erba Catherine et Rémy, Saignelégier
Etienne Régis, Dardilly, France
Evreinow Alexandra, Sion
Faessler Georges, Pully
Falciola Jean-Claude, Genève
Falkenburger Paul, Grimisuat
Fallou Pierre-Marie, Artenay, France

Famé Charles, Corseaux
Famille Thétaz vins S.à r.l., Fully
Fanchamps Nadine, Zermatt
Farine Françoise, Thônex
Fauquex Arlette, Genève
Faure Isabelle, Minusio
Favez Jérôme, Val-d'Illiez
Favre Marie-Thé et Henri, Auvernier
Favre Myriam, Genève
Favre Olivier, Lavey-Village
Favre Roland R., Stallikon
Favre-Crettaz Luciana, Riddes
Favre-Emonet Jean-Bernard et Michelle,
    Sion
Favre-Zaza Gilberte, Sarreyer
Febex SA, Paul Brunner, Bex
Feiereisen Josette, Bulle
Fellay Dominique, Genève
Fellay-Pellouchoud Michèle, Martigny
Fellay-Sports, Monique Fellay, Verbier
Feller Liliane, Martigny
Felley Marco, Martigny
Ferrari Annalisa, La Tzoumaz
Ferrari Olivier, Jongny
Ferrari Paolo, Brusino-Arsizio
Ferrari Pierre, Martigny
Fiduciaire Rhodanienne SA, Sion
Fillet Jean, pasteur, Thônex
Filliez Bernard, Martigny
Finasma SA, Bernard Verbaet, Cologny
Fischer Alain, Cortaillod
Fischer Hans-Jürgen, Alle
Fleisch Maria Pia, Pully
Fleming Roger, Genève
Flipo Jérôme, Tourcoing, France
Foire du Valais, Martigny
Fondazione Orchidea, Mauro Regazzoni,
    Riazzino
Forclaz Claude, Veyras
Fortini Christiane, Villars-sur-Ollon
Frachebourg Jean-Louis, Sion
Franc Claude, Martigny
Franc Robert, Martigny
Francey Mireille, Grandson
Francillon Roger, Lausanne
François Madelyne, Lyon, France
Franzetti Fabrice, Martigny
Franzetti Joseph, Martigny
Frass Antoine, Sion
Frehner & Fils SA, Martigny
Friedli Anne et Catherine Koeppel, Fully
Froidevaux Anne-Claude, Onex
Fulchiron Roland et Bernadette, Ecully,
    France
Fumex Bernard, Evian, France

Furrer Jean-François, Conches
Fusier Annette, Lons-le-Saunier, France
Fustinoni Andrea, Ecublens
Fux Christine et Marcel, Viège
Gagneux Eliane, Bâle
Gaillard Herrera Pérez María et Christophe,
    Martigny
Gaillard Philippe, Martigny
Galerie Mareterra Artes, Eeklo, Belgique
Galerie Patrick Cramer, Genève
Galerie du Rhône SA,
    Pierre-Alain Crettenand, Sion
Gallagher Robert, Appelle, France
Galland Christiane, Romainmôtier
Galletti Jacques et Yvette, Martigny
Galletti Mathilde, Monthey
Ganzoni Blandine et Philippe, Genève
Garage Auto Bob, Philippe Buthey,
    Martigny
Garage Check-point, Martigny
Garage de Verdan, Fully
Garage Olympic, A. Antille, Martigny
Garance Gabriel, Meyrin
Gardaz Jacques, Vevey
Gault John, Orsières
Gauthier Paul et Colette, Ecully, France
Gautier Colette, Ecully, France
Gautier Jacques, Genève
Gay-Balmaz Jean-Marie, Herzogenbuchsee
Gay-Crosier François, Verbier
Gebhard Charles, Küsnacht
Geiser Clinton E., Blonay
Geissbuhler Frédéric, Auvernier
Gemünd Danièle, Castelveccana/Varese,
    Italie
Genoud Antoine, Sion
Genton Etienne, Monthey
Georg Jean-William, Grandson
Georges André, Chêne-Bougeries
Gerber René, Bâle
Gertsch Jean-Claude, Neuchâtel
Ghaziri Blandine, Lausanne
Gianadda Gilberte, Martigny
Gianadda Laurent, Martigny
Giclo S.à r.l., peinture, Martigny
Gilliard Jeannine, Saint-Sulpice
Gilliéron Michel, Corcelles
Gillioz Elfrida, Sion
Gilson Jacqueline, Crans
Gips-Union SA, Martigny
Girod Dominique, Genève
Girod Erika et Charles, Zurich
Giroud Frédéric, Martigny
Giroud Pierre, Martigny
Gisler Monique, Préverenges

Glauser-Beaulien Pierre et Eudoxia, Neuchâtel
Glinne Pascale, Belmont-sur-Lausanne
Gloor Mario, Genève
Goeres Raymond, Kehlen, Luxembourg
Golay François, La Tour-de-Peilz
Golaz Edmond, Genève
Goldenbaum Frédérique, Boulogne, France
Gontard-Deluermoz Anne-Marie, Saint-Didier-au-Mont-d'Or, France
Gonvers Serge, Vétroz
Gorgemans André, Verbier
Gourber Christiane, Vétraz, France
Goury du Roslan Célian, Mies
Graf-Amsler Hermina et Alfred, Clarens
Grandguillaume Pierre et Cécile, Grandson
Grandjean Claude, Le Mont-sur-Lausanne
Granges Jean-Claude, Tea-room «Les Arcades», Fully
Grasso Carlo, peintre, Calizzano, Italie
Grecos Iraklis, Collombey
Gretillat Monique, Neuchâtel
Grimler Nancy, Chêne-Bourg
Grisoni Michel, Vevey
Gudefin Philippe, Verbier
Guelat Laurent, Fully
Guex Pascal, Martigny
Guex-Crosier Jean-Pierre, Martigny
Guigoz Françoise, Vex
Guillemin Pierre, Finhaut
Guinnard Fabienne, Lausanne
Gurtner Gisèle, Chamby
Haenggi Werner, Lens
Halle Maria, Givrins
Halperin Noemi, Genève
Hamilton-Small Christine, Genève
Hardy Gérard, Notre-Dame-de-Bellecombe, France
Hart-Albertini Karen, Verbier
Hasenkamp Int. Transporte GmbH, Köln-Frechen, Allemagne
Hatam Valborg, Chêne-Bougeries
Häusler Heribert, Klein-Winternheim, Allemagne
Heintz Bertha, Monthey
Held Roland, La Tour-de-Peilz
Henchoz Michel, Aïre
Henriot Danielle, Martigny
Henry Gabrielle, Lausanne
Hercules-Suard Françoise et Brian Leslie, Monthey
Héritier Régis, Savièse
Herrli-Bener Walter, Seewen
Hersart de la Villemarque Jean, Auxy, France

Hervé Jacques et Evelyne, Maurecourt, France
Hess Mode, Bulle
Hintermeister James, Lutry
Hirsch Robert, Lausanne
Hissette Marguerite, Sion
H. J., Verbier
Hobin Pascale, Troistorrents
Hoebreck Liliane et Jean-Paul, Genève
Hoffstetter Maurice, Blonay
Hoirie Edouard Vallet, Confignon
Holmes Inez, Ferney-Voltaire, France
Horisberger Eliane, La Chaux-de-Fonds
Hôtel du Rhône, Otto Kuonen, Martigny
Hôtel Eden, Patrick Barras, Crans-sur-Sierre
Hôtel Faucigny, Chamonix, France
Hôtel Masson, Anne-Marie Sévegrand, Veytaux-Montreux
Hôtel Mont-Rouge, Jean-Jacques Lathion, Haute-Nendaz
Hôtel «Le Catogne», Famille Favez, Orsières
Hottelier Denis, Martigny
Hottelier Jacqueline, Plan-les-Ouates
Huber André, Martigny
Huber Martine, Martigny
Hubin Colette, Lausanne
Hübscher Manuela, Chancy
Huet Marika, La Rippe
Hug Pierre, Uitikon
Hugenin Rose-Marie, Neuchâtel
Hugon Renée, Clarens
Hummel Charles, ancien ambassadeur, Saxon
Hunziker Ruth, Veyrier
Hurni Bettina S., Genève
Iller Rolf, Haute-Nendaz
Imhof Anton, La Tour-de-Peilz
Imhof Charlotte, Corcelles
Impresa di Pittura, Attilio Cossi, Ascona
Imprimerie Commerciale de Martigny SA
Imprimerie Schmid SA, Sion
Ingesco SA, Air Center, Vernier
Invernizzi Fausto, Quartino
Iori Ressorts SA, Charrat
Irisarri Marie-Elisabeth, Genève
Jaccard Francis, Martigny
Jaccard Jacqueline, Chêne-Bougeries
Jaccard Marc, Morges
Jackson Marie-Christine, Lausanne
Jacquemin Jean-Paul, Martigny
Jacquérioz Michel, Martigny
James Roundell, Londres
Jan Gloria, Lutry
Jaquenoud Christine, Bottmingen

Jaquet Albert, Clarens
Jarrett Stéphanie, Mont-sur-Rolle
Jawlensky Angelica, Minusio
Jayet Dominique, Sembrancher
Jeanneret Claude, Genève
Jenny Anne-Marie, Savigny
Jenny-Tabur Nadia, Gland
Jenoure Paulette et Peter, Oberwil
Jerger Ruth, Saint-Légier
John Claudette, Meillerie, France
Jöhr Martine, Thonex
Joliat Jérôme, Genève
Jolly Irma, Zurich
Joris Françoise, Champex
Jotterand Michèle, Vessy
Jouvenat François, Bex
Juda Henri, Dexi Banque privée SA, Lausanne
Judrin Claudie, Paris
Jules Rey SA, Crans
Junod Christian Claude, Lausanne
Juttin Alain, Lyon, France
Juvet Olivier et Maria, Louhans, France
Kaiser Peter et Erica, Saint-Légier
Kappeler Christianne, Les Bordes, France
Kapur Barbara et Akash, Ravoire
Karl Meyer SA, Le Mont-sur-Lausanne
Kaspar SA, Philippe Bender, Martigny
Kaufmann Peter G., Lausanne
Kegel Sabine, Genève
Kelagopian Jean-Michel, Meyrin
Keller Annette et Spencer Sandra, Nyon
Kellermann Theresa, Montreux
Kennedy-Long Jennifer, Sion
Kerstin Karbe, Petit-Lancy
Kiefer Henri, Vevey
Kilp Winfried et Angelika, Küsnacht
Kindler Philippe et Anne-Marie, La Conversion
Kirchhof Sylvia, Genève
Klaus Gabrielle, Epalinges
Kleiner Max, Staufen
Kohler Catherine et Robert, Yverdon-les-Bains
Krafft Pierre, Lutry
Krayenbühl Thomas, Jona
Krieger-Allemann Roger et Arlette, Saint-Légier
Krumwieh Dorothée, Genève
Kugler Alain et Michèle, Genève
Kung Alain, Cointrin
Kuonen Gérard, Martigny
Lacombe François, Chambéry
Lacroix Alain, Villars-sur-Ollon
Lacrouts Roger et Monica, Genève

Läderach-Weber Danielle, Saint-Maurice
La Griffe Ausoni SA, Lausanne, Montreux, Villars
Lak Willem et Caroline, Les Granges/Salvan
Lambelet Charles-Edouard, Glion
Lambert Joëlle, Saint-Vérand, France
Langenberger Christiane, conseillère aux Etats, Romanel-sur-Morges
Langraf Madeleine, Vevey
Lagrange Claudine, Bulle
Lanzoni Rinaldo, Genève
La Semeuse, Marc Bloch, La Chaux-de-Fonds
L'Atelier de Saillon, école de dessin et peinture, Saillon
Lathion Marie-Lucienne, Genève
Latour Claude, La Conversion
Lauber Joseph, Martigny
Laubhus AG, Rüfenach
Laumonier François, consul général de France, Genève
Lauper Anne, Aran-Villette
Lavelle Dominique et Edward, Troinex
Leclercq Xavier, Montreux
Le Déclic, Brigitte Morard, Martigny
Ledin Michel, Conches
Le Floch-Rohr Josette et Michel, Confignon
Lehner et Tonossi SA, aciers-quincaillerie-mazout, Sierre
Lejeune Marc, Crans
Lelong Gérard, Frazé, France
Lendi Beat, Prilly
Léonard Gary, Ravoire
Léonard Patrick, Etagnières
Leonardon Dominique, Zurich
Lepori Claudio, Bellinzone
Le Roux de Chanteloup Danièle et Jean-Jacques, Champéry
Leuthold Jean-Pierre, Lutry
Lévy Guy, Fribourg
Lewis-Einhorn Rose N., Begnins
Leyss Isabelle, Chêne-Bourg
Lieber Anne et Yves, Saint-Sulpice
Lilla Marcelle, Genève
Limacher Florence et Richard Stern, Eysins
Lindstrand Kai, Torgon
Linsig-Marti Elsa, Val-d'Illiez
Livio Jean-Jacques, Corcelles-le-Jorat
Locher-Frey Anna Vera, Muri bei Bern
Locht Jean-Louis, Veyras
Loewensberg Félix, Aigle
Lombardi Christiane, Minusio
Lonfat Juliane, Martigny
Lorenzetti-Ducotterd Marie-Antoinette, Locarno

Los Elisabeth, Aigle
Lubrano Annie, La Tour-de-Peilz
Lucchesi Fabienne, Neuchâtel
Lucchesi Serenella, Monaco
Lucchini Jean-Jacques, Vésenaz
Luce Fabrice, Galmiz
Lugon Bernard, Martigny
Lugon Moulin Elisabeth, Grimisuat
Luisier Adeline, Berne
Lurin Stéphane Andrée, Lyon, France
Lüscher Bernhard et Marianne, Winterthur
Lustenberger-Zumbühl Werner et Annelies, Littau
Lux Frédéric, Genève
Lux Frédéric, Genève
Luy Raphaël, Sion
M. F., Chamonix, France
M. F., Sion
M. M., Paris
Mabilon Frédérique, Genève
Machado Alvaro, Lausanne
Maetzler Anne-Marie, La Fouly
Maier Walter, Roche
Maillefer Michel, La Conversion
Maillon François, Lyon, France
Maini Maria Teresa, Plaisance, Italie
Malard Raoul et Brigitte, Martigny
Mamon Delia, Verbier
Marchand Yves-Olivier, Onex
Marchesi Roland, Vevey
Marcoz Nadia, New York
Maret Christian, Sion
Mariaux Richard, Martigny
Marin Bernard, Martigny
Martin André, Chambéry, France
Martin Isabelle, artisane, Apples
Martin Nicole, Paris
Martin Suzanne, Bottmingen
Martinez Michel, Grimisuat
Martinetti Raphy et Madeleine, Martigny
Marty Caroline, Thann, France
Massard Rita, Martigny
Masson André, Martigny
Massot Dominique, Genève
Mathieu Erich, Muraz
Matthey Brigitte et Pierre, Vésenaz
Maurer Willy et Jacqueline, Riehen
Maye Dominique Pascal, Genève
Mayor Christian, Monthey
Mayor Mathias, Genève
Medana Silvio, Bussigny
Méga SA, traitement de béton et sols sans joints, Martigny
Melly Blaise, Saint-Gall
Mendes de Leon Luis, Champéry

Menétrey-Henchoz Jacques et Christiane, Porsel
Menuz Bernard et Chantal, Châtelaine
Mercier Michèle, Vich
Méric Marie-Noëlle, Paris
Méric di Giusto Solange, Verpillières-sur-Ource, France
Merz Otto, pasteur, Uitikon
Mestdjian Marie Amahid, Genève
Metcalfe Richard, Crans-Montana
Métrailler Mario, Martigny
Métrailler Pierrot et Eléonore, Sion
Métrailler Sonia, Martigny
Métral Edgar, Sierre
Métral Raymond, Ravoire
Meunier Gérard, Achères-la-Forêt, France
Meyer Daniel, La Tour-de-Peilz
Meyer Urs, Founex
Miallier Raymond, Clermont-Ferrand, France
Miauton Pierre-Alex, Bassins
Michaud Dora et David, Yverdon-les-Bains
Michel Thierry, Grand-Saconnex
Michelet Freddy, Sion
Michellod Guy, Martigny
Michellod-Rossier Marie-Thérèse, Leytron
Microscan Service SA, Chavannes-près-Renens
Migliaccio Massimo, Martigny
Miglioli-Chenevard Magali, Pully
Miller Corina, Epalinges
Mittelheisser Marguerite, Illzach, France
Moillen Marcel, Martigny
Moillen Monique, Martigny
Mol Jan, Les Marécottes
Moline Josette, Chexbres
Mollard André, Cointrin
Mommeja Bernard, Genève
Monard Anne, Belmont
Monnard Christian et Gabrielle, Martigny-Croix
Monnet André, Sion
Monnet Bernard, Martigny
Monnier Anne-Lise, Gland
Monnier Gilbert, Neuchâtel
Monnin Louis et Lily, Carouge
Montfort Evelyne, Hauterive
Montoya Claire, Paris
Morand Mathilde, Genève
Morard Hubert, Lyon, France
Moreillon Marie-Rose, Genève
Moret Claude, Verbier
Moret Raymonde, Martigny
Moretti Anne, Pully
Morin Ruth, Lausanne

Morin-Stampfli Alain, Indre, France
Moritz André, Rosheim, France
Moser Jean-Pierre, Lutry
Mottet Brigitte, Lausanne
Mottiez Michel, Saint-Maurice
Mottier Raymond, Sion
Mouthon Anne-Marie, Marin-Epagnier
Mueller Marc Alain, Anet
Müller Christophe et Anne-Rose, Berne
Muri René, Herzogenbuchsee
Murith Renée, Fribourg
Nagovsky Tatiana, Genève
Nahon Philippe, Courbevoie, France
Nanchen Jacqueline, Sion
Nanchen Josiane, Martigny
Nanchen Véronique, Genève
Nançoz Roger et Marie-Jo, Sierre
Nicolazzi René, Genève
Nicolet Olivier, Martigny
Nicollerat Louis, Martigny
Noir Dominique, Monthey
Noordenbos-Huber Marianne, Eindhoven, Pays-Bas
Nordin Margarita, Crans-Montana
Nordmann Alain, Ozoire-la-Ferrière, France
Nosetti Orlando, Gudo
Novati Manuela, Peschiera Borromeo, Italie
Nuñes Eduardo et Isabel, Martigny
Oberson Catherine, Genève
Obrist Reto, Sierre
OCMI Société Fiduciaire SA, Genève
Oertli Barbara, Genève
Oetterli Anita, Lommiswil
Oliva Olivia, Lausanne
Olivero Claudine et Philippe, Rhône, France
Ollivier Marc, Seyssins, France
Olsburgh Nelly et John, Pully
Ott Pierre-Alain, Genève
Otten J. D., Waalre, Pays-Bas
Pabsch Elisabeth, Bonn, Allemagne
Paccolat Fabienne, Martigny
Paley Nicole et Olivier, Chexbres
Pallavicini Cornelia, Zurich
Panigas Magda, Hôtel-restaurant-pizzeria de la Douane, Martigny
Panizza Giovanni, San Michele, Italie
Papilloud Gaël, Créactif, Martigny
Papilloud Jean-Claude, Créactif, Martigny
Parchet Maria, Clarens
Pâris-Hamelin Annette, Boulogne, France
Parise Georges, Chambéry, France
Parmiggiani Rolando, Montreux/Veytaux
Pasquier André, Saxon
Passerini Jacques, Crans-Montana
Pauwels Jean-Pierre, Gent, Belgique

Pauzé Mariette, Sierre
Pefferkorn Jean-Paul et Michèle, Limoges, France
Pegurri Simone, Lausanne
Peillet Francis, Saint-Geniès-de-Comolas, France
Pellaud Charly, Restaurant «La Boveyre», Epinassey
Pellaud René, Martigny
Pellissier Jean-Claude, Martigny
Pellouchoud Janine, Martigny
Perez-Tibi Dora, Neuilly, France
Perraudin Maria, Martigny
Perréard Patrick, Genève
Perret Alain, Vercorin
Perrier Jean-Louis, Neuchâtel
Perrin Catherine, Montreux
Perrin Charly, Martigny
Perthuis Gwilherm, Amancy, France
Pesant Virginie, Conches
Petch Anna, Verbier
Peten Evelyne, Lauenen
Petersen Yvette, Saint-Maurice
Peterson Judith, Verbier
Petite Jacques et Marie-Françoise, Martigny
Petroff Michel et Claire, Grand-Saconnex
Pfefferlé Raphaële, Sion
Pfister-Curchod Madeleine et Richard, Pully
Phenix Assurances, Lausanne
Philippin Bernard et Chantal, Le Châtelard
Philippoz Jean, Leytron
Phillips Monique, Lausanne
Piatti Jean-Jacques, Sion
Picard-Billi Bianca, Chevreuse, France
Pignat Daniel, d'Alfred, Plan-Cerisier
Pignat Daniel et Sylviane, Martigny-Croix
Pignat David, Martigny
Pignat Marc, Martigny
Pigott Peter H., Anzère
Piguet-Cuendet Jean-François, Cully
Pijls Henri M., Salvan-Les Granges
Pilet Jean-Marie, historien d'art, Lausanne
Pilet Marcel, Lausanne
Pillet Françoise et Jacques, Martigny
Pillet Liline, Martigny
Pillonel André, Genève
Pillonel Bernard, Kuala Lumpur, Malaisie
Pilloud Adelaïde, Marchissy
Pimbi Lonero, Rome
Pintard Hélène, Ravoire
Pitteloud Anne-Lise, Sion
Pitteloud Janine, Sion
Pitteloud Paul-Romain, Les Agettes

Piubellini Gérard, Lausanne
Pivarski Georges et Liouba, Paris
Pizzolante Lara, Onex
Plaquevent Ludovic, Paris
Plenar Georges, Sallanches, France
Poinssot Marie-Cécile, Garches, France
Poirrier Yves, Saint-Cloud, France
Polli et Cie SA, Martigny
Pommery Philippe, Verbier
Pont René-Pierre, Granges
Portianucha Alex, Genève
Pourreau Josiane, Varces, France
Prahl Soren, Amsterdam, Pays-Bas
Praz Bernadette, Sion
Préperier Michel, Le Châble
Prothis SA, David Gajic, Sion
Puech-Hermès Nicolas Philippe, Orsières
Puhl Lore, Champex
Puippe Janine, Ostermundigen
P. Y. G., Genève
Quaglia Philippe, Barcelone, Espagne
Raboud Hugues, Genthod
Raboud Jean-Joseph, Köniz
Radvila Andreas, Mollens
Raggenbass-Couchepin René et Florence, Martigny
Ramel Daniel, Jouxtens
Ramseyer Jean-Pierre, Grimisuat
Rannaud Pierre, artiste peintre, Chatou, France
Rapin Jean-Jacques, Lausanne
Rappaz Pierre-Marie, Sion
Ratano Abraham, Mathod
Rattray Bernard et Noémie, Grimentz
Rausing Birgit, Tetra Pak
Rausis Maurice, Martigny
Raymond Jean et Anne-Marie, Chernex
Rebelle Vouilloz Fabienne, Martigny
Reber Guy et Edith, Collonge-Bellerive
Rebord Mario, Martigny
Rebord Philippe, Sullens
Rebstein Gioia et François, La Conversion
Redalié Tatiana, Genève
Régie Bersier & Cie, Philippe et Wiebke, Les Acacias
Regueiro Joaquin, Milladoiro, Espagne
Reicke Ingalisa, Bâle
Remy Michel, Bulle
Renck Yvette, Monthey
Renout Marie-Thérèse et Pierre, Murist
Rentchnick Pierre, Commugny
Restaurant «Le Catogne», Sylviane Favez, Orsières
Reuter Georges, Luxembourg
Reuver-Cohen Marc et Caroline, Crans

Rêve Lina, Genève
Revon Alain, Lumbin, France
Reymond Josée, Lucens
Reymond-Rivier Berthe, Jouxtens-Mézery
Ribail Isolde, Sion
Richard Hélène et Hubert, Paris
Richemont International SA,
    Villars-sur-Glâne
Ricklefs Dorthe, Crans-sur-Sierre
Rieder Systems SA, Lutry
Rigamonti-Musy Jacqueline, Monthey
Righini Charles et Robert, Martigny
Rinaldi Roselyne, Vouvry
Rissone Gatti Silvia, Viganello-Lugano
Ritrovato Angelo, Monthey
Ritter Ernest et Albina, Lausanne
Robinet André et Henry Daniel,
    Fontaine-lès-Dijon, France
Rochat Elisabeth et Marcel,
    Les Charbonnières
Roelants André, Lintgen, Luxembourg
Rodin Stratégies SA, Villars-sur-Ollon
Roduit Albert, Martigny
Roduit Bernard, Fully
Roduit Edwin et Michellod Léon, Martigny
Roduit Georges, Martigny
Rollason Michèle, Genthod
Romand-Monnier Bruno, Publier, France
Romero Jean-Paul, Lutry
Roncadi Patrizia, Carouge-Genève
Rondi-Schnydrig Marie-Thérèse, Pfäffikon
Roos Susy, Gerzensee
Rosa-Doudin Donatella, Strasbourg, France
Rossetti Etienne, La Tour-de-Peilz
Röttger Nadia et Fritz, Crans-Montana
Rouge Carole, Châtelaine
Rouiller Bernard, Praz-de-Fort
Rouiller Jean-Marie, Martigny
Roulin Charles, Genève
Roux Roland, Pully
Rovelli Paolo, Lugano
Ruchat René Armand Louis, Versoix
Rybicki Jean-Noël, luthier, Sion
Saint-Denis Marc, Vandœuvre-lès-Nancy,
    France
Salvan Paul et Franziska, Avully
Sametec SA, Jean-Michel Nanchen, Sion
Sarasian Jean-Marc, Enghien-les-Bains,
    France
Sarrasin Monique, Bovernier
Sarrasin Olivier, Saint-Maurice
Sarrasin Pascal, Martigny
Saudan Georges, Martigny
Saudan Pierre, Martigny
Saur Christoph, Heidenheim, Allemagne

Sauret Huguette, Tassin, France
Sauthier Edmond et Michèle, Martigny
Sauthier Marie-Claude, Riddes
Sauty Irène, Genève
Scerbanenko Albert, Veyrier-Genève
Schack Bo, Ferney-Voltaire, France
Scheidegger Aurore et Frédéric, Martigny
Schelker Markus, Oberwil
Schellenberg Marie-Claire, Sion
Schenk Claire-Lise, Martigny
Schenker Erna, Corsier
Scheurer Gérard, Aigle
Schiller Hans, Zurich
Schippers Jacob, Martigny
Schlup Hansrudolf et Juliette, Môtier
Schmid Bernard, Martigny
Schmid Jean-Louis, Martigny
Schmid Monique, Saconnex-d'Arve
Schmid Trudi, Langenthal
Schmidt Caroline, Genève
Schmidt Laurent, Martigny
Schmidt Pierre-Michel, Epalinges
Schmutz Aloys, Conthey
Schmutz Doris, Brione
Schneider Marianne, Genève
Schoeb Louise, Genève
Schoenlaub Julien, Anières
Scholer Urs, Corseaux
Schürenkämper Albert, Crans-Montana
Schulthess Maschinen SA,
    Lausanne et Chalais
Schwartz Jean-Pierre et Pascale,
    Sallanches, France
Schwieger Ian, Founex
Secretan Arnaud et Marie-Pierre, Paudex
Secretan Didier, Pully
Séris Geneviève et Jean-François,
    Ayze, France
Sermier Joseph-Marie, Vouvry
Sibilla Christiane, Crans
Sicosa SA, Jean-Jacques Chavannes,
    Lausanne
Sieber Hans-Peter, Mörigen
Siegenthaler Marie-Claude, Tavannes
Sidler Laetitia, Ruvigliana
Simonetta Anne-Lise, Ravoire
Simonin Josiane, Cernier
S. I. P. Sécurité SA, Vernayaz
Skarbek-Borowski Irene et Andrew, Verbier
Sleator Donald, Pully
Smith Marie-France et Hector, Montreux
Société d'Electricité, Martigny-Bourg
Sola Philippe, Martigny
Solot Liliane, Crans-sur-Sierre
Soulier Alain, Crans-sur-Sierre

Soulier Jacqueline, Vésenaz
Sousi Gérard, président d'Art et Droit,
    Lyon, France
Spinner Madelon, Rome
Stahli Georges, Collonge-Bellerive
Stähli Regula, Nidau
Stalder Mireille, Meyrin
Stassen Fabienne, Hermance
Steeg François, Crans-sur-Sierre
Stefanini Giuliana, Bernex
Stelling Nicolas, Estavayer-le-Lac
Stephan Pierre, Givisiez
Stettler Martine, Martigny
Sthioul Catherine, Les Diablerets
Storno François, Genève
Stricker Marie-Claude, Vevey
Strohhecker Pierre, Gland
Strub To et Irina, Thoune
Strübin Peter, Viège
Suchet Dominique et Emmanuel,
    Toussieux, France
Suter Ernest, Staufen
Suter Madeleine, Grand-Saconnex
Tabin Marie-Claire, Sierre
Tacchini Carlos, Savièse
Taillandier René, Paris
Taponier Jean, Paris
Tériade Alice, Paris
Tatti Brunella, Arzier
Tatti Pietro, Crans
Taverney Bernard, Epalinges
Thaulaz Gérald, Villeneuve
Theumann Jacques, Saint-Sulpice
Thiébaud Alain, Peseux
Thiebaud Fred, Verbier
Thomas Roger, Clarens
Thompson Gerry, Verbier
Thomson Ronald, Ravoire
Thonney Marlyse, Pully
Thullen Florence et Patrick, Dardagny
Thurau Roger, Venthône
Thüring Carole et Gontran, Paris
Tiemstra Johanna et Gabriel,
    Mayens-de-Riddes
Tissières André, Martigny
Tonascia Pompeo, Ascona
Tonon Corinne et Pelenc Dominique,
    Crest, France
Tonossi Michel, Sierre
Top Intérim, Joséphine Cambria, Martigny
Torosantucci Sandra, La Chaux-de-Fonds
Torrione Joseph, Sion
Toureille Béatrice et Jacques, Genève
Touw Danny, Brent
Touzet Dominique, Verbier

Trachsel Ernst et Liselotte,
Münchenbuchsee
Trento Longaretti, Bergame, Italie
Triebold Pierre, Martigny
Troillet Jacques, Martigny
Tschan Therese, Laufen
Tscholl Heinz-Peter, Innertkirchen
Türler A. W., Genève
Tyco Système SA, technique de sécurité,
Préveranges, France
Ucova, Sion
Udressy Ginette, Monthey
Unal Jacques, Champéry
Valchanvre S.à r.l., Saxon
Valloton Henri, Fully
Valorisations Foncières SA, Genève
Vandevoorde Jean-Pierre,
Haute-Savoie, France
Van Dun Peter, Les Marécottes
Vaney Claude, Crans-Montana
Van Schaik Cornelis Adriianus,
Haute-Nendaz
Van Schelle Charles, Haute-Nendaz
Varga Laurence, Paris
Varone Benjamin, Savièse
Vasserot Lucienne, Pully
Vaudan Anne-Brigitte, Bagnes
Vautravers Cosette et Edgar, Lausanne
Vegezzi Aleksandra, Genthod
Venetz Annie-Moria, Hérémence
Vernaz Nathalie, Monthey
Vetsch Boris, Borex
Viansone SA, R. + G. Dafflon
et J. Noverraz, Meyrin
Viard Burin Cathy-Silvia, Genève
Viatte Gérard et Janine, Verbier

Videsa SA, Sion
Vilchien Ingrid, Chêne-Bourg
Villeger Albine, Villard-de-Lans, France
Vion Josette, Thörishaus
Viotto-Sorenti M.-Cristina,
Courmayeur, Italie
Vittoz Monique et Eric, Cernier
Vogel Pierre et Liline, Saint-Légier
Voillat François, Eaunes, France
Voirol Denis, Val-d'Illiez
Voisard Marie-Thérèse, Moutier
Voland Jacques, Sierre
Vollenweider Ursula, Genolier
Von Allmen Elfie, Verbier
Von Arx Konrad-Michel, Moutier
Von der Weid Hélène, Villars-sur-Glâne
Von Moos Geneviève, Sion
Von Muralt F. Peter, Zurich
Von Orelli Jacques et Barbara,
Château-d'Œx
Vouilloz Claude, Saxon
Vouilloz Philippe, Martigny
Vuignier Claire et Jacques, Martigny
Vuillaume R. SA, Robert Vuillaume,
Genève-Châtelaine
Vuilleumier Denise, Genève
Wachsmuth Anne-Marie, Genève
Wadsworth Clare, Condom, France
Waegeli Gilbert et Pierrette, Meinier
Waldvogel Guy, Prangins
Walewski Alexandre, Verbier
Walewski-Colonna Marguerite, Verbier
Walker Catherine, Genthod
Walpen Francis, Chêne-Bougeries
Walz Elke et Gerhard, Epalinges
Wasem Marie-Carmen, Sion

Weil Eric et Susi, Crans-Montana
Wey Heidi, Monthey
Whitehead Malcom et Judith, Martigny
Widmer Karl, Killwangen
Winkelmann Ingrid, Dünsen, Allemagne
Wohlwend Chantal, Grand-Lancy
Wohnlich Edwin, Sion
Wurfbain Elisabeth, Haute-Nendaz
Wyer Gabrielle, Martigny
Wyssbrod Susann, Kehrsatz
Yuill Alison, Vevey
Zabot-Bagnoud Christiane, Vouvry
Zanetti-Minikus Guido, Füllinsdorf
Zanzi Luigi, Varese, Italie
Zbinden Yves et Corinne, Collonges
Zeender Martine, Genolier
Zehnder Margrit, Beat et David,
Hinterkappelen
Zehner Hugo, Sion
Zeller Jean-Pierre, Vernier
Zen Ruffinen Yves et Véronique,
Susten/Leuk
Zermatten Agnès, Sion
Ziegler-Suter Marianne, Küsnacht
Zschokke Construction SA, Martigny
Zuber Jean-Philippe, Clarens
Zufferey Marguerite, Sierre
Zumstein Monique, Aigle
Zumstein Véronique, Saint-Sulpice
Zünd Gaye, Chailly-Montreux
Zürcher Manfred, Hilterfingen
Zurlinden Brigitte Franziska,
Niederbipp
Zwingli Jürg, Grand-Saconnex
Zwingli Martin, Colombier

Table des matières
Contents

Edités et coédités par la Fondation Pierre Gianadda

Paul Klee, 1980, par André Kuenzi (épuisé)

Picasso, estampes 1904-1972, 1981, par André Kuenzi (épuisé)

Art japonais dans les collections suisses, 1982, par E. Kondo et J.-M. Gard (épuisé)

Goya dans les collections suisses, 1982, par Pierre Gassier (épuisé)

Manguin parmi les Fauves, 1983, par Pierre Gassier (épuisé)

La Fondation Pierre Gianadda, 1983, par C. de Ceballos et F. Wiblé

Ferdinand Hodler, élève de Ferdinand Sommer, 1983, par Jura Brüschweiler (épuisé)

Rodin, 1984, par Pierre Gassier

Bernard Cathelin, 1985, par Sylvio Acatos (épuisé)

Paul Klee, 1985, par André Kuenzi

Isabelle Tabin-Darbellay, 1985 (épuisé)

Gaston Chaissac, 1986 (épuisé)

Alberto Giacometti, 1986, par André Kuenzi

Alberto Giacometti, 1986, photos Marcel Imsand, texte Pierre Schneider (épuisé)

Egon Schiele, 1986, par Serge Sabarsky (épuisé)

Gustav Klimt, 1986, par Serge Sabarsky (épuisé)

Serge Poliakoff, 1987, par Dora Vallier (épuisé)

Toulouse-Lautrec, 1987, par Pierre Gassier

Paul Delvaux, 1987

Picasso linograveur, 1988, par Danièle Giraudy

Trésors du Musée de São Paulo, 1988:

    Ire partie: *de Raphaël à Corot*, par Ettore Camesasca

    IIe partie: *de Manet à Picasso*, par Ettore Camesasca

Le Musée de l'automobile de la Fondation Pierre Gianadda, 1988, par E. Schmid (épuisé)

Jules Bissier, 1989, par André Kuenzi

Hans Erni, Vie et mythologie, 1989

Henry Moore, 1989, par David Mitchinson

Le peintre et l'affiche, 1989, par Jean-Louis Capitaine (épuisé)

Louis Soutter, 1990, par André Kuenzi et Annette Ferrari (épuisé)

Fernando Botero, 1990

Modigliani, 1990, par Daniel Marchesseau

Camille Claudel, 1990, par Nicole Barbier

Calima, Colombie précolombienne, 1991, par Marie-Claude Morand (épuisé)

Chagall en Russie, 1991, par Christina Burrus

Sculpture suisse en plein air, 1991, par André Kuenzi, Annette Ferrari et Marcel Joray

Hodler, peintre de l'histoire suisse, 1991, par Jura Brüschweiler
Mizette Putallaz, 1991
Franco Franchi, 1991 (épuisé)
De Goya à Matisse, estampes du Fonds Jacques Doucet, 1992, par Pierre Gassier
Georges Braque, 1992, par Jean-Louis Prat
Ben Nicholson, 1992, par Jeremy Lewison
Georges Borgeaud, 1993
Jean Dubuffet, 1993, par Daniel Marchesseau
Edgar Degas, 1993, par Ronald Pickvance
Marie Laurencin, 1993, par Daniel Marchesseau
Albert Chavaz, 1994, par Marie-Claude Morand
Rodin, dessins et aquarelles, 1994, par Claudie Judrin
De Matisse à Picasso, Collection Jacques et Natasha Gelman, 1994
Egon Schiele, 1995, par Serge Sabarsky
Larionov-Gontcharova, 1995, par Jessica Boissel
Nicolas de Staël, 1995, par Jean-Louis Prat
Suzanne Valadon, 1996, par Daniel Marchesseau
Edouard Manet, 1996, par Ronald Pickvance
Michel Favre, 1996
Les Amusés de l'Automobile, 1996, par Pef
Raoul Dufy, 1997, par Didier Schulmann
Joan Miró, 1997, par Jean-Louis Prat
Icônes russes, Galerie nationale Tretiakov, Moscou, 1997, par Ekaterina L. Selezneva
Diego Rivera et Frida Kahlo, 1998, par Christina Burrus
Collection Louis et Evelyn Franck, 1998
Gauguin, 1998, par Ronald Pickvance
Hans Erni, rétrospective, 1998, par Andres Furger
Turner et les Alpes, 1999, par David Blayney Brown
Pierre Bonnard, 1999, par Jean-Louis Prat
Sam Szafran, 1999, par Jean Clair
Kandinsky et la Russie, 2000, par Lidia Romachkova
Bicentenaire du passage des Alpes par Bonaparte 1800-2000, par Frédéric Künzi
Vincent Van Gogh, 2000, par Ronald Pickvance
Icônes russes. Les saints. Galerie nationale Tretiakov, Moscou, 2000, par Lidia I. Iovleva
Picasso. Sous le soleil de Mithra, 2001, par Jean Clair
Marius Borgeaud, 2001, par Jacques Dominique Rouiller
Les coups de cœur de Léonard Gianadda, 2001 (CD Universal et Philips), vol. 1

Kees van Dongen, 2002, par Daniel Marchesseau

Léonard de Vinci – L'inventeur, 2002, par Otto Letze

Berthe Morisot, 2002, par Hugues Wilhelm et Sylvie Patry

Jean Lecoultre, 2002, par Michel Thévoz

De Picasso à Barceló. Les artistes espagnols, 2003, par María Antonia de Castro

Paul Signac, 2003, par Françoise Cachin et Marina Ferretti-Bocquillon

Les coups de cœur de Léonard Gianadda, 2003 (CD Universal et Philips), vol. 2

Albert Anker, 2003, par Therese Bhattacharya-Stettler

Le Musée de l'automobile de la Fondation Pierre Gianadda, 2004, par Ernest Schmid

Chefs-d'œuvre de la Phillips Collection, Washington, 2004, par Jay Gates

Trésors du monastère de Sainte-Catherine, mont Sinaï Egypte, 2004, par Helen C. Evans

Jean Fautrier, 2004, par Daniel Marchesseau

La Cour Chagall, 2004, par Daniel Marchesseau

Luigi le berger, 2004, de Marcel Imsand

Félix Vallotton. Les couchers de soleil, 2005, par Rudolf Koella

Musée Pouchkine, Moscou. La peinture française, 2005, par Irina Antonova

Henri Cartier-Bresson, Collection Sam, Lilette et Sébastien Szafran, 2005, par Daniel Marchesseau

Claudel et Rodin. La rencontre de deux destins, 2006, par A. Le Normand-Romain et Y. Lacasse

The Metropolitan Museum of Art, New York: Chefs-d'œuvre de la peinture européenne, 2006, par Katharine Baetjer

Le Pavillon Szafran, 2006, par Daniel Marchesseau

A paraître

Edouard Vallet, 2006, par Jacques Dominique Rouiller

Martigny-la-Romaine, 2006, par François Wiblé

Picasso et le cirque, 2007, par María Teresa Ocaña et Dominique Dupuis-Labbé

Marc Chagall, 2007, par Ekaterina L. Selezneva

Albert Chavaz, 100e anniversaire, 2007, par Jacques Dominique Rouiller

Balthus, 100e anniversaire, 2008, par Gérard Régnier et Dominique Radrizzani

Icônes russes, 2008, par Ekaterina L. Selezneva

Commissaire de l'exposition

Katharine Baetjer

Organisation de l'exposition

Katharine Baetjer
Léonard Gianadda
Gaëlle Olini

Catalogue

Katharine Baetjer

Traduction

François Boisivon

Editeur:	Fondation Pierre Gianadda, 1920 Martigny, Suisse Tél. +41 027 722 39 78 Fax +41 027 722 31 63 http://www.gianadda.ch e-mail: info@gianadda.ch
Maquette: Composition, photolitho et impression:	Nelly Hofmann, IRL Imprimeries Réunies Lausanne s.a., 2006 sur papier couché Satimat 150 gm²
Couverture:	Pierre-Auguste Renoir, ***Dans le pré*** (détail), 1888-1892, huile sur toile, cat. n° 47 *Pierre-Auguste Renoir,* **In the Meadow** *(detail), 1888–92, oil on canvas, cat. no. 47*